고등학교

언어와 매체 평가문제집

이삼형 교과서편

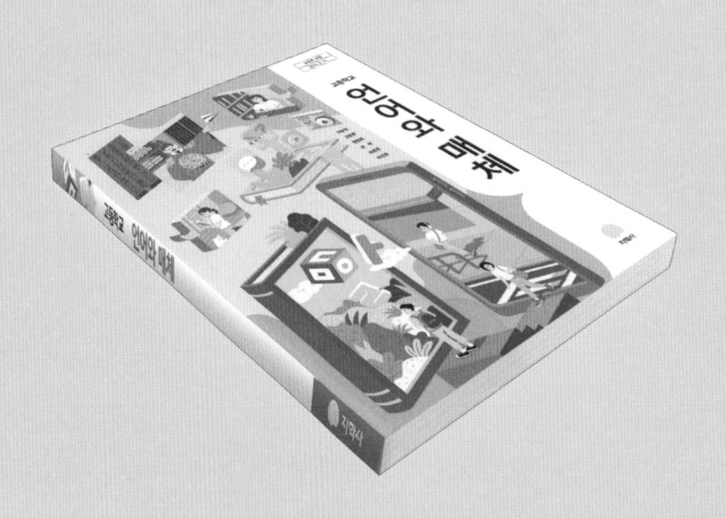

구성과 특징

대단원 도입

- 이 단원에서 배워야 할 학습 목표를 간략하게 제시하여 학습할 내용을 확인하게 하였습니다.

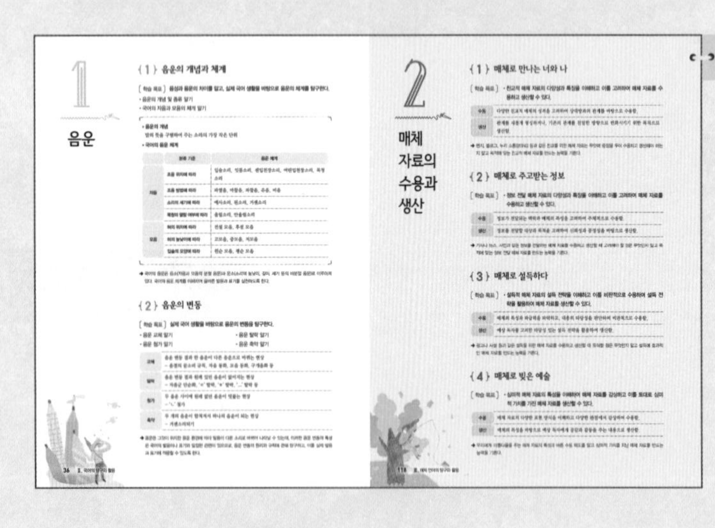

중단원 도입

- 중단원 바탕 학습을 통해 중단원에서 배워야할 핵심 내용을 압축적으로 제시하였습니다.

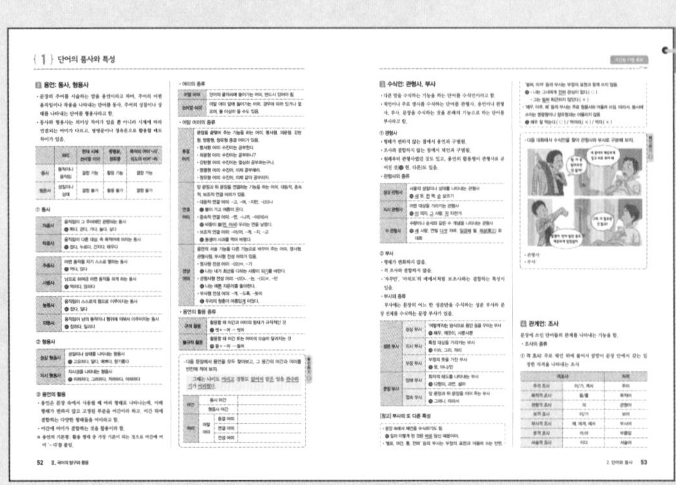

소단원 시험 족보

- 교과서 전 지문을 꼼꼼히 분석하여 시험에 꼭 나올 만한 문법과 매체의 핵심 개념을 일목요연하게 정리하였습니다.
- 확인하기를 통해 핵심 개념을 바로 적용해 볼 수 있게 하였습니다.

일등급을 향한 힘찬 걸음
내신 정복에서 수능 대비까지

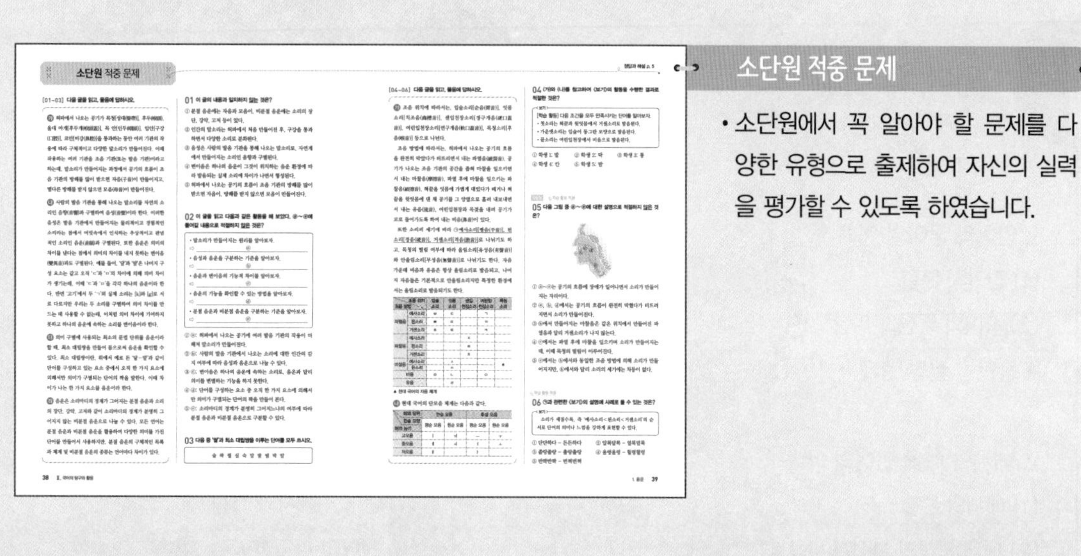

소단원 적중 문제

- 소단원에서 꼭 알아야 할 문제를 다양한 유형으로 출제하여 자신의 실력을 평가할 수 있도록 하였습니다.

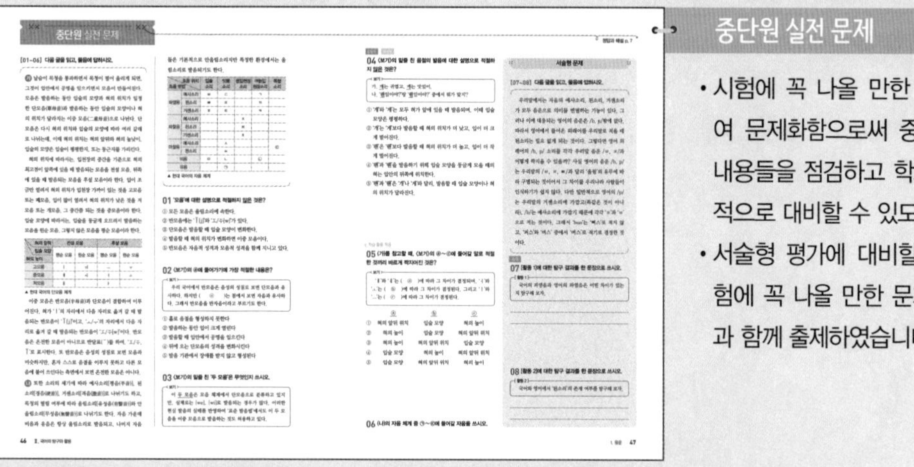

중단원 실전 문제

- 시험에 꼭 나올 만한 문제를 선별하여 문제화함으로써 중단원에서 배운 내용들을 점검하고 학교 내신에 효과적으로 대비할 수 있도록 하였습니다.
- 서술형 평가에 대비할 수 있도록 시험에 꼭 나올 만한 문제를 평가 기준과 함께 출제하였습니다.

1등급 완성 문제

I 언어, 매체, 삶

정답과 해설 p. 39

[01~04] 다음 글을 읽고, 물음에 답하시오.

(가) 언어는 지역이나 연령, 성별, 사회 집단 등에 따른 사회적 특성이 드러난다. 한국인이 사용하는 한국어라고 해서 모두 똑같은 것이 아니다. 예를 들어, '병아리'는 지역에 따라 [illegible] 등으로 불린다. 같은 [illegible] 지역에 따라 그 형태가 조금씩 다르다.

또 지역이 같더라도 연령, 성별, 사회 집단 등의 차이로 인해 같은 뜻을 지닌 언어가 형태를 달리하는 예도 있다. 이는 개인의 언어 속에 그가 속한 공동체의 특성이 담겨 있기 때문이다.

언어는 그 자체로 문화적 산물인 동시에 한 문화를 반영하는 거울이라고 할 수 있다. 언어는 그 사회의 문화를 나타내기 때문이다. 이처럼 어떤 언어든 그 언어를 사용하는 언어 공동체의 고유한 문화와 밀접하게 관련되어 있다. 예를 들어, '간장, 온돌, 부럼' 등의 단어를 외국인에게 알려 줄 때 한 단어로 간단하게 번역하기는 어렵고, 일일이 그 뜻을 풀어서 설명해야 한다. 이 단어들은 우리말에만 있고 다른 나라 말에는 없기 때문이다.

[A] 그런데 어떤 언어에는 있는 단어가 다른 언어에는 없는 현상은 단순히 특정한 단어가 있고 없는 문제가 아니라, 그 언어 공동체가 공유하고 있는 문화와 관련되어 있다. 즉, 다른 나라 언어에 '간장, 온돌, 부럼' 등을 가리키는 단어가 없는 이유는 그 언어 공동체에는 그러한 문화가 없기 때문이다.

(나) 자음과 모음을 가지고 있다든지, 단어가 모여서 문장이 된다든지, 주어와 서술어 같은 문장 성분이 있다든지 하는 것은 언어들의 공통적인 특성이라는 점에서 언어의 일반적 특성이라 할 수 있다. 국어도 언어의 일종이기 때문에 이와 같은 일반적 특성이 있다. 그러나 동시에 국어는 다른 언어와 구별되는 개별 언어이기 때문에 국어만의 고유한 특성도 가지고 있다. 국어의 특성은 음운, 어휘, 문장, 담화 등 다양한 측면에서 나타난다.

국어는 예사소리, 된소리, 거센소리가 대립되는 자음 체계를 가지고 있다. 이는 영어를 포함한 많은 언어들이 유성음과 무성음이 대립되는 자음 체계를 보이는 것과 구별되는 국어의 음운적 특성이다.

고유어와 외래어의 이분 체계를 가지는 여타 언어와 달리 우리말의 어휘 체계는 고유어, 한자어, 외래어의 삼분 체계를 가진다는 점과 의성어, 의태어와 같은 상징어가 풍부하게 발달하여 있는 점 등은 국어의 어휘적 특성이다. 또한 '노랗다, 노르스름하다, 샛노랗다' 등과 같은 색채와 관련된 표현들이 발달해 있고, 성별, 연령, 상하 관계 등에 따라 친족어와 호칭어들이 섬세하게 분화된 것도 어휘 면에서 주요한 특징 가운데 하나이다.

국어는 높임 표현이 발달한 언어이다. 담화가 이루어지는 상황에서 문장의 주체를 높이거나 말을 듣는 상대에 관해 일정한 문법 요소를 체계적으로 활용하여 높이거나 높이지 않는 문법적 특성을 보인다. 또 기본 어순이 '주어-목적어-서술어'로 이루어진다는 점에서 영어, 중국어 등과 같이 '주어-서술어-목적어'의 기본 어순을 가지는 언어들과 구분되는 문법적 특성을 보인다.

국어는 '주어-목적어-서술어'의 기본 어순을 따르되 담화 상황에 따라 ㉠어순을 비교적 자유롭게 바꿀 수 있고 주어나 목적어와 같은 ㉡필수적인 성분을 생략할 수 있는 특성이 있다. 또 말하는 이의 질문이 긍정 질문이나 부정 질문이냐에 따라 대답을 달리하는 점에서, 항상 일정하게 대답하는 영어와 구별되는 특성이 있는데, 이 또한 국어에서 나타나는 담화적 특성이다.

01 (가)와 (나)에 대한 설명으로 적절한 것은?

① (가)와 달리 (나)는 정보를 전달할 목적으로 서술하고 있다.
② (가)는 (나)와 달리 구체적 예를 제시함으로써 이해를 돕고 있다.
③ (가)와 (나) 모두 공동체 속에서 언어가 가지는 특성을 다루고 있다.
④ (가)와 (나) 모두 세계 속에서 국어가 차지하는 위상을 언급하고 있다.
⑤ (가)와 (나) 모두 음운, 어휘, 문법, 담화 수준에서 언어의 특성을 고찰하고 있다.

02 다음은 [A]를 뒷받침하기 위해 찾아본 자료들이다. 적절하지 않은 것은?

① 한국의 전통 음식인 '고추장', '누룽지', '식혜'
② '부추'를 가리키는 지역 방언인 '솔', '정구지', '주초'
③ 조선 시대 여성들의 생활 양식에서 유래한 호칭 '안사람'
④ 물때를 가리키는 제주도 해녀들의 말인 '조금', '사리', '웨기', '아끈웨기'
⑤ 농업 사회에서 비의 종류를 가리키는 '가랑비, 굵은비, 눈비, 목비, 여우비'

출제 예감

03 (가)를 읽은 후 <보기>에 대해 보일 반응으로 적절한 것은?

<보기>
[질문] 장인, 장모를 '아버님, 어머님'이라고 부르고 있습니다. 그런데 부모님께서 잘못된 호칭이라고 지적하십니다. 적절한 호칭어·지칭어는 무엇입니까요?
[답변] 아내의 부모를 부르거나 가리키는 말로 '아버님', '어머님'을 쓸 수 있는가 하는 것은 세대에 따라 대답이 다릅니다. 연세 드신 분들은 아내의 부모를 '장인어른', '장모님' 하고 부르고, 젊은 사람 가운데 많은 이들은 '아버님', '어머님'이라고 부릅니다. 연세 드신 분들 중에는 처부모를 '아버님', '어머님'이라고 부르는 것은 언어 현실이 어떠하든 인륜을 무시한, 있을 수 없는 일이라고 강경하게 반대하는 분들도 있습니다. 그에 반해서 여자가 시집을 가서 며느리가 되면 시부모를 '아버님', '어머님'이라고 부르는데 사위도 처부모를 '아버님', '어머님'이라고 못 부를 이유가 없다는 것이 요즘 젊은 세대에 널리 퍼진 생각이기도 합니다. 이렇게 전통과 새로움이 오늘의 현실 속에 공존하고 있고, '아버님', '어머님'이 친부모의 호칭어인 '아버지', '어머니'와는 다르므로 두 가지를 다 인정하여 '장인어른'과 '아버님', 그리고 '장모님'과 '어머님'을 표준 화법으로 정했습니다.

① 언어는 사회적 약속임과 동시에 역사성을 지닌다는 걸 보여 주는군.
② 국어가 다른 언어에 비해 높임 표현이 매우 발달하였음을 보여 주는군.
③ 언어 사용자가 속한 공동체의 특성에 따른 어휘의 차이를 보여 주는군.
④ 특정한 사회 집단에만 있는 문화와 어휘로 인해 의사소통이 되지 않는 현상이군.
⑤ 국어의 어휘 중에서 고유어와 한자어가 공존하면서 경쟁하고 있음을 보여 주는군.

04 (나)를 읽고 국어의 특성을 정리하고 예를 찾아보았다. 적절하지 않은 것은?

①	'예사소리-된소리-거센소리'의 대립 ● 불-뿔-풀
②	'고유어-한자어-외래어'의 삼분 체계 ● 구름-기운-빵
③	상징어와 색채어의 발달 ● 자료한 구슬빛 바탕에 / 살살이 퍼져 나린 곧은 선이 / 열두 폭 기인 치마가 사르르 물결을 친다
④	친족어와 호칭어의 발달 ● 엄마-어머니-어머님-모친
⑤	높임 표현의 발달 ● 지난 주말에 아버지께서 할머니께 전화를 드렸습니다.

출제 예감

05 다음은 'I love you.'를 국어로 바꾼 표현들이다. ㉠과 ㉡을 동시에 설명할 수 있는 것은?

① 나는 당신을 사랑합니다.
② 사랑해요, 당신을.
③ 그대를 사랑합니다.
④ 널 사랑해, 내가.
⑤ 당신을 사랑해.

서술형

06 <보기>를 활용하여 (나)에 국어의 특성 한 가지를 덧붙이려고 한다. 빈칸에 적절한 내용을 서술하시오.

<보기>
'차린 건 없지만 많이 드세요.', '아직 부족한 게 많아 부끄럽습니다.' 등에서 보듯 국어에는 ____________

- 중간고사와 기말고사에 나올 만한 문제를 엄선하여 내신뿐 아니라 수능도 완벽 대비할 수 있게 하였습니다.

이 책의 차례

언어, 매체, 삶

국어의 탐구와 활용

III 매체 언어의 탐구와 활용

IV 국어의 역사와 문화

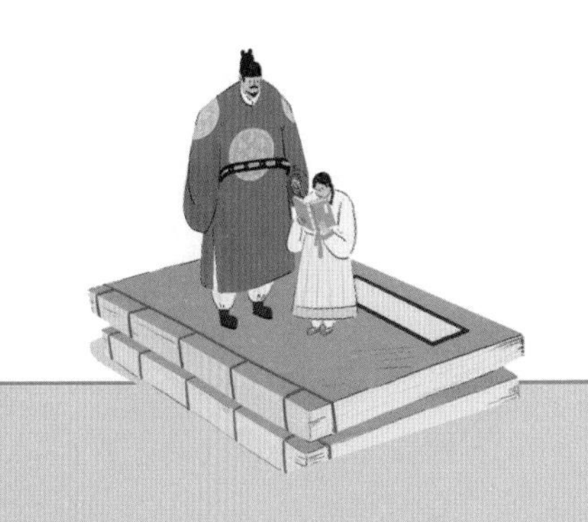

언어, 매체, 삶

» 대단원의 흐름

1 언어와 국어의 이해

(1) 언어의 본질

- 언어는 인간의 삶에서 어떤 기능을 하고 있을까?
- 의사소통 수단으로서 언어는 어떤 특성을 지니고 있을까?

(2) 국어의 특성과 위상

- 다른 언어와 비교할 때 국어가 지니는 특성은 무엇일까?
- 오늘날 국어는 세계어로서 어떤 위상을 지니고 있을까?

2 매체와 매체 언어의 이해

(1) 매체의 본질

- 매체란 무엇이고, 의사소통에 어떤 도움을 줄까?
- 매체에는 어떤 것들이 있고, 그 각각의 특성은 무엇일까?

(2) 매체 언어의 특성과 위상

- 매체 언어란 무엇이고, 음성 언어 · 문자 언어와 비교할 때 어떤 특성을 보일까?
- 현대 사회의 소통 측면에서 매체는 어떤 위상을 지닐까?

3 언어와 매체로 읽는 삶

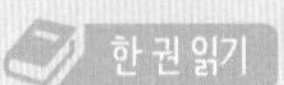

생각 열기

- 언어와 매체의 특성과 가치를 인식하고 다양한 독서가 필요함을 안다.

책 선정하고 읽기

- 매체 환경의 변화에 따른 다양한 독서 문화를 고려하여 읽을 책 한 권을 선정하여 읽는다.

책 읽으며 표현하기

- 다양한 매체를 참고하여 책을 읽고, 중요하거나 인상에 남는 내용, 느낌 등을 여러 방식으로 독서 일지에 기록한다.

생각 나누기

- 블로그나 누리집, 누리 소통망(SNS) 등을 통해 독서 체험을 공유하며 언어와 매체 문화의 발전에 참여한다.

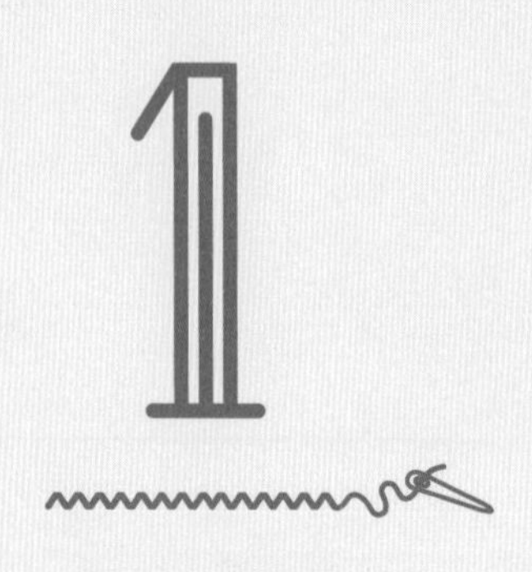

언어와 국어의 이해

{ 1 } 언어의 본질

[학습 목표] **인간의 삶과 관련하여 언어의 특성을 이해할 수 있다.**

- 언어와 인간의 관계 알기
- 언어의 기호적 · 구조적 특성 알기

- **언어와 인간**
  - 언어와 사고: 언어는 인간의 사고방식뿐 아니라 세계관에도 영향을 미침.
  - 언어와 사회: 인간은 언어를 통해 사회적 관계를 형성, 유지, 발전시킴.
  - 언어와 문화: 언어는 문화적 산물이며 언어 공동체의 문화를 반영함.
- **언어의 기호적 · 구조적 특성**
  - 기호적 특성: 자의성, 사회성, 역사성, 분절성, 추상성 등
  - 구조적 특성: 창조성, 체계성, 규칙성 등

➔ 언어는 인간의 사고, 사회, 문화 등 삶과 밀접한 관련을 갖고 있으므로 언어가 지닌 기호적, 구조적 특성을 이해하고 실제 언어생활에서 사례를 찾아 탐구해 보도록 한다.

{ 2 } 국어의 특성과 위상

[학습 목표] **개별 언어로서의 국어의 특성과 세계 속에서의 한국어의 위상을 이해할 수 있다.**

- 국어의 특성 알기
- 세계 속에서의 국어의 위상 알기

- **국어의 특성**

음운	• 예사소리, 된소리, 거센소리의 대립 체계
단어	• 한자어의 높은 비중 • 의성어, 의태어와 같은 상징어의 발달
문장	• 높임 표현의 발달 • '주어–목적어–서술어'의 기본 어순
담화	• 담화 상황에 따라 자유로운 어순의 변화 • 필수 성분의 생략이 용이함.

- **국어의 위상**
  - 7천여 개 현존 언어 중, 사용 인구 13위에 해당함.
  - 다양한 측면에서 한국의 위상이 높아지면서 한국어에 관한 세계적 관심과 필요성이 증대됨.
  - 한국의 문화를 친근하게 여기도록 한국어 교육을 지원하는 노력이 필요함.

➔ 언어의 일반적인 특성과 비교하여 개별 언어인 한국어는 고유한 특성을 가지고 있다. 이를 이해하고 세계 속에서 한국어가 차지하고 있는 위상을 확인함으로써 국어 사용의 바람직한 태도를 기를 수 있도록 한다.

{ 1 } 언어의 본질

소단원 시험 족보

1 언어와 인간

① **언어와 사고:** 인간은 언어를 도구로 생각하며, 언어 사용을 통해 사고력과 인지 능력이 발달함.

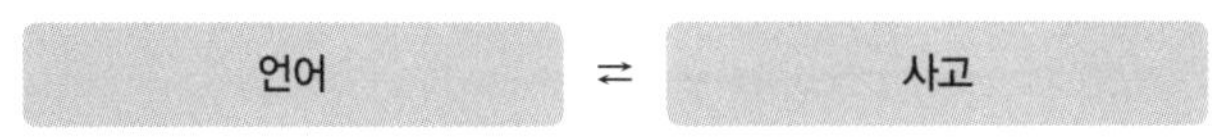

언어와 사고의 밀접한 관계를 보여 주는 사례
예 어린아이의 성장 과정
(언어 습득 → 지적 능력 발달 → 언어 능력의 수준 향상)

② **언어와 사회:** 언어는 사회 구성원 간의 의사소통의 수단이며 사회 공동체의 유지 · 발전 수단임.

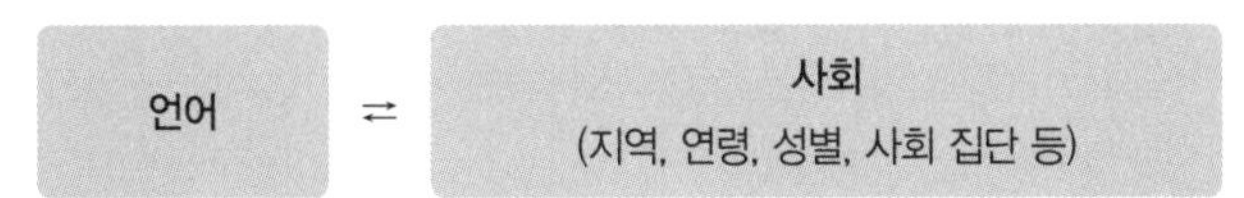

예 팽이: 패이(강원), 핑갱이(경북), 팽데기(경남), 도로기(제주도), 빵도리(전북), 팽구래미(충북), 세루(평안), 뽀애(함경)

③ **언어와 문화:** 언어는 문화적 산물이며 문화를 반영하는 거울로, 문화 전승과 축적의 기능을 함.

• 언어는 언어 공동체의 고유한 문화와 밀접하게 관련됨.

언어		문화
'간장, 온돌, 부럼'	⇦	우리 고유의 문화

• 언어는 언어 공동체의 고유한 문화와 밀접하게 관련됨.

'농사짓는 땅'에 관한 명칭	영어	'patch'(소규모), 'plantation'(대규모)으로 구분 → 크기를 중시함.
	우리말	'밭'('쌀'이 아닌 작물), '논'(쌀) → '작물' 특히 '쌀'을 중시함.

확인하기 1

• 다음의 문장들은 언어와, '사고, 사회, 문화' 중 무엇과의 관계에 각각 초점을 맞추고 있는지 생각해 보자.

㉠ 신문 기자들의 언어 사용 양상은 일반인과 다르다.
㉡ 논리적인 사고를 갖춘 사람의 언어는 논리적이다.
㉢ 호주 지역 원주민들에게는 모래의 명칭이 다양하게 발달해 있다.

2 언어의 기호적 · 구조적 특성

① 언어의 기호적 특성

• 자의성: 언어를 구성하는 내용(의미)과 형식(말소리) 사이에 필연적인 관계가 없음.
• 사회성: 의사소통을 위해 언어 공동체 내에 일정한 약속이 있어야 함.
• 역사성: 자의성으로 인해 시간이 흐름에 따라 언어 공동체의 약속인 언어가 달라지기도 함.
• 분절성: 언어는 말소리나 세계를 불연속적으로 끊어서 반영함.
  예 무지개의 색깔(→세계) → 연속성
  빨주노초파남보(→언어) → 분절성
• 추상성: 언어는 대상들 사이의 속성을 뽑아내는 과정, 즉 추상화를 통해서 형성됨.
  예 수많은 종류의 꽃들의 공통 속성(의미)
  ⇩ 추상화
  '꽃' (말소리)

② 언어의 구조적 특성

• 창조성: 인간은 제한된 수의 기호(언어)를 활용하여 무한한 표현을 생산해 냄.
• 체계성: 언어는 일정한 내적 체계를 이루고 있음.
  음운, 단어, 문장, 담화 등의 단위마다 일정한 체계가 있음.
• 규칙성: 언어의 단위들이 일정한 구조를 이루도록 하는 규칙이 적용됨.

⇨ 언어의 체계성을 토대로 규칙성이 구현되며, 이를 토대로 언어의 창조성이 이루어짐.

※언어의 단위들
• 음운: 의미를 구별하도록 하는 최소의 문법 단위
• 단어: 분리하여 자립적으로 쓸 수 있는 말
• 문장: 생각이나 감정을 말과 글로 표현할 때 완결된 내용을 나타내는 최소의 단위
• 담화: 문장 단위로 실현된 말(발화)이 모여서 이루어진 구조체

확인하기 2

• 다음의 예로 설명하기에 적합한 언어의 특성은?

① 얼굴에서 '이마, 뺨, 턱'을 보면 어디까지가 '이마'이고 어디까지가 '뺨'이며 '턱'인지 말하기가 어렵다.
② 한국어의 자음과 모음의 수는 제한되어 있지만 이를 활용하여 표현할 수 있는 의미는 무한하다.

확인하기 정답 | ❶ ㉠ 사회 ㉡ 사고 ㉢ 문화 / ❷ ① 분절성 ② 창조성

소단원 적중 문제

[01~04] 다음 글을 읽고, 물음에 답하시오.

(가) 인간은 언어가 없어도 사고(思考)를 할 수 있을까? 언어가 있어야 사고할 수 있는 것인지, 아니면 사고가 있어야 언어를 사용할 수 있는 것인지 분명하진 않지만, 언어와 사고가 밀접한 관계를 맺고 있는 것은 사실이다. 실제로 어린아이의 성장 과정을 관찰해 보면, 언어 능력과 지적 능력의 발달이 함께 이루어지는 것을 쉽게 알 수 있다. 언어를 습득하면서 지적 능력이 빠르게 발달하고, 그 영향으로 언어 능력의 수준도 높아지게 된다.

(나) 한 사회가 공동체로서 유지되고 발전하는 데 필요한 것 중 하나가 사회 구성원 간의 의사소통이다. 언어는 이러한 의사소통의 수단이다. 인간은 언어를 사용하여 사회적인 관계를 형성하고 유지하며 사회를 발전시킨다.

그래서 언어는 지역이나 연령, 성별, 사회 집단 등에 따른 사회적 특성이 드러난다. 한국인이 사용하는 한국어라고 해서 모두 똑같은 것이 아니다. 예를 들어, '팽이'는 지역에 따라 '패이(강원)', '핑갱이(경북)', '팽데기(경남)', '도로기(제주도)', '뺑도리(전북)', '팽구래미(충북)', '세루(평안)', '뽀애(함경)' 등으로 불린다. 같은 '팽이'임에도 지역에 따라 그 형태가 조금씩 다르다.

또 지역이 같더라도 연령, 성별, 사회 집단 등의 차이로 인해 같은 뜻을 지닌 언어가 형태를 달리하는 예도 있다. 이는 ㉠개인의 언어 속에 그가 속한 공동체의 특성이 담겨 있기 때문이다.

(다) 어떤 언어든 그 언어를 사용하는 언어 공동체의 고유한 문화와 밀접하게 관련되어 있다. 예를 들어, '간장, 온돌, 부럼' 등의 단어를 외국인에게 알려 줄 때 한 단어로 간단하게 번역하기는 어렵고, 일일이 그 뜻을 풀어서 설명해야 한다. 이 단어들은 우리말에만 있고 다른 나라 말에는 없기 때문이다. 그런데 어떤 언어에는 있는 단어가 다른 언어에는 없는 현상은 단순히 특정한 단어가 있고 없는 문제가 아니라, 그 언어 공동체가 공유하고 있는 문화와 관련되어 있다. 즉, 다른 나라 언어에 '간장, 온돌, 부럼' 등을 가리키는 단어가 없는 이유는 그 언어 공동체에는 그러한 문화가 없기 때문이다.

01 이 글의 내용과 일치하지 않는 것은?

① 언어는 공동체의 문화를 반영한다.
② 인간은 언어를 도구로 하여 생각한다.
③ 언어는 지적 능력 발달에 영향을 미친다.
④ 언어의 의미와 형태는 일대일로 대응한다.
⑤ 언어는 사회적 특성에 따라 형태가 다르다.

학습 활동 적용

02 다음의 빈칸에 들어갈 가장 알맞은 내용은?

> 한국인은 강아지는 '멍멍', 수탉은 '꼬끼오'라고 운다고 배웠고 실제로 그렇게 듣고 있다. 하지만 일본인은 강아지는 '완완', 수탉은 '꼬기꼬꼬'라고 운다고 배웠으며 실제로 그렇게 생각한다. 이를 통해 ______________ 것을 알 수 있다.

① 언어가 사람들의 사고를 지배한다는
② 언어가 사회 유지와 발전의 원동력이라는
③ 언어가 공동체의 문화적 특성을 결정한다는
④ 언어가 그 사회의 상황을 그대로 반영한다는
⑤ 언어가 발달할수록 논리적 사고가 가능해진다는

03 ㉠을 뒷받침할 예로 알맞지 않은 것은?

① 청소년들은 '갑분싸', '혼코노' 등의 줄임말을 은어로 많이 사용한다.
② 방송인이나 의료인들은 동종 직업 종사자임을 확인하는 은어를 많이 사용한다.
③ 여성은 남성에 비해 감정을 나타내는 부사나 감탄문을 두드러지게 많이 사용한다.
④ 제주도는 다른 지역과 멀리 떨어져 있고 고립되어 있어 독특한 언어적 특징들이 많다.
⑤ 무지개를 이루는 색깔들은 무수히 많으나 대부분의 사람들은 일곱 가지 색으로 이루어졌다고 여긴다.

서술형 학습 활동 적용

04 〈보기〉의 원인을 (다)를 참고하여 한 문장으로 서술하시오.

> 〈보기〉
> 영어 화자들이 'rice'라는 하나의 단어로 부르는 대상을 한국어 화자들은 '모, 벼, 쌀, 밥' 등 다양한 어휘로 표현한다.

[05~08] 다음 글을 읽고, 물음에 답하시오.

(가) 언어를 구성하는 내용과 형식, 곧 의미와 말소리 사이에는 필연적인 관계가 없는데, 이를 자의성이라 한다. 의미와 말소리의 관계가 자의적이긴 하지만 의사소통을 위해서는 언어 공동체 내에 일정한 약속이 있어야 하는데, 이를 사회성이라 한다. 그런데 근본적으로 언어는 자의성이 있으므로 시간이 흐름에 따라 이러한 약속이 달라지기도 하는데, 이를 역사성이라 한다. 언어의 기호적 특성 가운데 자의성, 사회성, 역사성은 서로 밀접하게 연관되어 있다.

(나) 언어는 기호이기 때문에 말소리를 있는 그대로 반영하지 않는다. 실제 말소리는 연속적인 음파로 나타나지만 우리는 그것을 자음, 모음과 같은 음소로 나누어 인식한다. 의미 면에서도 언어는 연속적으로 이루어져 있는 세계를 불연속적인 것으로 끊어서 반영한다. 예를 들어, 무지개의 색깔은 연속적이지만 우리말에서는 이를 일곱 가지 색깔로 끊어서 표현한다. 언어 기호의 이러한 특성을 분절성이라고 한다.

(다) 언어 기호의 수는 제한되어 있고 실제 세계에 존재하는 대상은 무한하기 때문에 언어는 대상들 사이의 공통된 속성을 뽑아서 말소리와 의미를 연결한다. 예를 들어, '꽃'이라는 말소리의 의미는 우리가 수많은 종류의 꽃들로부터 공통 속성만을 뽑아내는 과정, 즉 추상화를 통해서 형성된 것이다. 언어 기호의 이러한 특성을 추상성이라고 한다.

(라) 언어의 구조적 특성에는 창조성, 체계성, 규칙성 등이 있는데, 이 특성들 역시 서로 긴밀하게 연관되어 있다.
인간이 구별해서 사용할 수 있는 기호의 수는 제한되어 있지만 이를 활용하여 무한한 표현을 생산할 수 있다. 이를 창조성이라고 한다. 그리고 언어는 음운, 단어, 문장, 담화 등의 단위마다 일정한 내적 체계를 이루고 있는데, 이를 체계성이라 한다. 또한 이러한 단위들이 아무렇게나 연결되어서 더 큰 단위가 만들어지는 것이 아니라 일정한 구조를 이루도록 규칙이 적용되는데, 이를 규칙성이라 한다. 언어의 규칙성은 언어 단위들이 일정한 체계를 이루고 있는 체계성을 토대로 구현되는 것이며, 이러한 체계성과 규칙성을 토대로 할 때 유한한 기호로써 무한한 표현을 생산하고 해석하는 창조성이 이루어진다.

05 (가)~(다)에 가장 적절한 소제목은?

① 언어의 구조적 특성 ② 언어의 기능적 특성
③ 언어의 기호적 특성 ④ 언어의 사회적 특성
⑤ 언어의 의미적 특성

학습 활동 적용

06 〈보기〉에 대한 설명으로 가장 적절한 것은?

〈보기〉

한국어: 사과 [sagwa]
영어: apple [æpl]
중국어: 苹果 [píngguǒ]

① 언어의 의미와 말소리 사이에는 필연적인 관계가 없군.
② 제한된 수의 기호로도 무한한 표현을 만들어 낼 수 있군.
③ 대상들 사이의 공통된 속성을 뽑아 말소리와 의미를 연결했군.
④ 시간이 흐름에 따라 말소리와 의미 사이의 약속이 달라질 수 있군.
⑤ 음운, 단어, 문장, 담화 등 각각의 언어 단위들이 일정한 내적 체계를 이루고 있군.

07 〈보기〉의 내용으로 설명하기에 적절한 언어의 특징은?

〈보기〉

인간은 발화에 앞서 그 내용을 미리 배우거나 암기하지 않고도 자신이 직면하는 새로운 상황에 걸맞은 언어 표현을 언제 어디서나 할 수 있다. 또한 실제 언어 사용에 있어서 항상 동일한 문장을 발화하는 것이 아니라 동일한 사람일지라도 문맥 상황에 따라 다양한 발화를 하게 된다.

① 언어의 규칙성 ② 언어의 분절성
③ 언어의 창조성 ④ 언어의 체계성
⑤ 언어의 추상성

서술형 학습 활동 적용

08 어떤 동물의 울음소리를 흉내 낸 말이 언어마다 다름을 통해 알 수 있는 언어의 의미와 말소리의 관계를 서술하시오.

{ 2 } 국어의 특성과 위상

소단원 시험 족보

1 국어의 특성

국어는 언어의 일반적 특성과 함께 다른 언어와 구별되는 고유한 특성들을 지님.

① 음운적 특성

국어의 자음 체계	↔	인구어(印歐語)의 자음 체계
예사소리, 된소리, 거센소리의 대립 예 [ㄱ]-[ㄲ]-[ㅋ]		유성음과 무성음의 대립 예 [g]-[k]

② 어휘적 특성

㉠ 삼분된 어휘 체계 :

고유어, 한자어, 외래어로 구성

※ 한자어도 외래어의 일종으로 볼 수 있으나 다른 외래어들과 구별되는 특성이 있어 별도로 분류함.

㉡ 풍부한 상징어

의성어, 의태어 등의 발달

예 멍멍, 꼬끼오, 그렁그렁, 뚝뚝, 깡충깡충, 껑충껑충

㉢ 색채와 관련된 표현의 발달

예 노랗다, 노르스름하다, 샛노랗다

㉣ 친족어와 호칭어의 분화

성별, 연령, 상하 관계 등에 따른 섬세한 분화

예 영어 'aunt'–한국어에서는 '큰어머니', '작은어머니', '이모', '고모', '아줌마' 등으로 다양하게 표현됨.

확인하기 1

• 다음의 밑줄 친 표현들을 통해 알 수 있는 한국어의 어휘적 특성을 영어와 비교하여 써 보자.

– 우리 누나는 고등학생이야.
– 누님 건강은 어떠십니까?
– 나에겐 어린 누이가 하나 있다.
– 우리 언니는 운동을 정말 잘 해.

③ 문법적 특성

㉠ 높임 표현의 발달

일정한 문법 요소를 체계적으로 활용하여 높이거나 높이지 않는 특성을 지님.

[참고 자료] 한국어의 높임법

- 주체 높임법: 서술어의 주체를 높임.
- 간접 높임법: 주체 높임법에서 주체와 관련된 대상이나 사물을 높임으로써 주체를 높이는 것
- 상대 높임법: 화자가 청자에 대해 높이거나 낮추어 말함.
- 객체 높임법: 목적어나 부사어가 지시하는 대상, 즉 서술어의 객체나 대상을 높임.

㉡ '주어–목적어–서술어'의 기본 어순

※ 영어나 중국어의 어순: '주어–서술어–목적어'

④ 담화적 특성

㉠ 비교적 자유로운 어순

예 "너 이거 먹을래?" → "이거 너 먹을래?"

㉡ 문장 성분의 생략

예 "너 이거 먹을래?" → "먹을래?"

㉢ 긍정 의문문과 부정 의문문에 대한 대답의 차이

항상 일정하게 대답하는 영어와 구별됨.

예 "이거 먹을래?" – "아니, 안 먹을래."

"이거 안 먹을래?"(부정) – "응(긍정), 안 먹을래(부정)." (="No(부정), I won't(부정).")

확인하기 2

• 한국어의 높임 표현은 크게 다음의 세 가지 유형으로 나눌 수 있다. 이러한 분류의 기준이 무엇인지 설명해 보자.

– 주체 높임법
– 상대 높임법
– 객체 높임법

2 세계 속의 한국어

① 사용자 수 13위의 언어, 한국어

- 전 세계 현존 7천여 개 언어 중, 한국어는 사용자 수에서 13위에 해당함.
- 중국어(약 13억)>스페인어>영어>아랍어>힌디어(1억 명 이상)

② 국가의 위상과 함께 높아지는 한국어의 위상

경제적인 규모를 비롯한 다양한 측면에서 한국의 위상이 높아짐.

↓

한국어에 대한 세계의 관심과 필요가 커지면서 한국어 교육 지원의 필요성이 커짐.

↓

세종학당 개설(2017년 기준 전 세계 170여 개 이상)

한국어 교육을 중심으로 중요한 외교적 역할 수행

확인하기 정답

❶ 영어에서 'sister' 하나로 표현할 수 있는 대상에 대해 한국어에서는 말하는 이의 성별, 대상의 연령, 말하는 이와의 상하 관계에 따라 섬세하게 표현할 수 있도록 호칭어가 분화되어 있다. / ❷ 높임의 대상이 분류의 기준이 된다. 주체 높임법은 서술어의 주체, 상대 높임법은 청자, 객체 높임법은 서술어의 객체를 높인다.

소단원 적중 문제

[01~04] 다음 글을 읽고, 물음에 답하시오.

(가) 자음과 모음을 가지고 있다든지, 단어가 모여서 문장이 된다든지, 주어와 서술어 같은 문장 성분이 있다든지 하는 것은 언어들의 공통적인 특성이라는 점에서 언어의 일반적 특성이라 할 수 있다. 국어도 언어의 일종이기 때문에 이와 같은 일반적 특성이 있다. 그러나 동시에 국어는 다른 언어와 구별되는 개별 언어이기 때문에 ㉠국어만의 고유한 특성도 가지고 있다. 국어의 특성은 음운, 어휘, 문장, 담화 등 다양한 측면에서 나타난다.

국어는 예사소리, 된소리, 거센소리가 대립되는 자음 체계를 가지고 있다. 이는 영어를 포함한 많은 인구어들이 유성음과 무성음이 대립되는 자음 체계를 보이는 것과 구별되는 국어의 음운적 특성이다.

(나) 고유어와 외래어의 이분 체계를 가지는 여타 언어와 달리 우리말의 어휘 체계는 고유어, 한자어, 외래어의 ㉡삼분 체계를 가진다는 점과 의성어, 의태어와 같은 상징어가 풍부하게 발달하여 있는 점 등은 국어의 어휘적 특성이다. 또한 '노랗다, 노르스름하다, 샛노랗다' 등과 같은 색채와 관련된 표현들이 발달해 있고, 성별, 연령, 상하 관계 등에 따라 친족어와 호칭어들이 섬세하게 분화된 것도 어휘 면에서 주요한 특징 가운데 하나이다.

(다) 국어는 높임 표현이 발달한 언어이다. 담화가 이루어지는 상황에서 문장의 주체를 높이거나 말을 듣는 상대에 관해 일정한 문법 요소를 체계적으로 활용하여 높이거나 높이지 않는 문법적 특성을 보인다. 또 기본 어순이 '주어-목적어-서술어'로 이루어진다는 점에서 영어, 중국어 등과 같이 '주어-서술어-목적어'의 기본 어순을 가지는 언어들과 구분되는 문법적 특징을 보인다.

(라) 국어는 '주어-목적어-서술어'의 기본 어순을 따르되 담화 상황에 따라 어순을 비교적 자유롭게 바꿀 수 있고 주어나 목적어와 같은 필수적인 성분을 생략할 수 있는 특성이 있다. 또 말하는 이의 질문이 긍정 질문이냐 부정 질문이냐에 따라 대답을 달리하는 점에서, 항상 일정하게 대답하는 영어와 구별되는 특성이 있는데, 이 또한 국어에서 나타나는 담화적 특성이다.

01 ㉠에 해당하는 것은?

① 문장의 필수적인 성분 생략이 어렵다.
② 어휘는 외래어와 고유어로 이분되어 있다.
③ 색채어나 친족어가 풍부하게 발달해 있다.
④ 음운, 단어, 문장, 담화에 각각의 체계가 있다.
⑤ '주어-서술어-목적어'가 문장의 기본 어순이다.

02 ㉡을 바탕으로 다음의 단어들을 바르게 분류한 것은?

가정 눈높이 아파트 역사 오솔길 인터넷

① 가정, 아파트 / 눈높이, 오솔길 / 역사, 인터넷
② 가정, 역사 / 아파트, 오솔길 / 눈높이, 인터넷
③ 눈높이, 가정 / 아파트, 역사 / 오솔길, 인터넷
④ 눈높이, 오솔길 / 가정, 역사 / 아파트, 인터넷
⑤ 아파트, 역사 / 가정, 눈높이 / 오솔길, 인터넷

학습 활동 적용

03 이 글을 바탕으로 다음의 문장을 이해한 내용이 적절하지 않은 것은?

그대를 사랑합니다.

① 필수적인 성분을 생략하였다.
② 말을 듣는 상대를 높이고 있다.
③ 단어가 모여서 문장을 이루었다.
④ 상황에 따라 기본 어순을 바꾸었다.
⑤ 목적어가 서술어의 앞에 위치하였다.

서술형

04 영어를 쓰는 외국인이 다음의 두 단어를 구별하기 어렵다면 그 이유가 무엇일지 이 글을 바탕으로 서술하시오.

불 / 뿔

소단원 적중 문제

[05~08] 다음 글을 읽고, 물음에 답하시오.

가 국제하계언어학연구소가 운영하는 누리집의 자료에 따르면 전 세계에 현존하는 언어의 수는 대략 7천여 개에 달한다. 이 가운데 가장 많이 사용되는 언어는 약 13억의 사용 인구를 가진 중국어이다. 그 뒤로는 스페인어, 영어, 아랍어, 힌디어 등의 순서인데, 이 언어들 모두 1억 명 이상이 사용하고 있는 언어이다. 2018년 기준으로 한국어는 사용자 수에서 13위에 해당하는 것으로 발표되었다. 이는 7천여 개에 달하는 언어의 수를 고려할 때 그 위상이 자못 높다고 할 수 있다.

세계 속에서 한국은 경제적인 규모를 비롯한 다양한 측면에서 그 위상이 높아지고 있으며, 한국어에 대한 세계의 관심과 필요도 커져 한국어의 위상 또한 높아지고 있다. 이에 따라 세계 곳곳에서 한국어 교육을 지원하는 세종학당의 수도 점차 늘어나, 2019년 6월 기준 총 60개국에 179개소의 세종학당이 개설되어 있다. 세종학당은 재외 교포와 외국인들에게 한국어를 가르칠 뿐만 아니라 그들이 한국의 문화를 좀 더 친근하게 여길 수 있도록 기여한다는 점에서 중요한 외교적 역할을 수행하고 있다.

나 1997년에 나온 『케임브리지 언어 백과사전』에 보면 한국어가 13위로 올라 있습니다. 1992년의 통계에 근거하여 우리말의 사용자 수를 6,600만 명으로 잡아 순위를 매긴 결과입니다. 그런데 2000년에 간행된 『사라지는 언어들』에는 1996년도의 한 통계에 따라 한국어를 12위에 올려놓았습니다. 사용자 수를 7,500만 명으로 잡은 결과입니다. [중략] 그래서 저는 기회 있을 때마다 "우리는 언어 대국"이라고 외치곤 하였습니다.

수년 전 기이하게도 우리 ㉠<u>한국어가 앞으로 100년 안에 이 지구상에서 사라질지도 모른다는 이야기</u>를 놓고 설왕설래 소란을 피웠던 일이 있습니다. 얘기인즉슨 앞으로 100년 안에 이 지구상에는 10개 언어만 살아남는단다, 그러니 한국어는 멸종될 게 아니냐 하는 것이었습니다. [중략] 6천여 개의 언어라 하지만 대부분의 언어는 매우 영세하지요. 사용자가 1만 명도 안 되는 언어가 50%를 넘으니까요. 사용자가 100만 명 이상인 언어도 고작 283개뿐입니다. 많은 언어가 얼마나 영세한 상태인가를 알면 사실 놀라운 수준이지요.

– 이익섭, 『우리말 산책』에서

05 (가)의 제목으로 가장 적절한 것은?

① 세계 속의 한국어
② 한국의 경제적 위상
③ 한국어 교육의 문제점
④ 세종학당의 발전 가능성
⑤ 세계 언어의 수와 사용 인구

학습 활동 적용

06 (가)와 (나)에 대한 설명으로 적절하지 <u>않은</u> 것은?

① (가)와 (나) 모두 객관적인 통계 자료를 활용하고 있다.
② (가)와 (나) 모두 한국어의 특별한 지위를 언급하고 있다.
③ (가)와 달리 (나)는 한국어의 멸종 위기설을 언급하고 있다.
④ (가)는 (나)와 달리 한국어의 외교적 역할을 강조하고 있다.
⑤ (가)는 (나)와 달리 사용자의 수를 기준으로 언어의 순위를 정하였다.

서술형

07 ㉠에 대해 글쓴이가 반박의 근거로 내세운 것을 요약하여 한 문장으로 서술하시오.

수능형

08 (가)의 글쓴이가 ㉠에 대해 반박하려고 할 때, 근거로 내세우기에 적절한 것들을 다음에서 골라 바르게 짝지은 것은?

ⓐ 한국의 경제 규모가 커질수록 한국어의 수요도 커질 것이다.
ⓑ 한국어는 단기간에 학습하기에 좋은 문자를 갖춘 언어이다.
ⓒ 한국 문화에 대한 관심이 커져 가면서 한국어를 배우려는 외국인이 늘어나고 있다.
ⓓ 세종학당을 통해 한국어를 체계적으로 배울 수 있도록 한국어 교육을 지원하고 있다.
ⓔ 사용자가 100만 명을 넘는 언어는 300개가 채 되지 않는다.

① ⓐ, ⓑ, ⓔ
② ⓐ, ⓒ, ⓓ
③ ⓐ, ⓒ, ⓔ
④ ⓑ, ⓒ, ⓓ
⑤ ⓑ, ⓓ, ⓔ

중단원 실전 문제

정답과 해설 p. 3

[01~03] 다음 글을 읽고, 물음에 답하시오.

가 언어가 있어야 사고할 수 있는 것인지, 아니면 사고가 있어야 언어를 사용할 수 있는 것인지 분명하진 않지만, 언어와 사고가 밀접한 관계를 맺고 있는 것은 사실이다. 실제로 어린아이의 성장 과정을 관찰해 보면, 언어 능력과 지적 능력의 발달이 함께 이루어지는 것을 쉽게 알 수 있다. 언어를 습득하면서 지적 능력이 빠르게 발달하고, 그 영향으로 언어 능력의 수준도 높아지게 된다. 결국 인간은 언어를 도구로 하여 생각하며, 그 결과 사고력과 인지 능력이 점점 발달한다고 할 수 있다.

나 한 사회가 공동체로서 유지되고 발전하는 데 필요한 것 중 하나가 사회 구성원 간의 의사소통이다. 언어는 이러한 의사소통의 수단이다. 인간은 언어를 사용하여 사회적인 관계를 형성하고 유지하며 사회를 발전시킨다.

그래서 언어는 지역이나 연령, 성별, 사회 집단 등에 따른 사회적 특성이 드러난다. 한국인이 사용하는 한국어라고 해서 모두 똑같은 것이 아니다. 예를 들어, '팽이'는 지역에 따라 '패이(강원)', '핑갱이(경북)', '팽데기(경남)', '도로기(제주도)', '뺑도리(전북)', '팽구래미(충북)', '세루(평안)', '뽀애(함경)' 등으로 불린다. 같은 '팽이'임에도 지역에 따라 그 형태가 조금씩 다르다.

또 지역이 같더라도 연령, 성별, 사회 집단 등의 차이로 인해 같은 뜻을 지닌 언어가 형태를 달리하는 예도 있다. 이는 개인의 언어 속에 그가 속한 공동체의 특성이 담겨 있기 때문이다. 같은 말을 사용하는 사람들은 같은 사회의 구성원이라는 공동체 의식을 공유한다. 또 같은 사회에 속한 사람들은 같은 말을 사용함으로써 공동체 의식을 강화하는 효과를 얻는다. 즉, 언어는 사회와 유기적인 관계를 맺고 있는 것이다.

다 어떤 언어든 그 언어를 사용하는 언어 공동체의 고유한 문화와 밀접하게 관련되어 있다. 예를 들어, '간장, 온돌, 부럼' 등의 단어를 외국인에게 알려 줄 때 한 단어로 간단하게 번역하기는 어렵고, 일일이 그 뜻을 풀어서 설명해야 한다. 이 단어들은 우리말에만 있고 다른 나라 말에는 없기 때문이다. 그런데 어떤 언어에는 있는 단어가 다른 언어에는 없는 현상은 단순히 특정한 단어가 있고 없는 문제가 아니라, 그 언어 공동체가 공유하고 있는 문화와 관련되어 있다. 즉, 다른 나라 언어에 '간장, 온돌, 부럼' 등을 가리키는 단어가 없는 이유는 그 언어 공동체에는 그러한 문화가 없기 때문이다.

01 이 글의 제목으로 가장 적절한 것은?

① 인간의 삶과 언어　② 인간의 성장 과정
③ 세계의 다양한 언어　④ 언어의 기원과 발달
⑤ 언어의 의사소통 기능

학습 활동 적용

02 <보기>는 이 글을 읽기 전 작성한 예상 질문들이다. 글을 읽은 후 정리한 답으로 적절하지 않은 것은?

<보기>
① 어린아이의 언어 능력은 어떻게 발달하는가?
……지적 능력과 영향을 주고받으며 점점 발달한다.
② 한국인이 사용하는 한국어는 모두 똑같은가?
……한국인의 의사소통 수단이므로 형태가 똑같다.
③ 언어는 사회에 어떤 영향을 주는가?
……구성원들의 공동체 의식을 강화하는 데에 도움을 준다.
④ 언어는 문화와 어떤 관계에 있는가?
……언어는 문화의 산물이면서 문화를 반영하는 거울이다.
⑤ 외국인에게 '부럼'이라는 단어를 가르치기 어려운 이유는?
……외국 문화에는 '부럼'을 깨무는 문화가 없기 때문이다.

고난도 수능형

03 <보기>의 내용을 이 글과 관련하여 설명한 것으로 가장 적절한 것은?

<보기>
영어권에서는 'my'라는 말로 표현하는 것을, 한국 사람들은 '우리 엄마', '우리 학교'라고 하며 '우리'라는 표현을 많이 사용한다. 개인보다 공동체를 중요하게 생각하는 한국적 가치관의 영향이라고 볼 수 있다.

① 언어는 시간이 지남에 따라 변화한다.
② 언어는 일정한 구조와 규칙을 지니고 있다.
③ 언어는 지시 대상과 필연적인 관계가 없다.
④ 언어 사용자의 문화가 언어에 영향을 미친다.
⑤ 인간은 언어를 습득하면서 지적 능력이 발달한다.

[04~06] 다음 글을 읽고, 물음에 답하시오.

가 자음과 모음을 가지고 있다든지, 단어가 모여서 문장이 된다든지, 주어와 서술어 같은 문장 성분이 있다든지 하는 것은 언어들의 공통적인 특성이라는 점에서 언어의 일반적 특성이라 할 수 있다. 국어도 언어의 일종이기 때문에 이와 같은 일반적 특성이 있다. 그러나 동시에 국어는 다른 언어와 구별되는 개별 언어이기 때문에 국어만의 고유한 특성도 가지고 있다. 국어의 특성은 음운, 어휘, 문장, 담화 등 다양한 측면에서 나타난다.

나 국어는 예사소리, 된소리, 거센소리가 대립되는 자음 체계를 가지고 있다. 이는 영어를 포함한 많은 인구어들이 유성음과 무성음이 대립되는 자음 체계를 보이는 것과 구별되는 국어의 음운적 특성이다.

다 고유어와 외래어의 이분 체계를 가지는 여타 언어와 달리 우리말의 어휘 체계는 고유어, 한자어, 외래어의 삼분 체계를 가진다는 점과 의성어, 의태어와 같은 상징어가 풍부하게 발달하여 있는 점 등은 국어의 어휘적 특성이다. 또한 '노랗다, 노르스름하다, 샛노랗다' 등과 같은 색채와 관련된 표현들이 발달해 있고, 성별, 연령, 상하 관계 등에 따라 친족어와 호칭어들이 섬세하게 분화된 것도 어휘 면에서 주요한 특징 가운데 하나이다.

라 국어는 높임 표현이 발달한 언어이다. 담화가 이루어지는 상황에서 문장의 주체를 높이거나 말을 듣는 상대에 관해 일정한 문법 요소를 체계적으로 활용하여 높이거나 높이지 않는 문법적 특성을 보인다. 또 기본 어순이 '주어-목적어-서술어'로 이루어진다는 점에서 영어, 중국어 등과 같이 '주어-서술어-목적어'의 기본 어순을 가지는 언어들과 구분되는 문법적 특징을 보인다.

마 국어는 '주어-목적어-서술어'의 기본 어순을 따르되 담화 상황에 따라 어순을 비교적 자유롭게 바꿀 수 있고 주어나 목적어와 같은 필수적인 성분을 생략할 수 있는 특성이 있다. 또 말하는 이의 질문이 긍정 질문이냐 부정 질문이냐에 따라 대답을 달리하는 점에서, 항상 일정하게 대답하는 영어와 구별되는 특성이 있는데, 이 또한 국어에서 나타나는 담화적 특성이다.

04 이 글의 내용과 일치하지 않는 것은?

① 국어의 기본 어순은 영어, 중국어 등과는 구분된다.
② 고유어와 외래어를 가진 것은 국어만의 고유한 특성이다.
③ 영어에서는 질문의 긍정, 부정에 상관없이 일정하게 대답한다.
④ 국어의 친족어는 성별, 연령, 상하 관계에 따라 분화되어 있다.
⑤ 국어에서는 음성 상징어나 색채 관련 표현을 다양하게 활용할 수 있다.

수능형

05 이 글을 바탕으로 〈보기〉를 탐구한 내용으로 적절하지 않은 것은?

〈보기〉
㉠ 그는 축구 경기의 규칙에 감감했다/깜깜했다/캄캄했다.
㉡ 아이들이 책상을 반짝반짝/번쩍번쩍하게 닦았다.
㉢ (시부모에게) 그이/아비/아범이(가) 아직 안 들어왔습니다.

① ㉠의 밑줄 친 부분은 국어의 자음 체계가 예사소리, 된소리, 거센소리의 대립으로 이루어진다는 것을 보여 준다.
② 영어 사용자들은 ㉠에 제시된 세 단어의 음운적 차이를 인식하기 어려울 것이다.
③ ㉡을 통해 우리말의 의태어는 모음의 교체를 통해 더 풍부한 표현이 가능하다는 것을 알 수 있다.
④ 국어에서는 ㉢처럼 같은 대상이라도 부르는 말이 분화되어 있다는 것을 알 수 있다.
⑤ ㉢에서 말을 듣는 상대와 문장의 주체를 높인 표현의 예를 통해 국어의 높임 표현을 알 수 있다.

고난도

06 이 글을 바탕으로 파악한 국어의 담화적 특징과 그 예를 바르게 짝지은 것은?

① 필수 성분의 생략: "너 나한테 지우개 맡겨 놨니?"
② 기본 어순: 딱따구리가 구멍을 파서 집을 짓는다.
③ 어순의 자유로운 변동: "우리 주말에 영화 보러 갈까?"
④ 긍정 질문에 대한 대답: "이번 주말에 시간 있니?" – "응, 이번 주말엔 시골에 가야 해."
⑤ 부정 질문에 대한 대답: "교실에서 나오면서 문 안 잠갔니?" – "아뇨, 저는 안 잠갔어요."

서술형 문제

07 **〈보기 1〉을 읽고 〈보기 2〉에 제시된 논제의 근거를 두 가지로 서술하시오.**

〈보기 1〉

꿀벌이 어디에서 꿀을 발견하면 벌집에 돌아와서 다른 벌들에게 그 사실을 알리는데, 방향, 거리 및 꿀의 품질을 춤을 추어서 비교적 정확하게 알려 준다고 한다. [중략]

꿀벌은 꿀의 방향이 태양과 같은 방향이면 8자의 가운데 선이 수직으로 위를 향하도록 춤을 춘다(ㄱ). 반대로 꿀의 방향이 태양과 정반대 쪽이면 8자의 가운데 선이 수직으로 아래를 향하도록 춤을 춘다(ㄷ). 그 외의 경우(ㄴ)는 벌집과 태양을 잇는 선과 벌집과 꿀의 발견 장소를 잇는 선과의 각도를, 중력을 나타내는 수직선과 8자 춤의 가운데 선과의 각도로 표시한다.

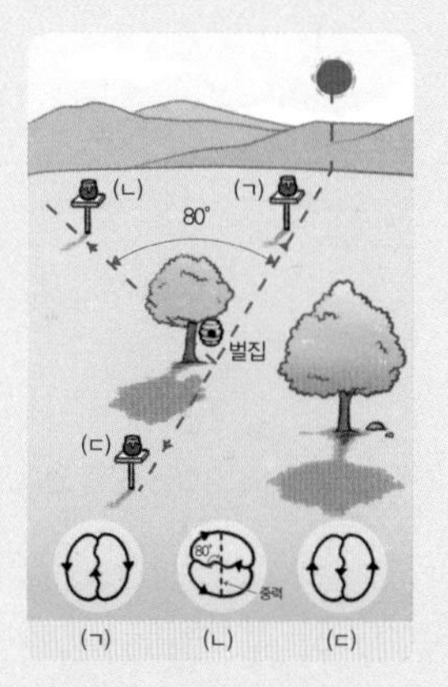

이렇게 해서 방향을 제시하는 동시에 벌집에서 꿀 발견 장소까지의 거리는 일정한 시간 단위당 8자 춤의 빈도로 나타낸다. 춤을 추는 속도가 빠를수록 거리가 짧고 느릴수록 거리가 멀다는 것을 가리키는데, 약 15초 안에 열 번 돌면 100미터가량, 여섯 번 돌면 500미터가량, 네 번 돌면 1,500미터 정도를 나타내며, 11킬로미터 거리까지 비교적 정확하게 교신할 수 있다고 한다. 또 춤이 활달할수록 꿀의 품질이 더 좋은 것임을 말해 준다고 한다.

〈보기 2〉

[논제] 꿀벌의 춤도 인간의 언어와 같이 자의성과 창조성을 지닌 '언어'이다.

08 **〈보기 1〉을 적용하여, 〈보기 2〉에서 찾을 수 있는 국어의 고유한 특성을 항목별로 서술하시오.**

〈보기 1〉

국어에는 다른 언어와 구별되는 다음과 같은 특성이 있다.

- 음운: 예사소리, 된소리, 거센소리의 대립 체계
- 어휘: 의성어, 의태어와 같은 상징어의 발달
- 문장: '주어-목적어-서술어'의 기본 어순
- 담화: 어순의 자유로운 변동, 필수 성분의 생략 가능

〈보기 2〉

해

박두진

해야 솟아라, 해야 솟아라, 말갛게 씻은 얼굴 고운 해야 솟아라. 산 너머 산 너머서 어둠을 살라 먹고, 산 너머서 밤새도록 어둠을 살라 먹고, 이글이글 애띤 얼굴 고운 해야 솟아라.

달밤이 싫여, 달밤이 싫여, 눈물 같은 골짜기에 달밤이 싫여, 아무도 없는 뜰에 달밤이 나는 싫여…….

해야, 고운 해야, 늬가 오면, 늬가사 오면, 나는 나는 청산이 좋아라. 훨훨훨 깃을 치는 청산이 좋아라. 청산이 있으면 홀로래도 좋아라 [하략]

음운:

단어:

문장:

담화:

매체와 매체 언어의 이해

{1} 매체의 본질

[학습 목표] **의사소통의 매개체로서 매체의 유형과 특성을 이해한다.**

- 매체의 개념 이해하기
- 의사소통의 매개체로서 매체의 유형과 유형별 특성 이해하기
- 뉴 미디어의 특성 이해하기

• 매체의 개념

생각이나 느낌의 표현과 전달 효과를 높이기 위해 여러 기술을 적용하여 발전시킨 의사소통 수단

• 매체의 유형과 특성

구분	내용
유형	• 책, 신문, 전화, 라디오, 사진, 영화, 텔레비전, 컴퓨터, 인터넷, 이동 통신 기기 등 • 현대 사회에서는 정보·통신 기술과 결합한 뉴 미디어의 비중이 높아지고 있음.
유형별 특성	• 인쇄/전자, 시각/청각/시청각, 개인/대중, 단방향/양방향 매체 등 유형에 따라 특성이 다양함.

➜ 매체의 개념과 유형, 특성을 이해할 때에는 매체가 의사소통의 매개체라는 점을 중심으로 공부하도록 하고, 매체의 의미가 생산되고 전달되는 방식과 양식의 복합성을 이해하도록 한다.

{2} 매체 언어의 특성과 위상

[학습 목표] **현대 사회의 소통 현상과 관련하여 매체 언어의 특성을 이해한다.**

- 매체 언어의 개념 이해하기
- 매체 언어의 갈래와 특성 이해하기
- 현대 사회의 소통 현상과 관련하여 매체 언어의 특성 이해하기

• 매체 언어의 개념

매체를 활용하여 생각, 느낌 등을 표현하거나 전달하는 언어·음성, 문자, 소리, 이미지, 동영상 등의 결합체. 매체 언어로 표현된 실제 텍스트가 매체 자료가 됨.

• 매체 언어의 갈래와 특성

구분	내용
갈래	• 의사소통의 목적에 따라 정보 전달 매체, 설득 매체, 친교 및 정서 표현 매체 등으로 나뉨. • 뉴스, 다큐멘터리, 광고, 논평, 누리 소통망(SNS), 전자 우편, 만화 등의 하위 갈래가 있음.
특성	• 대량성, 구체성, 복합 양식성 등을 지님. • 뉴 미디어는 음성과 문자를 바탕으로 소리, 이미지, 동영상 등이 결합하는 복합 양식성을 강조함.

• 현대 사회의 소통 현상과 매체

개인 및 집단 간의 긴밀한 소통 요구에 따라 매체의 중요성이 높아짐.

➜ 일상생활에서 많이 접하는 다양한 매체 자료를 통해 매체의 언어적 특성과 의미 생산 및 전달 방식을 탐구하도록 한다. 이를 통해 현대 사회의 소통 현상에서 매체 언어가 지니는 중요성을 깨닫도록 한다.

{ 1 } 매체의 본질

소단원 시험 족보

1 매체의 개념

소통하는 존재인 인간
말(음성 언어)과 글(문자 언어)을 통한 본격적이고 체계적인 의사소통

⬇

문화의 창조, 문명의 발달을 이룸.

⬇

사회 규모가 커지고 생활 양식이 복잡해짐.

⬇

소통하는 당사자들 사이에서 메시지를 전달할 도구, '매체(媒體)'의 필요성이 커짐.

① 의사소통의 수단

몸짓이나 표정 등이 보조적 역할을 하며 말과 글이 본격적이고 체계적인 의사소통의 수단이 됨.

- **넓은 의미의 매체**

돌, 점토판, 파피루스 등도 기록·전달 수단으로 소통에 필요한 물리적 실체이므로 매체라 할 수 있음.

- **일반적 의미의 매체**

발전된 기술을 적용해 정보의 전파력을 크게 높인 수단

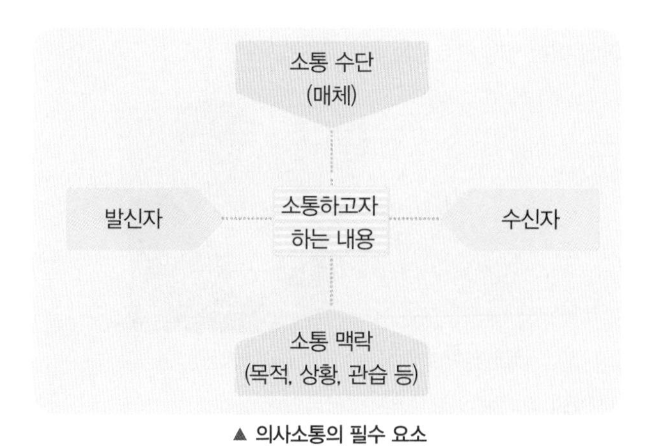

▲ 의사소통의 필수 요소

확인하기 ❶

- 다음에 제시된 ㉠과 ㉡의 공통점이 무엇인지 생각해 보고, 이 둘을 비교해 보자.

㉠ 점토판, 파피루스
㉡ 신문, 방송

2 매체의 유형과 특성

① 매체의 유형

기록 양식	인쇄 매체	책, 신문, 잡지
	전자 매체	전화, 라디오, 텔레비전, 인터넷
정보 유형	시각 매체	사진
	청각 매체	녹음
	시청각 매체	동영상, 영화 등
소통 양상	단방향 매체	책, 텔레비전
	양방향 매체	전화, 이동 통신 기기
전달 범위	개인 간 매체	전화
	대중 매체	텔레비전
목적, 기능, 방법에 따른 분류		언론 매체, 방송 매체, 광고 매체, 디지털 매체, 누리 소통망(SNS)

- 뉴미디어: 인터넷이나 이동 통신과 연결된 개방적·상호적 복합 양식 매체

② 매체의 특성

매체의 유형에 따라 정보 구성과 소통의 특성이 달라짐.

시각 매체의 정보	시간의 구애 없이 전체를 보며 해석할 수 있음. 예 그림 감상
청각 매체의 정보	시간의 흐름을 따라가며 정보가 제시되는 순서대로 해석해야 함. 예 노래 감상

- 복합 양식성: 문자, 그림, 동영상 등 다양한 양식의 매체 언어가 한 사료에서 통합되어 사용됨.
- 뉴 미디어의 특성: 신속성, 대량성, 양방향성, 복합 양식성, 연결성 등

확인하기 ❷

- '텔레비전'은 기록 양식과 정보의 유형, 전달 범위 등의 측면에서 어떤 특성을 지닌 매체인지 생각해 보자.

확인하기 정답

❶ ㉠과 ㉡ 모두 소통을 위한 도구로 매체에 해당한다. 그러나 ㉠에 비해 ㉡이 더 빨리 더 많은 사람에게 효과적으로 의사를 전달할 수 있다. / ❷ 텔레비전은 전자 매체이면서 시청각 매체, 대중을 대상으로 하는 단방향 매체로서 신속성, 대량성, 복합 양식성을 지녔다.

소단원 적중 문제

[01~03] 다음 글을 읽고, 물음에 답하시오.

매체의 발전에서 인쇄술의 발명은 가장 중요한 전환점이었다. 그 전까지만 해도 개인 차원에 머물던 소통 범위를 비약적으로 넓혔기 때문이다. 책, 신문, 잡지 등 오늘날 우리가 인쇄 매체라고 부르는 것들이 모두 인쇄술의 발달로 대중화되었다.

그다음으로 인간의 소통에 기여한 것은 전기, 전자, 통신 기술이다. '돈(·), 쓰(–)'하는 모스 신호로 정보를 전달하던 초기 형태부터 오늘날의 스마트폰에 이르기까지, 기술의 발전에 따라 다양한 소통 수단이 나타났다. 전화, 라디오, 텔레비전, 인터넷 등이 그러한 기술이 적용된 대표적 전자 매체이다.

사진, 녹음, 동영상, 영화 등도 매체에 속하는데, 각 정보의 유형에 따라 시각 매체, 청각 매체, 시청각 매체라고 불린다. 물론 이들 매체에도 전기, 전자 기술이 적용되며, 이를 바탕으로 다른 매체들과 자주 융합하는 모습을 보인다.

이러한 분류가 매체의 물리적인 속성에 바탕을 둔 것이라면 소통 양상으로 매체를 분류해 볼 수도 있다. 예를 들어, 책이나 텔레비전은 발신자에게서 수신자로 정보가 일방적으로 전달되지만, 전화나 이동 통신 기기는 수신자가 다시 발신자가 되는 양방향 소통이 이루어진다. 또한 전화처럼 개인 대 개인의 소통을 위해 사용되는 매체가 있는가 하면 텔레비전처럼 대중을 상대로 하는 매체도 있다.

이처럼 매체는 그 범위가 넓고 형식도 다양하기 때문에 어떤 기준을 선택하느냐에 따라 여러 방식으로 분류할 수 있다. 언론 매체, 방송 매체, 광고 매체, 디지털 매체, 누리 소통망(SNS) 등의 용어는 모두 목적이나 기능, 방법 등 매체의 특정한 측면에 주목하여 분류한 것이다. 최근 들어서는 인터넷이나 이동 통신과 연결된 개방적이고 상호적인 복합 양식 매체를 전통적인 매체와 구별하여 뉴 미디어로 정의하고 강조하는 추세이다.

매체를 분류하는 이유는 매체 유형에 따라 정보 구성과 소통의 특성이 다르기 때문이다. 예를 들어, 시각 매체로 전달되는 정보는 시간의 구애 없이 전체를 보며 해석할 수 있지만, 청각 매체의 정보는 시간의 흐름을 따라가며 정보가 제시되는 순서대로 해석해야 한다. 그림 감상과 노래 감상을 비교하면 쉽게 이해할 수 있다. 또한 문자, 그림, 동영상 등 다양한 양식의 매체 언어가 한 자료에서 통합되어 사용되는 복합 양식성도 중요한 특성이 된다.

학습 활동 적용

01 다음 중 소통의 양상을 기준으로 매체를 분류한 것은?

① 사진 / 녹음 / 동영상, 영화
② 전화, 텔레비전 / 신문, 잡지
③ 책, 텔레비전 / 전화, 이동 통신 기기
④ 언론 매체 / 광고 매체 / 누리 소통망
⑤ 책, 신문, 잡지 / 전화, 라디오, 텔레비전

02 '뉴 미디어'에 대한 설명으로 적절하지 않은 것은?

① 대량의 정보를 신속하게 전달할 수 있다.
② 다양한 양식의 매체 언어가 통합되어 사용된다.
③ 인터넷이나 이동 통신과 밀접하게 연결되어 있다.
④ 발신자에서 수신자로 정보가 일방적으로 전달된다.
⑤ 통신 기술이 발달함에 따라 전파력이 크게 높아졌다.

수능형

03 다음은 '온라인 댓글 예절'을 주제로 한 공익 광고이다. 이에 대한 설명으로 적절하지 않은 것은?

① 인쇄 매체에 비해 정보의 전파력이 높다.
② 개인 대 개인의 소통을 위해 제작되었다.
③ 전기, 전자 기술이 적용된 전자 매체이다.
④ 문자와 동영상 등의 매체 언어가 통합된 복합 양식성을 지닌다.
⑤ 텔레비전이나 인터넷 등과 연결되어 수신자에게 메시지가 전달될 수 있다.

2 매체 언어의 특성과 위상

소단원 시험 족보

1 매체 언어의 개념

일반 언어와의 공통점	• 인간의 생각이나 느낌을 표현하거나 전달하는 수단임. • 기호적·구조적 특성을 지님.
일반 언어와의 차이점	말과 글 외에 소리, 이미지, 영상 등을 활용함. • 소리나 이미지에 중심을 둘 경우: 언어로서의 분절성이 약해짐, 감각에 호소하는 경향이 강해짐. • 신문: 언어의 선조성*에 더해 편집과 관련해 공간적 특성이 강조됨. • 대중 매체: 대량성*이 강조됨.

• **매체 언어의 학습**

적절한 환경에서 인간은 매체 언어를 학습할 능력을 모두 갖고 있음.

매체 언어의 학습 = 매체 문식성* 제고

* 선조성: 시각적 기호들과 달리 음성 언어는 시간의 흐름에 따라 1차원적으로 배열되는 성질을 가짐. 선조성을 기반으로 언어가 분절성을 지니게 됨.
* 대량성: 한 자리에서 목소리나 글자로 전파할 수 있는 범위보다 더 넓게 전달할 수 있는 특성
* 문식성: 글자를 읽고 쓸 수 있는 능력. 문자를 활용하여 사고하고 소통하며 문화를 발전시키는 능력이라는 의미로 쓰임.

확인하기 1

• (1) 선거에 사용하는 홍보 포스터를 언어라고 할 수 있다면 어떤 점에서 그러한지 생각해 보자. (2) 또한 이러한 포스터가 일반적인 언어와는 어떤 점에서 차이가 나는지 생각해 보자.

2 매체 언어의 갈래와 특성

① 매체 언어의 갈래

분류의 기준 –의사소통의 목적	정보 전달을 위한 매체 언어
	설득을 위한 매체 언어
	친교를 위한 매체 언어
	정서 표현을 위한 매체 언어

• 매체 언어의 특성: 갈래에 따라 자료의 구성 방식과 소통 특성이 달라짐.

예 뉴 미디어: 다양한 전자 매체로 소통되므로 음성, 문자, 소리와 이미지, 동영상 등이 복합되어 있음.

	음성 언어	문자 언어
기존 매체	한 번 말하면 사라짐.	준언어적, 비언어적 표현 활용이 어려움.
뉴 미디어	반복해서 들을 수 있음.	억양, 표정, 몸짓을 자유롭게 사용함.

• 매체 언어는 전파의 속도와 범위가 기술 발달과 함께 계속 늘 수 있음.

확인하기 2

• 매체 언어를 소통의 목적에 따라 다음과 같이 네 갈래로 나누었을 때, 각 갈래에 해당하는 하위 갈래의 예를 하나씩 들어 보자.

정보 전달	
설득	
친교	
정서 표현	

3 현대 사회의 소통 현상과 매체

① 소통의 빠른 속도

전화, 전자 우편

↓

• 소통의 속도가 빨라짐
• 발신자와 수신자 사이의 심리적 거리 축소

② 소통의 넓은 범위와 강한 파급력

책, 신문, 방송, 인터넷

↓

의사소통의 범위와 파급력이 넓어지고 강해짐.

③ **소통의 개방성:** 복합적이고 개방적인 소통 현상이 나타남.

예 댓글, 퍼 나르기, 재가공 등

• 순기능: 상세하고 다양한 표현과 전달이 가능해짐. 지식의 공유, 집단 지성(협력 또는 경쟁을 통하여 얻게 된 집단적 능력)의 발휘가 가능해짐.
• 역기능: 표절, 가짜 뉴스, 개인 정보 침해 등의 부작용이 나타남.

확인하기 정답

❶ (1) 선거 홍보 포스터는 후보의 당선을 위한 설득적 메시지를 담은 의사소통 수단이므로 매체 언어라고 할 수 있다. (2) 일반적인 언어와 달리 시각적 이미지를 문자 언어와 복합하여 사용하므로 언어가 지니는 선조성이나 분절성 대신 공간성이 강조된다. / ❷ 정보 전달: 신문 보도 기사 / 설득: 텔레비전 광고 / 친교: 스마트폰 누리 소통망 / 정서 표현: 뮤직 비디오

소단원 적중 문제

[01~03] 다음 글을 읽고, 물음에 답하시오.

언어의 기호적·구조적 특성은 매체 언어에도 거의 적용된다. 다만, 매체 언어는 말과 글뿐 아니라 소리, 이미지, 영상 등도 활용하여 의미를 전달하기 때문에 어떤 특성이 강해지거나 약해지기도 하며 새로운 특성이 더해지기도 한다. 예를 들어, 소리나 이미지에 중점을 두면 분절성은 약해지는 대신 감각에 호소하는 경향이 강해진다. 신문 같은 매체는 언어의 선조성에 더해서 편집과 관련한 공간적 특성이 강조되고, 대중 매체 같은 경우에는 대량성이 강조된다. 이처럼 매체가 다양한 만큼 매체 언어도 다양한 특성을 보인다.

적절한 환경이 주어지면 모두가 매체 언어를 익힐 수 있는 능력을 갖추고 있다. 이처럼 매체에 익숙해져서 매체로 소통하고 매체를 활용하여 문제를 해결하며 매체 문화를 향유하고 창조할 수 있는 능력을 매체 문식성이라고 한다. 매체 언어를 학습한다는 것도 곧 매체 문식성을 높여 가는 일이다.

매체 언어는 의사소통의 목적에 따라 크게 정보 전달, 설득, 친교 및 정서 표현으로 나뉘고, 갈래마다 세분화된다. 매체와 갈래에 따라 자료의 구성 방식과 소통 특성이 달라진다. 예를 들어, 텔레비전이라는 한 매체 안에서도 뉴스, 예능, 드라마 등의 구성 방식이 다르고, 같은 뉴스 범주 안에서도 신문 뉴스인지 텔레비전 뉴스인지 또는 인터넷 뉴스인지에 따라 구성과 소통 방식이 다르다.

매체 언어의 특성을 가장 잘 보여 주는 것이 뉴 미디어이다. 뉴 미디어는 음성과 문자, 소리와 이미지, 동영상 등이 복합적으로 엮여 있고, 다양한 전자 매체로 소통되는 경우가 많아서 그에 쓰이는 언어도 전통적인 음성 언어나 문자 언어와 크게 대비되기 때문이다. 예를 들어, 음성 언어는 한번 말하면 사라지지만 매체 언어는 반복해서 들을 수 있고, 문자 언어는 억양이나 표정, 몸짓과 같은 준언어적, 비언어적인 표현을 활용하기 어렵지만 매체 언어는 그것들을 자유롭게 사용한다. 또한 매체 언어는 전파의 속도와 범위가 기술 발달과 함께 계속 늘 수 있다는 점에서 음성 언어, 문자 언어와 대비된다.

01 이 글에 언급된 내용이 아닌 것은?

① 뉴 미디어의 특성
② 매체 언어의 한계
③ 매체 문식성의 개념
④ 매체 언어의 분류 기준
⑤ 매체 언어의 발전 가능성

수능형 학습 활동 적용

02 ㉮와 ㉯는 텔레비전 방송을 위해 제작된 매체 언어이다. 이 글을 바탕으로 이들을 이해한 내용으로 적절한 것은?

① ㉮는 ㉯에 비해 언어의 선조성이 두드러지겠군.
② ㉮와 달리 ㉯는 언어의 분절성을 발견할 수 없군.
③ ㉮와 ㉯는 준언어·비언어적 표현의 활용에 제약이 따르겠군.
④ 일반적인 음성 언어나 문자 언어에 비해 ㉮와 ㉯는 대량성을 지니게 되겠군.
⑤ 의사소통의 목적에 따라 ㉮는 정보 전달, ㉯는 정서 표현 갈래로 분류되겠군.

서술형

03 김소월의 '산유화'를 다음과 같은 낭송 영상으로 제작하였다. ① 의사소통의 목적을 기준으로 이 매체 언어가 어떤 갈래에 해당하는지, ② 음성 낭송과 어떤 차이가 있는지 서술하시오.

[04~06] 다음 글을 읽고, 물음에 답하시오.

가 매체를 바탕으로 한 오늘날의 사회적 공간은 과거보다 이루 말할 수 없이 넓어졌다. 이런 변화에 따라 ㉠현대 사회의 소통은 다음과 같은 특징을 지닌다.

첫째는 속도이다. 조선 시대에는 지금의 서울인 한양에서 전라북도의 남원까지 가려면 하루에 백 리씩 쉬지 않고 걸어도 일주일이 걸렸다. 소설 『춘향전』에 남원에서 춘향이 한양의 몽룡에게 편지를 전하는 장면이 있는데, 실제 답장을 받으려면 빨라도 보름이 걸린다. 하지만 현대 사회에서는 전화나 전자 우편 등의 매체를 활용하여 지구 반대편에 있는 친구와도 거의 실시간으로 대화를 나눌 수 있다. 더불어 소통의 속도가 빨라지면 그만큼 발신자와 수신자 사이의 심리적 거리도 줄어든다.

나 둘째는 범위이다. 인간의 목소리만으로 일정 범위 이상에 있는 청중과 소통하기는 어렵다. 손으로 쓴 문서도 전달 범위에 한계가 있다. 하지만 책, 신문, 방송, 인터넷 등의 매체가 등장하면서 수만, 수억의 사람과 소통이 가능해졌다. 국내의 한 뮤직비디오는 세계적인 동영상 공유 누리집에서 30억이 넘는 조회 수를 기록했는데, 한 사람이 여러 번 본 것을 고려하더라도 엄청난 숫자이다. 이는 의사소통의 범위와 파급력이 과거와 비교할 수 없이 넓어지고 강해졌다는 뜻이 된다.

다 셋째는 개방성이다. 정보 통신 기술에 힘입은 뉴 미디어는 복합적이고 개방적인 소통 현상을 낳았다. 어떠한 정보든 댓글이나 퍼 나르기, 재가공 등을 통해 커다란 소통 생태계를 형성할 수 있고, 그로 인해 현대인은 대상에 관해 더 상세하고 다양하게 표현하고 전달할 수 있게 되었다. 그 결과 인터넷 등을 통한 지식의 공유, ㉡집단 지성의 발휘 등이 가능해졌다. 하지만 표절이라든지 가짜 뉴스, 개인 정보 침해 현상 등 과거에 드물었던 부작용들도 나타났다. 이러한 현상은 앞에서 말한 속도, 범위와 결합하여 새로운 소통 문화를 만들어 가고 있다.

04 ㉠에 대한 설명으로 적절하지 않은 것은?

① 의사소통의 파급력이 과거에 비해 커지고 있다.
② 매체의 발달로 사회적 공간이 매우 넓어지고 있다.
③ 소통의 장이 커지면서 그로 인한 부작용도 감소하고 있다.
④ 소통의 속도가 빨라 당사자 간의 심리적 거리를 좁히고 있다.
⑤ 대상에 대한 상세하고 다양한 표현과 전달이 가능해지고 있다.

수능형 학습 활동 적용

05 다음은 자신이 읽은 책을 블로그에 소개한 글이다. 이에 대한 설명으로 적절하지 않은 것은?

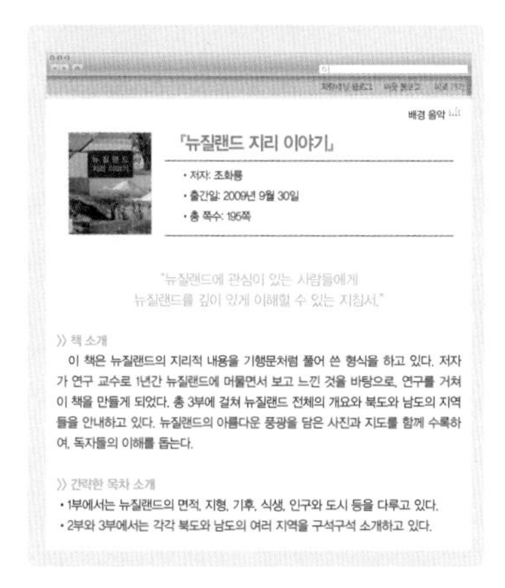
배경 음악

『뉴질랜드 지리 이야기』

• 저자: 조화룡
• 출간일: 2009년 9월 30일
• 총 쪽수: 195쪽

"뉴질랜드에 관심이 있는 사람들에게 뉴질랜드를 깊이 있게 이해할 수 있는 지침서."

》 책 소개

이 책은 뉴질랜드의 지리적 내용을 기행문처럼 풀어 쓴 형식을 하고 있다. 저자가 연구 교수로 1년간 뉴질랜드에 머물면서 보고 느낀 것을 바탕으로, 연구를 거쳐 이 책을 만들게 되었다. 총 3부에 걸쳐 뉴질랜드 전체의 개요와 북도와 남도의 지역들을 안내하고 있다. 뉴질랜드의 아름다운 풍광을 담은 사진과 지도를 함께 수록하여, 독자들의 이해를 돕는다.

》 간략한 목차 소개

• 1부에서는 뉴질랜드의 면적, 지형, 기후, 식생, 인구와 도시 등을 다루고 있다.
• 2부와 3부에서는 각각 북도와 남도의 여러 지역을 구석구석 소개하고 있다.

① 문자 언어와 이미지를 복합적으로 활용하였다.
② 개인의 표현 공간으로 소통의 방향이 일방적이다.
③ 책의 내용을 재가공하여 소통 생태계를 확장하였다.
④ 다양한 수신자들과 소통할 수 있다는 장점을 지닌다.
⑤ 퍼 나르기가 쉬워 표절이라는 부작용이 있을 수 있다.

06 다음 중 ㉡의 예로 들기에 가장 적절한 것은?

① 다른 나라의 프로그램을 무단으로 복제한 방송 프로그램
② 사실 확인이 되지 않은 채 누리 소통망으로 유통되는 정보들
③ 동영상 사이트에서 저작권 침해로 삭제된 아이돌 그룹의 뮤직 비디오
④ 인터넷에 떠도는 콘텐츠를 엮어 보기 쉽게 편집을 한 뒤 게시하는 블로그
⑤ 누구나 자유롭게 갖가지 지식 정보를 기록하고 수정·편집할 수 있는 온라인 백과사전

중단원 실전 문제

[01~04] 다음 글을 읽고, 물음에 답하시오.

가 매체의 발전에서 인쇄술의 발명은 가장 중요한 전환점이었다. 그 전까지만 해도 개인 차원에 머물던 소통 범위를 비약적으로 넓혔기 때문이다. 책, 신문, 잡지 등 오늘날 우리가 인쇄 매체라고 부르는 것들이 모두 인쇄술의 발달로 대중화되었다.

그다음으로 인간의 소통에 기여한 것은 전기, 전자, 통신 기술이다. '돈(·), 쓰(–)' 하는 모스 신호로 정보를 전달하던 초기 형태부터 오늘날의 스마트폰에 이르기까지, 기술의 발전에 따라 다양한 소통 수단이 나타났다. 전화, 라디오, 텔레비전, 인터넷 등이 그러한 기술이 적용된 대표적 전자 매체이다.

사진, 녹음, 동영상, 영화 등도 매체에 속하는데, 각 정보의 유형에 따라 시각 매체, 청각 매체, 시청각 매체라고 불린다. 물론 이들 매체에도 전기, 전자 기술이 적용되며, 이를 바탕으로 다른 매체들과 자주 융합하는 모습을 보인다.

나 언어의 기호적·구조적 특성은 매체 언어에도 거의 적용된다. 다만, 매체 언어는 말과 글뿐 아니라 소리, 이미지, 영상 등도 활용하여 의미를 전달하기 때문에 어떤 특성이 강해지거나 약해지기도 하며 새로운 특성이 더해지기도 한다. 예를 들어, 소리나 이미지에 중점을 두면 ㉠분절성은 약해지는 대신 감각에 호소하는 경향이 강해진다. 신문 같은 매체는 언어의 ㉡선조성에 더해서 편집과 관련한 공간적 특성이 강조되고, 대중 매체 같은 경우에는 대량성이 강조된다. 이처럼 매체가 다양한 만큼 매체 언어도 다양한 특성을 보인다.

다 매체 언어는 의사소통의 목적에 따라 크게 정보 전달, 설득, 친교 및 정서 표현으로 나뉘고, 갈래마다 세분화된다. 매체와 갈래에 따라 자료의 구성 방식과 소통 특성이 달라진다. 예를 들어, 텔레비전이라는 한 매체 안에서도 뉴스, 예능, 드라마 등의 구성 방식이 다르고, 같은 뉴스 범주 안에서도 신문 뉴스인지 텔레비전 뉴스인지 또는 인터넷 뉴스인지에 따라 구성과 소통 방식이 다르다.

매체 언어의 특성을 가장 잘 보여 주는 것이 뉴 미디어이다. 뉴 미디어는 음성과 문자, 소리와 이미지, 동영상 등이 복합적으로 엮여 있고, 다양한 전자 매체로 소통되는 경우가 많아서 그에 쓰이는 언어도 전통적인 음성 언어나 문자 언어와 크게 대비되기 때문이다.

01 이 글에 언급된 내용이 아닌 것은?

① 매체 언어의 다양한 특성
② 의사소통 측면에서의 매체의 개념
③ 전기, 전자, 통신 기술과 전자 매체
④ 정보의 유형에 따른 매체와 매체 융합
⑤ 인쇄술의 발달이 매체 발전에 미친 영향

02 이 글을 바탕으로 매체 언어에 대해 탐구한 내용으로 적절하지 않은 것은?

①	특성	언어의 기호적, 구조적 특성 대신 공간성, 대량성을 지님.
②	활용 요소	말, 글, 소리, 이미지, 영상 등
③	분류 가능성	의사소통의 목적을 기준으로 분류할 수 있음.
④	하위 갈래	정보 전달, 설득, 친교, 정서 표현
⑤	자료 구성 방식	매체와 갈래에 따라 달라짐.

수능형

03 〈보기〉에서 ㉠과 ㉡의 개념을 설명하기 위한 각각의 예를 골라 바르게 짝지은 것은?

〈보기〉
ⓐ 무지개 색깔 사이의 경계는 분명하지 않지만 무지개 색을 '빨, 주, 노, 초, 파, 남, 보'의 일곱 가지로 표현한다.
ⓑ '노견(路肩)'이라는 단어를 고유어로 표기하기 위해 '갓길'이라는 말로 순화하였다.
ⓒ 유한한 음운과 어휘를 가지고 무한한 수의 문장을 생성할 수 있다.
ⓓ '강'의 경우 자음 'ㄱ', 모음 'ㅏ', 자음 'ㅇ'이 순서대로 소리 난다.

① ⓐ, ⓑ ② ⓐ, ⓓ ③ ⓑ, ⓒ
④ ⓒ, ⓐ ⑤ ⓓ, ⓑ

04 〈보기〉의 의사소통 수단들을 소통 범위가 작은 것부터 순서대로 나열하시오.

〈보기〉
종이 신문, 라디오, 면대면(面對面) 대화

서술형 문제

05 다음은 인터넷 뉴스 기사의 일부이다. 이를 읽고 [탐구 과제]의 조건에 맞게 답안을 작성하시오.

'삼한사미'는 새로운 현상?… 과거 날씨 통계 확인해 보니

입력 201○. 12. 25(07:20) | 수정 201○. 12. 25(18:00)

▽3 ♡7

지난 주말 하늘을 뒤덮었던 미세먼지가 하루 만에 거짓말처럼 사라졌다. 어제(24일) 오후에는 전국의 미세먼지 농도가 모처럼 '좋음' 수준을 보였다. 원인은 찬 바람. 전날(23일) 오후부터 북서쪽에서 밀어닥친 찬 바람이 미세먼지를 해소해 준 것이다. 이제 한반도에는 "3일 춥고 4일은 따뜻하다."라는 뜻의 '삼한사온'이라는 말이 사라지고, '삼한사미' 즉 "3일은 춥고 4일은 미세먼지가 낀다."라는 신조어가 생겨났다.

취재 | ○○○ 기자

〈탐구 과제〉
- 의사소통의 특성을 세 가지 이상 서술하시오.

〈조건〉
- 매체 언어의 특성이 드러나도록 서술할 것

06 '인공 지능과 로봇 시대'라는 주제로 탐구한 내용을 소개하고 공유하기 위해 〈보기〉와 같은 계획을 수립하였다. 빈 칸에 들어갈 내용을 각각 서술하시오.

〈보기〉

이용할 매체	인터넷 블로그 또는 카페 선택한 이유: ①
소개 내용	인공 지능과 로봇
소개 방법	중요하다고 생각하는 내용의 이해를 돕고 강조하기 위해 글 외에 ②
유의할 점	활용하는 자료가 다른 사람의 저작권을 침해하지 않도록 ③

①

②

③

언어와 매체로 읽는 삶

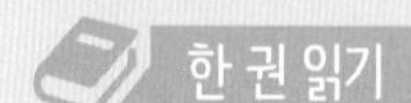

[학습 목표] • 언어와 매체의 가치에 대한 이해를 바탕으로 스스로 글을 찾아 읽을 수 있다.
• 독서를 통해 언어문화와 매체 문화의 발전에 참여하는 태도를 기를 수 있다.

생각 열기

• 언어와 매체의 특성과 가치를 인식하고 다양한 독서가 필요함을 안다.

- 독서 주제에 대한 자료를 다양한 매체 자료에서 찾기
- 주제에 대한 자료를 찾는 과정에서 언어와 매체의 특성을 이해하기
- 자신이 탐구하고 싶은 주제를 찾고 독서 계획 세우기

책 선정하고 읽기

• 매체 환경의 변화에 따른 다양한 독서 문화를 고려하여 읽을 책 한 권을 선정하여 읽는다.

- 자신이 탐구하고 싶은 독서 주제에 대한 자료를 다양한 매체를 통해 찾기
- 자신이 정한 주제와 관련하여 읽고 싶은 책을 선정하기

책 읽으며 표현하기

• 다양한 매체를 참고하여 책을 읽고, 중요하거나 인상에 남는 내용, 느낌 등을 여러 방식으로 독서 일지에 기록한다.

- 선정한 책을 계획을 세워 끝까지 읽기
- 책을 읽으며 꾸준히 독서 일지 작성하기

생각 나누기

• 블로그나 누리집, 누리 소통망(SNS) 등을 통해 독서 체험을 공유하며 언어와 매체 문화의 발전에 참여한다.

- 다양한 매체에 읽은 책을 소개하는 계획 세워 보기
- 계획에 따라 선택한 매체에 읽은 책 소개하기
- 친구들이 매체에 올린 책 소개나 독서 일지에 댓글을 써 보고, 자신의 책 소개나 독서 일지에 달린 댓글에 답변 달기

➔ 이 단원은 독서 활동과 다양한 매체를 통해 독서 경험을 공유하는 과정을 통해서 다매체 시대의 바람직한 독서 태도를 기르고 이를 토대로 언어문화와 매체 문화 발전에 참여할 수 있는 역량을 키우도록 한다.

생각 열기

언어와 매체의 특성을 이해하고 독서 계획 세우기

1. 다음을 읽고, 언어와 매체 언어의 가치를 바탕으로 독서 활동을 계획해 보자.

탐구 주제를 정할 때 평소 흥미와 관심이 있는 것에 관해 먼저 적어 보고, 그중에서 자신이 감당할 수 있는지, 탐구할 만한 가치가 있는지 따져 보면서 선정의 범위를 좁혀 나간다.

태현이와 규현이는 세계 지리 수업 시간에 '내가 가고 싶은 나라'라는 주제 탐구를 함께하기 위해 관련된 자료를 수집하였다.

태현: 규현아, 우리가 주제 탐구를 할 나라가 뉴질랜드잖아. 너는 어떤 자료를 찾아봤어?
규현: 나는 뉴질랜드에 관한 영상 자료를 찾아봤어. 세계 여러 나라를 직접 돌아다니며 소개하는 방송 프로그램에 뉴질랜드 편이 있었어.
태현: 어떤 영상인지 같이 볼까?

규현: 어때? 실제 뉴질랜드 영상을 보니 생동감이 전해지지 않아?
태현: 은은하게 들리는 배경 음악도 한몫을 한 것 같아. 또 각 장면에 대해 해설을 해 주는 내레이션하고 자막 덕분에 쉽게 이해되는 것 같아. 아 참, 나는 인터넷 누리집을 통해 자료를 찾아봤어.

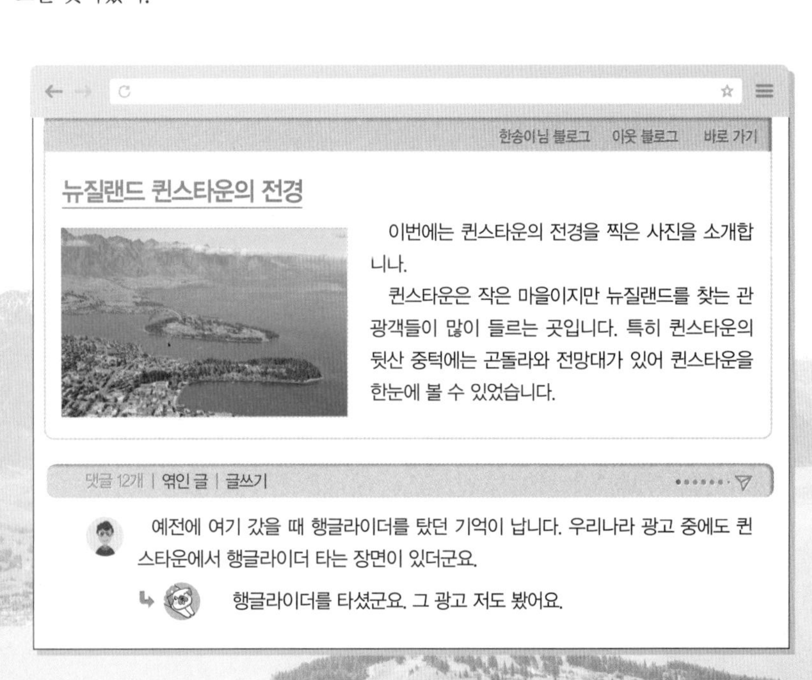

- 영상 자료는 생동감과 현장감 등이 두드러지는 자료이다. 일반적으로 동영상과 함께 음성 설명과 감상이 제시된다.
- 인터넷 자료는 소리, 문자, 사진, 동영상 등이 복합적으로 제시될 수 있다. 다만 인터넷 자료의 특성상 신뢰할 수 있는 정보인지 아닌지를 판단하는 자세가 필요하다.

규현: 영상 자료와 같은 장소인데 블로그에서 보니 또 색다르네. 댓글을 통해 다른 사람들이 어떻게 생각하는지도 알 수 있고.
태현: 인터넷을 이용할 때의 장점이구나. 그런데 우리가 찾은 영상 자료와 인터넷 자료보다 지리나 문화에 대해 더 전문적인 정보를 알고 싶은데, 너는 어때?
규현: 나도 이렇게 찾다 보니, 뉴질랜드의 지리나 문화를 다룬 책을 찾고 싶더라.
태현: 그럼 우리 이따가 도서관에 가서 책을 찾아보자.

(1) 태현이와 규현이가 사전에 조사한 각 매체 자료의 특성을 적어 보자.

영상 자료

예시 답 영상뿐만 아니라 소리(음성, 음악), 문자 등이 함께 쓰여 시청자의 이해를 도움.
영상이 핵심적인 매체이기 때문에 생동감이 넘치지만 의사소통 방식이 제작자에서 시청자로 일방향적임.

인터넷 자료

예시 답 정지 영상(사진)과 문자 등이 함께 쓰여 시청자의 이해를 도움. 배경 음악 등을 통해 소리도 함께 쓸 수 있음.
댓글 등을 통해 쌍방향적인 의사소통이 가능하나 전문성이 부족한 편임.

도서관이나 인터넷 검색을 통해 해당 주제와 관련된 책이 있는지 알아본다. 읽고 싶은 책이 있을 때는 반대로 책을 먼저 선정하고 그 책에서 주제를 잡아가는 방식으로 할 수도 있다.

(2) 주제 탐구를 위해 책을 찾아보기로 한 까닭을 적어 보고, 책을 선정할 때 어떤 점을 주로 살펴볼지 말해 보자.

- 책을 찾기로 한 까닭: **예시 답** 영상 자료와 인터넷 자료보다 더 전문적인 정보를 알고 싶기 때문이다.
- 선정에서 고려할 점: **예시 답** 탐구할 주제에 어울리고, 영상 자료나 인터넷 자료보다 전문적이고 학문적인 정보를 담고 있는가의 여부를 고려해야 한다.

스스로 하기

(3) 자신이 탐구할 주제를 정하고, 그 주제에 관해 아는 것과 알고 싶은 것을 연상하여 적어 보자.

예시 답 인공지능에 대한 탐구

각 소주제는 목차의 역할을 할 수 있다.

(4) 주제와 관련해서 자신이 가장 조사하고 싶은 내용(소주제)을 3가지 이상 정해 보자.

예시 답

↳ 인공지능의 현재

↳ 인공지능의 미래

↳ 인공지능이 인간의 삶에 미치는 영향

≫ 매체 환경과 독서 문화를 고려하여 책을 선정하기

2. 다음은 태현이와 규현이가 선정한 책의 일부분이다. 이를 읽고 활동을 통해 자신이 읽을 책을 선정하고 읽어 보자.

(1) 태현이와 규현이가 책에서 찾고자 한 내용이 아래의 책에 있는지 확인해 보자.

예시 답

찾고자 한 내용	있다	없다
뉴질랜드의 지리에 대한 내용		√
뉴질랜드의 문화에 대한 내용	√	

주제와 관련된 도서를 선정할 때는 도서관이나 인터넷을 활용할 수 있다. 인터넷 검색을 통해 찾은 책을 살펴보았는데 생각했던 내용이 아니거나 읽기가 너무 어렵다면 책을 바꾸는 것이 좋다.

(2) (1)에서 '있다'에 표시한 내용이 무엇인지 간략하게 써 보자.

예시 답 뉴질랜드는 원주민으로 볼 수 있는 마오리족과 이주민인 유럽인들이 조약을 맺고 사이좋게 잘 살고 있다. 그래서 뉴질랜드에는 마오리족의 춤, 건물, 마오리어 등 마오리족의 문화가 많이 보존되어 있다. 이를 위해 정부 차원에서 각종 지원과 제도를 갖추고 있다.

원주민 마오리족과 사이좋게 지내는 이주민

마오리족도 약 1,000년 전에 남태평양 섬들에서 뉴질랜드로 이주했으므로 엄격히 따져서는 원주민이라 할 수 없다. 마오리족이 뉴질랜드로 이주하기 전에 그곳에 살았던 종족을 연구한 결과는 거의 없으며, 무인도 상태였을 것으로 추측하고 있다. 그래서 약 200년 전부터 유럽인이 뉴질랜드로 이주했을 때 마오리족은 분명히 뉴질랜드의 선주민 혹은 원주민이었다. 그러나 뉴질랜드로 이주한 유럽인은 마오리족 추장들과 조약을 맺고 같이 사이좋게 살 것을 약속했으며, 지금까지 그렇게 하고 있다.

마오리족은 춤과 노래를 잘하고 나무, 돌, 뼈를 조각하는 솜씨가 뛰어나다. 그들의 하카(Haka) 춤은 선사들이 출전 전에 추는 춤으로 허벅지를 치고, 발을 쾅쾅 구르면서 큰소리를 지르고, 혓바닥을 길게 내려놓는 등 상대방에게 긴장감을 느끼게 하는 춤이다. 여자들이 추는 포이(Poi) 춤은 방울을 돌리며 낭랑한 목소리로 노래를 부르며 추는 경쾌한 춤이다. 또 마오리족은 모코(Moko)라는 문신을 좋아한다. 남자는 얼굴 전체에, 여자는 입 주위에 한다.

마오리족의 상징 건물은 회의장 건물로 주요 의사 결정과 행사를 여기에서 한다. 삼각형의 •맞배지붕에 붉은색 칠을 한 집안으로 들어서면 벽과 홀 중앙에 많은 기둥이 있고, 천장에는 이들 기둥과 연결되는 •들보가 있다. 이 모든 기둥과 들보에 사람들이 조각되어 있는데 하나하나가 의미를 갖고 있는 마오리족의 조상이라 한다.

• 맞배지붕: 건물의 모서리에 추녀가 없이 용마루까지 측면 벽이 삼각형으로 된 지붕.
• 들보: 칸과 칸 사이의 두 기둥을 건너질러 도리와는 'ㄴ' 자 모양, 마룻대와는 '+' 자 모양을 이루는 나무.

(계속)

여러 매체 자료에서 자신들의 관심사가 충족되었는지 판단해 보고, 어떤 내용의 책을 통해 부족한 점을 채울 것인지 탐색하여 책을 선정한다.

(3) (1)을 바탕으로 태현이와 규현이가 이 책을 통해서 얻지 못한 내용을 보완하려면 어떻게 하는 것이 좋을지 말해 보자.

예시 답 '뉴질랜드의 지리'에 대한 정보를 얻지 못했으므로, 이 책의 다른 부분에 지리에 대한 이야기가 있는지 찾아보거나 뉴질랜드 지리를 다룬 다른 책이나 논문, 영상 자료 등을 추가로 찾아 내용을 보완한다.

스스로 하기

(4) 자신이 정한 주제와 관련되는 책을 찾아서 읽을 책을 선정해 보자.

예시 답

선정한 책	• 제목: 로봇 시대, 인간의 일 • 출판사: 어크로스 • 지은이: 구본권
선정한 까닭	책을 소개하는 신문 기사에서 처음 접했는데, 내가 궁금해 하던 인공지능의 현재와 미래에 대해 여러 가지 사례를 통해 비교적 쉽게 설명해 놓은 책이기 때문에 선정했다.

▲ 마오리 회의장 건물과 그 내부 구조
붉은 색상을 많이 사용하며, 실내 기둥과 벽에 조각이 많다.

뉴질랜드 정부는 마오리족과 공존을 위해 많은 노력을 하고 있다. 마오리족 학생들에게 많은 장학금의 혜택을 주어 공부를 지원하고, 마오리어를 살리기 위해 공식 행사에서 연설을 할 때면 대부분 몇 마디 마오리어로 먼저 이야기하고 난 다음에 영어로 연설을 이어 간다. 안내하는 말을 할 때도 '안녕하십니까?'라는 뜻인 마오리어 'kia ora'라는 말을 하고, 그 다음에 안내를 이어 간다. 방송에서도 일정 시간 마오리어 방송이 의무화되어 있다. 마오리족의 문화를 살리기 위해서 박물관마다 마오리족의 문화 자료를 모아 놓은 방을 넓게 만들어 예술품을 전시하며, 축제 때마다 마오리족 춤과 노래를 공연하게 하였다. 뉴질랜드 지명의 대부분이 마오리어로 되어 있어 마오리어만 알면 그 지명이 뜻하는 것을 알 수 있다.

– 조화룡, 『뉴질랜드 지리 이야기』에서

≫ 책을 골라 읽고, 독서 일지 기록하기

3. 다음은 태현이와 규현이가 읽었던 책을 인터넷 게시판에 작성한 독서 일지이다. 이를 참조하여 자신이 읽은 책에 관해 인터넷 학급 게시판에 독서 일지를 작성해 보자.

독서 일지

책 읽기: 35분 독서 일지 쓰기: 15분

책 제목	뉴질랜드 지리 이야기	읽은 날짜	3. 25.
지은이	조화룡	읽은 쪽	25 ~ 46

중심 내용

* 책을 읽으며 책에 큰따옴표(“ ”)로 표시해 둔다.

“뉴질랜드로 이주한 유럽인은 마오리족 추장들과 조약을 맺고 같이 사이좋게 살 것을 약속했다.”
“뉴질랜드 정부는 마오리족과의 공존·공영을 위해 많은 노력을 하고 있다.”
“마오리족은 춤과 노래를 잘하고, 마오리족의 상징 건물인 회의장 건물에서 주요 의사 결정과 행사를 한다.”

인상에 남는 부분과 그 까닭

* 책을 읽으며 책에 느낌표(!)로 표시해 둔다.

! 마오리어를 살리기 위해 공식 행사에서 연설을 할 때 대부분 몇 마디 마오리어로 먼저 이야기하고 난 다음에 영어로 이야기한다. 안내 말을 할 때도 ‘안녕하십니까?’라는 뜻인 마오리어 ‘kia ora’라는 말을 하고, 그다음에 안내 말을 이어 간다. 방송 시간에서도 일정 시간 마오리어 방송이 의무화되어 있다.
⋯→ 원주민의 문화를 보존하고 전수하고자 하는 노력이 인상 깊어!

궁금한 점

* 책을 읽으며 책에 물음표(?)로 표시해 둔다.

? 뉴질랜드 지명이 대부분이 마오리어로 되어 있어 마오리어만 알면 그 지명이 뜻하는 것을 알 수 있다.
⋯→ 책에 나오는 뉴질랜드의 지명이 마오리어로 무슨 뜻일까?

새로 알게 된 점 / 새로 품게 된 생각

자연환경이 좋은 나라라고만 생각하고 있었는데, 그 자연을 지키기 위해 무척 노력을 많이 하는 나라라는 점을 알게 되었다.

도로를 하나 건설할 때도 그로 인해 훼손될 식물이나 동물의 환경을 조사하고 그 피해를 최소화하는 방안을 마련하느라 시간이 오래 걸린다는 내용에서 우리나라도 이 점을 배워야겠다는 생각이 들었다.

댓글 12개 | 엮인 글 | 글쓰기

선생님 낯선 나라의 문화와 지리에 관한 내용이 쉽지만은 않았을 텐데 차분하고 꼼꼼하게 잘 읽었네요. 간략한 역사와 문화, 언어, 지리 등에 대해 깊이 있게 읽음으로써 세계 문화의 한 부분을 이해하는 데 도움이 되겠네요.

생각 나누기

≫ 책 읽기를 공유하며 언어와 매체 문화 발전에 참여하기

4. 다음은 태현이와 규현이가 읽은 책을 소개하기 위한 계획과 책을 소개한 부분이다. 아래 활동으로 자신이 읽은 책을 소개해 보고, 다른 사람과 의견을 나눠 보자.

(1) 다양한 매체에 책을 소개하는 계획을 세워 보고, 매체에 책을 소개할 때 유의할 점을 말해 보자.

이용할 매체	블로그
소개할 내용	• 『뉴질랜드 지리 이야기』라는 책의 개략적인 정보 • 지리 또는 문화에서 인상 깊었던 내용과 추천하고 싶은 내용 • 책에 대한 나의 짧은 비평
소개하는 방법	책 표지와 참고 사진 등 이미지, 책과 소개하는 글에 어울리는 배경 음악 등으로 구성한다.
유의할 점	블로그의 특성에 맞게 문장이 길지 않고, 내용이 너무 많지 않게 정리한다.

스스로 하기

예시 답

이용할 매체	블로그
소개할 내용	인공지능과 자동화, 로봇의 시대를 어떻게 준비하며 맞이해야 하는지에 대한 내용
소개하는 방법	책에 소개된 여러 가지 사례에 해당하는 사진을 함께 올리거나 해당 내용과 관련된 인터넷 자료를 삽입하거나 웹 페이지에 연결한다.
유의할 점	핵심적인 내용을 간결하게 정리하여 올리되, 이해를 돕기 위해 추가하는 자료가 다른 사람의 저작권을 침해하지 않도록 유의한다.

읽은 책을 매체에 공유할 때는 책의 내용을 중심으로 내용을 구성하되, 각 매체의 특성을 고려하여야 한다. 특히 소개할 내용에 따라 더 적절한 매체가 있을 수 있으므로 매체의 특성과 소개의 내용을 살펴본 후에 매체를 선택해야 한다.

블로그는 개인적인 공간이지만 때에 따라서는 대형 미디어 못지않을 정도의 파급력을 가지고 있다. 블로그는 누구나 쉽게 만들 수가 있으며, 다양한 사람들과 소통이 이루어지며, 운영자 본인의 생각에 따라 편집의 자율성이 보장되는 매체이다.

(2) 계획에 따라 선택한 매체에 읽은 책을 소개하는 글을 써 보자.

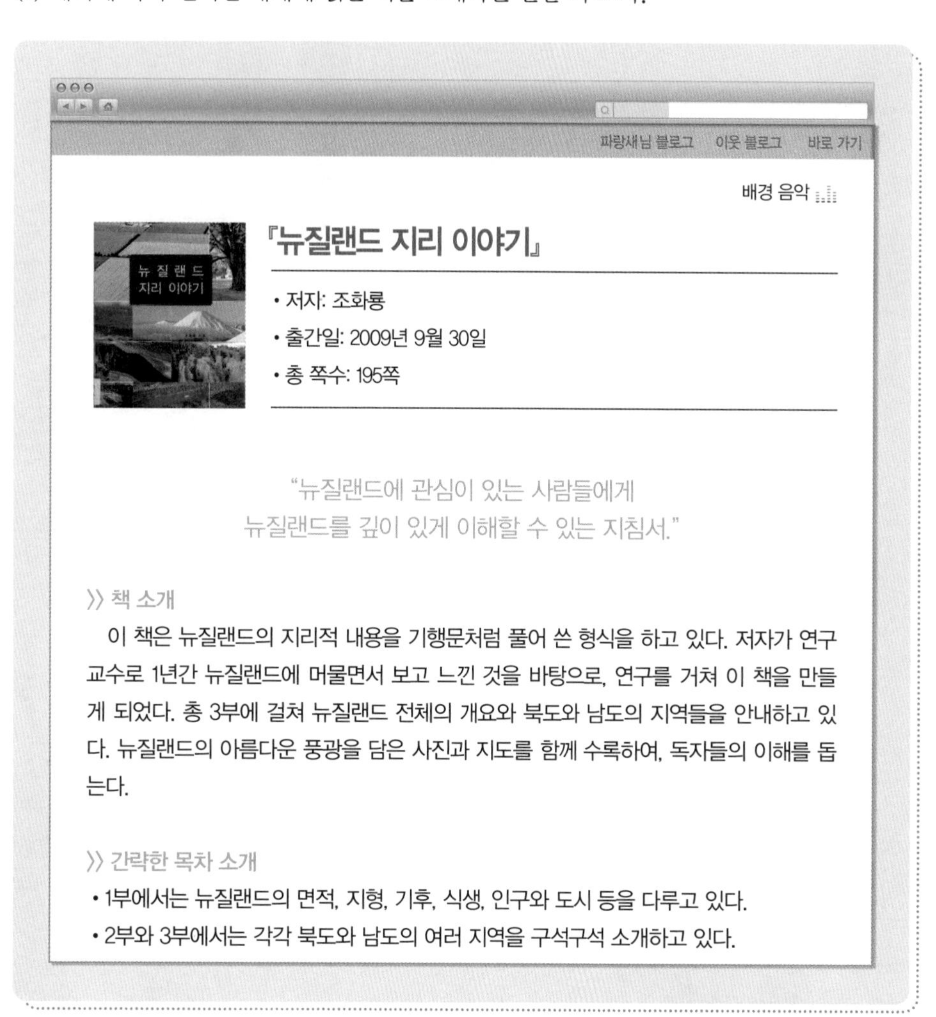

파랑새님 블로그 이웃 블로그 바로 가기

배경 음악

『뉴질랜드 지리 이야기』

- 저자: 조화룡
- 출간일: 2009년 9월 30일
- 총 쪽수: 195쪽

"뉴질랜드에 관심이 있는 사람들에게
뉴질랜드를 깊이 있게 이해할 수 있는 지침서."

〉〉 책 소개

이 책은 뉴질랜드의 지리적 내용을 기행문처럼 풀어 쓴 형식을 하고 있다. 저자가 연구교수로 1년간 뉴질랜드에 머물면서 보고 느낀 것을 바탕으로, 연구를 거쳐 이 책을 만들게 되었다. 총 3부에 걸쳐 뉴질랜드 전체의 개요와 북도와 남도의 지역들을 안내하고 있다. 뉴질랜드의 아름다운 풍광을 담은 사진과 지도를 함께 수록하여, 독자들의 이해를 돕는다.

〉〉 간략한 목차 소개

- 1부에서는 뉴질랜드의 면적, 지형, 기후, 식생, 인구와 도시 등을 다루고 있다.
- 2부와 3부에서는 각각 북도와 남도의 여러 지역을 구석구석 소개하고 있다.

스스로 하기

(3) 친구들의 블로그에 게재된 책 소개나 독서 일지에 댓글을 써 보고, 자신의 블로그에 달린 댓글에 답변하며 읽기 경험을 공유해 보자.

예시 답 생략

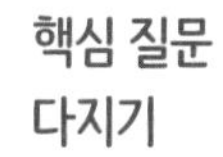

핵심 질문 다지기

이 단원의 핵심 질문에 대한 답을 해 보자. 예시 답

→ 독서는 언어와 매체를 기반으로 하고, 독서 문화의 발전이 언어와 매체 문화 발전에 자극을 준다. 그러므로 언어와 매체의 특성과 가치를 인식해야 독서를 올바르게 할 수 있으며, 그렇게 독서를 해야 독서 문화가 발전하여 언어와 매체 문화의 발전에 기여할 수 있다. 즉 언어문화 · 매체 문화는 독서와 서로 영향을 주고받는, 다시 말하면 서로 도움을 주고받는 관계라고 말할 수 있다.

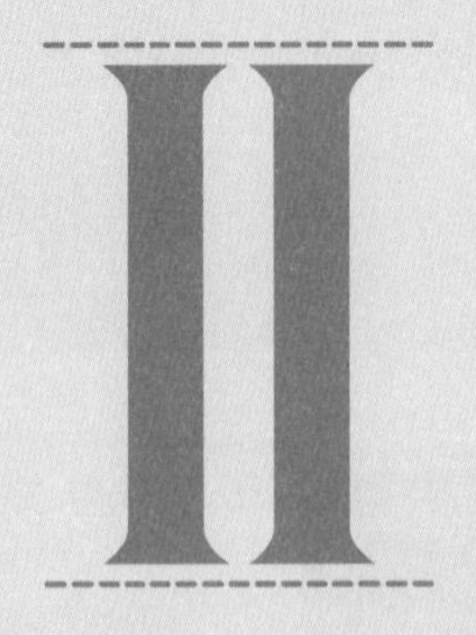

국어의 탐구와 활용

» 대단원의 흐름

오늘의 요리
〈사과 케이크〉
다양한 재료들이 모여 하나의 케이크로!

1 음운	**(1) 음운의 개념과 체계** • 음향과 음성, 그리고 음운은 각각 무엇일까? • 국어의 자음과 모음은 어떤 체계를 지니고 있을까? **(2) 음운의 변동** • 국어에서 음운 변동은 왜 일어나며, 어떤 유형이 있을까? • 음운 변동을 이해하면 우리에게 무엇이 좋을까?
2 단어와 품사	**(1) 단어의 품사와 특성** • 품사의 개념은 무엇이며, 왜 개념을 알아야 할까? • 품사는 어떻게 분류되고, 어떤 것들이 있을까? **(2) 단어의 짜임과 새말 형성** • 단어는 어떤 요소로 이루어지며, 요소에 따라 어떻게 분류할 수 있을까? **(3) 단어의 의미 관계와 어휘 사용** • 단어와 단어 사이에는 어떤 의미 관계가 있을까?
3 문장과 문법 요소	**(1) 문장의 성분** • 문장은 어떤 요소들로 이루어져 있을까? **(2) 문장의 짜임** • 문장 성분들은 어떻게 결합하여 복잡한 문장을 만들까? **(3) 문법 요소** • 문장을 구성할 때에는 문법 요소가 왜 필요할까? • 국어의 문법 요소에는 어떠한 것들이 있을까?
4 담화	**(1) 담화의 개념과 특성** • 장면, 발화, 담화는 각각 무엇이고, 어떻게 구별할까? • 담화를 구성하는 요소는 무엇이고, 담화를 이루기 위해서는 어떤 조건이 필요할까? • 적절하고 자연스럽게 구성된 담화는 어떤 특성을 보일까? **(2) 담화의 맥락과 효과적인 국어 생활** • 담화의 의미를 바르게 파악하기 위한 맥락에는 어떤 것들이 있을까?

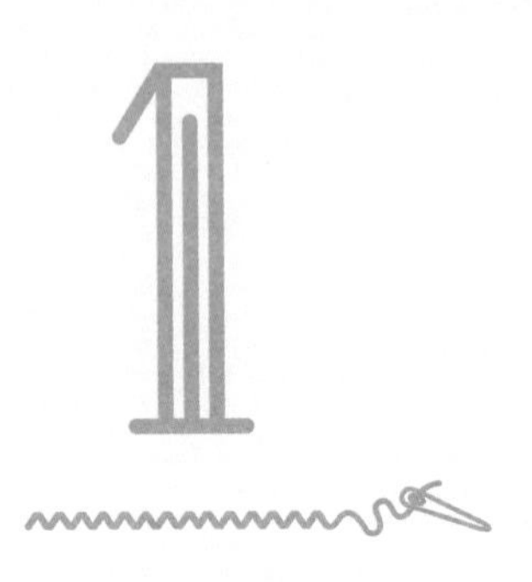

음운

1 음운의 개념과 체계

[학습 목표] 음성과 음운의 차이를 알고, 실제 국어 생활을 바탕으로 음운의 체계를 탐구한다.

- 음운의 개념 및 종류 알기
- 국어의 자음과 모음의 체계 알기

- **음운의 개념**

말의 뜻을 구별하여 주는 소리의 가장 작은 단위

- **국어의 음운 체계**

	분류 기준	음운 체계
자음	조음 위치에 따라	입술소리, 잇몸소리, 센입천장소리, 여린입천장소리, 목청소리
	조음 방법에 따라	파열음, 마찰음, 파찰음, 유음, 비음
	소리의 세기에 따라	예사소리, 된소리, 거센소리
	목청의 떨림 여부에 따라	울림소리, 안울림소리
모음	혀의 위치에 따라	전설 모음, 후설 모음
	혀의 높낮이에 따라	고모음, 중모음, 저모음
	입술의 모양에 따라	원순 모음, 평순 모음

➜ 국어의 음운은 음소(자음과 모음의 분절 음운)과 운소(소리의 높낮이, 길이, 세기 등의 비분절 음운)로 이루어져 있다. 국어의 음운 체계를 이해하여 올바른 발음과 표기를 실천하도록 한다.

2 음운의 변동

[학습 목표] 실제 국어 생활을 바탕으로 음운의 변동을 탐구한다.

- 음운 교체 알기
- 음운 첨가 알기
- 음운 탈락 알기
- 음운 축약 알기

교체	음운 변동 결과 한 음운이 다른 음운으로 바뀌는 현상 – 음절의 끝소리 규칙, 자음 동화, 모음 동화, 구개음화 등
탈락	음운 변동 결과 원래 있던 음운이 없어지는 현상 – 자음군 단순화, 'ㄹ' 탈락, 'ㅎ' 탈락, 'ㅡ' 탈락 등
첨가	두 음운 사이에 원래 없던 음운이 덧붙는 현상 – 'ㄴ' 첨가
축약	두 개의 음운이 합쳐져서 하나의 음운이 되는 현상 – 거센소리되기

➜ 음운은 그것이 위치한 음운 환경에 따라 발음이 다른 소리로 바뀌어 나타날 수 있는데, 이러한 음운 변동의 특성은 국어의 발음이나 표기와 밀접한 관련이 있으므로, 음운 변동의 원리와 규칙에 관해 탐구하고, 이를 실제 발음과 표기에 적용할 수 있도록 한다.

{ 1 } 음운의 개념과 체계

소단원 시험 족보

1 음운의 개념

음운
• 의미 구별에 사용되는 최소의 문법 단위 • 사람들의 머릿속에서 같은 소리로 인식하는 추상적이고 관념적인 말소리 • 최소 대립쌍을 만들어 봄으로써 확인할 수 있음.

분절 음운(음소)	비분절 음운(운소)
정확히 소리마디의 경계가 그어지는 음운. 즉 자음과 모음	소리마디의 경계가 분명히 그어지지 않는 음운. 소리의 강약, 고저, 장단 등

- 음성: 사람의 발음 기관을 통해 나오는 말소리
- 최소 대립쌍: 단어를 구성하고 있는 나머지 요소는 모두 같고 오직 한 가지 요소에 의해서만 의미가 구별되는 단어의 짝
  예 '달-말', '볼-벌', '설-섬'
- 변이음: 의미 차이에 기여하지 못하고 하나의 음운에 속하는 서로 다른 소리 예 '고기'에서 두 'ㄱ'의 실제 소리는 [k]와 [g]로 서로 다르지만 한국인은 둘다 'ㄱ'으로 인식함.

확인하기 1

- 다음에서 '말[言]'의 최소 대립쌍인 것과 아닌 것을 구별하고, 최소 대립쌍으로 어떤 것이 더 있는지 생각해 보자.

감 날 달 말[馬] 발 설 물 쌀 창

- 최소 대립쌍인 것:
- 최소 대립쌍이 아닌 것:

2 자음 체계

- 자음이 만들어지면서 공기의 흐름에 장애가 일어나는 자리를 조음 위치라고 하고, 장애가 일어나는 방법을 조음 방법이라고 함.

조음 방법 \ 조음 위치		입술소리	잇몸소리	센입천장소리	여린입천장소리	목청소리
파열음	예사소리	ㅂ	ㄷ		ㄱ	
	된소리	ㅃ	ㄸ		ㄲ	
	거센소리	ㅍ	ㅌ		ㅋ	
파찰음	예사소리			ㅈ		
	된소리			ㅉ		
	거센소리			ㅊ		
마찰음	예사소리		ㅅ			ㅎ
	된소리		ㅆ			
비음		ㅁ	ㄴ		ㅇ	
유음			ㄹ			

- 파열음: 허파에서 나오는 공기의 흐름을 완전히 막았다가 터뜨리면서 내는 소리
- 마찰음: 공기가 나오는 조음 기관의 공간을 좁혀 마찰을 일으키면서 내는 소리
- 파찰음: 파열 후에 마찰을 일으키며 내는 소리

확인하기 2

- 국어의 자음 체계를 참고하여 다음 자음의 위치와 조음 방법을 써 보자.

자음	조음 위치	조음 방법	자음	조음 위치	조음 방법
ㄲ			ㄴ		
ㄹ			ㅅ		
ㅈ			ㅍ		

3 모음 체계

① **단모음:** 발음하는 동안 입술 모양과 혀의 위치가 일정한 모음

혀의 높이 \ 입술 모양 \ 혀의 앞뒤	전설 모음		후설 모음	
	평순 모음	원순 모음	평순 모음	원순 모음
고모음	ㅣ	ㅟ	ㅡ	ㅜ
중모음	ㅔ	ㅚ	ㅓ	ㅗ
저모음	ㅐ		ㅏ	

* 'ㅚ, ㅟ'는 이중 모음으로 발음할 수도 있음.

- 전설 모음: 입천장의 중간점을 기준으로 혀의 최고점이 앞쪽에 있을 때 발음되는 모음
- 후설 모음: 입천장의 중간점을 기준으로 혀의 최고점이 뒤쪽에 있을 때 발음되는 모음

② **이중 모음:** 발음하는 동안 입술 모양이나 혀의 위치가 달라지는 모음으로, 반모음 'j' 또는 'w'와 단모음이 결합하여 이루어짐.

※ 반모음 'j' 또는 'w': 음성의 성질로 보면 모음과 비슷하지만, 반드시 다른 모음에 붙어야 발음될 수 있다는 점에서는 자음과 비슷함.

상향 이중 모음	'j'+단모음	ㅑ[ja], ㅕ[jə], ㅛ[jo], ㅠ[ju], ㅒ[jɛ], ㅖ[je]
	'w'+단모음	ㅘ[wa], ㅝ[wə], ㅙ[wɛ], ㅞ[we]
하향 이중 모음	단모음+'j'	ㅢ[ɨj]

확인하기 3

- 다음에 해당하는 모음을 찾아보자.
- 후설 원순 모음:
- 전설 원순 고모음:
- 후설 평순 저모음:

확인하기 정답: ❶ 날, 달, 말[馬], 발, 물, 쌀/감, 설, 창 / ❷ ㄲ: 여린입천장소리, 파열음/ㄹ: 잇몸소리, 유음/ㅈ: 센입천장소리, 파찰음/ㄴ: 잇몸소리, 비음/ㅅ: 잇몸소리, 마찰음/ㅍ: 입술소리, 파열음 / ❸ ㅜ, ㅗ/ㅟ/ㅏ

소단원 적중 문제

[01~03] 다음 글을 읽고, 물음에 답하시오.

가 허파에서 나오는 공기가 목청[성대(聲帶)], 후두(喉頭), 울대 마개[후두개(喉頭蓋)], 목 안[인두(咽頭)], 입안[구강(口腔)], 코안[비강(鼻腔)]을 통과하는 동안 여러 기관의 작용에 따라 구체적이고 다양한 말소리가 만들어진다. 이때 작용하는 여러 기관을 조음 기관(또는 발음 기관)이라고 하는데, 말소리가 만들어지는 과정에서 공기의 흐름이 조음 기관의 방해를 많이 받으면 자음(子音)이 만들어지고, 별다른 방해를 받지 않으면 모음(母音)이 만들어진다.

나 사람의 발음 기관을 통해 나오는 말소리를 자연의 소리인 음향(音響)과 구별하여 음성(音聲)이라 한다. 이러한 음성은 발음 기관에서 만들어지는 물리적이고 경험적인 소리라는 점에서 머릿속에서 인식하는 추상적이고 관념적인 소리인 음운(音韻)과 구별된다. 또한 음운은 의미의 차이를 낸다는 점에서 의미의 차이를 내지 못하는 변이음(變異音)과도 구별된다. 예를 들어, '달'과 '말'은 나머지 구성 요소는 같고 오직 'ㄷ'과 'ㅁ'의 차이에 의해 의미 차이가 생기는데, 이때 'ㄷ'과 'ㅁ'을 각각 하나의 음운이라 한다. 반면 '고기'에서 두 'ㄱ'의 실제 소리는 [k]와 [g]로 서로 다르지만 우리는 두 소리를 구별하여 의미 차이를 만드는 데 사용할 수 없는데, 이처럼 의미 차이에 기여하지 못하고 하나의 음운에 속하는 소리를 변이음이라 한다.

다 의미 구별에 사용되는 최소의 문법 단위를 음운이라 할 때, 최소 대립쌍을 만들어 봄으로써 음운을 확인할 수 있다. 최소 대립쌍이란, 위에서 예로 든 '달–말'과 같이 단어를 구성하고 있는 요소 중에서 오직 한 가지 요소에 의해서만 의미가 구별되는 단어의 짝을 말한다. 이때 차이가 나는 한 가지 요소를 음운이라 한다.

라 음운은 소리마디의 경계가 그어지는 분절 음운과 소리의 장단, 강약, 고저와 같이 소리마디의 경계가 분명히 그어지지 않는 비분절 음운으로 나눌 수 있다. 모든 언어는 분절 음운과 비분절 음운을 활용하여 다양한 의미를 가진 단어를 만들어서 사용하지만, 분절 음운의 구체적인 목록과 체계 및 비분절 음운의 종류는 언어마다 차이가 있다.

01 이 글의 내용과 일치하지 않는 것은?

① 분절 음운에는 자음과 모음이, 비분절 음운에는 소리의 장단, 강약, 고저 등이 있다.
② 인간의 말소리는 허파에서 처음 만들어진 후, 구강을 통과하면서 다양한 소리로 분화된다.
③ 음성은 사람의 발음 기관을 통해 나오는 말소리로, 자연계에서 만들어지는 소리인 음향과 구별된다.
④ 변이음은 하나의 음운이 그것이 위치하는 음운 환경에 따라 발음되는 실제 소리에 차이가 나면서 형성된다.
⑤ 허파에서 나오는 공기의 흐름이 조음 기관의 방해를 많이 받으면 자음이, 방해를 받지 않으면 모음이 만들어진다.

02 이 글을 읽고 다음과 같은 활동을 해 보았다. ⓐ~ⓔ에 들어갈 내용으로 적절하지 않은 것은?

- 말소리가 만들어지는 원리를 알아보자.
  ⇨ ____ⓐ____
- 음성과 음운을 구분하는 기준을 알아보자.
  ⇨ ____ⓑ____
- 음운과 변이음의 기능적 차이를 알아보자.
  ⇨ ____ⓒ____
- 음운의 기능을 확인할 수 있는 방법을 알아보자.
  ⇨ ____ⓓ____
- 분절 음운과 비분절 음운을 구분하는 기준을 알아보자.
  ⇨ ____ⓔ____

① ⓐ: 허파에서 나오는 공기에 여러 발음 기관의 작용이 더해져 말소리가 만들어진다.
② ⓑ: 사람의 발음 기관에서 나오는 소리에 대한 인간의 감지 여부에 따라 음성과 음운으로 나눌 수 있다.
③ ⓒ: 변이음은 하나의 음운에 속하는 소리로, 음운과 달리 의미를 변별하는 기능을 하지 못한다.
④ ⓓ: 단어를 구성하는 요소 중 오직 한 가지 요소에 의해서만 의미가 구별되는 단어의 짝을 만들어 본다.
⑤ ⓔ: 소리마디의 경계가 분명히 그어지느냐의 여부에 따라 분절 음운과 비분절 음운으로 구분할 수 있다.

03 다음 중 '쌀'과 최소 대립쌍을 이루는 단어를 모두 쓰시오.

술 싹 썰 실 숙 말 발 벌 박 알

[04~06] 다음 글을 읽고, 물음에 답하시오.

가 조음 위치에 따라서는, 입술소리[순음(脣音)], 잇몸소리[치조음(齒槽音)], 센입천장소리[경구개음(硬口蓋音)], 여린입천장소리[연구개음(軟口蓋音)], 목청소리[후음(喉音)] 등으로 나뉜다.

조음 방법에 따라서는, 허파에서 나오는 공기의 흐름을 완전히 막았다가 터뜨리면서 내는 파열음(破裂音), 공기가 나오는 조음 기관의 공간을 좁혀 마찰을 일으키면서 내는 마찰음(摩擦音), 파열 후에 마찰을 일으키는 파찰음(破擦音), 혀끝을 잇몸에 가볍게 대었다가 떼거나 혀끝을 윗잇몸에 댄 채 공기를 그 양옆으로 흘려 내보내면서 내는 유음(流音), 여린입천장과 목젖을 내려 공기가 코로 들어가도록 하여 내는 비음(鼻音)이 있다.

또한 소리의 세기에 따라 ㉠ 예사소리[평음(平音)], 된소리[경음(硬音)], 거센소리[격음(激音)]로 나뉘기도 하고, 목청의 떨림 여부에 따라 울림소리[유성음(有聲音)]와 안울림소리[무성음(無聲音)]로 나뉘기도 한다. 자음 가운데 비음과 유음은 항상 울림소리로 발음되고, 나머지 자음들은 기본적으로 안울림소리지만 특정한 환경에서는 울림소리로 발음되기도 한다.

조음 방법 \ 조음 위치		입술소리	잇몸소리	센입천장소리	여린입천장소리	목청소리
파열음	예사소리	ㅂ	ㄷ		ㄱ	
	된소리	ㅃ	ㄸ		ㄲ	
	거센소리	ㅍ	ㅌ		ㅋ	
파찰음	예사소리			ㅈ		
	된소리			ㅉ		
	거센소리			ㅊ		
마찰음	예사소리		ㅅ			ㅎ
	된소리		ㅆ			
비음		ㅁ	ㄴ		ㅇ	
유음			ㄹ			

▲ 현대 국어의 자음 체계

나 현대 국어의 단모음 체계는 다음과 같다.

혀의 높이 \ 입술 모양 \ 혀의 앞뒤	전설 모음		후설 모음	
	평순 모음	원순 모음	평순 모음	원순 모음
고모음	ㅣ	ㅟ	ㅡ	ㅜ
중모음	ㅔ	ㅚ	ㅓ	ㅗ
저모음	ㅐ		ㅏ	

04 (가)와 (나)를 참고하여 〈보기〉의 활동을 수행한 결과로 적절한 것은?

〈보기〉

[학습 활동] 다음 조건을 모두 만족시키는 단어를 알아보자.
• 첫소리는 혀끝과 윗잇몸에서 거센소리로 발음된다.
• 가운뎃소리는 입술이 동그란 모양으로 발음된다.
• 끝소리는 여린입천장에서 비음으로 발음된다.

① 학생 1: 발 ② 학생 2: 탁 ③ 학생 3: 통
④ 학생 4: 칸 ⑤ 학생 5: 밤

수능형 학습 활동 적용

05 다음 그림 중 ⓐ~ⓔ에 대한 설명으로 적절하지 않은 것은?

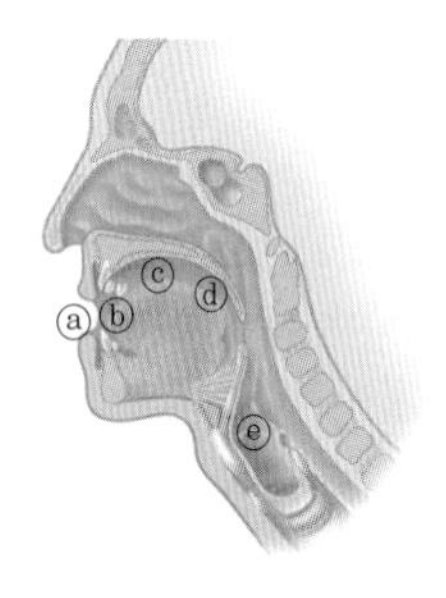

① ⓐ~ⓔ는 공기의 흐름에 장애가 일어나면서 소리가 만들어지는 자리이다.
② ⓐ, ⓑ, ⓓ에서는 공기의 흐름이 완전히 막혔다가 터뜨려지면서 소리가 만들어진다.
③ ⓑ에서 만들어지는 마찰음은 같은 위치에서 만들어진 파열음과 달리 거센소리가 나지 않는다.
④ ⓒ에서는 파열 후에 마찰을 일으키며 소리가 만들어지는데, 이때 목청의 떨림이 이루어진다.
⑤ ⓔ에서는 ⓑ에서와 동일한 조음 방법에 의해 소리가 만들어지지만, ⓑ에서와 달리 소리의 세기에는 차등이 없다.

학습 활동 적용

06 ㉠과 관련한 〈보기〉의 설명에 사례로 들 수 있는 것은?

〈보기〉

소리가 세질수록, 즉 '예사소리<된소리<거센소리'의 순서로 단어의 의미나 느낌을 강하게 표현할 수 있다.

① 단단하다 – 든든하다 ② 알록달록 – 얼룩덜룩
③ 졸랑졸랑 – 촐랑촐랑 ④ 울렁울렁 – 훌렁훌렁
⑤ 반짝반짝 – 번쩍번쩍

2 음운의 변동

• 음운 변동의 개념과 유형

- 음운 변동: 어떤 음운이 어느 자리에 놓이느냐에 따라 다른 음운으로 바뀌어 소리 나는 현상
- 음운 변동의 유형

교체(交替)	한 음운이 다른 음운으로 바뀌는 현상
탈락(脫落)	원래 있던 음운이 없어지는 현상
첨가(添加)	없던 음운이 추가되는 현상
축약(縮約)	두 개의 음운이 합쳐져서 하나로 되는 현상

1 교체

① 음절의 끝소리 규칙

- 'ㅇ'을 제외한 모든 자음이 음절의 처음 위치에서 발음될 수 있는 것과 달리, 받침 위치에서는 'ㄱ, ㄴ, ㄷ, ㄹ, ㅁ, ㅂ, ㅇ'의 7개 자음으로만 발음되는 현상
- 위의 7개 자음에 속하지 않는 자음들은 'ㄱ, ㄷ, ㅂ' 중 하나로 교체

받침 표기	발음	예
ㄲ, ㅋ	ㄱ	밖[박], 부엌[부억]
ㅌ, ㅅ, ㅆ, ㅈ, ㅊ, (ㅎ)	ㄷ	낱[낟], 낫[낟], 낮[낟], 낯[낟]
ㅍ	ㅂ	무릎[무릅], 잎[입]

② 자음 동화

종류	비음화	유음화
의미	비음이 아닌 자음이 비음의 영향을 받아 비음 'ㄴ, ㅁ, ㅇ'으로 동화되는 현상	유음이 아닌 자음이 유음의 영향을 받아 유음 'ㄹ'로 동화되는 현상
예	• 닫는[단는] • 잡는[잠는] • 먹는[멍는]	• 달님[달림] • 권력[궐력]

※ 비음화는 조음 위치는 그대로이고, 조음 방법만 바뀜.
'ㄱ'→'ㅇ'(여린입천장), 'ㄷ'→'ㄴ'(잇몸), 'ㅂ'→'ㅁ'(입술)

- 방향에 따른 종류
  - 순행 동화: 앞 음운이 뒤 음운에 영향을 주어 일어나는 동화
    예 종로[종노]
  - 역행 동화: 뒤 음운이 앞 음운에 영향을 주어 일어나는 동화
    예 국물[궁물]
  - 상호 동화: 앞뒤의 음운이 서로 영향을 주어 일어나는 동화
    예 백로[뱅노], 독립[동닙]
- 정도에 따른 종류
  - 완전 동화: 앞이나 뒤의 음운과 완전히 같아지는 것
    예 칼날[칼랄], 닫는[단는]
  - 불완전 동화: 앞이나 뒤의 음운과 닮은 음운으로 바뀌는 것
    예 국민[궁민], 섭리[섬니]

③ 모음 동화

- 'ㅣ' 모음 역행 동화: 후설 모음 'ㅏ, ㅓ, ㅗ, ㅜ'가 뒤에 오는 전설 모음 'ㅣ'의 영향을 받아 각각 'ㅐ, ㅔ, ㅚ, ㅟ'로 바뀌는 현상
- 표준어가 된 일부 단어를 제외하고는 표준 발음으로 인정하지 않음.
  예 아기 → [애기], 어미 → [에미], 고기 → [괴기], 죽이다 → [주기다] → [쥐기다]
- 'ㅣ' 모음 역행 동화에 의한 발음이 표준어가 된 예: 냄비, 멋쟁이, (불을) 댕기다

④ 구개음화

- 구개음이 아닌 자음 'ㄷ, ㅌ'이 모음 'ㅣ'와 만나 경구개음인 'ㅈ, ㅊ'으로 동화되는 현상
  예 굳이[구지], 밭이[바치], 솥이[소치], 닫히다[다치다], 붙이다[부치다]
- 실질 형태소 뒤에 형식 형태소가 연결되는 환경에서만 일어남.
  예 '빌딩', '잔디', '디디다'에서는 구개음화가 일어나지 않음.

확인하기 1

- 받침 위치에서 'ㄱ, ㄷ, ㅂ'으로 교체되는 자음을 모두 찾아보자.
  - ㄲ, ㅋ → ㄱ • (　　　) → ㄷ • (　　　) → ㅂ
- 다음 단어의 실제 발음을 써 보고, 이때 일어나는 동화의 유형이 무엇인지 아래에서 골라 보자.
  - 웃는다[　　　](　　) • 신라[　　　](　　)
  - 받히다[　　　](　　) • 만이[　　　](　　)

㉠ 비음화 ㉡ 유음화 ㉢ 'ㅣ' 모음 역행 동화 ㉣ 구개음화

2 탈락

자음군 단순화	• 음절 끝의 겹받침 가운데 하나가 탈락하고 하나만 발음되는 현상 • 예 닭[닥], 맑다[막따], 삶[삼:], 젊다[점:따], 읊다[읍따], 넋[넉], 앉다[안따], 여덟[여덜], 외곬[외골/웨골], 핥다[할따], 값[갑]
'ㄹ' 탈락	• 동사나 형용사의 어간 말 자음 'ㄹ'이 몇몇 어미 앞에서 탈락하는 현상 예 놀다: 노니, 논, 놉니다, 노세, 노오/둥글다: 둥그니, 둥근, 둥급니다, 둥그시다, 둥그오

'ㅎ' 탈락	• 동사나 형용사의 어간 말 자음 'ㅎ'이 모음으로 시작하는 어미 앞에서 탈락하는 현상 예 낳다: 낳아[나아], 낳은[나은]/좋다: 좋아[조아], 좋은[조은]/많아[마:나], 싫어도[시러도]
'ㅡ' 탈락	• 동사나 형용사의 어간 말 모음 'ㅡ'가 모음으로 시작하는 어미 앞에서 탈락하는 현상 예 아프다: 아파서, 아팠다

※ 'ㄹ' 탈락: '아다 마다', '아니 노지는 못하리라' 등을 오늘날에는 '알다 마다', '아니 놀지는 못하리라'와 같이 표현함. 현대에 만들어진 단어는 'ㄹ' 탈락이 일어나지 않는 경우가 많음.
예 '달님, 별님'

[참고 자료] 기타 모음 탈락

동음 탈락	가아 → 가
'ㅏ' 탈락	흔하지 → 흔치
'ㅓ' 탈락	깨어 → 깨
'ㅜ' 탈락	푸어 → 퍼
'ㅣ' 탈락	바이다 → 바다

확인하기 2

• 다음 빈칸을 채워서 음운의 탈락 현상을 정리해 보자.

탈락 현상	기본형	탈락 현상의 예
'ㄹ' 탈락	멀다	머니, 먼, 멉니다
'ㅎ' 탈락	쌓다	
	쓰다	

3 첨가

• 'ㄴ' 첨가: 일정한 환경에서 없던 음운 'ㄴ'이 추가되는 음운 현상. 앞말의 끝이 자음이고 뒷말의 첫음절 모음이 'ㅣ, ㅑ, ㅕ, ㅛ, ㅠ'인 경우에 일어남.

두 개의 형태소 또는 단어가 합쳐져서 합성어나 파생어가 될 때 'ㄴ' 첨가가 일어나는 경우	• 합성어: 솜이불[솜:니불], 꽃잎[꼰닙] • 파생어: 영업용[영엄뇽], 맨입[맨닙]
두 단어 사이에서 'ㄴ' 첨가가 일어나는 경우	한 일[한닐], 옷 입다[온닙따]

[참고 자료] 사이시옷의 발음

두 개의 형태소 또는 단어가 어울려 합성 명사를 이룰 때, 합성어의 앞말이 모음으로 끝날 때는 받침으로 사이시옷을 적어 이를 표시함.

표준 발음법 제30항

사이시옷이 붙은 단어는 다음과 같이 발음한다.

1. 'ㄱ, ㄷ, ㅂ, ㅅ, ㅈ'으로 시작하는 단어 앞에 사이시옷이 올 때는 이들 자음만을 된소리로 발음하는 것을 원칙으로 하되, 사이시옷을 [ㄷ]으로 발음하는 것도 허용한다.
예 초+불 → 촛불[초뿔/촏뿔], 배+사공 → 뱃사공[배싸공/밷싸공]
2. 사이시옷 뒤에 'ㄴ, ㅁ'이 결합되는 경우에는 [ㄴ]으로 발음한다.
'ㄴ, ㅁ' 같은 비음 앞에 사이시옷이 들어간 경우에는 'ㅅ → ㄷ → ㄴ'의 과정에 따라 사이시옷을 [ㄴ]으로 발음한다.
예 이+몸 → 잇몸[인몸], 코+날 → 콧날[콘날]
3. 사이시옷 뒤에 '이' 음이 결합되는 경우에는 [ㄴㄴ]으로 발음한다.
예 깻잎[깬닙 → 깬닙], 나뭇잎[나묻닙 → 나문닙]

※ 표준 발음법 제28항(→ 첨가 현상이 아니며 경음화됨.)
표기상으로는 사이시옷이 없더라도, 관형격 기능을 지니는 사이시옷이 있어야 할(휴지가 성립되는) 합성어의 경우에는, 뒤 단어의 첫소리 'ㄱ, ㄷ, ㅂ, ㅅ, ㅈ'을 된소리로 발음한다.
예 등+불 → 등불[등뿔]

확인하기 3

• 다음과 같이 합성어가 만들어질 때 'ㄴ' 첨가 현상이 일어나는 단어를 찾아보자.
㉠ 아래 + 마을 ㉡ 들 + 길 ㉢ 나무 + 잎 ㉣ 맛 + 집

4 축약

• 자음 축약(거센소리되기): 'ㄱ, ㄷ, ㅂ, ㅈ'과 'ㅎ'이 만나 'ㅋ, ㅌ, ㅍ, ㅊ'으로 줄어드는 현상. 'ㄱ, ㄷ, ㅂ, ㅈ'과 'ㅎ'의 앞뒤 순서는 아무 상관이 없음.
예 먹히다[머키다], 놓다[노타], 잡히다[자피다], 쌓지[싸치]
• 모음들이 합쳐져 이중 모음을 이루는 현상. 이때 어느 하나의 음운은 반모음으로 바뀜.

[참고 자료] 모음 축약(반모음화)

• 모음들이 합쳐져 이중 모음을 이루는 현상. 이때 어느 하나의 음운은 반모음으로 바뀜.
• 모음 축약은 두 형태소가 만날 때 앞뒤 형태소의 두 음절이 한 음절로 줄어드는 음절 축약임.
예 오- + -아서 → 와서, 두- + -었다 → 뒀다, 가지- + -어 → 가져

확인하기 4

• 다음 단어를 발음할 때 음운이 어떻게 축약되는지 써 보자.
• 각하 →
• 고집하다 →

확인하기 정답	❶ ㅅ, ㅆ, ㅈ, ㅊ, ㅌ, (ㅎ)/ㅍ/운:는다, ㉠/실라, ㉡/바치다, ㉢/마지, ㉣ / ❷ [싸으니], [싸쏘], [싸아]/'ㅡ' 탈락/쓰니, 써, 썼다 / ❸ ㉠, ㉢ / ❹ [가카]/[고지파다]

소단원 적중 문제

[01~04] 다음 글을 읽고, 물음에 답하시오.

(가) 음운은 그 놓이는 환경에 따라 발음이 달라지는 경우가 있다. 예를 들어, 'ㅊ'의 경우, '차[차]'와 같이 모음 앞에서는 원래의 음가를 유지하지만 '꽃[꼳]'과 같이 받침 위치에 오거나 '꽃만[꼰만]'과 같이 특정한 음운과 연결되면 다른 음운으로 바뀌어 발음된다. 어떤 음운이 어느 자리에 놓이느냐에 따라 다른 음운으로 바뀌어 소리 나는 현상을 음운 변동이라고 한다.

음운 변동은 그 결과에 따라 한 음운이 다른 음운으로 바뀌는 교체(交替), 원래 있던 음운이 없어지는 탈락(脫落), 없던 음운이 추가되는 첨가(添加), 두 개의 음운이 합쳐져서 하나로 되는 축약(縮約) 등으로 분류할 수 있다.

한 음운이 다른 음운으로 바뀌는 교체에는 음절의 끝소리 규칙과 자음 사이에 일어나는 자음 동화, 모음 사이에 일어나는 모음 동화, 자음과 모음 사이에 일어나는 구개음화 등이 있다.

(나) 음절의 끝에서는 다음과 같은 교체가 나타난다.

- 밖[박], 부엌[부억]
- 낫[낟], 낮[낟], 낯[낟], 낱[낟]
- 무릎[무릅]

이러한 현상은 'ㅇ'을 제외한 모든 자음이 음절의 처음 위치에서 발음될 수 있는 것과 달리, 음절의 끝 위치에서는 'ㄱ, ㄴ, ㄷ, ㄹ, ㅁ, ㅂ, ㅇ'의 7개 자음으로만 발음되는 것과 관련된다.

'ㄱ, ㄴ, ㄷ, ㄹ, ㅁ, ㅂ, ㅇ'이 음절 끝 위치에 있는 경우는 제 음가대로 발음되지만, 여기에 속하지 않는 다른 자음들은 'ㄱ, ㄷ, ㅂ' 중 하나로 교체되어 발음된다. 이러한 현상은 음절의 끝에서 나타나기 때문에 ㉠음절의 끝소리 규칙이라고 한다.

01 이 글에 제시된 내용이 아닌 것은?

① 음운 변동의 개념 ② 음운 변동 현상의 예
③ 음운 변동의 유형 ④ 음운 변동의 과정
⑤ 음운 변동의 규칙

학습 활동 적용

02 다음 음운 변동에 대한 설명으로 맞는 것은?

설날 → [설랄]

① 없던 음운이 추가되는 '첨가'이다.
② 원래 있던 음운이 없어지는 '탈락'이다.
③ 한 음운이 다른 음운으로 바뀌는 '교체'이다.
④ 두 개의 음운이 합쳐져서 하나로 되는 '축약'이다.
⑤ 음절의 끝에서 받침이 대표음으로 소리 나는 '음절의 끝소리 규칙'이다.

수능형

03 '음절의 끝소리 규칙'에 대한 다음 학습 활동에서 ⓐ에 들어갈 내용으로 적절한 것을 〈보기〉에서 골라 바르게 묶은 것은?

A. 자음으로 시작하는 형태소와 결합된 말의 끝소리를 발음해 보자.	B. 모음으로 시작하는 형태소와 결합된 말의 끝소리를 발음해 보자.
• 예 꽃값 → [꼳깝]	• 예 옷이 → [오시]
• 예 값도 → [갑도]	• 예 꽃 위 → [꼳위 → 꼬뒤]
• 예 놓고 → [노코]	• 예 놓아 → [노아]

↓

음절의 끝소리는 (ⓐ) 때 대표음으로 발음된다는 사실을 알 수 있다.

〈보기〉
ㄱ. 자음으로 시작되는 형태소와 만날
ㄴ. 모음으로 시작되는 형식 형태소와 만날
ㄷ. 모음으로 시작되는 실질 형태소와 만날
ㄹ. 'ㅎ'이 자음이나 모음으로 시작되는 형태소와 만날

① ㄱ, ㄴ ② ㄱ, ㄷ ③ ㄴ, ㄷ
④ ㄴ, ㄹ ⑤ ㄷ, ㄹ

04 ㉠과 관련하여 다음 표를 보고 (1), (2)의 물음에 답하시오.

받침 표기	끝소리 발음(대표음)
ㄱ, ㄲ, ㅋ	㉮
ㄷ, ㄸ, ㅌ, ㅅ, ㅆ, ㅈ, ㅉ, ㅊ, (ㅎ)	㉯
ㅂ, ㅃ, ㅍ	㉰

(1) ㉮~㉰에 들어갈 대표음을 쓰시오.

(2) '받침 표기'로 제시할 필요가 없는 자음을 찾아 쓰시오.

[05~08] 다음 글을 읽고, 물음에 답하시오.

가 대표적인 자음 동화에는 비음화(鼻音化)와 유음화(流音化)가 있다. 파열음 'ㄷ, ㅂ, ㄱ'이 비음 앞에서 비음 'ㄴ, ㅁ, ㅇ'으로 교체되는 현상이 비음화이고, 'ㄴ'이 유음 'ㄹ'의 앞이나 뒤에서 'ㄹ'로 교체되는 현상이 유음화이다.

〈비음화〉	〈유음화〉
• 닫는다[단는다]	• 달님[달림]
• 잡는다[잠는다]	• 권력[궐력]
• 먹는다[멍는다]	

나 모음 동화에는 ㉠'ㅣ' 모음 역행 동화가 있는데, 후설 모음 'ㅏ, ㅓ, ㅗ, ㅜ'가 뒤에 오는 전설 모음 'ㅣ'의 영향을 받아 각각 'ㅐ, ㅔ, ㅚ, ㅟ'로 바뀌는 현상이다.

• 아기 → [애기] • 어미 → [에미]
• 고기 → [괴기] • 죽이다 → [주기다] → [쥐기다]

'ㅣ' 모음 역행 동화에 의한 발음은 '냄비, 멋쟁이, (불을) 댕기다'와 같이 표준어가 된 일부 단어를 제외하고는 표준 발음으로 인정하지 않는다.

다 자음과 모음 사이에 일어나는 동화로 ㉡구개음화가 있는데, 실질 형태소의 끝소리 'ㄷ, ㅌ'이 형식 형태소의 모음 'ㅣ'나 반모음 'ǐ' 앞에서 구개음인 'ㅈ, ㅊ'으로 바뀌는 현상이다.

• 굳이[구지] • 밭이[바치]
• 닫히다[다치다] • 붙이다[부치다]

위를 보면 'ㄷ, ㅌ'이 'ㅈ, ㅊ'으로 바뀌는 것을 알 수 있다. 또 'ㄷ' 뒤에 형식 형태소 '히'가 올 때 'ㅎ'과 결합하여 이루어진 'ㅌ'이 'ㅊ'이 되는 현상을 알 수 있다.

05 다음 빈칸에 들어갈 말을 〈보기〉에서 찾아 쓰시오.

음운 변동 과정에서 ㉠은 (   )가 바뀌고, ㉡은 (   )가 바뀐다.

〈보기〉
조음 위치 입술 모양 혀의 앞뒤 위치 혀의 높낮이

06 이 글에 나타난 음운 변동의 공통된 성격으로 가장 적절한 것은?

① 원래 있던 음운이 생략되는 현상
② 한 음운이 다른 음운으로 바뀌는 현상
③ 원래 없던 음운이 새로 생겨나는 현상
④ 음절의 끝에서 받침이 대표음으로 소리 나는 현상
⑤ 두 음운이 합쳐져서 다른 하나의 음운으로 바뀌는 현상

수능형

07 〈보기〉의 ⓐ와 ⓑ에 들어갈 음운 현상을 바르게 짝지은 것은?

〈보기〉
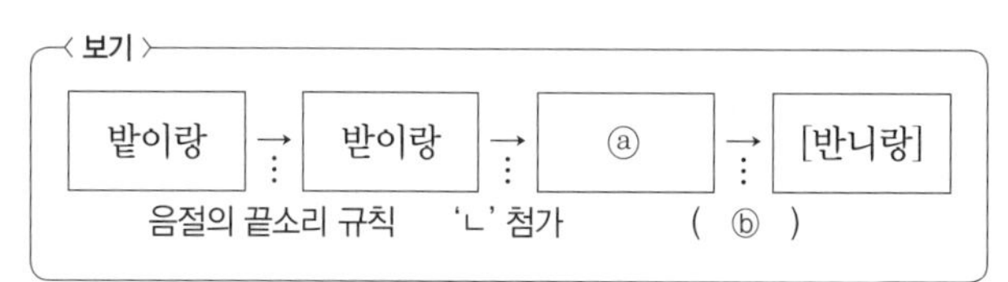

	ⓐ	ⓑ
①	[받니랑]	유음화
②	[반이랑]	비음화
③	[받니랑]	비음화
④	[반이랑]	유음화
⑤	[바디랑]	구개음화

학습 활동 적용

08 〈보기〉의 '표준 발음법'을 참조할 때, 발음이 적절하지 않은 것은?

〈보기〉
표준 발음법 제17항
받침 'ㄷ, ㅌ(ㄾ)'이 조사나 접미사의 모음 'ㅣ'와 결합되는 경우에는, [ㅈ, ㅊ]으로 바꾸어서 뒤 음절 첫소리로 옮겨 발음한다.
예 굳이[구지] 땀받이[땀바지] 밭이[바치] 벼훑이[벼훌치]
[붙임] 'ㄷ' 뒤에 접미사 '히'가 결합되어 '티'를 이루는 것은 [치]로 발음한다.
예 굳히다[구치다] 닫히다[다치다] 묻히다[무치다]

① '끝끝이'는 [끝끄치]로 발음한다.
② '낱낱이'는 [난나치]로 발음한다.
③ '해돋이'는 [해도지]로 발음한다.
④ '홑이불'은 [호치불]로 발음한다.
⑤ '걷히다'는 [거치다]로 발음한다.

소단원 적중 문제

[09~11] 다음 글을 읽고, 물음에 답하시오.

가 탈락은 자음이나 모음이 어떤 환경에서 없어지는 현상으로, 자음군 단순화(子音群單純化), 'ㄹ' 탈락, 'ㅎ' 탈락, 'ㅡ' 탈락 등이 대표적이다.

나 ㉠자음군 단순화는 음절 끝의 겹받침 가운데 하나가 탈락하고 하나만 발음되는 현상으로, 겹받침 가운데 앞에 있는 자음이 탈락하는 예도 있고 뒤에 있는 자음이 탈락하는 예도 있다.

- 닭[닥], 맑다[막따], 삶[삼:], 젊다[점:따], 읊다[읍따]
- 넋[넉], 앉다[안따], 여덟[여덜], 외곬[외골 / 웨골], 핥 대[할때], 값[갑]

다 'ㄹ' 탈락은 동사나 형용사의 어간 말 자음 'ㄹ'이 몇몇 어미 앞에서 탈락하는 현상이다.

- 놀다[놀:–]: 노니, 논, 놉니다, 노시다, 노오
- 둥글다: 둥그니, 둥근, 둥급니다, 둥그시다, 둥그오

라 'ㅎ' 탈락은 동사나 형용사의 어간 말 자음 'ㅎ'이 모음으로 시작하는 어미 앞에서 탈락하는 현상이다.

- 낳다: 낳아[나아], 낳은[나은]
- 좋다: 좋아[조:아], 좋은[조:은]

마 'ㅡ' 탈락은 동사나 형용사의 어간 말 모음 'ㅡ'가 모음으로 시작하는 어미 앞에서 탈락하는 현상이다.

- 아프다: 아파서, 아팠다

09 다음 (ㄱ)~(ㄷ)의 문장에서 음운 탈락 현상이 나타난 단어를 찾고, 탈락한 음운을 쓰시오.

(ㄱ) 아기가 계속 운다.
(ㄴ) 수지는 친구에게 선물하려고 인형을 샀다.
(ㄷ) 엄마는 딸에게 주려고 김치를 담갔다.

10 〈보기〉는 이 글에 나타난 음운 변동 현상에 대한 설명이다. (ㄱ), (ㄴ)에 해당하는 용례를 바르게 묶은 것은?

〈 보기 〉

음운 변동은 발음하는 과정에서 발생하는 현상이다. 이러한 음운 현상은 (ㄱ)표기에 그대로 반영되기도 하고, (ㄴ)반영되지 않기도 한다. 다음 [용례]를 보고 음운 변동이 표기에 반영되었는지 살펴보기로 하자.

[용례]
- 아이들은 거기에 ⓐ앉지 말아라.
- 자기 소개서는 이렇게 ⓑ써야 한다.
- 강을 ⓒ건너서 쭉 가면 청산이 있다오.
- 우물가에 ⓓ버드나무 한 그루 서 있다.
- 내가 ⓔ싫어도 너무 미워하지는 말아요.

	(ㄱ)	(ㄴ)
①	ⓐ, ⓑ, ⓒ	ⓓ, ⓔ
②	ⓐ, ⓓ, ⓔ	ⓑ, ⓒ
③	ⓑ, ⓒ, ⓓ	ⓐ, ⓔ
④	ⓑ, ⓓ	ⓐ, ⓒ, ⓔ
⑤	ⓒ, ⓔ	ⓐ, ⓑ, ⓓ

수능형

11 〈보기〉는 ㉠과 관련된 '표준 발음법' 규정이다. 이를 참고할 때, 발음이 적절하지 않은 것은?

〈 보기 〉

표준 발음법 제11항
겹받침 'ㄺ, ㄻ, ㄿ'은 어말 또는 자음 앞에서 각각 [ㄱ, ㅁ, ㅂ]으로 발음한다.
다만, 용언의 어간 말음 'ㄺ'은 'ㄱ' 앞에서 [ㄹ]로 발음한다.

표준 발음법 제14항
겹받침이 모음으로 시작된 조사나 어미, 접미사와 결합되는 경우에는 뒤엣것만을 뒤 음절 첫소리로 옮겨 발음한다.(이 경우, 'ㅅ'은 된소리로 발음함.)

① 읽다 → [익따] ② 젊어 → [절머]
③ 묽고 → [물꼬] ④ 없어 → [업:써]
⑤ 맑다 → [말따]

[12~15] 다음 글을 읽고, 물음에 답하시오.

가 첨가란 일정한 환경에서 없던 음운이 추가되는 음운 현상이다. 두 개의 형태소 또는 단어가 합쳐져서 합성어나 파생어가 될 때 첨가 현상이 나타나는 경우가 있는데, '솜이불[솜:니불], 꽃잎[꼰닙]'은 합성어에서, '영업용[영엄뇽], 맨입[맨닙]'은 파생어에서 'ㄴ' 첨가가 일어난 예이다.

'ㄴ' 첨가는 두 단어를 이어서 한 마디로 발음하는 경우에도 일어난다.

- 한 일[한닐]
- 옷 입다[온닙따]

위의 두 가지 'ㄴ' 첨가 현상은 한 단어 내에서 일어나느냐 두 단어 사이에서 일어나느냐의 차이가 있지만, 앞말의 끝이 자음이고 뒷말의 첫음절 모음이 'ㅣ, ㅑ, ㅕ, ㅛ, ㅠ'인 경우에 일어난다는 공통점이 있다.

나 'ㄱ, ㄷ, ㅂ, ㅈ'과 'ㅎ'이 서로 만나면 'ㅋ, ㅌ, ㅍ, ㅊ'이 된다. 이처럼 두 음운이 합쳐져서 하나의 음운이 되는 것을 축약(縮約)이라고 한다.

- 좋고 → [조:코]
- 먹히다 → [머키다]
- 놓다 → [노타]
- 닫히다 → [다티다 → 다치다]
- 쌓지 → [싸치]
- 잡히다 → [자피다]

학습 활동 적용

12 **〈보기〉의 ⓐ~ⓔ 중, 표준 발음법에 의한 발음으로 적절하지 않은 것은?**

〈 보기 〉

표준 발음법 제29항

합성어 및 파생어에서, 앞 단어나 접두사의 끝이 자음이고 뒤 단어나 접미사의 첫음절이 '이, 야, 여, 요, 유'인 경우에는, 'ㄴ' 음을 첨가하여 [니, 냐, 녀, 뇨, 뉴]로 발음한다.

ⓐ홑-이불[혼니불] ⓑ막일[망닐] ⓒ늑막염[능마겸]

[붙임 1] 'ㄹ' 받침 뒤에 첨가되는 'ㄴ' 음은 [ㄹ]로 발음한다.

ⓓ서울-역[서울력] ⓔ유들-유들[유들류들]

① ⓐ ② ⓑ ③ ⓒ ④ ⓓ ⑤ ⓔ

13 **이 글과 〈보기 1〉을 참고하여 〈보기 2〉를 읽으면서 축약이 일어난 말을 찾아 그 발음을 함께 쓰시오.**

〈 보기 1 〉

모음 축약은 두 모음이 합쳐져 이중 모음을 이루는 현상을 말한다. '그리어'가 '그려'로, '두어라'가 '둬라'로 바뀌는 것이 그 예이다. 이때 이중 모음의 선행 모음인 'ㅣ'나 'ㅗ/ㅜ'는 단모음에서 반모음으로 바뀌게 된다.

〈 보기 2 〉

학교 입학식 날 많고 많은 사람들 중에서 첫사랑을 봤다.

수능형

14 **〈보기〉는 (가)에 대한 보충 설명이다. 이를 참고하여 'ㄴ' 첨가의 용례를 설명한 것으로 적절하지 않은 것은?**

〈 보기 〉

'ㄴ' 첨가는 합성어나 파생어에서 앞 음절이 자음으로 끝나고 뒤 음절이 'ㅣ' 모음이나 반모음 'ㅣ[j]'로 시작되는 'ㅑ, ㅕ, ㅛ, ㅠ, ㅖ' 가 올 때 'ㄴ'이 덧붙는 현상을 말한다. 그러나 이와 동일한 음운 환경에서 'ㄴ' 첨가가 일어나지 않는 경우도 있다.

① '삯일'은 '삯-일'로 이루어진 합성어로, [상닐]로 발음된다.
② '담요'는 '담-요'로 이루어진 합성어로, [담:뇨]로 발음된다.
③ '첫인사'는 '첫-인사'로 이루어진 파생어로, [천닌사]로 발음된다.
④ '교육열'은 '교육-열'로 이루어진 합성어로, [교:융녈]로 발음된다.
⑤ '눈요기'는 '눈-요기'로 이루어진 합성어로, [눈뇨기]로 발음된다.

15 **발음할 때 자음과 모음 사이에서 동화가 일어나지 않는 것은?**

① 굳이 ② 밭이 ③ 겹겹이
④ 미닫이 ⑤ 묻히다

중단원 실전 문제

[01~06] 다음 글을 읽고, 물음에 답하시오.

(가) 날숨이 목청을 통과하면서 목청이 떨어 울리게 되면, 그것이 입안에서 공명을 일으키면서 모음이 만들어진다. 모음은 발음하는 동안 입술의 모양과 혀의 위치가 일정한 단모음(單母音)과 발음하는 동안 입술의 모양이나 혀의 위치가 달라지는 이중 모음(二重母音)으로 나뉜다. 단모음은 다시 혀의 위치와 입술의 모양에 따라 여러 갈래로 나뉘는데, 이때 혀의 위치는 혀의 앞뒤와 혀의 높낮이, 입술의 모양은 입술이 평평한지, 또는 둥근지를 가리킨다.

혀의 위치에 따라서는, 입천장의 중간을 기준으로 혀의 최고점이 앞쪽에 있을 때 발음되는 모음을 전설 모음, 뒤쪽에 있을 때 발음되는 모음을 후설 모음이라 한다. 입이 조금만 열려서 혀의 위치가 입천장 가까이 있는 것을 고모음 또는 폐모음, 입이 많이 열려서 혀의 위치가 낮은 것을 저모음 또는 개모음, 그 중간쯤 되는 것을 중모음이라 한다. 입술 모양에 따라서는, 입술을 둥글게 오므려서 발음하는 모음을 원순 모음, 그렇지 않은 모음을 평순 모음이라 한다.

혀의 앞뒤 / 입술 모양 / 혀의 높이	전설 모음		후설 모음	
	평순 모음	원순 모음	평순 모음	원순 모음
고모음	ㅣ	ㅟ	ㅡ	ㅜ
중모음	ㅔ	ㅚ	ㅓ	ㅗ
저모음	ㅐ		ㅏ	

▲ 현대 국어의 단모음 체계

이중 모음은 반모음(半母音)과 단모음이 결합하여 이루어진다. 혀가 'ㅣ'의 자리에서 다음 자리로 옮겨 갈 때 발음되는 반모음이 'ㅣ̆[j]'이고, 'ㅗ/ㅜ'의 자리에서 다음 자리로 옮겨 갈 때 발음되는 반모음이 'ㅗ̆/ㅜ̆[w]'이다. 반모음은 온전한 모음이 아니므로 반달표(˘)를 하여, 'ㅗ̆/ㅜ̆, ㅣ̆'로 표시한다. 또 반모음은 음성의 성질로 보면 모음과 비슷하지만, 혼자 스스로 음절을 이루지 못하고 다른 모음에 붙어 쓰인다는 측면에서 보면 온전한 모음은 아니다.

(나) 또한 소리의 세기에 따라 예사소리[평음(平音)], 된소리[경음(硬音)], 거센소리[격음(激音)]로 나뉘기도 하고, 목청의 떨림 여부에 따라 울림소리[유성음(有聲音)]와 안울림소리[무성음(無聲音)]로 나뉘기도 한다. 자음 가운데 비음과 유음은 항상 울림소리로 발음되고, 나머지 자음들은 기본적으로 안울림소리지만 특정한 환경에서는 울림소리로 발음되기도 한다.

조음 방법 \ 조음 위치		입술소리	잇몸소리	센입천장소리	여린입천장소리	목청소리
파열음	예사소리	ㅂ	ㄷ		ㄱ	
	된소리	ㅃ	ㄸ		ㄲ	
	거센소리	ㅍ	ㅌ		ㅋ	
파찰음	예사소리			ㅈ		
	된소리			ㅉ		
	거센소리			ㅊ		
마찰음	예사소리		ㅅ			㉢
	된소리		ㅆ			
비음		ㅁ	ㄴ		㉡	
유음			㉠			

▲ 현대 국어의 자음 체계

01 '모음'에 대한 설명으로 적절하지 않은 것은?

① 모든 모음은 울림소리에 속한다.
② 반모음에는 'ㅣ̆[j]'와 'ㅗ̆/ㅜ̆[w]'가 있다.
③ 단모음은 발음할 때 입술 모양이 변화한다.
④ 발음할 때 혀의 위치가 변화하면 이중 모음이다.
⑤ 반모음은 자음적 성격과 모음적 성격을 함께 지니고 있다.

02 〈보기〉의 ⓐ에 들어가기에 가장 적절한 내용은?

〈보기〉
우리 국어에서 반모음은 음성의 성질로 보면 단모음과 유사하다. 하지만 (ⓐ)는 점에서 보면 자음과 유사하다. 그래서 반모음을 반자음이라고 부르기도 한다.

① 홀로 음절을 형성하지 못한다
② 발음하는 동안 입이 크게 열린다
③ 발음할 때 입안에서 공명을 일으킨다
④ 뒤에 오는 단모음의 성격을 변화시킨다
⑤ 발음 기관에서 장애를 받지 않고 형성된다

03 〈보기〉의 밑줄 친 '두 모음'은 무엇인지 쓰시오.

〈보기〉
이 <u>두 모음</u>은 모음 체계에서 단모음으로 분류하고 있지만, 실제로는 [we], [wi]로 발음되는 경우가 많다. 이러한 현실 발음의 실태를 반영하여 '표준 발음법'에서도 이 두 모음을 이중 모음으로 발음하는 것도 허용하고 있다.

고난도 수능형

04 〈보기〉의 밑줄 친 음절의 발음에 대한 설명으로 적절하지 않은 것은?

〈 보기 〉
가. 개는 귀엽고, 게는 맛있어.
나. '왠일이야?'랑 '웬일이야?' 중에서 뭐가 맞지?

① '개'와 '게'는 모두 혀가 앞에 있을 때 발음되며, 이때 입술 모양은 평평하다.
② '개'는 '게'보다 발음할 때 혀의 위치가 더 낮고, 입이 더 크게 벌어진다.
③ '왠'은 '웬'보다 발음할 때 혀의 위치가 더 높고, 입이 더 작게 벌어진다.
④ '왠'과 '웬'을 발음하기 위해 입술 모양을 둥글게 모을 때의 혀는 입안의 뒤쪽에 위치한다.
⑤ '왠'과 '웬'은 '개'나 '게'와 달리, 발음할 때 입술 모양이나 혀의 위치가 달라진다.

학습 활동 적용

05 (가)를 참고할 때, 〈보기〉의 ⓐ~ⓒ에 들어갈 말로 적절한 것끼리 바르게 짝지어진 것은?

〈 보기 〉
'ㅐ'와 'ㅔ'는 (ⓐ)에 따라 그 차이가 결정되며, 'ㅓ'와 'ㅗ'는 (ⓑ)에 따라 그 차이가 결정된다. 그리고 'ㅣ'와 'ㅡ'는 (ⓒ)에 따라 그 차이가 결정된다.

	ⓐ	ⓑ	ⓒ
①	혀의 앞뒤 위치	입술 모양	혀의 높이
②	혀의 높이	입술 모양	혀의 앞뒤 위치
③	혀의 높이	혀의 앞뒤 위치	입술 모양
④	입술 모양	혀의 높이	혀의 앞뒤 위치
⑤	입술 모양	혀의 앞뒤 위치	혀의 높이

06 (나)의 자음 체계 중 ㉠~㉢에 들어갈 자음을 쓰시오.

서술형 문제

[07~08] 다음 글을 읽고, 물음에 답하시오.

우리말에서는 자음의 예사소리, 된소리, 거센소리가 모두 음운으로 의미를 변별하는 기능이 있다. 그러나 이에 대응되는 영어의 음운은 /b, p/밖에 없다. 따라서 영어에서 들어온 외래어를 우리말로 적을 때 된소리는 필요 없게 되는 것이다. 그렇다면 영어 외래어의 /b, p/ 소리를 각각 우리말 음운 /ㅂ, ㅍ/과 어떻게 짝지을 수 있을까? 사실 영어의 음운 /b, p/는 우리말의 /ㅂ, ㅍ, ㅃ/과 달리 '울림'의 유무에 따라 구별되는 것이어서 그 차이를 우리나라 사람들이 인식하기가 쉽지 않다. 다만 일반적으로 영어의 /p/는 우리말의 거센소리에 가깝고(똑같은 것이 아니라), /b/는 예사소리에 가깝기 때문에 각각 'ㅍ'과 'ㅂ'으로 적는 것이다. 그래서 'bus'는 '뻐스'로 적지 않고, '퍼스'와 '버스' 중에서 '버스'로 적기로 결정한 것이다.

고난도

07 [활동 1]에 대한 탐구 결과를 한 문장으로 쓰시오.

[활동 1]
국어의 파열음과 영어의 파열음은 어떤 차이가 있는지 탐구해 보자.

08 [활동 2]에 대한 탐구 결과를 한 문장으로 쓰시오.

[활동 2]
국어와 영어에서 '된소리'의 존재 여부를 탐구해 보자.

[09~14] 다음 글을 읽고, 물음에 답하시오.

가 한 음운이 다른 음운으로 바뀌는 교체에는 음절의 끝소리 규칙과 자음 사이에 일어나는 자음 동화, 모음 사이에 일어나는 모음 동화, 자음과 모음 사이에 일어나는 구개음화 등이 있다.

대표적인 자음 동화에는 ㉠비음화(鼻音化)와 ㉡유음화(流音化)가 있다. 파열음 'ㄷ, ㅂ, ㄱ'이 비음 앞에서 비음 'ㄴ, ㅁ, ㅇ'으로 교체되는 현상이 비음화이고, 'ㄴ'이 유음 'ㄹ'의 앞이나 뒤에서 'ㄹ'로 교체되는 현상이 유음화이다.

〈비음화〉
- 닫는다[단는다]
- 잡는다[잠는다]
- 먹는다[멍는다]

〈유음화〉
- 달님[달림]
- 권력[궐력]

나 탈락은 자음이나 모음이 어떤 환경에서 없어지는 현상으로, 자음군 단순화(子音群單純化), 'ㄹ' 탈락, 'ㅎ' 탈락, 'ㅡ' 탈락 등이 대표적이다.

다 첨가란 일정한 환경에서 없던 음운이 추가되는 음운 현상이다. 두 개의 형태소 또는 단어가 합쳐져서 합성어나 파생어가 될 때 첨가 현상이 나타나는 경우가 있는데, '솜이불[솜:니불], 꽃잎[꼰닙]'은 합성어에서, '영업용[영엄뇽], 맨입[맨닙]'은 파생어에서 'ㄴ' 첨가가 일어난 예이다.

'ㄴ' 첨가는 두 단어를 이어서 한 마디로 발음하는 경우에도 일어난다.

- 한 일[한닐]
- 옷 입다[온닙따]

위의 두 가지 'ㄴ' 첨가 현상은 한 단어 내에서 일어나느냐 두 단어 사이에서 일어나느냐의 차이가 있지만, 앞말의 끝이 자음이고 뒷말의 첫음절 모음이 'ㅣ, ㅑ, ㅕ, ㅛ, ㅠ'인 경우에 일어난다는 공통점이 있다.

라 'ㄱ, ㄷ, ㅂ, ㅈ'과 'ㅎ'이 서로 만나면 'ㅋ, ㅌ, ㅍ, ㅊ'이 된다. 이처럼 두 음운이 합쳐져서 하나의 음운이 되는 것을 축약(縮約)이라고 한다.

- 놓다 → [노타]
- 닫히다 → [다티다 → 다치다]

고난도 수능형

09 〈보기〉의 ⓐ~ⓓ에 해당하는 예를 바르게 연결한 것은?

〈보기〉

음운 변동의 네 가지 현상을 도식화하여 설명하면 다음과 같다.

ⓐ XaY → XbY　　ⓑ XaY → XY
ⓒ XY → XaY　　ⓓ XabY → XcY

	ⓐ	ⓑ	ⓒ	ⓓ
①	굳이[구지]	말소[마소]	맨입[맨닙]	낳고[나코]
②	꽃 이름[꼬디름]	법학[버팍]	좋아[조아]	웃어른[우더른]
③	닭울음[다구름]	맨입[맨닙]	아기[애기]	값어치[가버치]
④	신라[실라]	많아[마나]	않던[안턴]	한일[한닐]
⑤	한 일[한닐]	부엌[부억]	국민[궁민]	축하[추카]

학습 활동 적용

10 (나)와 관련하여 〈보기〉를 참고할 때, 적절한 예로 볼 수 없는 것은?

〈보기〉

음운 탈락 현상은 자음 탈락과 모음 탈락으로 나눌 수 있다. 자음 탈락에는 자음군 단순화, 'ㄹ' 탈락, 'ㅎ' 탈락 등이 있으며, 그 중 'ㅎ' 탈락과 자음군 단순화는 표기에는 반영되지 않고 발음할 때만 일어난다. 모음 탈락에는 'ㅡ' 탈락과 동음 탈락 등이 있다.

① 그녀를 따라 백화점에 갔다.
② 나는 그 자리에 우뚝 서 있었다.
③ 공중에서 나는 새가 정말 부럽네요.
④ 올해는 좋은 일만 생겼으면 좋겠네요.
⑤ 계곡에는 투명하게 맑은 물이 흐른다.

11 다음 단어를 발음할 때, ㉠, ㉡에 해당하는 것끼리 바르게 짝지어진 것은?

ⓐ 설날　ⓑ 읍내　ⓒ 먹니다　ⓓ 알약　ⓔ 콧물

	㉠	㉡		㉠	㉡
①	ⓐ, ⓑ, ⓓ	ⓒ, ⓔ	②	ⓐ, ⓓ	ⓑ, ⓒ, ⓔ
③	ⓑ, ⓔ	ⓐ, ⓒ, ⓓ	④	ⓑ, ⓒ, ⓔ	ⓐ, ⓓ
⑤	ⓒ, ⓓ, ⓔ	ⓐ, ⓑ			

고난도

12 〈보기〉는 (다)에 나타난 'ㄴ' 첨가 현상의 예를 추가하여 제시한 것이다. ⓐ~ⓔ 중, 적절하지 않은 것은?

〈보기〉
- 합성어에서 'ㄴ' 첨가가 일어나는 경우
  ⓐ콩엿[콩녇], ⓑ금요일[금뇨일]
- 파생어에서 'ㄴ' 첨가가 일어나는 경우
  ⓒ영업용[영엄뇽], ⓓ신여성[신녀성]
- 두 단어 사이에서 'ㄴ' 첨가가 일어나는 경우
  먹은 엿[머근녇], ⓔ서른 여섯[서른녀섣]

① ⓐ ② ⓑ ③ ⓒ ④ ⓓ ⑤ ⓔ

수능형

13 '동화'와 관련하여 다음 설명을 참고할 때, ⓐ~ⓒ에 해당하는 예를 〈보기〉에서 골라 바르게 연결한 것은?

음운 동화에는 순행 동화, 역행 동화, 상호 동화가 있다. 앞 음운이 뒤 음운에 영향을 주어 일어나는 동화는 ⓐ순행 동화, 뒤 음운이 앞 음운에 영향을 주어 일어나는 동화는 ⓑ역행 동화이며, 앞뒤의 음운이 서로 영향을 주어 일어나는 동화는 ⓒ상호 동화라고 한다.

〈보기〉
[자음 동화] ㉮ 달님 ㉯ 권력 ㉰ 십 리 ㉱ 먹는다
[모음 동화] ㉲ 아기 → [애기] ㉳ 아니오 → [아니요]

	ⓐ	ⓑ	ⓒ
①	㉮	㉯	㉲
②	㉮	㉲	㉰
③	㉯	㉰	㉳
④	㉳	㉯	㉱
⑤	㉱	㉲	㉳

14 이 글에 나타난 음운 변동 중에서 '거센소리되기'와 관계 깊은 현상을 찾아 쓰시오.

서술형 문제

15 〈보기〉는 'ㄴ' 첨가와 관련한 용례를 제시한 것이다. 이를 참고하여 (1)과 (2)의 물음에 답하시오.

〈보기〉
- 늦여름: [는녀름](○), [느뎌름](×)
- 솜이불: [솜:니불](○), [소:미불](×)
- 한여름: [한녀름](○), [하녀름](×)
- 월요일: [워료일](○), [월료일](×)
- 금융: [금늉](○), [그뮹](○)

〈조건〉
- "ㄴ'이 첨가된 발음'과 "ㄴ'이 첨가되지 않은 발음'의 두 어구를 모두 사용하여 서술할 것
- "ㄴ'이 첨가된 발음만이 ~ 표준 발음으로 인정된 경우도 있다.'의 문장 형태로 서술할 것

(1) 'ㄴ' 첨가 현상에 의한 발음이 '표준 발음'으로 인정되는 양상에 대해 서술하시오.

(2) "ㄴ' 첨가 현상에 의한 발음'과 '표기'의 관계에 대해 한 문장으로 서술하시오.

16 '닭'과 '닭이'의 표준 발음을 적고, 겹받침 'ㄺ'이 그렇게 발음되는 이유를 서술하시오.

단어와 품사

{1} 단어의 품사와 특성

[학습 목표] 품사의 개념과 종류, 특징 등을 이해하며 단어를 바르게 사용할 수 있다.

- 품사의 개념 알기
- 품사의 분류 기준과 품사별 특성 알기

- **품사의 개념**
  성질이 공통된 단어들끼리 모아 갈래를 지은 것을 말함.
- **품사의 분류**

형태	기능	의미	예
불변어	체언	명사, 대명사, 수사	손, 서울, 학교, 것/이것, 저기, 나, 우리/ 하나, 첫째
	수식언	관형사, 부사	새, 헌, 이, 그, 세, 다섯/ 매우, 못, 다행히, 과연
	관계언	조사	이/가, 에, 와/과, 하고, 만, 도, 부터
	독립언	감탄사	앗, 네(대답)
가변어	용언	동사, 형용사	뛰다, 걷다, 먹다, 잡다/고요하다, 이러하다

➜ 품사는 형태, 기능, 의미 기준에 따라 분류되며, 각 품사는 문장에서 각기 다른 역할을 담당한다. 국어의 품사에 관한 기본적인 지식을 이해하고 이를 예문에 적용해 봄으로써 단어를 바르게 사용하는 능력을 기른다.

{2} 단어의 짜임과 새말 형성

[학습 목표] 단어의 짜임과 새말 형성 과정을 탐구하여 이를 국어 생활에 활용할 수 있다.

- 형태소와 단어 알기
- 단어의 구조 알기
- 단어의 형성 방법 알기
- 새말 만들기의 방법 알기

단어와 형성	• 합성어: 어근+어근 • 파생어: 어근+접사, 접사+어근
새말 만들기	축약, 외국어 차용 등의 형성 방식과 유의점

➜ 단어를 구분하는 기본 단위인 형태소와 단어의 구조 및 형성 방식을 이해하고, 새말을 만들어 보는 활동을 통해 능동적인 국어 생활을 할 수 있도록 한다.

{3} 단어의 의미 관계와 어휘 사용

[학습 목표] 단어의 의미 관계를 이해하고, 상황에 맞게 단어를 창의적으로 사용할 수 있다.

- 단어 의미의 유형 알기
- 단어 간의 의미 관계 알기

단어 의미의 유형	중심적 의미와 주변적 의미, 사전적 의미와 함축적 의미, 사회적 의미, 정서적 의미, 주제적 의미, 반사적 의미
단어 간의 의미 관계	유의 관계, 반의 관계, 상하 관계

➜ 단어 의미의 유형과 단어들 간의 의미 관계를 이해하고 이를 바탕으로 바람직한 국어 생활을 하는 능력을 기른다.

{ 1 } 단어의 품사와 특성

소단원 시험 족보

• 품사의 개념과 분류

• 품사의 개념: 단어들을 성질이 공통된 것끼리 모아 갈래를 지어 놓은 것
• 분류 기준에 따른 품사의 종류

형태	기능		의미
형태가 변하지 않는 단어(불변어)	체언	문장의 몸, 주체가 되는 자리에 나타나는 단어	명사
			대명사
			수사
	수식언	다른 말을 수식하는 기능을 하는 단어	관형사
			부사
	독립언	문장 속의 다른 성분에 얽매이지 않고 독립성을 지니는 단어	감탄사
	관계언	주로 체언의 뒤에 붙어서 다양한 문법적 관계를 나타내거나 의미를 추가하는 단어	조사
형태가 변하는 단어(가변어)	용언	문장의 주어를 서술하는 기능을 가진 단어	동사
			형용사

※ 서술격 조사 '이다': 관계언에 속하지만 다른 조사와 달리 형태가 변한다는 점에서 가변어에 속함.

1 체언: 명사, 대명사, 수사

• 문장에서 주로 주어, 목적어나 보어로 쓰임.
• 조사와 결합할 수 있으며 일반적으로 형태의 변화가 없음.

① **명사:** 구체적인 대상의 이름

분류 기준	종류	정의
사용 범위에 따라	보통 명사	어떤 속성을 지닌 대상들에 두루 쓰이는 이름 예 오빠, 하늘, 건물
	고유 명사	특정한 하나의 개체를 다른 개체와 구별하기 위해 붙인 이름(인명, 지역명, 상호명 등) 예 순이, 청계천, 한국 대학교
자립성의 여부에 따라	자립 명사	혼자서 자립적으로 쓰일 수 있는 명사 예 바다, 가로등
	의존 명사	반드시 그 앞에 꾸미는 말, 즉 관형어가 있어야만 쓰일 수 있는 명사 예 것, 따름, 줄, 뿐, 수

② **대명사:** 명사를 대신하여 대상을 가리킬 때 쓰이는 체언

지시 대명사	사물을 가리키는 대명사 예 이것, 그것, 저것	
	장소를 가리키는 대명사 예 여기, 거기, 저기	
인칭 대명사	1인칭	화자가 자신을 가리키는 대명사 예 나, 저, 우리, 저희, 소인, 짐(朕)
	2인칭	화자가 청자를 가리키는 대명사 예 너, 자네, 그대, 당신, 너희, 여러분
	3인칭	화자와 청자 이외의 사람을 가리키는 대명사 예 그, 이분, 저분, 그분, 이이, 그이, 저이
미지칭 대명사	모르는 사물이나 사건을 가리키는 대명사	
부정칭 대명사	정해지지 않은 사람, 물건, 방향, 장소 따위를 가리키는 대명사	
재귀칭 대명사	• 앞에 한 번 나온 명사를 다시 가리킬 때 쓰는 대명사 • 주로 3인칭 주어로 쓰인 명사나 명사구를 가리킴. 예 저, 자기, 당신	

※ 대명사 '당신(當身)'의 다의적 의미

• 청자를 가리키는 2인칭 대명사. '하오'할 자리에 쓴다
  예 당신은 누구시오?
• 부부 사이에서, 상대편을 높여 이르는 2인칭 대명사
  예 당신, 요즘 직장에서 피곤하시죠?
• 맞서 싸울 때 상대편을 낮잡아 이르는 2인칭 대명사
  예 당신이 뭔데 참견이야.
• 3인칭 재귀칭 '자기'를 아주 높여 이르는 말.
  예 할아버지께서는 생전에 당신의 장서를 소중히 다루셨다.

③ **수사:** 사물의 수량이나 순서를 가리킬 때 쓰이는 체언으로, 복수형을 취할 수 없고, 관형사의 수식을 받을 수 있으나 제약이 있음.

종류	양수사	서수사
개념	수량을 나타내는 수사	순서를 나타내는 수사
고유어 계열	1~99까지 예 하나, 둘	'-째'를 붙임 예 첫째
한자어 계열	모두 가능함. 예 일, 이	'제'-를 붙임 예 제일

확인하기 1

• 다음 글에서 아래에 해당하는 단어들을 찾아 써 보자.

오랜만에 놀이공원에 놀러 간 민수는 친구 셋과 함께 트램펄린을 타고 놀았다. 그의 마음은 가벼운 구름과 같을 따름이었다.

• 고유 명사:
• 대명사:
• 의존 명사:
• 수사:

{ 1 } 단어의 품사와 특성

2 용언: 동사, 형용사

- 문장의 주어를 서술하는 말을 용언이라고 하며, 주어의 어떤 움직임이나 작용을 나타내는 단어를 동사, 주어의 성질이나 상태를 나타내는 단어를 형용사라고 함.
- 동사와 형용사는 의미상 차이가 있을 뿐 아니라 시제에 따라 연결되는 어미가 다르고, 명령문이나 청유문으로 활용할 때도 차이가 있음.

	의미	현재 시제 선어말 어미	명령문, 청유문	목적의 어미'–러', 의도의 어미'–려'
동사	동작이나 움직임	결합 가능	활용 가능	결합 가능
형용사	성질이나 상태	결합 불가	활용 불가	결합 불가

① 동사

자동사	움직임이 그 주어에만 관련되는 동사 예 뛰다, 걷다, 가다, 놀다, 살다
타동사	움직임이 다른 대상, 즉 목적어에 미치는 동사 예 잡다, 누르다, 건지다, 태우다

주동사	어떤 동작을 자기 스스로 행하는 동사 예 먹다, 앉다
사동사	남으로 하여금 어떤 동작을 하게 하는 동사 예 먹이다, 앉히다

능동사	움직임이 스스로의 힘으로 이루어지는 동사 예 잡다, 밀다
피동사	움직임이 남의 동작이나 행위에 의해서 이루어지는 동사 예 잡히다, 밀리다

② 형용사

성상 형용사	성질이나 상태를 나타내는 형용사 예 고요하다, 달다, 예쁘다, 향기롭다
지시 형용사	지시성을 나타내는 형용사 예 이러하다, 그러하다, 저러하다, 어떠하다

③ 용언의 활용

- 용언은 문장 속에서 사용될 때 여러 형태로 나타나는데, 이때 형태가 변하지 않고 고정된 부분을 어간이라 하고, 어간 뒤에 결합하는 다양한 형태들을 어미라고 함.
- 어간에 어미가 결합하는 것을 활용이라 함.

※ 용언의 기본형: 활용 형태 중 가장 기본이 되는 것으로 어간에 어미 '–다'를 붙임.

- 어미의 종류

어말 어미	단어의 끝자리에 들어가는 어미. 반드시 있어야 함.
선어말 어미	어말 어미 앞에 들어가는 어미. 경우에 따라 있거나 없으며, 둘 이상이 올 수도 있음.

- 어말 어미의 종류

종결 어미	문장을 끝맺어 주는 기능을 하는 어미. 평서형, 의문형, 감탄형, 명령형, 청유형 종결 어미가 있음. • 평서형 어미: 수진이는 공부한다. • 의문형 어미: 수진이는 공부하니? • 감탄형 어미: 수진이는 열심히 공부하는구나. • 명령형 어미: 수진아, 이제 공부해라. • 청유형 어미: 수진아, 이제 같이 공부하자.
연결 어미	앞 문장과 뒤 문장을 연결하는 기능을 하는 어미. 대등적, 종속적, 보조적 연결 어미가 있음. • 대등적 연결 어미: –고, –며, –지만, –(으)나 예 봄이 가고 여름이 온다. • 종속적 연결 어미: –면, –니까, –아(어)서 예 바람이 불(면, 어서) 우리는 연을 날렸다. • 보조적 연결 어미: –아/어, –게, –지, –고 예 동생이 사과를 먹어 버렸다.
전성 어미	용언의 서술 기능을 다른 기능으로 바꾸어 주는 어미. 명사형, 관형사형, 부사형 전성 어미가 있음. • 명사형 전성 어미: –(으)ㅁ, –기 예 나는 네가 최선을 다하는 사람이 되기를 바란다. • 관형사형 전성 어미: –(으)ㄴ, –는, –(으)ㄹ, –던 예 나는 예쁜 지은이를 좋아한다. • 부사형 전성 어미: –게, –도록, –듯이 예 우리의 청춘이 아름답게 피었다.

- 용언의 활용 종류

규칙 활용	활용할 때 어간과 어미의 형태가 규칙적인 것 예 씻+–어 → 씻어
불규칙 활용	활용할 때 어간 또는 어미의 모습이 달라지는 것 예 듣+–어 → 들어

확인하기 2

- 다음 문장에서 용언을 모두 찾아보고, 그 용간의 어간과 어미를 빈칸에 적어 보자.

> 그때는 나이도 어리고 경험도 없어서 맡은 일을 완수하기가 어려웠다.

어간	동사 어간		
	형용사 어간		
어미	어말 어미	종결 어미	
		연결 어미	
		전성 어미	

3 수식언: 관형사, 부사

- 다른 말을 수식하는 기능을 하는 단어를 수식언이라고 함.
- 체언이나 주로 명사를 수식하는 단어를 관형사, 용언이나 관형사, 부사, 문장을 수식하는 것을 본래의 기능으로 하는 단어를 부사라고 함.

① 관형사

- 형태가 변하지 않는 점에서 용언과 구별됨.
- 조사와 결합하지 않는 점에서 체언과 구별됨.
- 원래부터 관형사였던 것도 있고, 용언의 활용형이 관형사로 굳어진 것(예 헌, 다른)도 있음.
- 관형사의 종류

성상 관형사	사물의 성질이나 상태를 나타내는 관형사 예 새 옷, 헌 책, 순 살코기
지시 관형사	어떤 대상을 가리키는 관형사 예 이 의자, 그 사람, 저 자전거
수 관형사	수량이나 순서와 같은 수 개념을 나타내는 관형사 예 세 사람, 연필 다섯 자루, 일곱째 딸, 제삼(第三) 회 대회

② 부사

- 형태가 변화하지 않음.
- 격 조사와 결합하지 않음.
- '자꾸만', '아직도'의 예에서처럼 보조사와는 결합하는 특성이 있음.
- 부사의 종류

부사에는 문장의 어느 한 성분만을 수식하는 성분 부사와 문장 전체를 수식하는 문장 부사가 있음.

성분 부사	성상 부사	'어떻게'라는 방식으로 용언 등을 꾸미는 부사 예 매우, 깨끗이, 사뿐사뿐
	지시 부사	특정 대상을 가리키는 부사 예 이리, 그리, 저리
	부정 부사	부정의 뜻을 가진 부사 예 못, 아니/안
문장 부사	양태 부사	화자의 태도를 나타내는 부사 예 다행히, 과연, 설마
	접속 부사	앞 문장과 뒤 문장을 이어 주는 부사 예 그러나, 따라서

[참고] 부사의 또 다른 특성

- 문장 속에서 체언을 수식하기도 함.
  예 일이 이렇게 된 것은 바로 당신 때문이야.
- '별로, 여간, 통, 전혀' 등의 부사는 부정의 표현과 어울려 쓰는 반면, '벌써, 아까' 등의 부사는 부정의 표현과 함께 쓰지 않음.
  예 • 나는 그녀에게 전혀 관심이 없다.(○)
  • 그는 벌써 퇴근하지 않았다.(×)
- '매우, 아주, 꽤' 등의 부사는 주로 형용사와 어울려 쓰임. 따라서, 동사에 쓰이는 명령형이나 청유형과는 어울리지 않음.
  예 매우 잘 먹는다.(○) / 먹어라.(×) / 먹자.(×)

확인하기 3

- 다음 대화에서 수식언을 찾아 관형사와 부사로 구분해 보자.

- 관형사:
- 부사:

4 관계언: 조사

문장에 쓰인 단어들의 관계를 나타내는 기능을 함.

- 조사의 종류

① **격 조사:** 주로 체언 뒤에 붙어서 앞말이 문장 안에서 갖는 일정한 자격을 나타내는 조사

격조사		자격
주격 조사	이/가, 께서	주어
목적격 조사	을/를	목적어
관형격 조사	의	관형어
보격 조사	이/가	보어
부사격 조사	에, 에게, 에서	부사어
호격 조사	아, 야	부름말
서술격 조사	이다	서술어

② **접속 조사:** 두 단어를 같은 자격으로 이어 주는 구실을 하는 조사

접속 조사	쓰임
와/과	주로 문어에 쓰임.
(이)랑, 하고	주로 구어에 쓰임.

③ **보조사:** 앞말에 특별한 의미를 더해 주는 조사

보조사	의미	보조사	의미
은/는	대조	만/뿐	한정, 단독, 유일
도	역시	요	상대 높임
부터	시작, 먼저	까지	도급, 마침
조차	역시, 최종	밖에	한계
마저	추종, 끝		

[참고] 조사의 또 다른 특성

- 때로 용언이나 부사 뒤에 붙기도 하고, 문장 뒤에 붙기도 함.
  예 • 그는 성실하지(는) 않다. (용언 뒤)
  • 그는 너무(도) 성실하다. (부사 뒤)
  • 어떻게 사는냐(가) 중요하다. (문장 뒤)
- 관형사나 감탄사 뒤에는 붙을 수 없음.
- 다른 조사와 겹쳐서 쓰일 수 있음.
  예 오직 당신만을 사랑하오.
- 활용하지 않는 것이 원칙이나 서술격 조사 '이다'는 활용함.

확인하기 4

- 다음 문장에서 체언과 조사를 분석하여 빈칸을 채워 보자.

친구야, '포기'란 배추를 셀 때나 하는 말이다.						
		배추 + 를	셀		하는	말 + 이다
		를: 목적격 조사				

- 다음 노랫말의 밑줄 친 조사를 다른 조사로 바꾸어 보고, 의미가 어떻게 달라지는지말해 보자.

나의 노래가 별이 되어 뜬 밤하늘 아래.

5 독립언: 감탄사

- 문장 속의 다른 성분에 얽매이지 않고 독립적으로 쓰임.
- 형태가 변하지 않음.
- 주로 문장 앞에 놓이지만 경우에 따라 문장 중간이나 문장 끝에 올 수도 있음.

예 우리 학교가, 글쎄, 우수 학교로 지정되었대.

- 감탄사의 종류

감정 감탄사	화자의 느낌이나 놀람을 나타내는 말 예 아이고, 어머나, 에그머니, 아뿔사, 흥, 아, 저런, 허허
의지 감탄사	부르는 말 예 여보세요, 여보, 얘, 여봐
	대답하는 말 예 네, 응, 그래, 아니오, 천만에
입버릇 감탄사	입버릇처럼 하는 말 예 에, 뭐, 있지, 어디

[참고] 단어의 기능과 의미에 따른 품사 구분

- 품사는 형태, 기능, 의미를 중심으로 분류됨.
- 형태가 같지만 기능이나 의미의 차이가 있으면 이를 고려하여 품사를 설정함.

- 노력한 만큼 성과를 거두었다. → 관형어의 수식을 받으므로 의존 명사임.
- 명주는 무명만큼 질기지 못하다. → 명사 뒤에 붙어서 의미를 더하므로 조사임.

- 여덟에 둘을 더하면 열이 된다. → 조사와 연결되므로 명사임.
- 열 길 물속은 알아도 한 길 사람 속은 모른다. → 명사를 수식하므로 관형사임.

- 초저녁부터 달이 휘영청 밝았다. → 상태를 표현하므로 형용사임.
- 내일 아침 날이 밝는 대로 떠나겠노라 했다. → 상태 변화를 나타내므로 동사임.

확인하기 5

- 다음의 느낌을 나타내는 다양한 감탄사를 찾아보자.
- 기쁨:
- 화냄:
- 슬픔:
- 한숨:
- 놀라움:
- 뉘우침:

확인하기 정답
❶ 민수/그('그의 마음'의 '그')/따름/셋 / ❷ 맡-, 완수하-/어리-, 없-, 어렵-/-다/-고, -어서/-은, -기 / ❸ 이, 새/안(아니), 바로, 먼저, 더 / ❹ 친구 + 야, '포기' + 란, 때 + 나/야: 호격 조사, 란: 보조사, 나: 보조사, 이다: 서술격 조사/'나의 노래마저 별로 되어 뜬 밤하늘 아래'로 바꾼 경우, '노래가'의 '가'를 보조사 '마저'로 바꾸어 하나 남은 노래마저 그 위에 더하는 느낌을 주고, '별이'의 '이'를 조사 '로'로 바꾸어 변화의 결과를 나타내고 있다. / ❺ 허허, 옳다/에끼, 흥/저런, 아이고/아뿔사, 후유/앗, 어머나/아

[01~04] 다음 글을 읽고, 물음에 답하시오.

성질이 공통된 단어들끼리 모아 갈래를 지은 것을 품사(品詞)라고 한다. 품사는 형태, 기능, 의미의 세 기준에 따라 분류된다.

첫째, 단어는 형태 기준에 따라 형태가 변하지 않는 불변어와 형태가 변하는 가변어로 분류된다. '손, 우리, 매우' 등의 단어는 형태가 변하지 않으므로 불변어에 속하고, '먹-, 예쁘-' 등은 '먹고/먹으니/먹으면, 예쁘고/예뻐서/예쁜'과 같이 형태가 변하므로 가변어에 속한다.

둘째, 단어는 기능 기준에 따라 주로 주어, 목적어, 보어 등으로 쓰이는 체언, 서술어로 쓰이는 용언, 다른 성분을 수식하는 수식언, 여러 성분 사이의 관계를 나타내 주는 관계언, 독립적으로 쓰이는 독립언으로 나뉜다.

셋째, 단어는 의미 기준에 따라 비슷한 특성을 가진 것끼리 분류된다. 의미 기준에 따라 대상의 이름을 나타내는 명사, 명사를 대신하여 쓰이는 대명사, 대상의 수량이나 순서를 나타내는 수사, 대상의 움직임을 나타내는 동사, 대상의 성질이나 상태를 나타내는 형용사, 주로 체언을 수식하는 관형사, 주로 용언이나 관형사, 다른 부사 등을 수식하는 부사, 주로 체언에 붙어 다른 성분과의 관계를 나타내는 조사, 말하는 사람의 놀람이나 느낌, 부름 등을 나타내는 감탄사로 나뉜다.

형태, 기능, 의미를 기준으로 품사를 분류해 보면 다음과 같다.

<table>
<tr><td rowspan="9">단어</td><td rowspan="7">불변어</td><td rowspan="3">체언</td><td>명사</td></tr>
<tr><td>대명사</td></tr>
<tr><td>수사</td></tr>
<tr><td rowspan="2">수식언</td><td>관형사</td></tr>
<tr><td>부사</td></tr>
<tr><td>독립언</td><td>감탄사</td></tr>
<tr><td>관계언</td><td>조사</td></tr>
<tr><td rowspan="2">가변어</td><td rowspan="2">용언</td><td>동사</td></tr>
<tr><td>형용사</td></tr>
</table>

01 이 글의 내용과 일치하지 않는 것은?

① 품사의 분류 기준은 형태, 기능, 의미이다.
② 단어는 그 기능에 따라 아홉 가지로 나뉜다.
③ 관형사는 문장 속에서 주로 체언을 수식한다.
④ 명사, 대명사, 부사 등은 형태가 바뀌지 않는다.
⑤ 동사는 대상의 움직임을 나타내고, 형용사는 대상의 성질이나 상태를 나타낸다.

02 〈보기 1〉에 나타난 품사를 〈보기 2〉와 같이 정리하였다. ⓐ~ⓔ 중 적절하지 않은 것은?

〈보기 1〉
세상에, 이런 일이 다 있군, 네가 오늘 십 분이나 지각하다니.

〈보기 2〉

품사	해당 단어	품사	해당 단어
명사	일, 오늘, 분	감탄사	ⓓ세상에
대명사	네	조사	ⓔ이, 가, 이나
수사	ⓐ십	동사	지각하다
관형사	ⓑ이런	형용사	있다
부사	ⓒ다		

① ⓐ ② ⓑ ③ ⓒ ④ ⓓ ⑤ ⓔ

수능형

03 이 글을 바탕으로 〈보기〉의 밑줄 친 말을 이해할 때, 적절하지 않은 것은?

〈보기〉
ㄱ. 그분은 기분이 매우 들떠 있었다.
ㄴ. 파도가 저 멀리서 밀려오고 있었다.
ㄷ. 한겨울이 되니 날씨가 너무 춥구나.
ㄹ. 어머! 지갑을 집에 두고 왔으니 어떡해?
ㅁ. 한밤중에 어디선가 외마디 비명 소리가 들려왔다.

① ㄱ의 '매우'는 다른 문장 성분을 수식하는 단어이다.
② ㄴ의 '파도'는 ㄱ의 '그분'과 함께 체언으로 분류된다.
③ ㄷ의 '춥구나'는 주어인 '날씨'를 서술하는 기능을 한다.
④ ㄹ의 '어머!'는 그 형태가 변하지 않는 불변어에 속한다.
⑤ ㅁ의 '에'는 문장 속에서 사용될 때 그 형태가 변화한다.

소단원 적중 문제

[04~06] 다음 글을 읽고, 물음에 답하시오.

문장에서 주로 주어가 되는 자리에 오며, 때로는 목적어나 보어가 되는 자리에도 오는 부류의 단어들을 체언(體言)이라고 한다. 이들은 조사와 결합할 수 있으며 일반적으로 형태의 변화가 없다. 체언에는 명사(名詞), 대명사(代名詞), 수사(數詞)의 세 가지가 있다. 명사는 체언 중에서 가장 일반적인 부류로서, 구체적인 대상의 이름이라는 점에서 다른 체언과 구별된다. 대명사는 명사를 대신하여 대상을 가리킬 때 쓰이는 체언이고, 수사는 사물의 수량이나 순서를 가리킬 때 쓰이는 체언이다.

명사 중 어떤 속성을 지닌 대상들에 두루 쓰이는 이름을 보통 명사라고 하고, 특정한 하나의 개체를 다른 개체와 구별하기 위해 붙인 이름을 고유 명사라고 한다. 대표적으로 인명, 지역명, 상호 등이 ㉠고유 명사에 속한다.

또한 혼자서 자립적으로 쓰일 수 있는 명사를 자립 명사라고 하고, 반드시 그 앞에 꾸미는 말, 즉 관형어가 있어야만 쓰일 수 있는 명사를 ㉡의존 명사라고 한다.

대명사는 명사를 대신하여 대상을 가리키는 말로 사용되는 체언이다. 대명사에는 지시 대명사와 인칭 대명사가 있다. 지시 대명사에는 '이것, 그것, 저것' 등과 같이 사물을 가리키는 것과 '여기, 거기, 저기' 등과 같이 장소를 가리키는 것이 있으며, 인칭 대명사는 1인칭, 2인칭, 3인칭 등으로 나뉜다.

대명사에는 모르는 사물이나 사건을 가리키는 ㉢미지칭(未知稱), 정해지지 아니한 사람, 물건, 방향, 장소 따위를 가리키는 ㉣부정칭(不定稱), 앞에 한 번 나온 체언을 다시 나타내는 재귀칭(再歸稱) 등이 있다. '무엇, 누구, 어디'와 같은 대명사는 주로 의문문에서 미지칭으로 쓰이고, '무엇이든, 누구든, 어디든'에서와 같이 부정칭으로 쓰이기도 한다. 재귀 대명사라고도 하는 재귀칭에는 '저, 자기, 당신' 등이 있는데, 주로 3인칭 주어로 쓰인 명사나 명사구를 다시 가리키는 데에 쓰인다.

사물의 수량이나 순서를 나타내는 단어들을 수사라고 한다. 수사에는 수량을 나타내는 ㉤양수사(量數詞)와 순서를 나타내는 서수사(序數詞)가 있다. '하나, 둘, 셋, 일, 이, 삼' 등은 양수사이고, '첫째, 둘째, 셋째, 제일, 제이, 제삼' 등은 서수사이다.

수능형

04 이 글과 〈보기〉를 읽고, 밑줄 친 품사의 성격을 이해한 것으로 적절하지 않은 것은?

〈보기〉
(가) 우리도 장래의 세종대왕들을 길러내야 합니다.
(나) 두 [섬/*거제도]을(를) 연결하는 다리가 개통되었다.
(다) 영희는 항상 자기 생각이 최선이라고 주장하였다.
(라) 저 [*너희/셋]가(이) 늘 붙어 다니는 단짝 친구니?
(마) 우리집 가훈은 첫째가 건강이요, 둘째가 정직입니다.
*는 비문임을 나타냄.

① (가): 고유 명사인 '세종대왕'이 복수형으로 쓰이면서 보통 명사의 개념으로 바뀌었군.
② (나): 고유 명사는 문장 속에서 수를 나타내는 단어의 수식을 받을 수 없군.
③ (다): '자기'라는 지시 대명사를 사용하여 반복되는 명사인 '영희'를 바꾸어 표현하고 있군.
④ (라): 대명사와 달리, 수사는 관형사의 꾸밈을 받는 경우가 존재하는군.
⑤ (마): 수사는 조사와 결합하여 문장 속에서 일정한 격을 이룰 수 있군.

05 다음 밑줄 친 단어 중, ㉠~㉤의 예로 적절하지 않은 것은?

① ㉠: "순이야, 방에 들어가서 오빠 좀 깨워라."
② ㉡: 그의 마음은 가벼운 구름과 같을 따름이었다.
③ ㉢: 철수는 누구를 만나더라도 반갑게 대한다.
④ ㉣: 너무 배가 고파서 무엇이든 먹어야겠다.
⑤ ㉤: 민수는 친구 셋과 함께 트램펄린을 하고 놀았다.

서술형 학습 활동 적용

06 다음 두 문장에 나타난 ⓐ와 ⓑ의 품사적 차이를 쓰시오.

• 여덟에 둘을 더하면 ⓐ열이 된다.
• ⓑ열 길 물속은 알아도 한 길 사람 속은 모른다.

[07~09] 다음 글을 읽고, 물음에 답하시오.

문장의 주어를 서술하는 말을 용언(用言)이라고 한다. 용언 가운데 주어의 움직임이나 작용을 나타내는 단어의 부류를 동사(動詞)라고 하고, 주어의 성질이나 상태를 나타내는 단어의 부류를 형용사(形容詞)라고 한다.

동사와 형용사는 의미상 차이가 있을 뿐만 아니라 시제에 따라서 연결되는 어미가 다르고, 명령문이나 청유문으로 활용할 때에도 차이가 있다. '가다, 먹다, 뛰다' 등은 동사에 속하고, '예쁘다, 고요하다, 향기롭다' 등은 형용사에 속한다.

동사는 기준에 따라 몇 가지로 분류할 수 있다. 먼저 '뛰다, 걷다, 가다, 놀다, 끙끙대다'처럼 움직임이 그 주어에만 관련되는 자동사와 '끌다, 누르다, 건지다, 태우다'처럼 움직임이 다른 대상, 즉 목적어에 미치는 타동사로 분류할 수 있다. 그리고 '먹다, 앉다'처럼 어떤 동작을 자기 스스로 행하는 주동사와 '먹이다, 앉히다'처럼 남에게 어떤 동작을 하게 하는 ㉠사동사로 분류할 수도 있다. 또 '잡다, 밀다'처럼 움직임이 스스로의 힘으로 이루어지는 능동사와 '잡히다, 밀리다'처럼 움직임이 남의 동작이나 행위에 의해서 이루어지는 ㉡피동사로 분류할 수도 있다.

〈자동사〉 뛰다, 걷다, 가다, 놀다, 끙끙대다
〈타동사〉 끌다, 누르다, 건지다, 태우다

〈주동사〉 먹다, 앉다
〈사동사〉 먹이다, 앉히다

〈능동사〉 잡다, 밀다
〈피동사〉 잡히다, 밀리다

형용사에는 '고요하다, 달다, 예쁘다, 향기롭다'처럼 성질이나 상태를 나타내는 성상 형용사와, '이러하다, 그러하다, 저러하다, 어떠하다'처럼 지시성을 나타내는 지시 형용사가 있다. 대명사가 명사를 대신하여 쓰일 수 있는 것처럼 지시 형용사가 성상 형용사를 대신하여 쓰일 수도 있다.

• 그 사람은 아주 행복하다. 나도 그렇다.

수능형

07 이 글을 참조하여 〈보기〉를 이해한 것으로 적절하지 않은 것은?

보기
• 오늘도 아이들은 열심히 ⓐ공부한다.
• 눈을 떠 보니 어느덧 날이 ⓑ밝았다.
• 그 여학생은 마음 씀씀이가 참 ⓒ곱다.
• 오늘은 하루 종일 쉬어 너무 ⓓ행복하다.
• 철수는 오늘 하루 내내 학교 도서관에 ⓔ있다.
• 나는 당신처럼 학벌도 권력도 없지만 돈은 ⓕ있다.

① ⓐ는 주체의 동작을, ⓑ는 주체의 작용을 나타낸다.
② ⓒ는 대상의 성질을, ⓓ는 대상의 상태를 나타낸다.
③ ⓐ는 관형사형 어미 '-는'을, ⓓ는 관형사형 어미로 '-(으)ㄴ'을 사용하여 현재 시제를 나타낼 수 있다.
④ ⓐ, ⓑ는 ⓒ, ⓓ와 달리, 명령형 어미나 청유형 어미를 사용할 수 있다.
⑤ ⓔ는 존재와 진행의 의미를 지닌 동사이며, ⓕ는 소유와 상태의 의미를 지닌 형용사이다.

08 〈보기〉의 밑줄 친 단어 중 ㉠, ㉡에 해당하는 예를 찾아 바르게 짝지은 것은?

보기
ⓐ 아이들이 체온으로 얼음을 녹인다.
ⓑ 그는 헤헤 웃으면서 나에게 업혔다.
ⓒ 은수가 모기에게 물리었다.
ⓓ 그녀는 재미 있는 말로 나를 웃겼다.

	㉠	㉡		㉠	㉡
①	ⓐ, ⓑ	ⓒ, ⓓ	②	ⓐ, ⓒ	ⓑ, ⓓ
③	ⓐ, ⓓ	ⓑ, ⓒ	④	ⓑ, ⓒ	ⓓ
⑤	ⓑ, ⓒ	ⓐ, ⓓ			

서술형

09 다음 문장의 밑줄 친 단어의 품사를 그 이유와 함께 서술하시오. (의미적 측면을 고려할 것.)

• 아무리 애를 써도 늙는 것을 피할 수는 없다.

소단원 적중 문제

[10~12] 다음 글을 읽고, 물음에 답하시오.

용언은 문장 속에서 사용될 때 여러 형태로 나타난다. 이때 형태가 변하지 않고 고정된 부분을 어간(語幹)이라 하고, 어간 뒤에 결합하는 다양한 형태들을 어미(語尾)라고 한다. 예를 들어, '많네, 많았어, 많았겠군'에서 '많-'이 어간이고, '-네, -았-, -어, -겠-, -군'이 어미이다. 이처럼 어간에 어미가 결합하는 것을 활용(活用)이라 한다.

많았겠군			
많-	-았-	-겠-	-군
어간	어미		
	선어말 어미		어말 어미

어미는 그것이 나타나는 자리에 따라 어말 어미(語末語尾)와 선어말 어미(先語末語尾)로 나뉜다. 어말 어미는 단어의 끝자리에 들어가고, 선어말 어미는 어말 어미의 앞자리에 들어간다. 용언이 활용할 때 어말 어미는 반드시 있어야 하지만, 선어말 어미는 때에 따라 있을 수도 있고 없을 수도 있으며, 둘 이상의 선어말 어미가 올 수도 있다.

어말 어미는 기능에 따라 종결 어미(終結語尾), 연결 어미(連結語尾), 전성 어미(轉成語尾)로 나뉜다.

10 〈보기 1〉에 나타난 용언을 〈보기 2〉와 같이 분석하여 정리하였다. ⓐ~ⓔ 중, 적절하지 않은 것은?

〈 보기 1 〉

그때는 나이도 어리고 경험도 없어서 맡은 일을 완수하기가 어려웠다.

〈 보기 2 〉

어간	동사 어간		ⓐ맡-, 완수하-
	형용사 어간		ⓑ어리-, 없-, 어렵-
어미	어말 어미	종결 어미	ⓒ-다
		연결 어미	-고, ⓓ-웠-
		전성 어미	ⓔ-은, -기

① ⓐ ② ⓑ ③ ⓒ ④ ⓓ ⑤ ⓔ

수능형

11 다음 ㉠~㉢에 해당하는 예를 〈보기〉에서 찾아 바르게 나열한 것은?

용언의 어미 중에서 전성 어미는 용언의 서술 기능을 또 다른 기능으로 바꾸어 주는 어미로, (ㄱ) 명사형 전성 어미와 (ㄴ) 관형사형 전성 어미, 그리고 (ㄷ) 부사형 전성 어미가 있다. 전성 어미는 용언의 서술성을 잃지 않으면서 본래 품사를 그대로 유지한다는 점에서 명사, 관형사, 부사와 각각 구별된다.

〈 보기 〉

[명사형 전성 어미]
- 공원에서 ⓐ 달리기를 하는 사람들이 많다.
- 아침에 공원을 ⓑ 달리기가 쉬운 일은 아니다.

[관형사형 전성 어미]
- 그녀는 ⓒ 다른 사람들과 잘 어울린다.
- 나는 취미가 ⓓ 다른 사람들과는 교제하지 않는다.

[부사형 전성 어미]
- 그녀는 어떤 일이든지 ⓔ 빨리 해치우곤 했다.
- 그는 아침마다 학교 운동장을 ⓕ 빠르게 달린다.

	(ㄱ)	(ㄴ)	(ㄷ)		(ㄱ)	(ㄴ)	(ㄷ)
①	ⓐ	ⓒ	ⓔ	②	ⓐ	ⓒ	ⓕ
③	ⓑ	ⓒ	ⓔ	④	ⓑ	ⓓ	ⓔ
⑤	ⓑ	ⓓ	ⓕ				

12 〈보기 1〉은 연결 어미에 대한 추가 설명이다. ㉮~㉰에 해당하는 어미를 〈보기 2〉에서 찾아 그 기호를 쓰시오.

〈 보기 1 〉

용언의 연결 어미는 ㉮앞 문장과 뒤 문장을 대등하게 이어주거나, ㉯앞 문장이 뒤 문장에 종속되도록 이어 주거나, ㉰앞의 본용언과 뒤의 보조 용언을 이어 주는 역할을 한다.

〈 보기 2 〉

- 영수는 돈을 벌었ⓐ지만 철수는 명예를 얻었다.
- 어려운 이에게 온정을 베풀ⓑ어야 복을 받는단다.
- 내 동생이 내가 아끼는 물건을 잃ⓒ어 버렸답니다.

[13~15] 다음 글을 읽고 물음에 답하시오.

가 다른 말을 수식하는 기능을 하는 단어를 수식언(修飾言)이라고 한다. 수식언에는 '새[新], 모든'과 같이 체언, 주로 명사를 수식하는 관형사(冠形詞)와 '더, 가장, 못'이나 '과연, 그리고'와 같이 용언이나 문장을 수식하는 것을 본래의 기능으로 하는 부사(副詞)가 있다.

나 관형사는 형태가 변하지 않는 점에서 용언과 구별되고, 조사와 결합하지 않는 점에서 체언과 구별되는 특성이 있다.

관형사에는 성상 관형사, 지시 관형사, 수 관형사가 있다. '새 옷, 헌 책, 순 살코기'에서 밑줄 친 '새, 헌, 순'은 사물의 성질이나 상태를 나타내는 성상 관형사이고, '이 의자, 그 사람, 저 자전거'에서 밑줄 친 '이, 그, 저'는 어떤 대상을 가리키는 지시 관형사이다. '세 사람, 연필 다섯 자루, 일곱째 딸, 제삼(第三) 회 대회'에서 밑줄 친 '세, 다섯, 일곱째, 제삼'은 수량이나 순서와 같은 수 개념을 나타내는 수 관형사이다.

다 부사는 문장에서 하는 역할에 따라 성분 부사와 문장 부사로 나뉜다. '바로, 못, 간절히'는 문장의 어느 한 성분만을 수식하므로 성분 부사라고 하며, '다행히, 그러나'는 문장 전체를 수식하므로 문장 부사라고 한다. 문장 부사는 '다행히'와 같이 말하는 이의 태도를 나타내는 양태 부사와 '그러나'와 같이 앞 문장과 뒤 문장을 이어 주는 접속 부사로 나뉜다.

라 국어에는 주로 체언 뒤에 붙어서 다양한 문법적 관계를 나타내거나 의미를 더해 주는 의존 형태소가 있는데, 이를 조사(助詞)라고 한다. 예를 들어, '을'은 앞에 오는 체언이 목적어라는 문법적 관계를 나타내 주는 격 조사이고, '만'은 앞말에 '한정'의 뜻을, '도'는 '역시'의 뜻을 더해 주는 보조사이다. '레몬과 귤'에서 '과'는 두 단어를 연결해 주는 기능을 하는 접속 조사이다.

수능형 학습 활동 적용

13 이 글을 바탕으로 〈보기〉에 대해 설명한 내용으로 적절하지 <u>않은</u> 것은?

〈보기〉
ⓐ 들은 <u>대로</u> 다 적었다.
ⓑ 내 말<u>대로</u> 하여라.
ⓒ 안경을 바꿨더니 <u>지적</u>으로 보인다.
ⓓ 그녀는 <u>지적</u> 수준이 높아 보였다.

① ⓐ의 '대로'는 관형어 '들은'의 수식을 받는 것으로 보아 체언으로 볼 수 있다.
② ⓑ의 '대로'는 꾸며 주는 말이 없고, 앞말에 붙여 쓴 것으로 보아 조사로 볼 수 있다.
③ ⓒ의 '지적'은 '으로'라는 조사가 붙어 뒷말 '보인다'를 수식하는 것으로 보아 부사로 볼 수 있다.
④ ⓓ의 '지적'은 함께 붙어 쓰이는 성분이 없으며, 뒷말 '수준'을 수식해 주므로 관형사로 볼 수 있다.
⑤ ⓐ와 ⓑ, ⓒ와 ⓓ는 각각 형태가 같고 의미도 유사하지만 기능이 달라 서로 다른 품사로 보아야 함을 알 수 있다.

14 〈보기〉의 밑줄 친 문장의 예에 해당하는 것은?

〈보기〉
성분 부사는 주로 용언을 수식한다. 그러나 용언이 아닌 관형사나 또 다른 부사를 수식하기도 하며, 심지어는 <u>체언을 수식하는 경우도 있다.</u>

① 형은 아직 <u>안</u> 들어왔어요.
② 그 녀석은 <u>매우</u> 빨리 도착했다.
③ 그는 <u>너무</u> 외딴 섬에 살고 있다.
④ <u>바로</u> 눈앞에 두고도 그를 보지 못했다.
⑤ <u>부디</u> 이번에는 제 소원대로 해 주세요.

15 다음 문장에서 밑줄 친 조사의 기능이 나머지와 <u>다른</u> 하나는?

① 할아버지<u>께서</u> 용돈을 주셨다.
② 소크라테스는 철학<u>을</u> 잘한다.
③ 철수<u>야</u>, 오늘이 한글날이니?
④ 나는 미소랑 학교<u>에서</u> 수학 공부를 열심히 했다.
⑤ 그 녀석이 공부는 잘하는데, 그림<u>은</u> 영 신통치 않다.

{2} 단어의 짜임과 새말 형성

1 문법 단위: 어절, 단어, 형태소

꽃 사이로 발자국을 찾아 나서면											
어절	꽃	사이로		발자국을			찾아		나서면		
단어	꽃	사이	로	발자국		을	찾아		나서면		
형태소	꽃	사이	로	발	자국	을	찾-	-아	나-	서-	-면

① **어절:** 문장 성분의 최소 단위로서, 띄어쓰기의 단위

② **단어:** 어절을 자립하여 쓰일 수 있는 부분과 조사로 분석한 각각을 이름. 즉 자립하여 쓰일 수 있는 가장 작은 말의 단위

③ **형태소:** 의미를 가진 것으로는 더 이상 분석할 수 없는, 최소의 의미 단위

• 형태소의 종류

발자국을 찾아 나서면		
기준	종류	개념
자립성 유무에 따라	자립 형태소	혼자 쓰일 수 있는 형태소(체언, 수식언, 독립언) 예 발, 자국
	의존 형태소	반드시 다른 말에 붙어 쓰이는 형태소(용언의 어간과 어미, 조사, 접사) 예 을, 찾-, -아, 나-, 서-, -면
의미의 유형에 따라	실질 형태소	실질적인 의미를 가진 형태소(체언, 수식언, 독립언, 용언의 어근) 예 발, 자국, 찾-, 나-, 서-
	형식 형태소(문법 형태소)	문법적인 의미만을 가진 형태소(조사, 어미, 접사) 예 을, -아, -면

[참고] 한자와 형태소

• 한자어를 구성하는 한자는 각각의 의미를 가지고 있으므로 각각의 한자를 하나의 형태소로 인정함.

• '휴(休)'라는 한자를 모르는 경우에도 '휴가, 휴일, 연휴' 등의 단어에서 '휴'가 '쉬다'의 의미인 것을 알 수 있으므로 이때의 '휴'는 하나의 형태소 자격을 갖음.

확인하기 1

• 다음 노랫말의 밑줄 친 부분을 형태소로 분석해 보자.

너와 나의 모습도 변해 가고
<u>오늘은 걷더라도 내일은 달려갈래.</u>

2 단어의 구조

① 어근과 접사

어근	단어의 구성 요소 가운데 실질적인 의미를 나타내는 중심 부분
접사	어근에 붙어 그 뜻을 제한하는 주변 부분을 말함. 어근 앞에 붙는 것은 '접두사', 뒤에 붙는 것은 '접미사'임. 접미사는 접두사와 달리 문법적 변화를 일으키기도 함.

파생 접사	파생에 기여하는 접사 예 접두사, 접미사
굴절 접사	문법적 기능을 하는 어미 예 -다

② 직접 구성 성분

• 단어를 두 조각으로 한 번만 나누어 나온 구성 요소을 말함.

• 어떤 단어가 합성어인지 파생어인지를 판단할 수 있게 함.

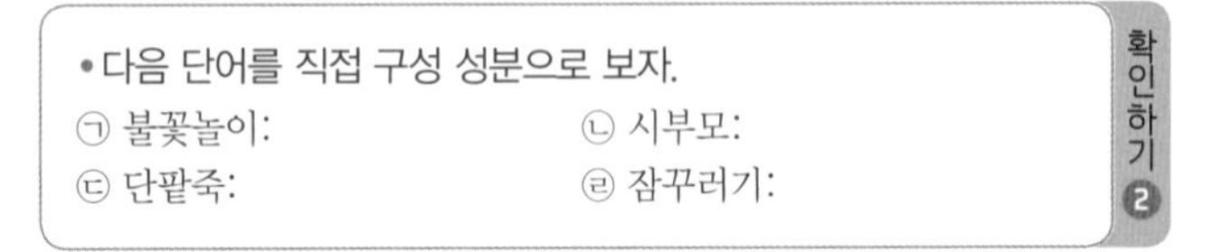
• 다음 단어를 직접 구성 성분으로 보자.
㉠ 불꽃놀이: ㉡ 시부모:
㉢ 단팥죽: ㉣ 잠꾸러기:
확인하기 2

3 단어의 형성

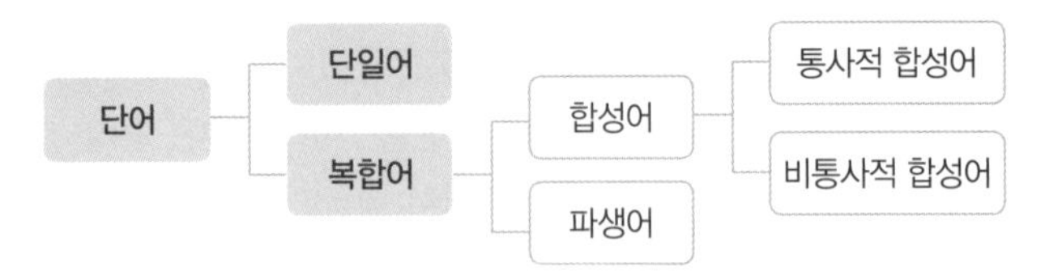

• 단일어: 하나의 어근(실질 형태소)만으로 이루어진 단어

• 복합어: 어근+어근, 어근+접사로 이루어진 단어

① **합성어:** 어근과 어근이 직접 합쳐져서 만들어진 단어

• 통사적 합성어와 비통사적 활성어

종류	합성 방식	예
통사적 합성어	어근과 어근의 연결이 일반적인 문장 구조에서 확인되는 배열법과 같은 방식으로 이루어진 합성어(명사+명사, 관형사+명사, 주어+서술어, 목적어+서술어, 부사어+용언 등)	• 밤낮: 밤+낮(명사+명사) • 새해: 새+해(관형사+명사) • 본받다: 본+받다(목적어+서술어) • 뛰어가다: 뛰-+-어+가다(용언의 어간+연결 어미+용언)
비통사적 합성어	어근과 어근의 연결이 국어의 자연스러운 어순이나 결합 방식에 어긋나는 방식	• 덮밥: 덮-+밥(관형사형 어미 ×) • 높푸르다:높-+푸르다(연결 어미 ×)

• 대등, 종속, 융합 합성어

대등 합성어	어근이 각각 본래의 의미를 유지하면서 대등하게 붙어서 된 합성어	예 오가다, 논밭, 손발
종속 합성어	한쪽의 어근이 다른 한쪽의 어근을 꾸며 주는 합성어	예 콩나물, 돌다리, 빌어먹다, 얕보다
융합 합성어	각각의 어근이 가진 본래의 의미와 다른 새로운 의미를 나타내는 합성어	예 밤낮(늘), 피땀(노력), 춘추(나이)

[참고] 합성어와 구의 변별 기준

분리성 기준	합성되는 두 어근 사이에 다른 성분이 들어갈 수 있으면 구이고 그렇지 않으면 합성어임.
휴지(休止)의 기준	합성어는 한 단어이므로 이어서 발음하지만 구는 두 단어이기에 중간에 휴지(쉼)를 둠.
의미 변화	두 어근이 결합할 때 그 의미가 그대로 유지되면 구이고 그렇지 않으면 합성어임.
사전 등재	한 단어로 합해진 형태로 사전에 오르면 합성어이고 그렇지 않으면 구임.

② **파생어:** 어근에 접사가 결합하여 이루어진 단어

접두 파생어	어근의 앞에 접두사가 붙어서 만들어진 파생어	• 군침: 군－＋침 • 새파랗다: 새－＋파랗다 • 치솟다: 치－＋솟다
접미 파생어	어근의 뒤에 접미사가 붙어서 만들어진 파생어	• 구경꾼: 구경＋－꾼 • 가르침: 가르치－＋－ㅁ(동사 → 명사)

확인하기 ❸

• 다음 파생어를 대상으로 각 빈칸에 적절한 내용을 채워 보고, 접사의 기능을 확인해보자.

파생어	파생어의 내부 구조			어근과 파생어의 차이	
	접두사	어근	접미사	뜻	문법
군침	군－	침		공연히 입안에 도는 침.	변화 없음.
치솟다					
나무꾼					
사랑스럽다					
믿음					
웃기다					

4 새말 만들기

• 새말의 개념: 사회가 발전함에 따라 새로운 개념과 사물이 생기면서 만들어진 새로 생긴 말 또는 새로 귀화한 외래어

• 새말이 만들어지는 방식

완전히 새로운 소리로 만들기	므랍	
있던 말을 활용하여 만들기	합성어	꽃＋미남, 작업＋창, 교통＋카드
	파생어	무(無)－＋꺼풀, 기러기＋－족(族), 누리＋－꾼
축약하여 만들기	• '카(car)－테크놀로지(technology)' → 카테크 • '짬뽕－짜장면' → 짬짜면 • '네트워크(network)－시티즌(citizeu)' → 네티즌	
외국어를 차용하여 만들기	타이머신, 텔레비전, 웰빙	

• 새말을 만드는 바람직한 태도: 우리말의 단어 형성법에 맞도록 하며 차용어는 되도록 우리말로 만들어 쓰도록 함.

확인하기 ❹

• 차용어 '텔레비전'을 대신할 새말을 다양하게 만들어 보자.
• 완전히 새로운 소리로 만들기:
• 합성어로 만들기:
• 파생어로 만들기:

확인하기 정답

❶ 자립 형태소: 오늘, 내일/의존 형태소: 은, 걷－, －더라도, 은, 달리－, －어, 가－, －ㄹ래/실질 형태소: 오늘, 걷－, 내일, 달－, 가－/형식 형태소: 은, －더라도, 은, －어, －ㄹ래 / ❷ 불꽃＋놀이 → 합성어/시－＋부모 → 파생어/단＋팥죽 → 합성어/잠＋－꾸러기 → 파생어 / ❸ 치－, 솟－, 위쪽으로 힘차게 솟다. 변화 없음./나무, －꾼, 땔나무를 하는 사람. 변화 없음./사랑, －스럽－, 생김새나 행동이 사랑을 느낄 만큼의 귀여운 데가 있다. 명사 → 형용사/믿－, －음, 어떤 사실이나 사람을 믿는 마음. 동사 → 명사/웃－, －기－, 웃게 하다. 주동사 → 사동사 / ❹ 생략/바보상자, 영상수신기 등/영상기, 화면기 등

소단원 적중 문제

[01~04] 다음 글을 읽고, 물음에 답하시오.

<table>
<tr><th colspan="12">꽃 사이로 발자국을 찾아 나서면</th></tr>
<tr><td>㉠</td><td>꽃</td><td colspan="2">사이로</td><td colspan="3">발자국을</td><td colspan="2">찾아</td><td colspan="3">나서면</td></tr>
<tr><td>㉡</td><td>꽃</td><td>사이</td><td>로</td><td colspan="2">발자국</td><td>을</td><td colspan="2">찾아</td><td colspan="3">나서면</td></tr>
<tr><td>㉢</td><td>꽃</td><td>사이</td><td>로</td><td>발</td><td>자국</td><td>을</td><td>찾-</td><td>-아</td><td>나-</td><td>서-</td><td>-면</td></tr>
</table>

㉠은 띄어쓰기가 된 단위와 칸의 수가 같으므로 빈칸에 들어갈 내용은 '발자국을'과 '나서면'인데, 이처럼 띄어 쓰는 단위를 어절(語節)이라고 한다. ㉡은 ㉠의 어절을 더 작은 단위로 분석한 것인데, '사이로'를 '사이'와 '로'로 분석한 것에 비추어 볼 때 '발자국을'는 '발자국'과 '을'로 분석할 수 있다. 이처럼 어절을 자립하여 쓰일 수 있는 부분과 조사로 분석하였을 때, 분석된 각각을 단어(單語)라고 한다. ㉢은 단어를 다시 더 작은 단위로 분석한 것인데, '찾아'는 '찾-', '-아'로, '나서면'은 '나-', '서-', '-면'으로 분석할 수 있다. ㉢에서와 같이 의미를 가진 것 가운데 가장 작은 언어 단위를 형태소(形態素)라고 한다.

형태소 가운데는 다른 말의 도움 없이 혼자 쓰일 수 있는 형태소도 있고, 반드시 다른 말에 기대어서만 쓰일 수 있는 형태소도 있다. 즉, 자립 형태소는 앞뒤에 다른 형태소가 직접 연결되지 않아도 문장에서 쓰일 수 있지만, 의존 형태소는 앞이나 뒤에 적어도 하나의 형태소가 연결되어야만 문장에서 쓰일 수 있다. 체언, 수식언, 독립언으로 분류되는 형태소들은 자립 형태소이고, 용언의 어간과 어미, 조사, 접사로 분류되는 형태소들은 의존 형태소이다.

형태소는 실질적인 의미를 가진 실질 형태소와 문법적인 의미를 가진 형식 형태소로 분류할 수도 있다. 체언, 수식언, 독립언, 용언의 어근으로 분류되는 형태소는 실질 형태소라 할 수 있고, 체언이나 용언에 연결되어 문법적 의미를 표시하는 조사나 어미, 그리고 단어 형성에 참여하는 접사는 형식 형태소라 할 수 있다. 형식 형태소는 문법적 의미를 나타내므로 문법 형태소라 부르기도 한다.

01 이 글의 내용과 일치하지 않는 것은?

① 형식 형태소는 모두 단어로 분류되지 않는다.
② 자립 형태소는 홀로 쓰일 수 있는 형태소이다.
③ 실질 형태소 모두가 자립 형태소인 것은 아니다.
④ 어미와 접사는 의존 형태소이면서 형식 형태소이다.
⑤ 형태소는 더 이상 분석할 수 없는 최소의 의미 단위이다.

02 다음 단어의 형태소 분석이 잘못된 것은?

① 쌍둥이 : 쌍둥+-이
② 웃기다 : 웃-+-기-+-다
③ 공부하다 : 공부+-하다
④ 구두닦이 : 구두+닦-+-이
⑤ 사랑스러운 : 사랑+-스럽-+-은

수능형

03 〈보기〉의 ⓐ와 ⓑ에 나타난 형태소를 분석한 결과로 적절하지 않은 것은?

〈보기〉

[학습 활동] 이 글에 나타난 형태소의 개념과 종류를 이해하고, 이어서 다음 두 문장의 형태소를 분석해 보자.

ⓐ 성우는 걸음이 매우 빠르다.
ⓑ 안개가 잣나무에서 피어오른다.

① 학생 1: ⓐ의 '걸음'과 ⓑ의 '안개'는 자립 형태소이자 실질 형태소에 해당합니다.
② 학생 2: ⓐ의 '빠르-'와 ⓑ의 '피-'는 의존 형태소이자 실질 형태소에 해당합니다.
③ 학생 3: ⓐ의 '이'와 ⓑ의 '-어'는 의존 형태소이자 형식 형태소에 해당합니다.
④ 학생 4: ⓐ에 나타난 형태소의 수는 모두 8개입니다.
⑤ 학생 5: ⓑ에 나타난 형태소의 수는 모두 10개입니다.

서술형

04 이 글을 참조하여 다음 물음에 대한 답을 쓰시오.

• 실질 형태소와 형식 형태소의 차이는 무엇인가?

[05~08] 다음 글을 읽고, 물음에 답하시오.

단어를 이루는 형태소 가운데 실질적인 의미를 나타내는 중심 부분을 어근(語根)이라 하고, 어근에 붙어 그 뜻을 제한하는 주변 부분을 접사(接辭)라고 한다. 예를 들어, '군말'의 '말'은 어근이고 '군-'은 접사이며, '지우개'의 '지우-'는 어근이고 '-개'는 접사이다. '군-'처럼 어근 앞에 붙을 때는 접두사라고 하고, '-개'처럼 어근 뒤에 붙을 때는 접미사라고 한다.

하나의 어근으로만 이루어진 단어를 단일어(單一語), 둘 이상의 어근으로 이루어졌거나 어근과 접사로 이루어진 단어를 복합어(複合語)라고 한다. 복합어 가운데 직접 구성 성분이 어근만으로 이루어진 단어를 합성어(合成語)라고 하고, 어근에 접사가 결합되어 이루어진 단어를 파생어(派生語)라고 한다.

파생 접사 없이 어근과 어근이 직접 합쳐져서 만들어진 단어를 합성어라고 한다. 이때 '밤낮, 새해, 본받다, 뛰어가다'와 같이 어근과 어근의 결합이 문장에서와 같은 방식으로 이루어진 것을 ㉠통사적 합성어, '덮밥, 높푸르다'와 같이 단어 형성에서만 나타나는 방식으로 이루어진 것을 비통사적 합성어라고 한다.

어근에 파생 접사가 붙어서 만들어진 단어를 파생어라고 한다. 접두사는 어근의 의미를 제한함으로써 어근과 파생어의 의미에 차이를 만드는 기능을 한다. '헛기침'의 '헛-'이 그러한 예이다. ㉡접미사는 접두사와 마찬가지로 어근의 의미를 제한하기도 하지만 문법적인 변화를 일으키기도 한다. 예를 들어, 명사 '바늘'에 접미사 '-질'이 붙으면 어근과 파생어의 의미 차이가 생기기도 하고, 형용사 '많-'에 접미사 '-이'가 붙어서 부사가 되는 것과 같이 문법적인 변화가 일어나는 예도 있다.

05 이 글을 참조할 때, '접사'에 대한 설명으로 적절하지 않은 것은?

① 어근에 붙어 하나의 단어를 형성한다.
② 어근의 뜻을 제한하는 형식 형태소이다.
③ 위치에 따라 접두사와 접미사로 나뉜다.
④ 접미사는 어근의 품사를 바꾸기도 한다.
⑤ 접두사는 어근의 뜻을 확장시키기도 한다.

06 다음 ⓐ~ⓔ 중, ㉠의 예에 해당하지 않는 것은?

합성어의 구성	예
어근+어근	• 합성 명사: 젊은이, ⓐ 부슬비 • 합성 부사: ⓑ 곧잘, 너울너울 • 합성 용언: 높푸르다, ⓒ 날아가다 ⓓ 앞서다, 굳세다, ⓔ 본받다

① ⓐ ② ⓑ ③ ⓒ ④ ⓓ ⑤ ⓔ

07 ㉡과 관련하여, 〈보기〉의 사례에 해당하지 않는 것은?

〈보기〉
[접미사의 기능]
• 동사를 명사로 파생시킨다. 예 놀이
• 명사와 부사를 동사로 파생시킨다. 예 일하다
• 명사와 동사를 형용사로 파생시킨다. 예 향기롭다

① 덮개 ② 믿음 ③ 탐스럽다
④ 많이 ⑤ 출렁거리다

수능형

08 〈보기〉를 참조하여 ⓐ~ⓓ에 대해 설명하였을 때, 적절하지 않은 것은?

〈보기〉
[용언의 명사형과 파생 명사]
서술어의 기능을 하는 용언의 어간에 명사형 어미 '-(으)ㅁ/-기'가 붙어 명사의 역할을 하는 성분으로 쓰일 때 이를 용언의 명사형이라 하며, 이때 품사는 바뀌지 않는다. 반면 서술어의 기능을 하는 용언의 어근에 명사화 파생 접미사 '-(으)ㅁ/-기'가 붙어 새로 형성된 명사를 파생 명사라고 하며, 이때 품사는 명사로 바뀐다.

[용례]
• 밤 10시만 되면 ⓐ자기로 했다.
• 그릇의 ⓑ크기에 따라 용량이 다르다.
• 죽음보다 깊은 ⓒ잠에 빠져들었다.
• 그대를 ⓓ만남은 결코 우연이 아닙니다.

① ⓐ의 '-기'는 명사형 어미이다.
② ⓑ의 '-기'는 명사화 파생 접미사이다.
③ ⓒ의 '-ㅁ'은 품사를 변화시킨다.
④ ⓓ의 '-ㅁ'은 품사를 변화시키지 않는다.
⑤ ⓐ와 ⓒ는 동사이며, ⓑ와 ⓓ는 명사이다.

3 단어의 의미 관계와 어휘 사용

소단원 시험 족보

1 단어 의미의 유형

① 중심적 의미와 주변적 의미

- **다의어**: 두 가지 이상의 뜻을 가진 단어
  - **중심적 의미**: 가장 기본적이고 핵심적인 의미
  - **주변적 의미**: 중심적 의미가 확장된 의미

※ 동음이의어(同音異議語): 다의어와 달리, 소리는 같으나 연관성이 전혀 없는 단어

② 사전적 의미와 함축적 의미

사전적 의미	• 어떤 단어가 지니고 있는 가장 기본적이고 객관적인 의미 • 개념적 의미, 외연적 의미, 인지적 의미라고도 함. • 다의어의 경우에는 중심적 의미와 주변적 의미가 모두 사전적 의미가 됨.
함축적 의미	• 사전적 의미에 덧붙어서 연상이나 관습 등에 의하여 형성되는 의미 • 연상적 의미, 내포적 의미라고도 함. • 시와 같은 문학 작품에 많이 사용됨.

③ 그 외 단어의 의미

사회적 의미	말을 사용하는 사람의 사회적 환경과 관련되는 의미
정서적 의미	말하는 이의 심리적 상태나 상대에 대한 감정과 관련되는 의미로, 감정적 의미라고도 함.
주제적 의미	화자가 특별히 드러내고자 하는 의미로, 어순을 바꾸거나 특정 부분을 강조. 예 '그는 가난하지만 행복하다.'를 '그는 행복하지만 가난하다.'로 어순을 바꿈으로써 화자의 의도, 즉 주제를 효과적으로 드러냄.
반사적 의미	어떤 말을 사용할 때 그 말의 원래 뜻과는 아무런 관계없이 나타나는 특정한 의미 예 '한 송이(韓松伊)'라는 이름은 원래의 뜻과 관계없이 꽃과 관련된 의미, 긍정적 의미를 불러일으킴.

확인하기 1

• 신체 부위를 가리키는 단어 가운데에는 다의어가 많다. '머리'라는 단어를 활용하여이를 확인해 보자.

(1) '머리'의 중심적 의미와 주변적 의미로 무엇이 있는지 말해 보자.

(2) 국어사전에서 '머리'를 찾아서 다양한 의미를 확인하고, (1)에서 자신이 생각한 의미와 비교해 보자.

• 다음 단어들의 사전적 의미와 함축적 의미를 비교해 보자.

엄마, 어머니, 어머님, 모친

2 단어 간의 의미 관계

① 유의 관계: 말소리는 다르지만 의미가 서로 비슷한 단어들의 관계를 유의 관계라고 하고, 유의 관계에 있는 단어들을 유의어라고 함.

• 가끔 – 더러 – 이따금 – 드문드문 – 때로 – 간혹 – 혹간 – 간간이 – 왕왕
• 가난하다 – 빈곤하다 – 빈궁하다 – 어렵다 – 곤궁하다 – 궁핍하다

② 반의 관계

• 둘 이상의 단어가 의미상 서로 짝을 이루어 대립하는 경우를 반의 관계라고 하고, 반의 관계에 있는 단어들을 반의어라고 함.
• 반의 관계에 있는 두 단어는 오직 한 개의 의미 요소만 다르고 나머지 요소들은 모두 공통됨.

• 총각: [+ 성인], [– 결혼], [+ 인간], [+ 남성]
• 처녀: [+ 성인], [– 결혼], [+ 인간], [– 남성]

③ 상하 관계

• 한쪽이 의미상 다른 쪽을 포함하거나 다른 쪽에 포함되는 의미 관계가 상하 관계이며, 이때 포함하는 단어를 '상위어', 포함되는 단어를 '하위어'라고 함.
• 상하 관계를 형성하는 단어들은 상위어일수록 일반적이고 포괄적인 의미를 지니고 하위어일수록 개별적이고 한정적인 의미를 지님.

확인하기 2

• 단어 간의 유의 관계와 반의 관계를 고려하여 밑줄 친 단어 대신 들어갈 수 있는 말을 찾아보자.

그 사람은 마음 씀씀이가 참 예쁘다.

• 다음 빈칸에 들어갈 적절한 단어를 찾아보자.

확인하기 정답	❶ (1) 중심적 의미: 사람이나 동물의 목 위의 부분. 눈, 코, 입 따위가 있는 얼굴을 포함하며 머리털이 있는 부분을 이른다. / 주변적 의미: 생각하고 판단하는 능력, 한자에서 글자의 윗부분에 있는 부수, 단체의 우두머리, 사물의 앞이나 위, 일의 시작이나 처음, 어떤 때가 시작될 무렵, 한쪽 옆이나 가장자리, 일의 한 차례나 한 판, 음표 머리 등이 있다. / (2) 생략 / 위의 단어들은 모두 '자기를 낳아 준 여자'를 이르거나 부르는 말로 사전적 의미는 동일하다. 그러나 단어에서 느껴지는 친근함이나 거리감 등의 함축적 의미가 서로 다르다. 예를 들어, '엄마'는 매우 친근하고 포근한 느낌이 들지만, 모친은 '엄마'라는 말에 비해서 그러한 함축적 의미가 덜하다. / ❷ • 유의 관계: 아름답다, 곱다. • 반의 관계: 고약하다, 밉다. / 사람, 남자, 유의어

소단원 적중 문제

[01~03] 다음 글을 읽고, 물음에 답하시오.

일반적으로 하나의 단어가 여러 개의 의미로 쓰이는 경우가 많다. 예를 들어 '들다'라는 동사처럼 일상에서 자주 사용하는 말들은 여러 가지 상황에서 다양한 의미로 사용된다. 이처럼 여러 개의 의미를 지니고 있는 단어를 다의어(多義語)라고 하는데, 다의어의 의미는 중심적 의미와 주변적 의미로 나뉜다. '들다'의 경우 '밖에서 속이나 안으로 향해 가거나 오거나 하다.'는 가장 기본적이고 핵심적인 의미이므로 중심적 의미라고 하며, 그 밖은 중심적 의미가 확장된 의미이므로 주변적 의미라고 한다.

어떤 단어가 지니고 있는 가장 기본적이고 객관적인 의미를 사전적(辭典的) 의미라고 하고, 사전적 의미에 덧붙어서 연상이나 관습 등에 의하여 형성되는 의미를 함축적(含蓄的) 의미라고 한다. [중략]

한편 우리는 사람들이 하는 말만 듣고도 그 사람의 출신 지역, 사회적 지위, 교양 수준 등을 알 수가 있다. 이렇게 말이 그것을 사용하는 사람의 사회적 환경과 관련되는 의미를 전달할 때 이를 사회적(社會的) 의미라고 한다. 여러 단어 가운데 어떤 단어를 선택하느냐에 따라 이러한 사회적 의미가 달라질 수 있다.

또한 우리는 자신의 심리적 상태나 상대에 대한 감정 등을 표현하기 위하여 같은 단어라도 다양한 어조를 실어서 말을 할 때도 있다. 예를 들어, 화자가 "여보세요."라는 말을 했을 때 심리 상태에 따라 그 어조 등이 달라지기 때문에 청자는 화자가 '기분이 좋지 않구나.', '무엇인가 아쉬운 것이 있나 보다.' 등의 느낌, 즉 정서적(情緖的) 의미를 읽어 낼 수 있다.

그 밖에 주제적(主題的) 의미와 반사적(反射的) 의미도 있다. 주제적 의미는 화자가 특별히 드러내고자 하는 의미로, 어순을 바꾸거나 특정 부분을 강조하여 발음함으로써 드러낸다. 반사적 의미는 어떤 말을 사용할 때 그 말의 원래 뜻과는 아무런 관계없이 나타나는 특정한 의미이다.

수능형

01 다음은 '감다'의 의미를 이해하기 위해 사전을 찾아 정리한 것이다. 이 글을 토대로 탐구한 내용으로 적절하지 않은 것은?

> **감다¹**[감:따]동
> 【…을】(주로'눈'과 함께 쓰여) 눈꺼풀을 내려 눈동자를 덮다.
> **감다²**[감:따]동
> 【…을】머리나 몸을 물로 씻다.
> **감다³**[감:따]동
> (1)【…을 …에】【…을 …으로】
> ㉠ 어떤 물체를 다른 물체에 말거나 빙 두르다.
> ㉡ (낮잡는 뜻으로) 옷을 입다.
> (2)【…을】
> ㉢ 시계태엽이나 테이프 따위를 작동하도록 돌리다.
> ㉣ 씨름을 하거나 겨룰 때에 다리를 상대편의 다리에 걸다.

① '감다¹', '감다²', '감다³'은 별개의 표제어로 기술되어 있는 걸 보니 동음이의어에 해당하겠군.
② '감다³'은 하나의 표제어가 두 가지 이상의 의미를 지니고 있는 것으로 보아 다의어에 해당하겠군.
③ '감다¹'은 '현실의 모순에 눈을 감다.'의 용례와 같이 '못 본 체하다.'라는 주변적 의미로 확장되어 사용될 수 있겠군.
④ '감다³'이 ㉠의 뜻으로 쓰일 경우에는 필수적으로 세 가지 문장 성분이 함께 쓰여야만 의미가 제대로 전달될 수 있겠군.
⑤ '감다³' ㉡의 용례로 '웨딩드레스를 몸에 감으니 하늘에서 내려온 천사 같다.'를 들 수 있겠군.

02 밑줄 친 '손'의 문맥적 의미가 <보기>와 가장 유사한 것은?

> 보기
> 그녀는 외할머니의 손에서 자랐다.

① 그 일은 손이 많이 간다.
② 그는 남자답지 않게 손이 고왔다.
③ 그들은 손에 반지를 끼며 맹세했다.
④ 마침내 살던 집까지 남의 손에 넘어갔다.
⑤ 성실했던 그는 결국 사기꾼의 손에 놀아나고 말았다.

서술형

03 <보기>의 [상황 1]과 [상황 2]에 나타난 의미 유형을 쓰시오.

> 보기
> [상황 1] 친구 1: 한송이란 이름 참 예쁘지?
> 친구 2: 응, 꽃이 떠오르게 해.
> [상황 2] 친구 3: 넌 좋은 친구야.
> 친구 4: 참 좋~은 친구야. 너도!

소단원 적중 문제

[04~06] 다음 글을 읽고, 물음에 답하시오.

(가) 우리말은 말소리는 다르지만 의미가 서로 비슷한 유의어(類義語)가 풍부한 편이다. 이러한 단어들을 서로 유의 관계(類義關係)에 있다고 말한다. 유의 관계는 두 개 이상의 단어들이 무리를 이루고 있는 경우가 많다.

(나) 둘 이상의 단어가 의미상 서로 짝을 이루어 대립하는 경우를 반의 관계(反義關係)라고 하며, 이러한 관계에 있는 단어들을 반의어(反義語)라고 한다. 반의 관계에 있는 두 단어는 오직 한 개의 의미 요소만 다르고 나머지 요소들은 모두 공통된다. 예를 들어, '총각 : 처녀'는 '미혼'이고 '성인'이라는 의미 요소를 공통으로 가지고 있으면서 '성별'에서만 대립을 이루기 때문에 반의 관계인 반면, '총각'과 '아주머니'는 '성별' 이외에 '결혼' 여부에서도 대립을 이루기 때문에 반의 관계가 아니다.

(다) 한쪽이 의미상 다른 쪽을 포함하거나 다른 쪽에 포함되는 의미 관계를 상하 관계(上下關係)라고 한다. 이때 포함하는 단어가 상위어(上位語), 포함되는 단어가 하위어(下位語)이다. 예를 들어, '직업'과 '작가'에서는 '직업'이 상위어이고 '작가'가 하위어이며, '작가'와 '시인'에서는 '작가'가 상위어이고 '시인'이 하위어이다. 상하 관계를 형성하는 단어들은 상위어일수록 일반적이고 포괄적인 의미를 지니며, 하위어일수록 개별적이고 한정적인 의미를 지닌다.

04 이 글을 통해 알 수 있는 내용이 아닌 것은?

① 유의 관계에 있는 단어들은 두 개 이상의 무리를 이루는 경우가 많다.
② 반의 관계에 있는 두 단어는 오직 한 개의 요소만 다르고 나머지는 공통된다.
③ 반의어는 의미 요소의 분석을 통해 그 관계를 확인할 수 있다.
④ 단어의 상하 관계는 상대적 성격을 지니고 있다.
⑤ 상위어는 하위어에 비해 단어를 이루는 의미 요소가 많다.

수능형

05 〈보기〉는 (나)에 대한 심화 학습 자료이다. 이를 토대로 [용례]의 ㉠~㉣을 이해한 것으로 적절하지 않은 것은?

〈보기〉
- 반의 관계는 두 단어 사이에 중간 개념이 없이 대립하는 '모순 관계', 두 단어 사이에 중간 개념이 존재하는 '반대 관계', 두 단어 사이에서 서로 상대적 관계가 성립하는 '상대 관계'로 나뉠 수 있다.
- 다의어의 경우에는 그것이 지닌 다수의 의미에 따라 반의 관계에 있는 단어도 바뀌게 된다.

[용례] ㉠ 남편 : 아내　　㉡ 기혼 : 미혼
㉢ 뜨겁다 : 차갑다　　㉣ 뛰다 : 걷다

① ㉠은 공통된 의미 요소가 있으면서 '성(性)'이라는 한 개의 의미 요소만 상반되므로 반의 관계가 성립되겠군.
② ㉡은 두 단어 사이에 중간 개념이 존재하지 않으므로 반의 관계 중 모순 관계가 성립되겠군.
③ ㉢은 두 단어 사이에 중간 개념이 존재하므로 반의 관계 중 반대 관계가 성립되겠군.
④ ㉣의 '뛰다'가 '(물가가) 뛰다'의 의미일 때는 이와 반의 관계에 있는 단어로 '내리다'를 들 수 있겠군.
⑤ '사다 : 팔다'는 ㉠과 같은 사례에 해당하며, '크다 : 작다'는 ㉡과 같은 사례에 해당하겠군.

06 (다)와 관련하여, 〈보기〉의 Ⓐ, Ⓑ를 이해한 것으로 적절하지 않은 것은?

〈보기〉
두 단어 간의 계층적 관계를 나타내는 의미 관계로 상하 관계와 부분 관계가 있다. 상하 관계에서 하위어는 상위어를 '함의(含意)'한다고 한다. 부분 관계란 '자동차'와 '엔진'처럼 한 단어가 다른 단어의 부분이 되는 관계를 일컫는다.

① Ⓐ에서 ⓐ와 ⓑ는 상하 관계를 이루고 있군.
② Ⓐ에서 ⓐ는 ⓑ에 비해 일반적인 의미 영역을 지니고 있군.
③ Ⓑ에서 ⓐ와 ⓑ는 부분 관계를 이루고 있군.
④ Ⓐ와 Ⓑ는 모두 ⓐ가 ⓑ를 함의하는 관계에 있군.
⑤ Ⓐ와 Ⓑ는 모두 ⓐ와 ⓑ가 계층적 관계를 이루고 있군.

중단원 실전 문제

정답과 해설 p. 11

[01~08] 다음 글을 읽고 물음에 답하시오.

가 대명사는 명사를 대신하여 대상을 가리키는 말로 사용되는 체언이다. 대명사에는 지시 대명사와 인칭 대명사가 있다. 지시 대명사에는 사물을 가리키는 것과 장소를 가리키는 것이 있으며, 인칭 대명사는 1인칭, 2인칭, 3인칭 등으로 나뉜다.

대명사에는 모르는 사물이나 사건을 가리키는 미지칭, 특정 대상을 가리키지 않는 부정칭, 앞에 한 번 나온 명사를 다시 가리킬 때 쓰는 재귀칭 등이 있다. '무엇, 누구, 어디'와 같은 대명사는 주로 의문문에서 미지칭으로 쓰이고,' 무엇이든, 누구든, 어디든'에서와 같이 부정칭으로 쓰이기도 한다. 재귀 대명사라고도 하는 재귀칭에는 '저, 자기, 당신'등이 있는데, 주로 3인칭 주어로 쓰인 명사나 명사구를 다시 가리키는 데에 쓰인다.

나 단어 가운데 문장의 주어를 서술하는 기능을 가진 말들을 용언(用言)이라고 한다. [중략]

동사와 형용사는 의미 면에서 차이가 있을 뿐만 아니라 현재 시제로 활용할 때에도 연결되는 어미가 다르고, 명령문이나 청유문으로의 활용 여부에도 차이가 있다. 이를테면 '가다, 먹다, 뛰다'등은 동사에 속하고,' 예쁘다, 고요하다, 향기롭다'등은 형용사에 속한다.

다 관형사는 형태가 변하지 않는 점에서 용언과 구별되고, 조사와 결합하지 않는 점에서 체언과 구별되는 특성이 있다. 관형사에는 성상 관형사, 지시 관형사, 수 관형사가 있다. '새 옷, 헌 책, 순 살코기'에서 밑줄 친 '새, 헌, 순'은 사물의 성질이나 상태를 나타내는 ㉠성상 관형사이고, '이 의자, 그 사람, 저 자전거'에서 밑줄 친 '이, 그, 저'는 어떤 대상을 가리키는 ㉡지시 관형사이다. '세 사람, 연필 다섯 자루, 일곱째 딸, 제삼(第三) 회 대회'에서 밑줄 친 '세, 다섯, 일곱째, 제삼'은 수량이나 순서와 같은 수 개념을 나타내는 ㉢수 관형사이다.

라 부사는 문장에서 하는 역할에 따라 성분 부사와 문장 부사로 나뉜다. '바로, 못, 간절히'는 문장의 어느 한 성분만을 수식하므로 성분 부사라고 하며, '다행히, 그러나'는 문장 전체를 수식하므로 문장 부사라고 한다. 문장 부사는 '다행히'와 같이 말하는 이의 태도를 나타내는 양태 부사와 '그러나'와 같이 앞 문장과 뒤 문장을 이어 주는 접속 부사로 나뉜다.

성분 부사는 그 의미에 따라서, '어떻게'라는 방식으로 용언 등을 꾸미는 성상 부사, '이리, 그리, 저리'와 같이 특정 내용을 가리키는 지시 부사, '못, 아니/안'과 같이 부정의 뜻을 가진 부정 부사로 나뉠 수 있다. 성상 부사 가운데 '아삭아삭, 사뿐사뿐'과 같이 사물의 소리나 모양을 흉내 내는 부사들을 의성 부사, 의태 부사라고 한다.

01 다음은 인칭 대명사에 관한 내용을 정리한 것이다. ⓐ~ⓕ에 대한 설명으로 적절하지 않은 것은?

구분		예삿말	높임말	낮춤말
1인칭		나/ⓐ 우리		저/저희
2인칭		너/너희	ⓑ 당신, 자네	
3인칭	근칭	이이	이분	
	중칭	그, 그이	그분	
	원칭	ⓒ 저이	저분	
	미지칭	누, ⓓ 누구, 어디, 무엇		
	부정칭	ⓔ 아무나, 무엇이든, 누구든, 어디든		
	재귀칭	저, 자기, ⓕ 당신		

① ⓐ는 청자를 포함하는 경우와 배제하는 경우가 있다.
② ⓑ는 3인칭의 높임말로 쓰이는 ⓕ의 경우와 구별된다.
③ ⓒ는 화자와 청자 두 사람에게서 먼 사람을 가리킨다.
④ ⓓ는 특정한 사람을 가리키는 대명사로, 복수형은 없다.
⑤ ⓔ는 여러 사람 중에서 정해지지 않은 사람을 가리킨다.

학습 활동 적용

02 (나)를 참조하여 〈보기〉의 ⓐ~ⓓ 중 '크다'가 동사로 쓰인 것을 모두 고르시오.

〈보기〉
ⓐ 날씨가 건조하면 나무가 크지 못한다.
ⓑ 저 선수는 키가 정말 크다.
ⓒ 쑥쑥 커라, 우리 아기.
ⓓ 나는 생각이 큰 사람이 좋아.

03 〈보기〉의 ⓐ~ⓓ 중, 관형사에 해당하는 것을 골라 바르게 묶은 것은?

〈보기〉
- 그녀는 ⓐ별별 고생을 다 했다.
- ⓑ나의 고향은 꽃 피는 산골이다.
- 그는 ⓒ아무 말도 없이 사라졌다.
- 그녀는 내가 ⓓ사랑하는 여인이다.

① ⓐ, ⓑ ② ⓐ, ⓒ ③ ⓑ, ⓒ ④ ⓑ, ⓓ ⑤ ⓒ, ⓓ

04 (다)의 ㉠~㉢에 해당하는 것을 〈보기〉에서 골라 바르게 짝지은 것은?

〈보기〉
- ⓐ어느 누가 나를 이해해 주려나?
- 산에는 ⓑ온갖 꽃들이 만발하였다.
- 나는 오늘 ⓒ헌 책을 친구에게 팔았다.

	㉠	㉡	㉢		㉠	㉡	㉢
①	ⓐ	ⓑ	ⓒ	②	ⓑ	ⓒ	ⓐ
③	ⓐ	ⓒ	ⓑ	④	ⓒ	ⓐ	ⓑ
⑤	ⓑ	ⓐ	ⓒ				

수능형

05 (라)를 참조하여 〈보기〉의 예를 설명한 것으로 적절하지 않은 것은?

〈보기〉
㉮ 산이 매우 푸르다.
㉯ 설화는 아주 헌 옷은 버렸다.
㉰ 그는 일을 너무 빨리 끝낸다.
㉱ 물론 나는 너를 끝까지 믿을 거야.
㉲ 빵을 먹었다. 그러나 여전히 배는 고프다.
㉳ 이것은 계곡 내지 연못에서만 자라는 고기이다.

① ㉮~㉰의 부사어는 성분 부사어로, ㉱와 달리 문장의 특정 성분을 수식하는 역할을 한다.
② ㉮~㉱의 부사어는 수식하는 것이 주된 역할이지만, ㉲, ㉳의 부사어는 이어 주는 것이 주된 역할이다.
③ ㉱는 문장 전체를 수식하는 문장 부사어로, 말하는 이의 심리적 태도를 드러낸다.
④ ㉱의 부사어에서 '물론'은 뒤에 이어지는 특정 성분과 호응 관계를 이루고 있다.
⑤ ㉲, ㉳의 부사어는 접속 부사어로, 전자는 문장과 문장을 연결하고, 후자는 단어와 단어를 연결한다.

[06~08] 다음 글을 읽고 물음에 답하시오.

가 국어에는 주로 체언 뒤에 붙어서 다양한 문법적 관계를 나타내거나 의미를 더해 주는 의존 형태소가 있는데, 이를 조사(助詞)라고 한다. 조사는 그 기능과 의미에 따라 격 조사, 보조사, 접속 조사로 분류한다. 예를 들어, '을'은 앞에 오는 체언이 목적어라는 문법적 관계를 나타내는 격 조사이고, '만'은 앞말에 '한정'의 뜻을, '도'는 '역시'의 뜻을 더해 주는 보조사이다. '레몬과 귤'에서 '과'는 두 단어를 연결해 주는 기능을 하는 접속 조사에 속한다.

앞에 오는 체언이 문장 안에서 일정한 자격을 가지도록 해 주는 조사를 ㉮격조사(格助詞)라고 한다. 격 조사에는 '이/가'와 같이 주어가 되게 하는 주격 조사, '을/를'과 같이 목적어가 되게 하는 목적격 조사, '의'와 같이 관형어가 되게 하는 관형격 조사, '이/가'와 같이 보어가 되게 하는 보격 조사 등이 있다. 그 밖에 '에, 에서, 에게'와 같이 부사어가 되게 하는 부사격 조사, '아, 야'와 같이 독립어의 일종인 부름말이 되게 하는 호격 조사 등도 격 조사에 속한다. 특히 체언을 서술어가 되게 하는 '이다'는 서술격 조사라고 하는데, 마치 동사나 형용사처럼 활용한다.

앞말에 특별한 뜻을 더해 주는 조사를 ㉯보조사(補助詞)라고 한다. '만'은 앞말에 '한정'의 뜻을, '도'는 '역시'의 뜻을, '은'은 '대조'의 뜻을 더해 준다. '요'는 '상대 높임'을 나타내며, 어절이나 문장의 끝에 결합하는 독특한 성격을 가진다. 그 밖에 '마저, 부터, 까지, 조차' 등과 같이 각각의 고유한 뜻을 더해 주는 다양한 보조사들이 있다.

'와/과', '하고', '(이)랑' 등과 같이 두 단어를 같은 자격으로 이어 주는 구실을 하는 조사를 ㉰접속 조사(接續助詞)라고 한다. '와/과'는 문어에서 잘 쓰이지만, '하고'와 '(이)랑'은 구어에서 잘 쓰인다.

나 '앗', '어머'처럼 느낌을 나타내는 말, '야', '여보'처럼 부르는 말, '응', '네'처럼 대답하는 말로 쓰이면서, 다른 성분들에 비하여 비교적 독립성이 있는 단어를 ㉠감탄사(感歎詞)라고 한다. 감탄사는 문장 속의 다른 성분에 얽매이지 않고 독립성이 있으므로 독립언(獨立言)이라고 한다.

06 (가)의 ㉮~㉰에 대한 내용을 〈보기〉와 같이 요약할 때, 적절하지 않은 것은?

〈보기〉

[조사의 기능]
- 다른 말과의 문법적 관계를 나타낸다.

[조사의 종류]
- 격조사
  - ⓐ 체언에 붙어 앞말이 문장 안에서 일정한 자격을 갖도록 해 준다.
  - ⓑ 조사의 격에는 주격, 목적격, 보격, 관형격, 부사격, 호격, 서술격 등이 있다.
- 접속 조사
  - ⓒ 두 단어를 동등한 자격으로 이어주는 구실을 한다.
- 보조사
  앞말에 특별한 의미를 덧붙여 준다.
  - ⓓ '상대 높임'을 나타내는 보조사는 어절이나 문장의 끝에도 결합한다.
  - ⓔ 보조사에는 '은/는, 도, 만, 에게, 보다, 까지, 조차' 등이 있다.

① ⓐ ② ⓑ ③ ⓒ ④ ⓓ ⑤ ⓔ

07 (나)와 〈보기〉를 참조할 때, ㉠에 해당하지 않는 것은?

〈보기〉

[감탄사의 특성]
- 조사가 붙을 수 없다.
- 문장 속에서 활용할 수 없다.

[감탄사로 인정하지 않는 경우]
- 상대방 이름을 부르는 경우
- 문장의 첫머리에 놓인 표제어나 제시어

① 에구머니, 깜빡 잊어버렸네.
② 네, 정말 어처구니가 없군요.
③ 여보! 우리 희수가 1등 했어요.
④ 저런, 어떻게 그럴 수가 있어요?
⑤ 영희야! 이따 저녁에 시간 있어?

08 이 글을 참조할 때, 〈보기〉의 빈칸에 들어갈 말을 쓰시오.

〈보기〉

서술격 조사 '이다'는 (   )는 점에서 다른 조사와 다르다.

[09~13] 다음 글을 읽고 물음에 답하시오.

가 파생 접사 없이 어근과 어근이 직접 합쳐져서 만들어진 단어를 합성어라고 한다. 이때 '밤낮, 새해, 본받다, 뛰어가다'와 같이 어근과 어근의 연결이 문장에서와 같은 방식으로 이루어진 것을 통사적 합성어,' 덮밥, 높푸르다'와 같이 단어 형성에서만 나타나는 방식으로 이루어진 것을 ㉠비통사적 합성어라고 한다. / 합성어 가운데에는 구(句)와 구별하기 어려운 경우가 있다. 예를 들어 '우리나라, 우리 말, 우리글'은 원래 구였던 것이 한 단어로 굳어진 것으로 보아 합성어로 처리하지만, '우리 마을, 우리 집, 우리 아빠, 우리 누나' 등은 여전히 구로 구성된 것으로 처리한다.

나 어근에 파생 접사가 붙어서 만들어진 단어를 파생어라고 한다. / 접두사는 어근의 의미를 제한함으로써 어근과 파생어의 의미에 차이를 만드는 기능을 한다. '헛기침'의 '헛-'이 그러한 예이다. '접미사는 접두사와 마찬가지로 어근의 의미를 제한하기도 하지만 문법적인 변화를 일으키기도 한다. 예를 들어 명사 '바늘'에 접미사 '-질'이 붙어서 어근과 파생어의 의미 차이가 생기기도 하고, 형용사 '많-'에 접미사 '-이'가 붙어서 부사가 되는 것과 같이 문법적인 변화가 일어나는 경우도 있다.

다 일상에서 자주 사용하는 말들은 여러 가지 상황에서 다양한 의미로 사용된다. 이처럼 여러 개의 의미를 지니고 있는 단어를 다의어(多義語)라고 하는데, 다어의의 의미는 가장 기본적이고 핵심적인 의미인 중심적 의미와, 중심적 의미가 확장된 의미인 주변적 의미로 나뉜다.

라 우리말은 말소리는 다르지만 의미가 서로 비슷한 유의어가 풍부한 편이다.이러한 단어들을 유의 관계에 있다고 말한다. 유의 관계는 두 개 이상의 단어들이 무리를 이루고 있는 경우가 많다. / 둘 이상의 단어가 의미상 서로 짝을 이루어 대립하는 경우를 반의 관계라고 한다. 그리고 이러한 관계에 있는 단어들을 반의어라고 부른다. 반의 관계에 있는 두 단어는 오직 한 개의 의미 요소만 다르고 나머지 요소들은 모두 공통된다. / 한쪽이 의미상 다른 쪽을 포함하거나 다른 쪽에 포함되는 의미 관계를 상하 관계라고 한다. 이때 포함하는 단어가 상위어, 포함되는 단어가 하위어이다.

고난도 수능형

09 (가), (나)를 참고하여 〈보기〉의 표를 설명한 내용으로 가장 적절한 것은?

〈보기〉

단어	품사	단어의 종류	직접 구성 성분	품사 결정 요소
큰형	명사	합성어	큰, 형	형
본받다	동사	합성어	본, 받다	받다
굽이치다	동사	합성어	굽이, 치다	치다
구두닦이	명사	합성어	구두, 닦이	닦이
잠꾸러기	명사	파생어	잠, 꾸러기	-꾸러기

* 직접 구성 성분: 단어를 두 조각으로 한 번만 나누어 나온 구성 요소

① 직접 구성 성분은 모두 어간 혹은 어근으로만 이루어진다.
② 품사 결정 요소는 모두 독립적으로 쓰일 수 있는 하나의 단어이다.
③ 직접 구성 성분들 중에는 다시 형태소 분석이 가능한 것들도 있다.
④ 단어의 종류를 결정하는 것은 품사 결정 요소와 밀접한 관련이 있다.
⑤ 의미의 핵심 요소는 어근이고, 품사를 결정하는 요소는 단어의 어느 위치에나 올 수 있다.

10 (나)를 바탕으로 할 때, 접미사의 기능이 다른 단어는?

① 먹이 ② 지우개 ③ 웃기다
④ 같이 ⑤ 나무꾼

11 ㉠에 해당하는 것을 〈보기〉에서 골라 바르게 묶은 것은?

〈보기〉
ⓐ 첫사랑 ⓑ 척척박사 ⓒ 낯설다
ⓓ 꺽쇠 ⓔ 검붉다

① ⓐ, ⓑ ② ⓐ, ⓑ, ⓓ ③ ⓐ, ⓑ, ⓓ, ⓔ
④ ⓑ, ⓓ, ⓔ ⑤ ⓒ, ⓓ, ⓔ

수능형

12 (다), (라)를 바탕으로 〈보기〉의 단어와 관련된 의미 관계를 설명하였다. 적절하지 않은 것은?

〈보기〉
집「명사」1 사람이나 동물이 추위, 더위, 비바 람 따위를 막고 그 속에 들어 살기 위하여 지은 건물.
2 가정을 이루고 생활하는 집안.
3 칼, 벼루, 총 따위를 끼거나 담아 둘 수 있게 만든 것.

① '집'은 다의어로서, 1은 중심적 의미이고, 2와 3은 주변적 의미이다.
② '사옥(舍屋)'은 '집'의 1의 의미와 유의 관계에 있는 말이다.
③ '한옥'과 '아파트'는 '집'의 1의 의미와 상하 관계에 있는 말이다.
④ "그녀는 가난한 집 딸이었다."에서 '집'은 중심적 의미로 쓰였다.
⑤ "칼을 잘 닦은 후 집에 넣어 보관해라."에서 '집'은 3의 의미로 쓰였다.

13 단어 간의 의미 관계가 ⓐ : ⓑ와 가장 유사한 것은?

ⓐ전쟁에 참여한 군인들 중 ⓑ육군이 당한 피해가 가장 컸다. 그들은 최전방에서 적과 직접 상대하며 가장 치열한 전투를 해야만 했기 때문이다.

① 판소리는 우리의 전통 예술이다.
② 낯설다는 그 말이 왠지 생소하구나.
③ 태어나고 자라서 우리는 어른이 된다.
④ 일상의 기쁨과 슬픔을 초월하고 싶구나.
⑤ 번잡한 도시를 떠나 한적한 시골로 가자.

학습 활동 적용

14 다음 각 문장에 쓰인 '벌써'를 '이미'로 바꿀 경우 자연스럽지 않은 것은?

① 벌써 일어서려고?
② 벌써 10년의 세월이 흘렀구나.
③ 상점의 문은 벌써 닫히고 있었다.
④ 창밖에는 벌써 봄기운이 완연했다.
⑤ 많은 사람들이 벌써 집으로 돌아갔다.

서술형 문제

15 (1), (2)의 활동을 통해 알 수 있는 관형사의 특성을 서술하시오.

(1) 다음 두 문장의 ⓐ, ⓑ를 비교해 본다.

- 그 구두는 ⓐ아무 옷이나 잘 어울린다.
- ⓑ아무도 그의 이야기에 귀 기울이지 않는다.

(2) 다음 두 문장의 ⓐ, ⓑ를 비교해 본다.

- 그는 ⓐ다른 사람에게 길을 물었다.
- 친구들과 ⓑ다른 행동을 보여 주어라.

16 〈보기〉의 설명을 참고하여 과제 (1), (2)에 대한 답을 쓰시오.

[과제 (1)] 〈보기〉에서 문장 부사가 나타나 있는 문장을 찾아, 부사의 위치를 바꾸어 새롭게 고쳐 쓰시오.

〈보기〉
- 성분 부사는 자리 옮김을 할 수 없으나, 문장 부사는 자리 옮김이 가능하다.
  - 그는 노래를 잘 부른다.
  - 아마 이번 시험은 쉽게 출제될 거야.
  - 버스가 갑자기 멈추는 바람에 앞으로 넘어졌다.

[과제 (2)] 〈보기〉에 제시된 문장 부사를 서술어로 활용하여 문장을 고쳐 쓰시오.

〈보기〉
- 문장 부사는 그 문장의 서술어로 쓰일 수 있다.
  - 확실히 한국인은 은근과 끈기가 있다.

17 '지난밤'이 합성어로 분류되어 사전에 표제어로 수록된 이유를 설명하시오.

〈조건〉
- 합성어와 구의 개념을 이용하여 설명할 것

18 〈보기 1〉을 참조하여 〈보기 2〉의 'ㄱ'과 'ㄴ'에 대한 유의 관계 성립 여부를 판단하여 설명하시오.

〈보기 1〉

유의 관계에 있는 두 단어의 짝은 의미의 유사성과 다른 문맥에서의 상호 교체 가능성을 기준으로 그 성립 여부를 판단할 수 있다. 이때 상호 교체가 불가능한 경우는 유의 관계가 성립하지 않는다.

- 문맥상 상호 교체가 가능한 경우
  예 자신을 뒤돌아 볼 [틈/겨를]이 없다.
- 문맥상 상호 교체가 불가능한 경우
  예 [얼굴/*낯]이 둥근 여자가 앉아 있다.

*는 비문임을 표시함.

〈보기 2〉

ㄱ. 파초는 한겨울의 모진 추위를 잘 [견뎌 냈다/참아 냈다.]

ㄴ. 김연아 선수가 동계 올림픽에 [참가했다/*참석했다.]

*는 비문임을 표시함.

문장과 문법 요소

{1} 문장의 성분 / {2} 문장의 짜임

[학습 목표] 문장의 짜임을 탐구하여 정확하고 상황에 맞는 문장을 사용할 수 있다.

- 문장 성분 알기
- 문장의 짜임 알기

• 문장의 짜임

① 홑문장: 주어와 서술어가 한 번만 나타나는 문장

② 겹문장: 주어와 서술어가 두 번 이상 나타나는 문장

안은 문장	• 다른 문장 속에 들어가 하나의 성분처럼 쓰이는 홑문장을 포함한 문장 • 명사절을 가진 안은문장, 관형절을 가진 안은문장, 부사절을 가진 안은문장, 서술절을 가진 안은문장, 인용절을 가진 안은문장이 있음.
이어진 문장	• 홑문장과 홑문장이 대등하거나 종속적으로 이어지는 문장 • 대등하게 연결된 이어진문장과 종속적으로 연결된 이어진문장이 있음.

➜ 이 단원은 문장 성분의 이해를 바탕으로 이들로 이루어지는 문장의 종류를 이해하는 것을 목표로 한다. 문장은 크게 홑문장과 겹문장으로 나눌 수 있고, 겹문장은 안은문장과 이어진문장으로 나누어진다. 문장의 구조와 문장의 종류에 대한 이해를 통해 문장을 이해하고 표현하는 능력을 기르도록 한다.

{3} 문법 요소

[학습 목표] 문법 요소들의 개념과 표현 효과를 탐구하여 실제 국어 생활에 활용할 수 있다.

- 종결 표현 알기
- 높임 표현 알기
- 시간 표현 알기
- 피동, 사동 표현 알기
- 부정 표현 알기
- 인용 표현 알기

종결 표현	문장의 유형: 평서문, 의문문, 명령문, 청유문, 감탄문
높임 표현	높임 표현의 유형: 주체 높임법, 상대 높임법, 객체 높임법
시간 표현	• 시제: 발화시와 사건시의 관계에 따라 과거 시제, 현재 시제, 미래 시제로 나뉨. • 동작상: 시간의 흐름 속에서 그 동작이 진행되고 있는지, 완결된 것인지를 표현하는 것을 말함.
피동 표현, 사동 표현	• 피동 표현: 다른 주체에 의해 동작이 이루어지거나 영향을 받는 표현으로, 피동사나 '–되다', '–어지다'에 의해 실현됨. • 사동 표현: 주어가 다른 사람에게 하도록 시키는 표현으로, 사동사나 '–시키다', '–게 하다'에 의해 실현됨.
부정 표현	부정 부사 '안', '못'과 부정 용언 '아니하다', '못하다'를 사용하여 부정의 의미를 표현함.
인용 표현	다른 사람의 말이나 글을 끌어다 쓰는 것으로 직접 인용 표현과 간접 인용 표현으로 나뉨.

➜ 이 단원은 종결 표현, 높임 표현, 시간 표현, 피동 표현, 사동 표현, 부정 표현 등 다양한 문법 요소에 대해 학습한다. 이를 통해 문장이나 담화의 의미를 정확히 이해하고 표현할 수 있는 능력을 기르도록 한다.

{ 1 } 문장의 성분

소단원 시험 족보

• 문장과 문법 단위

문장	• 생각이나 감정을 완결된 내용으로 표현하는 최소의 언어 형식을 말함. • 단 하나의 성분만으로 문장이 될 수도 있음. 예 "불이야!", "정말?" • 형식상으로 문장이 끝났음을 나타내는 표지가 있어야 함.
절	• 두 개 이상의 어절이 모여 하나의 문법 단위로 가능함. → 구 / 문장과의 유사점 • 주어와 서술어의 관계를 갖고 있음. → 구와의 차이점 • 더 큰 문장 속에 들어 있음. → 문장과의 차이점 예 선생님께서는 현지가 모범생임을 아신다. 명사절(목적어의 기능)
구	• 둘 이상의 어절이 모여 하나의 단어와 동등한 기능을 하는 단위를 말함. 예 저 코스모스가 아주 아름답다 명사구(주어의 기능) 형용사구(서술어의 기능) • 종류: 명사구, 동사구, 형용사구, 관형사구, 부사구
어절	• 문장을 구성하고 있는 각각의 마디 • 문장 성분의 최소 단위로서 띄어 쓰는 단위와 일치함. 예 저 코스모스가 아주 아름답다 → 4 어절

• 문장의 기본 골격

• 무엇이 어찌한다. → 주어+서술어(동사)
예 철수가 운다
• 무엇이 어떠하다. → 주어+서술어(형용사)
예 꽃이 아름답다.
• 무엇이 무엇이다. → 주어+서술어(체언+서술격 조사)
예 철수가 회장이다.

• 문장 성분의 종류

문장 성분이란 문장 안에서 일정한 문법적 기능을 담당하는 부분으로, 한 문장을 구성하는 요소를 말함.

주성분	• 문장을 이루는 데 골격이 되는 성분 • 서술어, 주어, 목적어, 보어
부속 성분	• 주로 주성분의 내용을 수식하는 성분 • 관형어, 부사어
독립 성분	• 다른 문장 성분과는 직접적인 관련이 없는 성분 • 독립어

1 주성분: 서술어, 주어, 목적어, 보어

① 서술어

• 주어의 동작(어찌한다), 상태나 성질(어떠하다, 무엇이다) 등을 풀이하는 기능을 하는 문장 성분
• 서술어는 그 성격에 따라서 필요로 하는 문장 성분들의 개수가 다른데 이를 '서술어의 자릿수'라 함.

한자리 서술어	• 주어 하나만 필수적으로 요구함. 예 그녀는 예뻤다.
두 자리 서술어	• 주어 이외에 목적어나 부사어, 또는 보어를 필수적으로 요구함. 예 그는 연극을 보았다. 우정은 보석과 같다. 물이 얼음이 되었다.
세 자리 서술어	• 주어, 목적어, 부사어의 세 가지 문장 성분을 필수적으로 요구함. 예 할아버지께서 우리들에게 세뱃돈을 주셨다.

* 서술어 중에는 다양한 자릿수를 가지는 것도 있음.
예 돌다: 지구가 돈다.(한 자리 서술어)
영희가 운동장을 돈다.(두 자리 서술어)

② 주어

• 문장에서 동작 또는 상태나 성질의 주체를 나타내는 문장 성분
• 체언이나, 체언 구실을 하는 구나 절에 주격 조사 '이/가', '께서'가 붙어 나타남.
• 주격 조사가 생략될 수도 있고 보조사가 붙을 수도 있음.

예 (철수가 / 철수 / 철수도) 도서관에 갔다.

③ 목적어

• 서술어의 동작 대상이 되는 문장 성분
• 목적격 조사 '을/를'은 생략될 수도 있고, '을/를'을 대신에 특정한 의미를 더하여 주는 보조사가 붙기도 함.

예 나는 (과일을/ 과일 / 과일도) 좋아해.

④ 보어

• 서술어 '되다, 아니다'가 필수적으로 요구하는 문장 성분 가운데 주어가 아닌 것

예 • 그는 학생이 아니다. / • 어느덧 봄이 되었습니다.

• 보격 조사 '이/가'가 생략될 수도 있고, '이/가' 대신에 보조사가 붙기도 함.

확인하기 1

• 다음 문장에서 주성분으로 무엇이 있는지 확인해 보자.

지난 일요일에 저는 사촌 동생과 함께 극장에서 재미있는 영화를 보았어요.

2 부속 성분: 관형어, 부사어

① 관형어

- 체언 앞에서 체언을 수식하는 문장 성분
- 관형어의 형태

관형사	예 아기가 새 옷을 입었다.
체언+관형격 조사 '의'	예 소녀는(시골의/시골) 풍경을 좋아한다. * 체언 뒤에 붙는 관형격 조사 '의'는 생략이 가능함.
용언의 관형사형	예 철수는 예쁜 꽃을 샀다.
관형절	예 철수가 온다는 소식을 들었다.

② 부사어

- 주로 용언을 수식하는 문장 성분. 관형어나 다른 부사어를 수식하기도 하고, 문장 전체를 수식하기도 하며, 문장이나 단어를 이어주기도 함.
- 부사어의 종류

성분 부사어	용언 수식	예 코스모스가 참 예쁘다.
	관형어 수식	예 그는 아주 새 옷을 입었다.
	부사어 수식	예 연이 매우 높이 난다.
문장 부사어	문장 수식	예 과연 그 아이는 똑똑하구나.
접속 부사어	문장 접속	예 그러나 희망이 아주 사라진 것은 아니다. → 앞 문장과 연결
	단어 접속	예 정치, 경제 및 문화가 발달하여야 선진국이다. → 단어 '정치, 경제'와 '문화'를 연결함.

* 성분 부사어에는 체언을 수식하는 부사어도 존재함.
예 겨우 이것뿐이야. → 부사어 '겨우'는 체언 '이것'을 수식함.
* 문장 부사어에는 '설마, 확실히, 부디' 등과 같이 말하는 사람의 심리적 태도를 나타내는 부사가 주를 이룸.

- 부사어의 형태

> • 부사가 그대로 쓰이거나, 체언이나 용언의 명사형에 부사격 조사가 결합하여 쓰임.
> • 부사성 의존 명사구와 부사절의 형태로도 사용됨

처소	도구	시간	자격	비교	원인	동반
에,에서 에게,로	로	에	로	와/과, 보다	로, 에	와/과, 하고

- 부사어는 일반적으로 문장에서 반드시 필요한 성분은 아니지만, 문장을 구성하는 데 꼭 필요한 부사어도 있음.

'같다, 다르다, 비슷하다, 닮다' 등의 서술어	'체언 + 와/과'로 된 부사어를 필수적으로 요구함. 예 군자는 소인과 다르다.
'넣다, 두다, 주다, 드리다, 던지다, 다가서다' 등의 서술어	'체언 + 에/에게'로 된 부사어를 필수적으로 요구함. 예 • 나는 철수에게 선물을 주었다. • 아이는 연못에 돌을 던졌다.
'되다, 삼다' 등의 서술어	'체언 + (으)로' 된 부사어를 필수적으로 요구함. 예 • 물이 얼음으로 되었다. • 그는 고아를 양자로 삼았다.

확인하기 2

- 다음 문장에서 밑줄 친 부사어를 성분 부사어와 문장 부사어로 나누어 보자.

> • 그가 아무리 돈이 급하다고 해도 설마 도둑질이야 하겠습니까?
> • 내가 너를 그동안 너무 몰라라 한 것도 사실이다.

3 독립 성분: 독립어

- 문장의 어느 성분과도 직접적인 관련이 없는 문장 성분
- 독립어의 형태

감탄사	예 • 아, 달이 밝다. • 에구, 왜 그리도 내 속을 몰라주니? • 이봐, 당신 왜 그래? • 예, 맞습니다.
체언+호격 조사	예 • 예진아, 저게 도대체 뭐니? • 철수, 이리 좀 와봐.(호격 조사의 생략) • 신이시여, 우리에게 은총을 내리소서.
제시어(화제어)	예 청춘, 이는 듣기만 하여도 가슴이 설레는 말이다.

확인하기 3

- 다음 문장에서 독립어를 찾아 밑줄을 쳐 보자.

> • 아, 달이 밝다.
> • 예, 맞습니다.
> • 에구, 왜 그리도 내 속을 몰라주니?
> • 철수야, 학교 가자!

확인하기 정답 ❶ 주어(저는), 목적어(영화를), 서술어(보았어요) / ❷ 성분 부사어(아무리, 너무), 문장 부사어(설마) / ❸ 아, 예, 에구, 철수야

소단원 적중 문제

[01~04] 다음 글을 읽고, 물음에 답하시오.

문장 안에서 일정한 문법적 기능을 하는 각 부분들을 문장 성분(文章成分)이라고 한다. 문장 성분은 문장을 이루는 데 골격이 되는 주성분, 주로 주성분의 내용을 수식하는 부속 성분, 다른 문장 성분과는 직접적인 관련이 없는 독립 성분으로 나뉜다. 주성분에는 서술어, 주어, 목적어, 보어가 있고, 부속 성분에는 관형어와 부사어가 있으며, 독립 성분에는 독립어가 있다.

서술어(敍述語)는 주어의 동작, 상태, 성질 따위를 설명하는 문장 성분이다. 일반적으로 국어 문장은 서술어의 종류에 따라 '무엇이 어찌한다.', '무엇이 어떠하다.', '무엇이 무엇이다.'의 유형으로 나뉘는데, 여기서 '어찌한다', '어떠하다', '무엇이다'에 해당하는 것이 서술어이다.

주어(主語)는 문장에서 동작 또는 상태나 성질의 주체를 나타낸다. '무엇이 어찌한다.', '무엇이 어떠하다.', '무엇이 무엇이다.'에서 '무엇이'에 해당하는 성분이 주어이다. 주어는 체언 또는 체언 구실을 하는 구나 절에 주격 조사 '이/가', '께서'가 붙어 나타나는데, 때로는 주격 조사가 생략될 수도 있고 보조사가 붙을 수도 있다.

- {철수가 / 철수 / 철수도} 도서관에 가고 없는데…….
- 착한 철수는 도서관에 가고 없는데…….
- 선생님께서는 도서관에 가고 안 계신데…….

'먹다'라는 서술어는 반드시 체언에 '을/를'이 결합한 성분을 요구하는 타동사로, 이처럼 서술어의 동작 대상이 되는 문장 성분이 바로 목적어(目的語)이다. 타동사가 서술어로 쓰일 때는 목적어가 필요하다. 목적격 조사 '을/를'은 생략될 수도 있고, '을/를' 대신에 특정한 의미를 더하여 주는 보조사가 붙기도 한다.

보어(補語)는 서술어 '되다, 아니다'가 필수적으로 요구하는 문장 성분 가운데 주어가 아닌 것을 말한다. 보어에는 보격 조사 '이/가'가 붙는데, 이때의 보격 조사는 생략될 수도 있고 보조사가 붙을 수도 있다.

01 이 글을 이해한 내용으로 적절하지 <u>않은</u> 것은?

① '되다'는 보어를 필수적으로 요구하는 서술어이다.
② 체언에 주격 조사가 붙지 않아도 주어가 될 수 있다.
③ 국어 문장의 유형은 주어와 서술어의 종류에 따라 나뉜다.
④ 자동사가 서술어로 쓰일 때에는 목적어가 필요하지 않다.
⑤ 주어, 서술어, 목적어, 보어 모두 문장의 골격이 되는 성분들이다.

02 이 글을 바탕으로 〈보기〉의 ㉠과 ㉡을 이해한 내용으로 적절하지 <u>않은</u> 것은?

〈보기〉
㉠ 할머니께서 시장에 가신다.
㉡ 명호는 과일도 좋아한다.

① ㉠: '무엇이 어찌한다.'에 해당하는 문장 유형이다.
② ㉠: '할머니께서'와 같이 주격 조사를 통해 주체를 높일 수 있다.
③ ㉡: '좋아한다'는 '어떠하다'에 해당하는 서술어이다.
④ ㉡: '명호는'은 체언에 보조사가 붙은 주어이다.
⑤ ㉡: '과일도'는 체언에 보조사가 붙은 목적어이다.

03 이 글을 참고할 때, 〈보기〉의 밑줄 친 부분에 대한 설명으로 가장 적절한 것은?

〈보기〉
그 사람이 <u>학생은</u> 아니다.

① 서술어의 동작 대상이 되는 문장 성분이다.
② 주로 주성분의 내용을 수식하는 문장 성분이다.
③ 주어의 동작, 상태, 성질 따위를 설명하는 문장 성분이다.
④ 문장에서 동작 또는 상태나 성질의 주체를 나타내는 문장 성분이다.
⑤ 서술어가 필수적으로 요구하는 문장 성분 가운데 주어가 아닌 문장 성분이다.

서술형 학습 활동 적용

04 다음 문장에서 '여기'의 문장 성분과 그 형태에 대해 서술하시오.

<u>여기</u> 참 조용하지?

소단원 적중 문제

[05~08] 다음 글을 읽고, 물음에 답하시오.

관형어와 부사어는 다른 말을 수식하는 문장 성분으로 부속 성분에 해당한다. 관형어는 체언을 수식하고, 부사어는 주로 용언을 수식한다.

관형어(冠形語)가 ㉠체언을 수식하는 방법은 여러 가지이다. ㉡관형사는 그대로 관형어가 되고, ㉢체언에 관형격 조사 '의'가 결합되어 관형어로 쓰이거나 ㉣용언의 관형사형이 관형어로 쓰이는 경우도 흔하다. 이때 ㉤관형격 조사는 생략되기도 한다.

부사어(副詞語)는 부사가 부사어로 된 것, 용언의 부사형이 부사어로 된 것, 체언과 조사의 결합이 부사어로 된 것 등이 있다.

부사어는 주로 용언을 수식하지만 관형어나 다른 부사어, 문장을 수식하기도 하고 문장이나 단어를 이어 주기도 한다.

- 코스모스가 참 예쁘다.
- 과연 그 아이는 똑똑하구나.
- 그들은 아주 오랜 친구 사이였다.
- 그러나 희망이 아주 사라진 것은 아니다.
- 연이 매우 높이 나는구나.
- 나는 생각한다. 고로 존재한다.

위 문장에서 '참, 아주, 매우'는 각각 서술어, 관형어, 부사어와 같이 문장 속의 특정한 성분을 수식하므로 성분 부사어라고 하고, '과연'은 문장 전체를 수식하므로 문장 부사어라고 한다. 문장 부사어에는 접속 부사어도 있는데, '그러나, 고로'와 같이 문장을 이어 주는 부사어가 여기에 속한다.

독립어(獨立語)는 문장의 어느 성분과도 직접적인 관련이 없는 문장 성분으로 독립 성분에 해당한다. 독립어도 엄연히 문장 안의 다른 성분과 어울려 문장을 이루기는 하지만, 특정 성분과 구조적인 상관관계가 없기 때문에 독립어라고 한다. 일반적으로 감탄사와, 체언에 호격 조사가 결합된 형태 등이 독립어가 된다.

05 이 글에서 답을 찾을 수 있는 질문이 아닌 것은?

① 부사어에는 어떤 종류가 있는가?
② 독립어라고 하는 이유는 무엇인가?
③ 관형어가 꼭 필요한 문장은 무엇인가?
④ 부사어는 문장 내에서 어떤 역할을 하는가?
⑤ 관형어가 체언을 수식하는 방법은 무엇인가?

06 ㉠~㉤에 해당하는 예로 적절하지 않은 것은?

① ㉠: 오랜만에 새 책을 사서 읽어 보았다.
② ㉡: 그녀는 아름다운 옷을 입었다.
③ ㉢: 당신의 소망이 이루어지기를 바랍니다.
④ ㉣: 이 정도는 나에게 쉬운 문제이다.
⑤ ㉤: 민호는 은수 책을 가지고 있다.

수능형

07 〈보기〉의 문장을 통해 부사어에 대해 학습하려고 한다. 이 글을 참고할 때 가장 적절한 것은?

〈보기〉
지하철을 타면 더 빠르게 학교에 갈 수 있습니다.

① '빠르게'는 '학교에'를 수식하고 있다.
② '더'와 '빠르게'는 모두 부사가 부사어로 된 것이다.
③ '더'는 문장 전체를 수식하고 있는 문장 부사어이다.
④ '타면', '더', '빠르게', '학교에'는 모두 부사어이다.
⑤ '학교에'는 체언과 조사의 결합으로 부사어가 된 것이다.

서술형 학습 활동 적용

08 ⓐ와 ⓑ의 공통점과 차이점을 서술하시오.

- 지금 ⓐ바로 가거라.
- 이번 일은 ⓑ바로 당신 잘못입니다.

{2} 문장의 짜임

소단원 시험 족보

• 문장의 종류

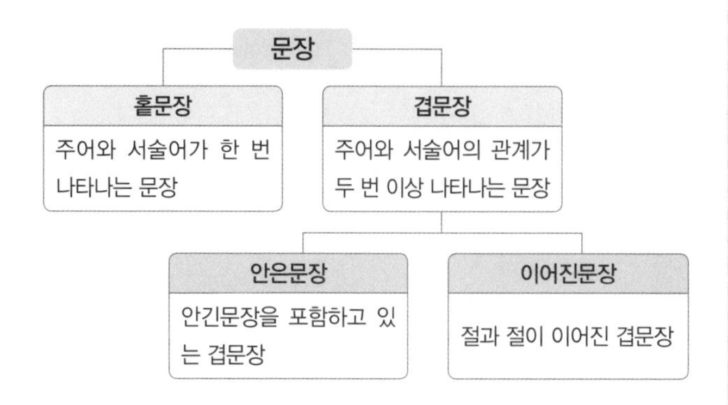

1 홑문장과 겹문장

주어와 서술어의 관계가 한 번만 나타나는 문장을 홑문장이라고 하고, 주어와 서술어의 관계가 두 번 이상 나타나는 문장을 겹문장이라고 함.

홑문장		예 꽃이 예쁘다. 주어 서술어
겹문장	안은 문장	• 전체 문장이 홑문장을 안고 있는 겹문장 예 그는 우리가 돌아왔다는 걸 몰랐다. 주어 (주어+서술어) 서술어
	이어진 문장	• 홑문장과 홑문장이 이어진 겹문장 예 이것은 장미꽃이고, 저것은 국화꽃이야. (주어+서술어) (주어+서술어)

확인하기 1

• 다음 문장들이 홑문장인지 겹문장인지 판단하고, 겹문장은 이어진문장과 안은문장으로 나누어 보자.
- 나는 나만의 삶을 나만의 방식으로 산다.
- 어느새 겨울이 와서 바람이 차다.
- 그는 사기를 도와준 사람을 끝내 몰랐다.

2 안은문장과 안긴문장

• 다른 문장 속에 들어가 하나의 성분처럼 쓰이는 문장을 안긴문장이라고 하며, 안긴문장을 포함한 문장을 안은문장이라고 함.

• 안긴문장은 안은문장 속에서 하나의 '절'이 되는데, 이는 크게 명사절, 관형절, 부사절, 서술절, 인용절의 다섯가지로 나뉨.

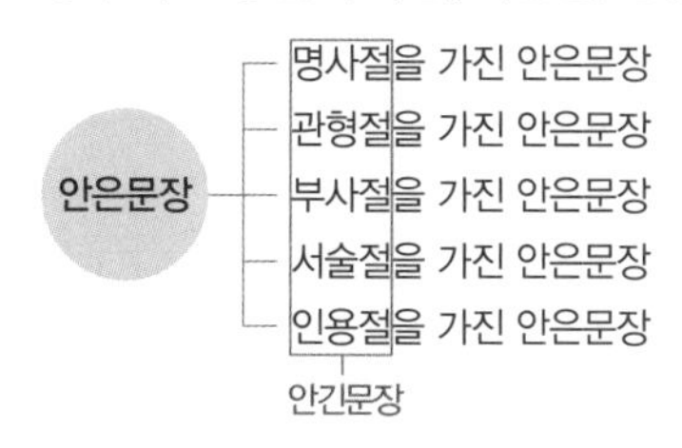

① 명사절을 가진 안은문장

• 명사형 어미 '-(으)ㅁ', '-기'가 붙어서 만들어진 절

• 명사절은 전체 문장 속에서 주어, 목적어, 부사어 등 다양한 기능을 함.

예 • 그 일을 하기가 쉽지 않다.
(목적어+서술어) → '그 일을 하기가'가 '주어'의 기능을 함.
• 우리는 그가 정당했음을 깨달았다.
(주어+서술어) → '그가 정당했음'이 '목적어'의 기능을 함.
• 지금은 집에 가기에 이른 시간이다.
(부사어+서술어) → 명사절 '집에 가기에'가 부사어 기능을 함.

확인하기 2

• 다음에서 명사절을 찾아, 문장 속에서 각각 어떤 기능을 하는지 탐구해 보자.
- 이 책은 내가 읽기에는 너무 어렵다.
- 내 일을 돕기 싫거든 간섭이나 하지 말아요.
- 나는 그가 노력하고 있음을 잘 알고 있다.

② 관형절을 가진 안은문장

• 관형사형 어미 '-(으)ㄴ', '-는', '-(으)ㄹ', '-던'이 붙어서 만들어진 절

• 관형절은 안은문장 안에서 관형어 기능을 함.

• 관형절은 관형사형 어미에 따라 표현하는 시제가 달라짐.

-(으)ㄴ	과거	예 이것은 내가 읽은 책이다.
-는	현재	예 이것은 내가 읽는 책이다.
-(으)ㄹ	미래	예 이것은 내가 읽을 책이다.
-던	과거(미완)	예 이것은 내가 읽던 책이다.

• 관형사형 어미 '-(으)ㄴ'과 '-(으)ㄹ'는 형용사와 결합할 때 시간 의미가 달라짐.

-(으)ㄴ	현재	예 키가 작은 학생이 오고 있다.
-(으)ㄹ	추측	예 이 강은 물이 깊을 것이다.

[참고] 관계 관형절과 동격 관형절

• 관계 관형절: 관형절의 수식을 받는 체언이 관형절 속의 일정한 성분이 되는 관형절
예 이 책은 내가 읽은 책이다. → 내가 책을 읽었다.(목적어의 역할)

• 동격 관형절: 관형절의 수식을 받는 체언과 동일한 의미를 갖는 관형절
예 철수가 온다는 소식을 들었다. (소식 = 철수가 온다.)

확인하기 3

• 다음 문장에서 관형절을 찾아 밑줄을 쳐 보자.
- 철수가 온다는 소식을 들었다.
- 네가 좋아할 일이 생겼다.

③ 부사절을 가진 안은문장

- '-이', '-게', '-도록' 등이 붙어서 만들어진 절
- 부사절은 절 전체가 부사어의 기능을 하며 서술어를 수식함.

> 예 우리들은 밤이 새도록 토론을 하였다.
> (주어+서술어)

확인하기 4

- 다음 문장에서 부사절을 찾아 밑줄을 쳐 보자.
- 비가 소리도 없이 내린다.
- 그곳은 그림이 아름답게 장식되어 있다.

④ 서술절을 가진 안은 문장

- 서술절은 절 전체가 서술어의 기능을 함.
- 서술절을 가진 안은문장은 한 문장에 주어가 두 개 있는 것처럼 보이는데, 이때 앞에 나오는 주어를 제외한 나머지 부분이 서술절에 해당함.
- 서술절은 절 표지가 따로 없다는 점에서 다른 안긴문장과 다름.

> 예 • 철수는 얼굴이 둥글다. (주어+서술어) • 토끼는 앞발이 짧다. (주어+서술어)

확인하기 5

- 다음 문장에서 서술절을 찾아 밑줄을 쳐 보자.
- 그 사람은 손이 무척 커.
- 철수는 머리가 좋고, 영희는 음악적 재능이 있다.

⑤ 인용절을 가진 안은문장

- 주어진 문장에 인용격 조사 '고', '라고'가 붙어서 만들어진 절
- 인용절은 다른 사람의 말이나 글을 인용한 것이 절의 형식으로 안긴 것을 말함.

직접 인용절	• 주어진 문장을 그대로 직접 인용함. • 주로 '라고'가 받침 없는 말 뒤에 붙음. 예 철수는 영희에게 "너 먼저 먹어." 라고 말했다. (주어+서술어)
간접 인용절	• 주어진 문장을 말하는 사람의 표현으로 바꾸어서 인용함. • 주로 '고'가 종결 어미 '-다', '-냐', '-라', '-자', '-마' 등의 뒤에 붙음. 예 철수는 영희에게 너 먼저 먹으라고 말했다. (주어+서술어)

* 직접 인용절이 서술격 조사 '이다'로 끝난 경우 간접 인용절에서는 '이다고'가 아니라 '이라고'로 나타남.

확인하기 6

- 다음 문장의 인용절에 밑줄을 치고, 적절한 조사를 괄호 안에 써 넣어 보자.
- 영수는 다급한 목소리로 "얼릉 도망가." (　　　) 소리쳤다.
- "빗소리가 듣기 좋군." (　　　) 나직하게 말했다.
- 민수는 내 귀에다 조용히 나가자 (　　　) 속삭였다.

3 이어진 문장

① 대등하게 이어진 문장

- 의미 관계가 대등한 두 홑문장이 이어진 문장
- 앞 절과 뒤 절은 나열, 대조 등의 의미 관계를 갖음.

나열	-(이)고 -(이)며	예 • 낮말은 새가 듣고, 밤말은 쥐가 듣는다. • 서쪽에는 평야가 많으며, 동쪽에는 산이 많다.
대조	-(이)지만 -(으)나	예 • 절약은 부자를 만들지만, 절제는 사람을 만든다. • 인생은 짧으나, 예술은 길다.

확인하기 7

- 다음은 대등하게 연결된 이어진문장들이다. 연결 어미에 따라 문장의 의미가 어떻게 달라지는지 말해 보자.
- 절약은 부자를 만들고, 절제는 사람을 만든다.
  절약은 부자를 만들지만, 절제는 사람을 만든다.
- 인생은 짧고, 예술은 길다.
  인생은 짧지만, 예술은 길다.

② 종속적으로 이어진 문장

- 앞 절과 뒤 절의 의미가 독립적이지 못하고 종속적인 문장
- 앞 절과 뒤 절이 갖는 의미 관계에 따라 다양한 연결 어미가 사용됨.

원인	-(아)서 -(으)니	예 • 눈이 와서 길이 미끄럽다. • 봄이 오니 꽃이 핀다.
조건	-(으)면	예 배가 고프면 라면을 먹어라.
의도	-(으)려고	예 그는 집을 마련하려고 저축을 한다.
상황	-는데	예 호랑이가 잠을 자는데 누가 깨울 수 있을까?
양보	-(으)ㄹ지라도	예 경기에 질지라도 우리는 정당하게 싸워야 한다.

확인하기 8

- 다음 문장에서 앞 절과 뒤 절을 종속적으로 이어 주는 요소가 무엇인지 찾아보고, 어떠한 의미 관계로 이어지고 있는지 구체적으로 설명해 보자.
- 사랑받고 싶다면 사랑하라.
- 저는 속을지언정 남을 속여서는 못쓴다.
- 이 책은 읽을수록 새로운 감동을 준다.

확인하기 정답	❶ 홑문장/겹문장(이어진문장)/겹문장(안은문장) / ❷ 내가 읽기에 → 부사어 기능/내 일을 돕기 → 주어 기능/그가 노력하고 있음 → 목적어 기능 / ❸ 철수가 온다는/네가 좋아할 / ❹ 소리도 없이/그림이 아름답게 / ❺ 손이 무척 커/머리가 좋고/음악적 재능이 있다 ❻ 라고/이라고/고 / ❼ 위의 문장들은 연결 어미 '-고'를 사용하여 두 문장을 나열하는 의미 관계를 갖고 있지만, 아래의 문장들은 연결 어미 '-지만'을 사용하여 두 문장이 서로 대조되는 의미 관계를 갖고 있다. / ❽ -면(조건)/-을지언정(양보, 뒤 절의 일을 강조하기 위해 앞 절의 일을 인정함.)/-을수록(조건, 점점 더하거나 덜해지는 상황)

소단원 적중 문제

정답과 해설 p. 14

[01~02] 다음 글을 읽고, 물음에 답하시오.

사건이나 상태는 기본적으로 주어와 서술어로 표현된다. 주어와 서술어의 관계가 한 번 나타나면 홑문장, 두 번 이상 나타나면 겹문장이 된다. 따라서 겹문장은 주술 관계가 두 개 이상이다.

겹문장은 홑문장과 홑문장이 이어진 이어진문장과 전체 문장이 홑문장을 안고 있는 안은문장으로 나뉜다. 이때 안은문장 속에 안겨 있는 홑문장은 안긴문장이라고 한다.

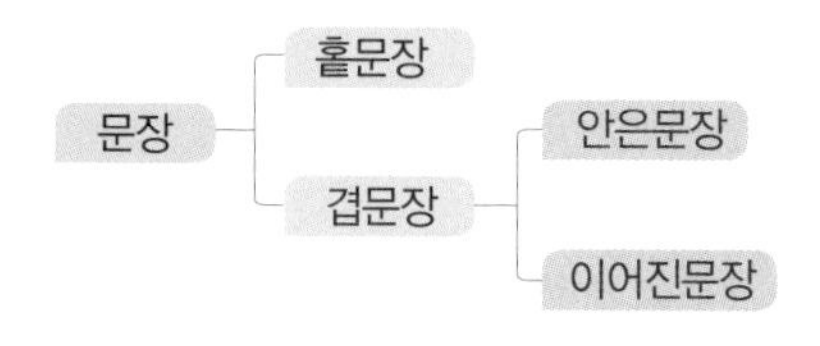

01 '홑문장'과 '겹문장'을 구분하는 기준으로 가장 적절한 것은?

① 주어와 서술어의 호응이 적절한가?
② 주어와 서술어의 종류가 각각 무엇인가?
③ 주어와 서술어의 관계가 몇 번 나타나는가?
④ 주어와 서술어의 문장 내 역할이 무엇인가?
⑤ 홑문장과 홑문장이 어떻게 결합되어 있는가?

수능형

02 이 글을 바탕으로 〈보기〉를 이해한 내용으로 적절하지 않은 것은?

〈보기〉
㉠ 가을비가 소리도 없이 내린다.
㉡ 내 방에 드디어 새 옷장이 생겼다.
㉢ 그는 자신의 삶을 자신만의 방식으로 산다.
㉣ 여름이 지나자 아침저녁으로 바람이 서늘하다.
㉤ 거북선을 만든 이순신은 조선 시대의 장군이다.

① ㉠은 ㉡과 달리 전체 문장이 홑문장을 안고 있는 겹문장이다.
② ㉠과 ㉣은 주어와 서술어의 관계가 두 번 나타나 있는 겹문장이다.
③ ㉠의 '소리도 없이'와 ㉤의 '거북선을 만든'은 모두 안긴문장이다.
④ ㉢은 ㉡과 달리 주어와 서술어의 관계가 한 번만 나타나 있는 홑문장이다.
⑤ ㉣은 ㉤과 달리 홑문장과 홑문장이 이어져 있는 문장이다.

[03~10] 다음 글을 읽고 물음에 답하시오.

다른 문장 속에 들어가 하나의 성분처럼 쓰이는 문장을 안긴문장이라고 하며, 안긴문장을 포함한 문장을 안은문장이라고 한다. 안긴문장은 하나의 '절'이 되는데, 이는 ㉠명사절, ㉡관형절, ㉢부사절, ㉣서술절, ㉤인용절의 다섯 가지로 나뉜다.

명사절은 명사형 어미 '-(으)ㅁ', '-기'가 붙어서 만들어지며, 문장에서 주어, 목적어, 부사어 등 다양한 기능을 한다. '그 일을 하기가 쉽지 않다.'의 명사절은 주어 기능을 하고, '우리는 그가 정당했음을 깨달았다.'의 명사절은 목적어 기능을 하며, '지금은 집에 가기에 이른 시간이다.'의 명사절은 부사어 기능을 한다.

관형절은 안은문장 안에서 관형어 기능을 하는 절로서, 관형사형 어미 '-(으)ㄴ', '-는', '-(으)ㄹ', '-던'이 붙어서 만들어진다. 이 요소들은 각각 표현하는 시제가 서로 다르다.

부사절은 절 전체가 부사어의 기능을 하는 것을 말하는데, 서술어를 수식하는 기능을 한다. '그는 아는 것도 없이 잘난 척을 한다.'에는 '아는 것도 없다.'라는 문장이 안겨 있는데, '-이', '-게', '-도록' 등이 붙어서 부사절이 된다.

절 전체가 서술어의 기능을 하는 것을 서술절이라고 한다. 서술절을 가진 안은문장은 한 문장에 주어가 두 개 있는 것처럼 보인다. 이때 앞에 나오는 주어를 제외한 나머지 부분이 서술절에 해당한다. 서술절은 특별한 표지가 따로 없다는 점에서 다른 안긴문장과 차이를 보인다.

다른 사람의 말이나 글을 인용한 것이 절의 형식으로 안기는 경우가 있는데, 이를 인용절이라고 한다. 인용절은 주어진 문장에 ⓐ조사 '고, 라고'가 붙어서 만들어진다. 주어진 문장을 그대로 직접 인용하는 직접 인용절의 경우, 받침 없는 말 뒤에는 '라고'가, 받침 있는 말 뒤에는 '이라고'가 붙는다. 말하는 사람의 표현으로 바꾸어서 간접 인용하는 간접 인용절에는 주로 '고'가 종결 어미 '-다, -냐, -라, -자, -마' 따위 뒤에 붙는다.

소단원 적중 문제

03 이 글의 내용과 일치하지 않는 것은?

① 관형사형 어미는 시제를 표현하기도 한다.
② 서술절은 다른 안긴문장과 달리 특별한 표지가 없다.
③ 안긴문장은 다른 문장 속에서 하나의 성분처럼 쓰인다.
④ 명사절, 관형절, 부사절은 모두 인용절과 달리 어미가 붙어 만들어질 수 있다.
⑤ 서술절을 가진 안은문장은 한 문장에 서술어가 두 개 있는 것처럼 보인다.

학습 활동 적용

04 ㉠~㉤에 해당하는 예로 적절하지 않는 것은?

① ㉠: 나는 친구가 노래 부르기를 원한다.
② ㉡: 엄마도 모르게 아기가 자고 있다.
③ ㉢: 그는 발에 땀이 나도록 열심히 뛰었다.
④ ㉣: 우리 집은 마당이 넓다.
⑤ ㉤: 그녀는 나에게 멀미가 난다고 말했다.

학습 활동 적용

05 밑줄 친 명사절의 기능에 대한 설명을 잘못 파악한 것은?

① 그가 사업에 성공했음이 분명하다. → 주어
② 나들이 가기에는 참 좋은 날씨이다. → 주어
③ 이 문제는 내가 풀기에 너무 어렵다. → 부사어
④ 우리는 그가 정직한 사람임을 잘 알고 있다. → 목적어
⑤ 엄마는 아이가 학교에서 돌아오기를 기다린다. → 목적어

수능형

06 이 글을 바탕으로 〈보기〉의 ㉮와 ㉯에 대해 이해한 내용으로 가장 적절한 것은?

〈보기〉
㉮ 조만간 선생님께서 우리 모임에 참석하신다는 소식을 들었다.
㉯ 우리 집 옆의 가게는 각양각색의 꽃들이 예쁘게 장식되어 있다.

① ㉮와 ㉯에는 모두 서술절이 안겨 있다.
② ㉮와 ㉯에는 모두 관형절이 안겨 있다.
③ ㉮에는 관형절이, ㉯에는 부사절이 안겨 있다.
④ ㉮에는 명사절이, ㉯에는 부사절이 안겨 있다.
⑤ ㉮에는 인용절이, ㉯에는 관형절이 안겨 있다.

07 이 글을 바탕으로 다음 문장을 이해한 내용으로 적절하지 않은 것은?

내 친구는 성격이 정말 좋다.

① 서술절을 가진 안은문장이다.
② '내 친구는'의 서술어는 '좋다'이다.
③ '내 친구는'과 '성격이'는 모두 주어이다.
④ '성격이 정말 좋다'는 안긴문장에 해당한다.
⑤ '성격이 정말 좋다'는 '내 친구는'의 서술어 기능을 한다.

08 다음 문장에서 ⓐ가 잘못 사용된 것은?

① 그는 "오늘따라 날씨가 매우 춥군."이라고 말했다.
② 영수는 민서에게 빨리 점심이나 먹자라고 말했다.
③ 그녀는 직원에게 "따뜻한 커피로 주세요."라고 요청했다.
④ 할아버지께서는 손자에게 오후에 놀러 가마고 약속했다.
⑤ 선생님께서 나에게 그 문제를 다시 풀어보라고 말씀하셨다.

서술형　학습 활동 적용

09 이 글을 바탕으로 밑줄 친 부분의 공통점과 차이점을 각각 서술하시오.

- 내가 했던 행동을 후회하고 있다.
- 공부하는 학생들을 보니 매우 뿌듯해.
- 냉장고에 먹을 음식이 하나도 없어.

서술형

10 다음 문장이 '명사절을 가진 안은문장'이 아닌 이유를 서술하시오.

어제 학교에서는 달리기 시합이 있었다.

{ 3 } 문법 요소

소단원 시험 족보

1 문장 종결 표현

화자가 종결 어미를 통해 자신의 생각이나 느낌을 표현하는 방식

평서문	화자가 청자에게 특별히 요구하는 바 없이 단순하게 진술하는 문장 예 • 지금 비가 온다. • 지금 비가 옵니다.
의문문	화자가 청자에게 질문하여 대답을 요구하는 문장 • 설명 의문문: 일정한 설명을 요구하는 의문문 예 너는 지금 무엇을 먹고 있니? • 판정 의문문: 단순히 긍정이나 부정의 대답을 요구하는 의문문 예 너 지금 집에 있니? • 수사 의문문: 굳이 대답을 요구하지 않고 서술이나 명령의 효과를 내는 의문문 예 똑바로 서지 못하겠니?
명령문	화자가 청자에게 어떤 행동을 하도록 강하게 요구하는 문장 예 • 학교에서 돌아오는 대로 밥을 먹어라. • 열심히 운동하게.
청유문	화자가 청자에게 어떤 행동을 함께 하도록 요청하는 문장 예 • 우리 함께 노래를 부르자. • 이제 그만 집에 가세.
감탄문	화자가 청자를 별로 의식하지 않거나 거의 독백하는 상태에서 자신의 느낌을 표현하는 문장 예 경치가 정말 아름답구나!

확인하기 1

• 다음 문장이 억양을 달리하면 다양한 문장 유형이 되는 점을 확인해 보자.
• 밥 먹어.
• 집에 가.

• ㉠~㉢의 문장 종결 방식을 쓰시오.

엄마, 다 ㉠ 씻었어요.
벌써 다 ㉡ 씻었니? 깨끗하게 씻어야지.
귀찮은데.
얼른 가서 다시 ㉢ 씻어!

• ㉠:
• ㉡:
• ㉢:

2 높임 표현

화자가 어떤 대상이나 상대에 대하여 그 높고 낮은 정도에 따라 언어적으로 구별하여 표현하는 방식이나 체계

① 상대 높임법

㉠ 개념: 화자가 청자에 대하여 높이거나 낮추어 말하는 방법, 종결 표현을 통해 실현됨.

㉡ 종류: 크게 격식체와 비격식체로 나뉘며 격식체는 높임의 순서에 따라 하십시오체, 하오체, 하게체, 해라체로 나뉘고 비격식체는 해요체와 해체로 나뉨.

		평서법	의문법	명령법	청유법	감탄법
격식체	하십시오체	합니다	합니까?	하십시오	(하시지요)	–
	하오체	하오	하오?	하오, 하구려	합시다	하는구려
	하게체	하네, 함세	하는가?, 하나?	하게	하세	하는구먼
	해라체	한다	하냐?, 하니?	해라	하자	하는구나
비격식체	해요체	해요, 하지요	해요?, 하지요?	해요, 하지요	해요, 하지요	해요, 하지요
	해체 (반말)	해, 하지	해?, 하지?	해, 하지	해, 하지	해, 하지

확인하기 2

• 동사 '앉다'의 활용형으로 다음 빈칸을 채워 보자.

		평서법	의문법	명령법	청유법
격식체	하십시오체				
	해라체				
비격식체	해요체				
	해체 (반말)				

확인하기 정답

❶ 밥 먹어↘(평서문), 밥 먹어↗(의문문), 밥 먹어→(명령문)/집에 가↘(평서문), 집에 가↗(의문문), 집에 가→(명령문) / 평서문/의문문/명령문 / ❷ 앉습니다/앉습니까?/앉으십시오/(앉으시지요)/앉는다/앉냐?, 앉니?/앉아라/앉자/앉아요, 앉지요./앉아요?, 앉지요?/앉아요, 앉지요/앉아요, 앉지요/앉아, 앉지/앉아?, 앉지?/앉아, 앉지/앉아, 앉지

② **주체 높임법**

㉠ 개념: 주어가 가리키는 인물, 즉 문장에서 서술의 주체를 높이는 방법

㉡ 실현 방법

- 용언의 어간에 선어말 어미 '-(으)시-'가 붙어 실행됨.
- 주격 조사 '께서'가 사용되거나 '-님'이 붙기도 함.
- '계시다', '잡수시다'와 같이 높임을 나타내는 특수한 어휘가 사용되기도 함.

직접 높임	주체를 직접 높이는 것 예 선생님께서 벌써 도착하셨어.
간접 높임	주체와 밀접하게 관련된 대상(신체 부분, 소유물, 생각 등)을 높임으로써 주체를 간접적으로 높이는 것 예 • 선생님 말씀이 타당하십니다. • 할머니께서는 아직 귀가 밝으십니다.

- 압존법: 문장의 주체가 화자의 입장에서는 높여야 할 대상이지만, 청자가 그보다 더 높은 사람일 때 높임의 대상을 높이지 않는 표현 방법. 하지만 '-(으)시-'를 붙이는 것도 허용됨.(표준 언어 예절)

예 • 할아버지, 아버지가 돌아왔어요. (○)
• 할아버지, 아버지가 돌아오셨어요. (○)

확인하기 3

- 다음 문장에서 주체 높임법에 어긋나는 부분을 찾아 바로잡아 보자.
- 철수야, 선생님께서 너 지금 교무실로 오시래.
- 손님, 사용 중에 불편한 점이 계시면 언제든 연락 주십시오.
- 고객님, 이 적금의 이율이 제일 높으세요.

③ **객체 높임법**

㉠ 개념: 목적어나 부사어가 지시하는 대상, 즉 문장에서 서술의 객체를 높이는 방법

㉡ 실현 방법

- '뵙다, 드리다, 여쭈다/여쭙다' 등의 특수한 어휘를 사용해서 표현
- 부사격 조사 '께'를 사용하기도 함.

예 • 나는 철수에게 과일을 주었다.
→ 나는 선생님께 과일을 드렸다.
• 나는 동생을 데리고 병원으로 갔다.
→ 나는 아버지를 모시고 병원으로 갔다.

확인하기 4

- 다음 문장의 밑줄 친 부분을 객체 높임법이 실현된 형태로 바꾸어 보자.
- 과장님, 여러 번 찾아 왔었는데 만나 보기가 참 어렵더군요.
- 선생님, 물을 게 있어요.

3 시간 표현

- 시제: 어떤 동작이나 상태가 과거에 일어난 일인지, 현재 일어나고 있는 일인지, 혹은 앞으로 일어날 일인지를 언어적으로 표현하는 것
- 시제 구분의 기준: 시제는 말하는 시점인 발화시를 기준으로 동작이나 상태가 일어나는 시점인 사건시와 선후 관계를 따져 과거 시제, 현재 시제, 미래 시제로 나누는 것이 일반적임.

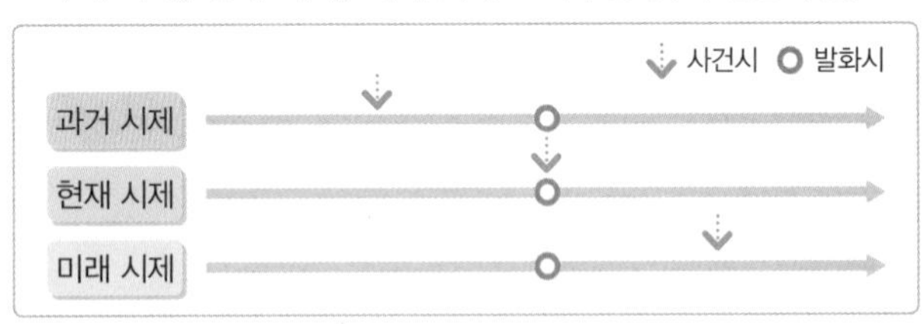

※ 발화시를 기준으로 하는 절대 시제와 달리 사건시를 기준으로 하는 시제를 상대 시제라고 함. 예를 들어 '철수는 사과를 먹고 영희는 배를 먹었다.' 에서 '먹고'가 현재 시제로 표현된 것은 '먹었다'의 사건시인 과거를 기준으로 하는 상대 시제에서 현재이기 때문임.

㉠ 과거 시제: 사건시가 발화시보다 앞서 있는 시제

과거 시제 선어말 어미 '-았-/-었-', '-더-'의 사용	예 우리는 그 영화를 보았다.
동사 어간 + 관형사형 어미 '-(으)ㄴ'의 사용	예 그건 내가 먹은 사과야.
동사 어간/형용사 어간/서술격 조사 어간 + 관형사형 어미 '-던'의 사용	예 푸르던 산이 이렇게 황폐해졌다.
(과거) 시간 부사어 '어제', '옛날' 등의 사용	예 어제 나는 집에 있었다.

- '-았었-', '-었었-'은 발화시보다 전에 발생하여 현재와는 단절된 사건을 표현하는 데 쓰임.

예 • 그 사람이랑 처음 같이 밥 먹었어. 전에는 차만 같이 마셨었어.

- '-더-'가 사용된 표현은 단순한 과거가 아니라 과거 어느 때의 일이나 경험을 회상하여 생생하게 전달하는 효과가 있음.

예 어제 그 식당에서 그 사람이랑 밥 먹고 있더라.

확인하기 5

- 다음 문장의 밑줄 친 부분을 시제 표현이 적절하도록 바꾸어 보자.
- 아침에 전화했더니 안 받는다. →
- 아까 네가 먹는 우유는 유통기한을 넘긴 것이었어. →
- 그렇게 예쁜 영희가 지금 이렇게 변하다니. →
- 우리가 처음 만났던 곳은 서울역이겠어. →

② **현재 시제:** 사건시와 발화시가 일치하는 시제

동사 어간 + 현재 시제 선어말 어미 '-는-/-ㄴ-'의 사용	예 진희는 식당에서 밥을 먹는다.
동사 어간 + 관형사형 어미 '-는'의 사용	예 • 축구하는 아이들은 몇학년이냐?
형용사 어간/서술격 조사 어간 + 관형사형 어미 '-(으)ㄴ'의 사용	예 • 덩치가 작은 아이가 누구냐? • 중국인인 그 친구가 온다.
(현재) 시간 부사어 '지금' 등의 사용	예 지금 나는 집에 있다.

확인하기 6

• 과거 시제가 사용된 다음 글을 현재 시제로 바꾸어 보자.
• 어제도 머릿속은 온통 뒤죽박죽이다.
→
• 어제 내 모습은 누구보다 예뻤다.
→
• 그녀는 그 말을 듣자마자 눈앞이 캄캄해지는 걸 느꼈다.
→

③ **미래 시제:** 사건시가 발화시보다 나중인 시제

미래 시제 선어말 어미 '-겠-'의 사용	예 내일 가겠습니다.
관형사형 어미 '-(으)ㄹ'의 사용	예 영수는 떠날 사람이라는 걸 잊지 마라.
관형사형 어미 '-(으)ㄹ + 의존 명사 '것'의 사용	예 내일이면 물건을 받을 것입니다.
선어말 어미 '-(으)리-'의 사용	예 내일이면 고향에 도착하리라.
(미래) 시간 부사어 '내일' 등의 사용	예 내일 아침까지는 일을 마무리하겠습니다.

• '-겠 '과 -(으)ㄹ 것'은 미래 시제를 나타내는 것 이외에 추측이나 의지 등을 표현하기도 함.

예 지원: 지금은 행사가 다 끝났겠죠?(추측) 다음에는 꼭 가겠습니다.(의지)
승연: 저도 그때는 꼭 갈 것입니다.(의지)

확인하기 7

• 다음 문장에서 '-겠-'이 나타내는 의미가 무엇인지 말해 보자.
• 이 정도의 공연장이면 3천 명은 수용하겠습니다.
• 이번 계약은 반드시 성사시키겠습니다.
• 동생은 낚시하러 가겠다고 한다.
• 나라면 그 문제의 정답을 쉽게 알겠다.
• 어서 나가자. 학교에 늦겠다.

[참고] '-(으)ㄹ 것'의 의미

• 영희는 학교에 있을 것이다. (추측)
• 나는 거기에 가고 말 것이다. (의지)
• 모레쯤 고향에 도착할 거요. (추측)
→ 추정·추측, 의지의 의미를 가지고 있으며, '-(으)ㄹ 것'이 '-겠-'에 비해 다소 간접적인 의미를 나타낸다.

④ **동작상:** 발화시를 기준으로 동작이 일어나는 모습을 표현하는 것

진행상	• 동작이 진행 중임을 표현함. • 보조 용언 '-고 있다', '-어 가다'를 사용함. • 연결 어미 '-으면서'를 사용함. 예 • 그가 밥을 먹고 있다. • 빨래가 다 말라 간다.
완료상	• 동작이 완료되었음을 표현함. • 보조 용언 '-어 버리다', '-아/어 있다'를 사용함. • 연결 어미 '-고서'를 사용함. 예 • 자장면을 다 먹어 버렸다. • 영희는 의자에 앉아 있다.

확인하기 8

• 다음 밑줄 친 부분은 어떤 동작상을 나타내고 있는지 말해 보자.
• 그녀는 밥을 다 먹고서 집을 나섰다.

• 영희는 밥을 다 먹어 간다.

확인하기 정답	❸ 오라셔/있으시면/높아요 / ❹ 뵙기, 여쭐 / ❺ 받았다(받더라)/먹은(먹던)/예쁘던(예뻤던)/서울역이야(서울역이었어) / ❻ 오늘도 머리속은 온통 뒤죽박죽이다./오늘 내 모습은 누구보다 예쁘다./그녀는 그 말을 듣자마자 눈앞이 캄캄해지는 걸 느낀다. / ❼ 추측/의지/미래, 의지/가능성이나 능력/추측 / ❽ • 완료상, 연결 어미인 '-고서'를 통해 먹는 동작이 완료되었음을 표현/ • 진행상, 연결 어미와 보조 용언인 '-어 가다'를 통해 먹는 동작이 진행되고 있음을 표현

4 피동 표현

㉠ 개념

능동	주어가 동작을 제힘으로 하는 것으로, 능동사가 서술어로 쓰인 문장을 능동문이라고 함.
피동	• 주어가 다른 주체에 의해 동작을 당하는 것으로, 피동사가 서술어로 쓰인 문장을 피동문이라고 함. • 능동의 주어가 불분명하거나, 아니면 너무나 분명해 밝힐 필요가 없을 경우, 또는 피동 주어에 초점이 놓이는 경우 피동문을 사용함.

㉡ 실현 방법

• 능동문이 피동문으로 바뀔 때 능동문의 주어는 피동문의 부사어가 되고, 능동문의 목적어는 피동문의 주어가 됨.

• 피동문의 부사어에는 '에게/에'가 주로 사용되고 '에 의해(서)'가 사용되기도 함.

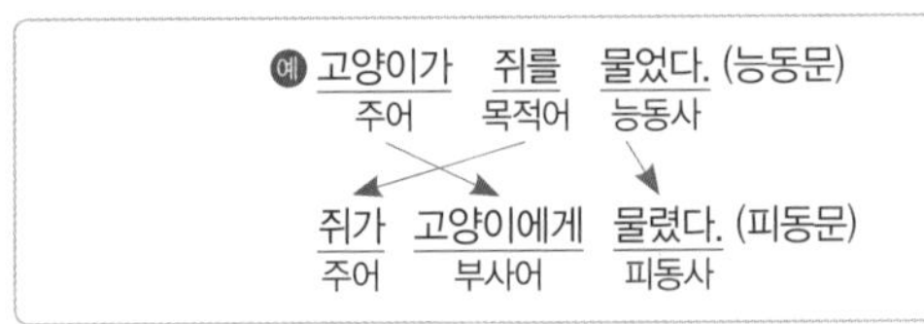

㉢ 피동문의 종류

파생적 피동문	피동사에 의한 피동문. 피동사는 능동사의 어간에 피동 접미사 '-이-, -히-, -리-, -기-'가 붙거나, 서술성을 가진 일부 체언에 '-되다'가 붙어서 만들어짐. 예 • 나무가 사람에게 꺾였다.(꺾이었다.) • 범인이 경찰에게 잡혔다.(잡히었다.) • 안건이 만장일치로 가결되었다.
통사적 피동문	용언의 어간에 '-어지다', '-게 되다'가 붙어서 만들어짐. 예 • 이 펜은 잘 써진다. • 곧 사실이 드러나게 된다.

* '되다, 당하다, 받다, 입다' 등의 어휘를 사용하는 피동은 피동 표현으로 인정하지 않음.

[참고] 피동문과 능동문의 제약

능동을 피동으로, 또는 피동을 능동으로 바꾸지 못하거나, 바꾸었을 때 그 의미가 달라지거나 어색한 경우가 있음.

예 철호가 꾸중을 들었다.(능동문) → 꾸중이 철호에게 들렸다.(×)

확인하기 9

• 다음 문장들을 피동문으로 바꾸어 보고, 이때 각 문장 성분들이 어떻게 변화하는지 구체적으로 설명해 보자.

• 모기가 철수를 물었다.

→

• 나는 파랑새가 지저귀는 소리를 들었다.

→

5 사동 표현

㉠ 개념

주동	주어가 동작을 직접 하는 것으로, 주동사가 서술어로 쓰인 문장을 주동문이라고 함.
사동	주어가 남에게 동작을 하도록 시키는 것으로, 사동사가 서술어로 쓰인 문장을 사동문이라고 함.

㉡ 실현 방법

• 주동문의 용언이 형용사나 자동사인 경우

주동문의 주어가 사동문의 목적어가 되고, 사동문의 주어는 새로 도입됨.

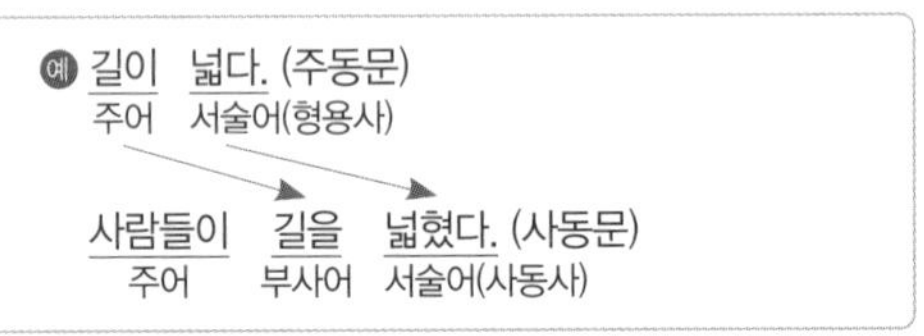

• 주동문의 용언이 타동사인 경우

– 주동문의 주어가 사동문의 부사어가 되고, 주동문의 목적어는 그대로 목적어가 되며, 사동문의 주어는 새로 도입됨.

– 주동문의 주어가 변한 사동문의 부사어에는 주로 '에, 에게'가 붙으며, '로 하여금'이 쓰이기도 함.

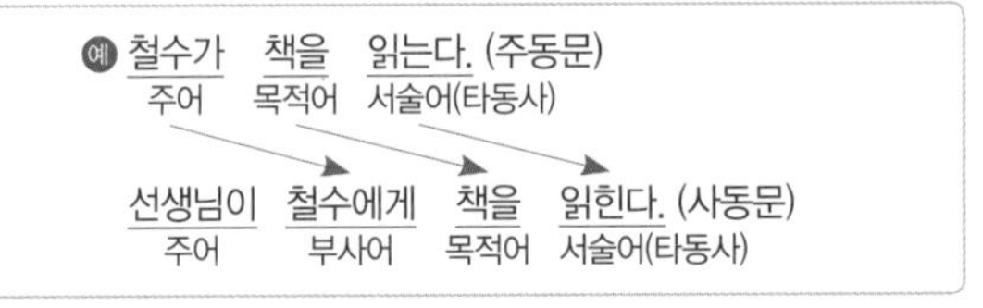

㉢ 사동문의 종류

파생적 사동문	사동사에 의한 사동문. 사동사는 주동사의 어간에 사동 접미사 '-이-, -히-, -리-, -기-, -우-, -구-, -추-'가 붙거나, 서술성을 가진 일부 체언에 '-시키다'가 붙어서 만들어짐. 예 • 불이 얼음을 녹인다. • 범인이 차를 정지시켰다.
통사적 사동문	용언의 어간에 '-게 하다'가 붙어서 만들어지는 사동문 예 경찰이 차를 정지하게 했다.

* 대개 파생적 사동문은 주어가 객체에게 직접 행위를 한 것을 나타내고 통사적 사동문은 간접적인 행위를 한 것을 나타냄.

확인하기 10

• 다음 주동문을 파생적 사동문과 통사적 사동문으로 바꾸어 보자.

• 물이 유리잔에 가득 찼다.

→ 친구가 ______________

→ 친구가 ______________

• 철수가 책을 읽는다.

→ 어머니가 ______________

→ 어머니가 ______________

6 부정 표현

㉠ 개념: 내용의 의미를 부정하는 문법 기능을 수행하는 문장
㉡ 실현 방법: 부정 부사 '안, 못'과 부정 용언 '아니하다(않다)', '못하다'를 사용함.
㉢ 부정문의 종류

종류	짧은 부정	긴 부정	의미
'안' 부정문	'안'+용언(동사,형용사) 예 나는 그를 안 만났다.	–지 아니하다.(않다.) 예 나는 그를 만나지 않았다.	• 단순 부정 • 의지 부정
'못' 부정문	'못'+용언(동사,형용사) 예 나는 그를 못 만났다.	–지 못하다. 예 나는 그를 만나지 못했다.	• 능력 부정 • 적절하지 않은 상황에 의한 부정
'말다' 부정문	–	• –지 마/ 마라(명령문) 예 그를 만나지 마라. • –지 말자(청유문) 예 그를 만나지 말자.	금지

[참고] 부정문의 중의문

부정문에서는 부정의 범위가 어디까지인지 쉽게 확정하기 어렵기 때문에 기본적으로 중의성을 지님.

철수가 책을 안 읽었다.

- 부정의 대상이 '철수'일 때: 책을 읽은 사람은 철수가 아니다.
- 부정의 대상이 '책'일 때: 철수가 읽은 것은 책이 아니다.
- 부정의 대상이 '읽다'일 때: 철수가 책에 대해 한 일은 읽는 것이 아니었다.

확인하기 11

- 다음 대화를 활용하여 밑줄 친 '안'과 '못'의 의미 차이를 설명해 보자.

지워: 너 아직 숙제 못 했니?
승연: 못 한 게 아니라 안 한 거야.

7 인용 표현

㉠ 개념: 다른 사람의 말이나 글을 끌어다 쓰는 것
㉡ 인용의 종류

직접 인용	다른 사람의 말이나 글을 원래의 형식과 내용을 그대로 유지한 채 인용하는 것
간접 인용	다른 사람의 말이나 글을 인용할 때 그 형식은 유지하지 않고 내용만 끌어다 쓰는 것

㉢ 표현 방식

직접 인용	해당 인용절에 큰따옴표를 하여 표시하고, 인용절 다음에 조사 '라고'를 씀. 예 그중 하나가 나서서 "내가 바로 홍길동이다."라고 소리쳤다.
간접 인용	화자의 상황에 맞추어 지시 표현, 높임 표현, 시간 표현, 종결 표현 등을 적절히 바꾸고, 인용절 다음에 조사 '고'를 씀. 예 그중 하나가 나서서 자기가 바로 홍길동이라고 소리쳤다.

[참고] 문장의 종류에 따른 간접 인용

종류	종결 어미	예문
평서문, 감탄문	–다	철수는 "배가 (고프다/고프구나.)"라고 말했다. → 철수는 배가 고프다고 말했다.
청유문	–자	철수는 나에게 "밥 먹자."라고 말했다. → 철수는 나에게 밥 먹자고 말했다.
명령문	–(으)라	철수는 나에게 "밥 먹어라."라고 말했다. → 철수는 나에게 밥 먹으라고 말했다.
의문문	–(느)냐	철수는 나에게 "밥 먹었니?"라고 물었다. → 철수는 나에게 밥 먹었느냐고 물었다.

확인하기 12

- 다음 문장 속에 있는 직접 인용 표현에 밑줄을 치고, 이를 간접 인용 표현으로 바꾸어 보자.
- 그 사람은 "제가 범인입니다."라고 주장하였다.
  → ______
- 처음 바다를 본 그녀는 "정말 넓구나!"라고 혼잣말을 했다.
  → ______
- 선생님께서 화가 많이 나셔서 "너, 오늘 수업 끝나고 남아!"라고 하셨어.
  → ______
- 사과나무 밑에서 그는 "사과는 왜 아래로 떨어지나?"라고 말하였다.
  → ______

확인하기 정답

⑨ 철수가 {모기에게/모기한테} 물렸다./파랑새가 지저귀는 소리가 {나에게/나한테} 들렸다. / ⑩ 물을 유리잔에 가득 채웠다./물을(물이) 유리잔에 가득 차게 했다./철수에게 책을 읽힌다./철수에게 책을 읽게 한다. / ⑪ '못'은 능력 부정을 나타내고 '안'은 의지 부정을 나타낸다. 위 발화에서 '못 하다'는 숙제를 하려고 했으나 할 능력이나 여건이 되지 않는다는 능력의 부정을 드러내고, '안 하다'는 숙제를 할 능력은 있지만 숙제할 의지나 의향이 없었다는 의지 부정을 드러내고 있다. / ⑫ 그 사람은 자기가 범인이라고 주장하였다./처음 바다를 본 그녀는 (바다가) 정말 넓다고 혼잣말을 했다./선생님께서 화가 많이 나셔서 (그날) 수업이 끝나고 남으라고 하셨어./사과나무 밑에서 그는 사과가 왜 아래로 떨어지느냐고 말하였다.

소단원 적중 문제

[01~03] 다음 글을 읽고, 물음에 답하시오.

말하는 사람은 자기 생각이나 느낌을 어떻게 표현할 것인가에 따라 다양한 종결 표현을 사용할 수 있다. 국어의 문장은 종결 표현 방식에 따라 대체로 평서문, 의문문, 명령문, 청유문, 감탄문으로 나뉜다. 화자가 청자에게 특별히 요구하는 바 없이 단순하게 진술하는 문장을 평서문, 화자가 청자에게 질문하여 대답을 요구하는 문장을 의문문, 화자가 청자에게 어떤 행동을 하도록 강하게 요구하는 문장을 명령문, 화자가 청자에게 어떤 행동을 함께하도록 요청하는 문장을 청유문, 화자가 청자를 별로 의식하지 않거나 거의 독백하는 어조로 자기의 느낌을 표현하는 문장을 감탄문이라고 한다.

의문문에는 일정한 설명을 요구하는 ㉠설명 의문문, 단순히 긍정이나 부정의 대답을 요구하는 ㉡판정 의문문, 굳이 대답을 요구하지 않고 서술이나 명령의 효과를 내는 ㉢수사 의문문이 있다.

01 이 글을 이해한 내용으로 적절하지 않은 것은?

① 말하는 사람은 종결 표현을 통해 자기 생각이나 느낌을 표현할 수 있다.
② 감탄문은 화자가 청자를 의식하면서 자기의 느낌을 표현하는 문장이다.
③ 평서문, 의문문, 명령문, 청유문, 감탄문은 종결 표현 방식에 따라 구분된다.
④ 청유문과 명령문에서는 모두 화자가 청자에게 어떤 행동을 하도록 요구한다.
⑤ 평서문은 의문문과 달리 화자가 청자에게 특별히 요구하는 바가 없는 문장이다.

02 ㉠~㉢에 해당하는 예를 〈보기〉의 ⓐ~ⓒ에서 골라 쓰시오.

〈보기〉
ⓐ 이제부터는 제발 조용히 해 주겠니?
ⓑ 최근에 생긴 고민거리는 무엇입니까?
ⓒ 오늘 저녁 식사 함께 하실 수 있으세요?

서술형

03 다음 문장이 어떤 경우에 평서문, 의문문, 명령문이 되는지 서술하시오.

학교에 가

[04~10] 다음 글을 읽고, 물음에 답하시오.

화자가 어떤 대상이나 상대에 대하여 언어적으로 높고 낮은 정도를 구별하여 표현하는 방식이나 체계를 높임법이라고 한다. 높임법은 높임의 대상에 따라 상대 높임법, 주체 높임법, 객체 높임법으로 나뉜다.

상대 높임법은 화자가 청자에 대하여 높이거나 낮추어 말하는 방법이다. 상대 높임법은 종결 표현으로 실현되는데, 크게 격식체와 비격식체로 나뉜다. 격식체는 높임의 순서에 따라 하십시오체, 하오체, 하게체, 해라체로 나뉘고, 비격식체는 해요체와 해체로 나뉜다. 격식체는 의례적 용법으로 심리적 거리감을 나타내는 데 반해, 비격식체는 정감 있고 격식을 덜 차리는 표현이다.

주어가 가리키는 인물, 즉 문장에서 서술의 주체를 높이는 방법을 주체 높임법이라고 한다. 주체 높임법은 일반적으로 용언의 어간에 선어말 어미 '-(으)시-'가 붙어 표현되지만, '계시다', '잡수시다' 등 특수한 어휘로 표현되기도 한다. 또 주격 조사 '께서'가 쓰이기도 하고, 주어인 명사에 '-님'이 덧붙기도 한다.

주체를 직접 높이는 것을 직접 높임이라고 하고, 주체와 밀접하게 관련된 대상을 높임으로써 주체를 간접적으로 높이는 것을 간접 높임이라고 한다. '선생님께서 벌써 도착하셨어.'는 직접 높임의 예이고, '선생님 말씀이 타당하십니다.'는 간접 높임의 예이다.

목적어나 부사어가 지시하는 대상, 즉 문장에서 서술의 객체를 높이는 방법을 ㉠객체 높임법이라고 한다. 객체 높임법은 어미를 사용하는 주체 높임법이나 상대 높임법과 달리 특수한 어휘를 사용해서 표현한다. 그리고 객체 높임법에서는 조사 '에게' 대신 '께'를 사용하기도 한다.

04 이 글의 내용과 일치하지 않는 것은?

① 상대 높임법은 종결 표현으로 실현된다.
② 간접 높임은 청자를 높이는 것을 의미한다.
③ 주체 높임법은 어미나 특수 어휘로 표현된다.
④ 문장에서 객체는 목적어나 부사어에 해당한다.
⑤ 높임의 대상에 따라 높임법의 종류가 달라진다.

05 이 글을 바탕으로 〈보기〉의 ⓐ~ⓔ에 대해 이해한 내용으로 적절하지 않은 것은?

〈보기〉
ⓐ 이름을 부르면 큰 소리로 대답해.
ⓑ 무례하게 행동해서 정말 죄송합니다.
ⓒ 숲길을 거닐면서 새소리를 들어봐요.
ⓓ 도착하는 대로 내 방으로 들어오너라.
ⓔ 내가 자네 앞에서 고개를 들 수가 없네.

① ⓐ는 격식을 차리는 표현으로, 화자가 청자에 대하여 낮추어 말하는 방법이다.
② ⓑ는 의례적 용법으로, 화자가 청자에 대하여 높여 말하는 방법이다.
③ ⓒ는 정감이 느껴지는 비격식체로, '해요체'에 해당한다.
④ ⓓ는 심리적 거리감이 느껴지는 표현으로, '해라체'에 해당한다.
⑤ ⓔ는 격식체로, 화자가 청자에 대하여 낮추어 말하는 방법이다.

수능형

06 이 글을 바탕으로 〈보기〉의 ㉮와 ㉯에 대해 이해한 내용으로 적절하지 않은 것은?

〈보기〉
㉮ 어머니께서는 허리가 아프시다.
㉯ 선생님께서 교무실에 계시다.

① ㉮는 ㉯와 달리 간접적으로 대상을 높이고 있다.
② ㉯는 ㉮와 달리 명사에 접사를 붙여 대상을 높이고 있다.
③ ㉮와 ㉯는 모두 문장에서 서술의 주체를 높이고 있다.
④ ㉮와 ㉯는 모두 선어말 어미를 통해 대상을 높이고 있다.
⑤ ㉮와 ㉯에서 주격 조사는 모두 대상을 높이는 역할을 하고 있다.

07 이 글에서 설명하고 있는 ㉠의 사례로 적절한 것은?

① 철수야, 누구나 단점을 가지고 있어.
② 지금부터는 자기 자리에 앉아서 들어주세요.
③ 누구보다 정이 많으신 아버지를 존경합니다.
④ 오늘따라 선생님을 만나 뵙기가 참 어렵네요.
⑤ 할아버지께서는 이 시간에 낮잠을 주무십니다.

학습 활동 적용

08 이 글을 바탕으로 〈보기〉의 (ㄱ)~(ㄹ)을 높임의 대상에 따라 바르게 분류한 것은?

〈보기〉
(ㄱ) 삼촌께서 멀리 떠나셨다.
(ㄴ) 그런 행동은 분명 잘못된 것이지요.
(ㄷ) 회장님께서 곧 도착하신다고 합니다.
(ㄹ) 나는 어제 할머니께 생신 선물을 드렸다.

	주체를 높임	객체를 높임	상대를 높임	주체와 상대를 모두 높임
①	(ㄱ)	(ㄴ)	(ㄷ)	(ㄹ)
②	(ㄱ)	(ㄹ)	(ㄴ)	(ㄷ)
③	(ㄴ)	(ㄱ)	(ㄹ)	(ㄷ)
④	(ㄷ)	(ㄴ)	(ㄱ)	(ㄹ)
⑤	(ㄹ)	(ㄴ)	(ㄷ)	(ㄱ)

학습 활동 적용

09 〈보기〉의 문장에서 '청자', '주체', '객체' 중 높임의 대상은 누구인지 쓰시오.

〈보기〉
(손자가 할머니에게) 할머니, 고모가 모시러 온다고 했습니다.

서술형

10 〈보기〉의 밑줄 친 부분에서 적절한 높임 표현을 고르고, 그 이유를 서술하시오.

〈보기〉
할아버지, 옮겨야 할 물건이 (계시면/있으시면) 말씀해 주세요.

소단원 적중 문제

[11~13] 다음 글을 읽고, 물음에 답하시오.

시제는 화자가 말하는 시점인 발화시(發話時)를 기준으로 동작이나 상태가 일어나는 시점인 사건시(事件時)와 선후 관계를 따져 과거 시제, 현재 시제, 미래 시제로 나누는 것이 일반적이다.

과거 시제는 사건시가 발화시보다 앞서 있는 시제이다. 과거 시제를 표현하는 방법으로 선어말 어미 '-았-/-었-', '-더-'를 사용하는 방법, 동사에서 관형사형 어미 '-(으)ㄴ'을 사용하는 방법, 용언이나 서술격 조사에서 관형사형 어미 '-던'을 사용하는 방법, '어제', '옛날'과 같은 시간 부사어를 사용하는 방법 등이 있다.

선어말 어미 '-았-/-었-'을 두 번 사용한 '-았었-/-었었-'은 발화시보다 전에 발생했으며 현재와 단절된 사건을 표현하는 데 쓰여 '-았-/-었-'과 의미 차이를 보인다. 선어말 어미 '-더-'가 사용된 표현은 단순한 과거가 아니라 과거 어느 때의 일이나 경험을 돌이켜 회상하는 의미를 나타낸다.

현재 시제는 발화시와 사건시가 일치하는 시제이다. 동사에서는 선어말 어미 '-는-/-ㄴ-'과 관형사형 어미 '-는'을 써서 현재 시제를 표현하고, 형용사와 서술격 조사에서는 선어말 어미는 쓰지 않고 관형사형의 경우 어미 '-(으)ㄴ'을 써서 표현한다. '지금' 등의 시간 부사어로 현재 시제를 표현할 수도 있다.

미래 시제는 사건시가 발화시보다 나중인 시제이다. 미래 시제를 표현하는 데 주로 선어말 어미 '-겠-'을 사용하고, 관형사형 어미 '-(으)ㄹ'과 의존 명사 '것'이 결합된 '-(으)ㄹ 것'도 널리 사용된다. 또 미래 시제를 나타내는 관형사형 어미로는 '-(으)ㄹ'이 사용된다. '내일'과 같은 시간 부사어를 써서 미래 시제를 표현할 수도 있다.

'-겠-'과 '-(으)ㄹ 것'은 미래 시제를 나타내는 것 이외에 추측이나 의지 등을 표현하기도 한다.

시간 표현과 관계가 깊은 문법 범주로 동작상(動作相)이 있다. 동작상은 발화시를 기준으로 동작이 일어나는 모습을 표현하는 것으로, 대표적인 것으로 진행상, 완료상 등이 있다. 국어에서는 주로 보조 용언을 사용하여 동작상을 표현한다.

11 이 글을 바탕으로 〈보기〉의 ⓐ~ⓒ에 대해 이해한 내용으로 적절하지 않은 것은?

〈 보기 〉
ⓐ 학생이던 시절이 많이 그립습니다.
ⓑ 엊그제 먹은 음식은 정말 맛있었어.
ⓒ 막상 해 보니까 그 일은 정말 힘들더라.

① ⓐ에서는 서술격 조사에 관형사형 어미 '-던'을 결합하여 과제 시제를 표현하고 있다.
② ⓑ에서는 시간 부사어 '엊그제'와 관형사형 어미 '-었-'을 사용하여 과거 시제를 표현하고 있다.
③ ⓑ에서는 동사의 어간에 관형사형 어미 '-은'을 결합하여 과거 시제를 표현하고 있다.
④ ⓒ에서는 선어말 어미 '-더-'를 사용하여 과거 시제를 표현하고 있다.
⑤ ⓒ에서는 선어말 어미 '-더-'를 사용하여 과거의 경험을 회상하는 의미를 나타내고 있다.

수능형

12 이 글을 바탕으로 〈보기〉의 ㉠~㉤에 대해 이해한 내용으로 적절하지 않은 것은?

〈 보기 〉
㉠ 내일 꼭 출발할 것입니다.
㉡ 지금 너의 모습이 참 예쁘다.
㉢ 저녁에 먹을 음식이 기대되는군.
㉣ 이렇게 가다가는 축구 경기에 늦겠어.
㉤ 그녀는 그 소식을 듣자마자 현기증을 느낀다.

① ㉠은 관형사형 어미와 의존 명사가 결합하여 미래 시제 이외에 의지를 표현하고 있다.
② ㉡은 선어말 어미를 쓰지 않고 현재 시제를 표현하고 있다.
③ ㉢은 관형사형 어미를 사용하여 미래 시제를 표현하고 있다.
④ ㉣은 선어말 어미를 사용하여 추측의 의미를 나타내고 있다.
⑤ ㉤은 관형사형 어미를 사용하여 현재 시제를 표현하고 있다.

서술형

13 ⓐ와 ⓑ의 밑줄 친 부분의 공통점과 차이점을 서술하시오.

ⓐ 온 힘을 다해 달리고 있다.
ⓑ 결국 그 햄버거를 다 먹어 버렸다.

[14~19] 다음 글을 읽고, 물음에 답하시오.

주어가 동작을 제힘으로 하는 것을 능동(能動)이라 하고, 주어가 다른 주체에 의해서 동작을 당하는 것을 피동(被動)이라 한다. '영희가 물고기를 잡았다.'의 경우 주어인 '영희'가 스스로 동작을 하는 것이므로 ㉠능동문이고, '물고기가 영희에게 잡혔다.'의 경우 주어인 '물고기'가 다른 주체인 '영희'에 의해 '잡는' 동작을 당하는 것이므로 ㉡피동문이다. 이때 '잡다'는 능동사, '잡히다'는 피동사이다.

피동사는 능동사 어근에 피동 접미사 '-이-, -히-, -리-, -기-'가 붙어서 만들어진다. 능동문이 피동문으로 바뀔 때 능동문의 주어는 피동문의 부사어가 되고, 능동문의 목적어는 피동문의 주어가 된다. 피동문의 부사어에는 '에게/에'가 주로 사용되고 '에 의해(서)'가 사용되기도 한다.

한편 피동문은 피동 접미사 '-되다'에 의해서 만들어지기도 하고 '-어지다'에 의해서 만들어지기도 한다. 피동사에 의한 피동문을 파생적 피동문이라고 하고, '-어지다'에 의한 피동문을 통사적 피동문이라고 한다.

주어가 동작을 직접 하는 것을 주동(主動)이라 하고, 주어가 남에게 동작을 하도록 시키는 것을 사동(使動)이라 한다. '미소가 웃다.'라는 문장은 주어인 '미소'가 직접 웃는 동작을 하는 것이므로 ㉢주동문이고, '민수가 미소를 웃기다.'라는 주어인 '민수'가 '미소'를 웃기게 하였으므로 사동문이다. 이때 '웃다'는 주동사, '웃기다'는 사동사이다.

㉮사동사는 주동사 어근에 사동 접미사 '-이-, -히-, -리-, -기-, -우-, -구-, -추-' 등이 붙어서 만들어진다. 주동문이 사동문으로 바뀔 때, 사동문의 주어는 새로 도입된다. 그리고 주동문의 용언이 형용사나 자동사이면 주동문의 주어가 사동문의 목적어가 되며, 주동문의 용언이 타동사이면 주동문의 주어가 사동문의 부사어가 되고 주동문의 목적어는 그대로 목적어가 된다. 주동문의 주어가 변한 사동문의 부사어에는 주로 '에, 에게'가 붙으며, '로 하여금'이 쓰이기도 한다.

한편 사동문은 '차를 정지시켰다. / 정지하게 했다.'처럼 사동 접미사 '-시키다'에 의해서 만들어지기도 하고 '-게 하다'에 의해서 만들어지기도 한다. 사동사에 의한 사동문을 ㉣파생적 사동문이라고 하고, '-게 하다'에 의한 사동문을 ㉤통사적 사동문이라고 한다.

수능형

14 이 글을 참고하여 〈보기〉의 ⓐ~ⓓ에 대해 설명한 내용으로 적절하지 않은 것은?

〈보기〉
ⓐ 그 아이가 나를 밀었다.
ⓑ 내가 그 아이에게 밀렸다.
ⓒ 바람이 나뭇가지를 흔들었다.
ⓓ 나뭇가지가 바람에 흔들렸다.

① ⓐ의 주어인 '그 아이가'는 ⓑ에서는 '그 아이에게'와 같은 부사어가 되었다.
② ⓑ에서 피동사는 능동사 '밀다'의 어근에 피동 접미사 '-리-'가 붙어서 만들어졌다.
③ ⓑ는 주어인 '내'가 다른 주체인 '그 아이'에 의해 '미는' 동작을 당하는 것이므로 피동문이다.
④ ⓑ와 ⓓ의 부사어에 사용된 조사는 서술어에 따라 달라진다.
⑤ ⓒ의 목적어인 '나뭇가지를'은 ⓓ에서는 '나뭇가지가'와 같은 주어가 되었다.

15 ㉮에 해당하는 사례로 적절하지 않은 것은?

① 친구는 먼저 나를 자리에 앉혔다.
② 엄마가 아이에게 밥을 먹이고 있다.
③ 민정은 자고 있는 영호를 흔들어 깨웠다.
④ 나는 옥상에 올라가 종이비행기를 날렸다.
⑤ 나는 그녀가 들어오자 재빨리 물건을 감췄다.

서술형

16 ⓐ와 ⓑ의 문장 표현에 대해 공통점과 차이점을 중심으로 서술하시오.

〈보기〉
ⓐ 수익금이 체육 발전 기금으로 사용되었다.
ⓑ 이 붓은 그림이 잘 그려진다.

소단원 적중 문제

17 이 글을 읽고, 〈보기〉의 ⓐ와 ⓑ에 대해 이해한 내용으로 적절하지 않은 것은?

〈보기〉
ⓐ 방 안의 온도가 높다.
→ 지수가 방 안의 온도를 높이다.
ⓑ 수호가 책을 읽는다.
→ 어머니가 수호에게 책을 읽힌다.

① ⓐ에서 주동문의 주어인 '온도가'는 사동문에서는 목적어가 된다.
② ⓑ에서 주동문의 목적어인 '책을'은 사동문에서는 부사어가 된다.
③ ⓑ에서 사동문의 부사어인 '수호에게'는 '수호로 하여금'으로 대체하여 쓸 수 있다.
④ ⓐ에서 주동문의 용언은 형용사이고, ⓑ에서 주동문의 용언은 타동사이다.
⑤ ⓐ의 '지수가'와 ⓑ의 '어머니가'는 모두 주동문이 사동문으로 바뀔 때, 새로 도입된 주어이다.

18 이 글을 토대로, 다음 주동문을 파생적 사동문과 통사적 사동문으로 바꿀 때 어색한 것은?

① 길이 넓다.
→ 사람들이 길을 (넓힌다 / 넓게 한다).
② 물이 유리잔에 가득 찼다.
→ 친구가 물을 유리잔에 가득 (채웠다 / 차게 했다).
③ 철수가 책을 읽는다.
→ 어머니가 철수에게 책을 (읽힌다 / 읽게 한다).
④ 영희가 양말을 신었다.
→ 어머니가 영희에게 양말을 (신겼다 / 신게 했다).
⑤ 학생들에게 인공호흡을 교육하였다.
→ 교관이 학생들에게 인공호흡을 (교육시켰다 / 교육하게 했다).

학습 활동 적용

19 ㉠~㉤에 해당하는 사례로 적절한 것은?

① ㉠: 드디어 자동차의 시동이 걸렸다.
② ㉡: 나는 개가 짖는 소리를 들었다.
③ ㉢: 그는 나에게 앨범을 보였다.
④ ㉣: 선생님께서 학생들을 공부시키고 있다.
⑤ ㉤: 그 사람의 말이 사실인 것처럼 믿어진다.

[20~22] 다음 글을 읽고, 물음에 답하시오.

부사 '안, 못'과 부정 용언 '아니하다', '못하다'를 사용하여 부정 표현을 만들 수 있다. 앞의 방식으로 만들어진 부정문을 짧은 부정문, 뒤의 방식으로 만들어진 부정문을 긴 부정문이라고 한다. 명령문에서는 '-지 마/마라'를 사용하고, 청유문에서는 '-지 말자'를 사용한다.

- 나는 그를 못 만났다. / 만나지 못했다.
- 나는 그를 안 만났다. / 만나지 않았다.
- 그를 만나지 마라.
- 그를 만나지 말자.

부정문에서는 부정의 범위가 어디까지인지 쉽게 확정하기 어렵다. 아래 문장에서 '안'과 '아니하다'가 부정하는 내용은 '철수'일 수도 있고, '책'일 수도 있으며, '읽다'일 수도 있다.

- 철수가 책을 안 읽었다.
- ㉮ 철수가 책을 읽지 않았다.

수능형

20 이 글을 참고하여 〈보기〉의 ㉠~㉣을 탐구한 내용으로 적절하지 않은 것은?

〈보기〉
㉠ 눈이 많이 내려 제 시간에 도착하지 못했다.
㉡ 밀린 숙제 때문에 그 모임에 안 가기로 했다.
㉢ 기상청 예보대로 오늘은 비가 오지 않는다.
㉣ 열심히 공부했지만 결국 그 문제를 못 풀었다.

① ㉠을 보니, 주체의 능력 부족이 원인일 때 '못' 부정문을 쓸 수 있군.
② ㉡을 보니, 주체의 의지에 의한 부정일 때 '안' 부정문을 쓸 수 있군.
③ ㉢을 보니, 객관적 사실에 관한 단순 부정일 때 '안' 부정문을 쓸 수 있군.
④ ㉣을 보니, 주체의 능력 부족이 원인일 때 '못' 부정문을 쓸 수 있군.
⑤ ㉠과 ㉢은 긴 부정문이고, ㉡과 ㉣은 짧은 부정문이군.

수능형

21 이 글을 바탕으로 〈보기 1〉을 분석할 때, 〈보기 2〉에서 찾을 수 있는 것만을 있는 대로 고른 것은?

〈보기 1〉

너에게 연락이 안 와서 서운했었어. 너를 온전히 믿지 못했나 봐. 이제 오해가 풀렸으니, 우리 다시는 싸우지 말자.

〈보기 2〉

ㄱ. 청유문의 부정문
ㄴ. 능력 부정을 나타내는 긴 부정문
ㄷ. 의지 부정을 나타내는 짧은 부정문
ㄹ. 단순 부정을 나타내는 짧은 부정문

① ㄱ, ㄴ ② ㄴ, ㄷ ③ ㄷ, ㄹ
④ ㄱ, ㄴ, ㄷ ⑤ ㄱ, ㄴ, ㄹ

서술형

22 ㉮를 〈보기〉와 같이 고쳤을 때 얻을 수 있는 효과를 서술하시오. (중의성이 해소된 원인을 밝힐 것)

〈보기〉

철수가 책은 읽지 않았다.

[23~25] 다음 글을 읽고, 물음에 답하시오.

다른 사람의 말이나 글을 끌어다 쓰는 것을 인용이라고 한다. 인용 표현은 직접 인용 표현과 간접 인용 표현으로 나눌 수 있다.

직접 인용 표현은 다른 사람의 말이나 글을 원래의 형식과 내용 그대로 유지한 채 인용하는 것이다. 표기할 때는 해당 인용절에 큰따옴표를 붙이고, 인용절 다음에 조사 '라고'를 쓴다.

간접 인용 표현은 다른 사람의 말이나 글을 인용할 때 그 형식은 유지하지 않고 그 내용만 이해하여 자신의 말로 바꾸어 인용하는 방법이다. 간접 인용절 다음에는 조사 '고'를 쓴다.

직접 인용 표현은 원래의 말이나 글을 그대로 가져오면 되지만, 간접 인용 표현은 말하는 사람이 자신의 말로 바꾼 것이기 때문에 지시 표현, 높임 표현, 시간 표현, 문장 종결 표현 등을 상황에 맞게 적절히 바꾸어야 한다. 예를 들어, '철수가 "제가 가겠습니다."라고 말했다.'라는 직접 인용문을 간접 인용문으로 바꾸면 '철수가 자기가 가겠다고 말했다.'로 되는 것과 같이 지시 표현, 높임 표현, 문장 종결 표현 등에서 변화가 생긴다.

23 이 글을 이해한 내용으로 가장 적절한 것은?

① 간접 인용 표현은 원래의 말이나 글을 그대로 가져오면 된다.
② 직접 인용 표현은 상황에 맞게 문장 종결 표현 등을 바꾸어야 한다.
③ 직접 인용 표현과 간접 인용 표현 모두 인용절 다음에는 조사를 쓴다.
④ 간접 인용 표현은 다른 사람의 말이나 글을 인용할 때 그 형식을 유지해야 한다.
⑤ 직접 인용 표현에는 따옴표를 붙이지 않지만, 간접 인용 표현에는 따옴표를 붙인다.

서술형

24 ㉠~㉢을 간접 인용 표현으로 각각 바꾸고, 그 과정에서 어떤 표현이 변화하는지 서술하시오.

㉠ 철수는 단체 여행 중에 "빨리 출발합시다."라고 소리쳤다.
㉡ 그 사람은 어제 "오늘 떠나고 싶다."라고 말했다.
㉢ 시골에 간 연희는 "이곳에 정말 좋아."라고 말했다.

서술형 학습 활동 적용

25 다음 광고 속 문구를 명령문으로 바꾸고, 표현 효과 면에서 어떤 차이가 있는지 서술하시오.

머그잔을 잡으면 모두가 좋아요.

• 바꾼 표현:
• 표현 효과:

중단원 실전 문제

[01~03] 다음 글을 읽고 물음에 답하시오.

문장 안에서 일정한 문법적 기능을 하는 각 부분들을 문장 성분(文章成分)이라고 한다. 문장 성분은 문장을 이루는 데 골격이 되는 주성분, 주로 주성분의 내용을 수식하는 부속 성분, 다른 문장 성분과는 직접적인 관련이 없는 독립 성분으로 나뉜다. 주성분에는 서술어, 주어, 목적어, 보어가 있고, 부속 성분에는 관형어와 부사어가 있으며, 독립 성분에는 독립어가 있다.

서술어(敍述語)는 주어의 동작, 상태, 성질 따위를 설명하는 문장 성분이다. 일반적으로 국어 문장은 서술어의 종류에 따라 '무엇이 어찌한다.', '무엇이 어떠하다.', '무엇이 무엇이다.'의 유형으로 나뉘는데, 여기서 '어찌한다', '어떠하다', '무엇이다'에 해당하는 것이 서술어이다.

주어(主語)는 문장에서 동작 또는 상태나 성질의 주체를 나타낸다. '무엇이 어찌한다.', '무엇이 어떠하다.', '무엇이 무엇이다.'에서 '무엇이'에 해당하는 성분이 주어이다. 주어는 체언 또는 체언 구실을 하는 구나 절에 주격 조사 '이/가', '께서'가 붙어 나타나는데, 때로는 주격 조사가 생략될 수도 있고 보조사가 붙을 수도 있다.

'먹다'라는 서술어는 반드시 체언에 '을/를'이 결합한 성분을 요구하는 타동사로, 이처럼 서술어의 동작 대상이 되는 문장 성분이 바로 목적어(目的語)이다. 타동사가 서술어로 쓰일 때는 목적어가 필요하다. 목적격 조사 '을/를'은 생략될 수도 있고, '을/를' 대신에 특정한 의미를 더하여 주는 보조사가 붙기도 한다.

보어(補語)는 서술어 '되다, 아니다'가 필수적으로 요구하는 문장 성분 가운데 주어가 아닌 것을 말한다. 보어에는 보격 조사 '이/가'가 붙는데, 이때의 보격 조사는 생략될 수도 있고 보조사가 붙을 수도 있다.

관형어(冠形語)가 체언을 수식하는 방법은 여러 가지이다. 관형사는 그대로 관형어가 되고, 체언에 관형격 조사 '의'가 결합되어 관형어로 쓰이거나 용언의 관형사형이 관형어로 쓰이는 경우도 흔하다. 이때 관형격 조사는 생략되기도 한다.

부사어(副詞語)는 부사가 부사어로 된 것, 용언의 부사형이 부사어로 된 것, 체언과 조사의 결합이 부사어로 된 것 등이 있다. 부사어는 주로 용언을 수식하지만 관형어나 다른 부사어, 문장을 수식하기도 하고 문장이나 단어를 이어 주기도 한다.

01 **이 글과 〈보기〉를 바탕으로 문장 성분에 대해 탐구한 내용으로 적절하지 않은 것은?**

〈보기〉
ㄱ. 물이 얼음이 되었다.
ㄴ. 그 남자는 멋있게 생겼다.
ㄷ. 우리도 언제 시작될지 알 수 없다.
ㄹ. 학생들이 식당에서 점심을 먹는다.
ㅁ. 아이가 작은 침대에서 편안히 잔다.

① ㄱ에서 주성분은 세 개이고, 필수적인 문장 성분도 세 개야.
② ㄴ을 보면 부사어도 필수적인 문장 성분이 될 수 있어.
③ ㄷ에는 필수적인 문장 성분이 빠졌으니 서술어 '시작되다'의 주어를 보충해야 해.
④ ㄹ에서 주성분은 세 개이고, 필수적인 문장 성분은 네 개야.
⑤ ㅁ에는 문장 성분이 여러 개 있지만 필수적인 것은 주어와 서술어뿐이야.

수능형

02 **이 글과 〈보기〉의 밑줄 친 부분을 바탕으로 관형어에 관한 수업을 진행하였다. 발표 내용으로 적절하지 않은 것은?**

〈보기〉
ㄱ. 나는 새로운 책을 읽기 시작했다.
ㄴ. 선미는 영수 장난감을 가지고 있다.
ㄷ. 이것은 오늘 저녁 내가 먹을 밥이다.
ㄹ. 학생의 소원이 이루어지기를 바랍니다.
ㅁ. 나눔의 즐거움을 느낄 수 있는 시간이었다.

① ㄱ의 '새로운'과 같이 관형사는 그대로 관형어가 됩니다.
② ㄴ의 '영수'와 같이 관형격 조사가 생략된 채 체언을 수식할 수 있습니다.
③ ㄷ으로 볼 때 용언의 관형사형은 관형어로 쓰이면서 시제 기능도 함께 들어 있습니다.
④ ㄹ의 '학생의'와 같이 체언에 '의'를 붙이면 관형어가 됩니다.
⑤ ㅁ으로 볼 때 용언의 명사형에 관형격 조사 '의'가 붙으면 관형어가 됩니다.

03 이 글을 참고할 때 밑줄 친 말이 〈보기〉의 ㉠에 해당하는 예로만 짝지어진 것은?

〈보기〉
부사어는 다른 말을 꾸며 주는 성분의 하나이므로 대개 문장을 구성하는 데에 꼭 필요하지는 않다. 그러나 어떤 서술어는 부사어를 반드시 요구하기도 하는데, 이처럼 문장의 성립에 반드시 필요한 부사어를 ㉠'필수적 부사어'라 한다.

① ┌ 나는 오랜만에 누나와 영화를 보았다.
└ 어머니는 그녀를 수양딸로 삼으셨다.
② ┌ 아버지는 나에게 용돈을 넉넉히 주셨다.
└ 이곳의 날씨는 벼농사에 적합하다.
③ ┌ 희수는 저녁에 할머니 댁을 방문했다.
└ 우리는 공원에서 멋진 사람을 만났다.
④ ┌ 성격 면에 있어서 동생은 나와 다르다.
└ 나는 그 물건을 급하게 주머니에 넣었다.
⑤ ┌ 나는 친구에게 돈을 빌렸다.
└ 그들은 몽둥이로 늑대를 잡았다.

04 〈보기 1〉을 참고하여 〈보기 2〉를 이해한 것으로 적절하지 않은 것은?

〈보기 1〉
생각이나 감정을 완결된 내용으로 표현하는 최소의 언어 형식을 문장(文章)이라고 한다. 문장을 만들 때에는 반드시 있어야 할 성분, 예를 들어 주어와 서술어 등을 갖추는 것이 원칙이다. 그러나 때로는 그렇지 않은 경우도 있다. "불이야!", "정말?" 등도 모두 문장이라고 말할 수 있기 때문이다. 문장이란 결국 의미상으로 완결된 내용을 갖추고 형식상으로 문장이 끝났음을 나타내는 표지가 있는 것을 가리킨다.

〈보기 2〉
(ㄱ) 꽃이 예뻐.
(ㄴ) 도둑이야! / 그래?
(ㄷ) (어디 가느냐는 물음에 대한 대답으로) 학교.

① (ㄱ)은 일반적인 문장의 형식을 갖추고 있다.
② (ㄴ)은 문장이 끝났음을 나타내는 표지가 있다.
③ (ㄷ)은 문장 성분이 생략된 형식으로 볼 수 있다.
④ (ㄷ)은 (ㄴ)과 동일한 형식의 문장으로 볼 수 있다.
⑤ (ㄱ), (ㄴ), (ㄷ)은 모두 의미상으로 완결된 내용을 갖춘 문장으로 볼 수 있다.

[05~09] 다음 글을 읽고 물음에 답하시오.

가 사건이나 상태는 기본적으로 주어와 서술어로 표현된다. 주어와 서술어의 관계가 한 번 나타나면 홑문장, 두 번 이상 나타나면 겹문장이 된다. 따라서 겹문장은 둘 이상의 절을 가진다. 겹문장은 홑문장과 홑문장이 이어진 이어진문장과 전체 문장이 홑문장을 안고 있는 안은문장으로 나뉜다.

나 다른 문장 속에 들어가 하나의 성분처럼 쓰이는 문장을 안긴문장이라고 하며, 안긴문장을 포함한 문장을 안은문장이라고 한다. 안긴문장은 하나의 '절'이 되는데, 이는 명사절, 관형절, 부사절, 서술절, 인용절의 다섯 가지로 나뉜다.

명사절은 명사형 어미 '-(으)ㅁ', '-기'가 붙어서 만들어지며, 문장에서 주어, 목적어, 부사어 등 다양한 기능을 한다. '그 일을 하기가 쉽지 않다.'의 명사절은 주어 기능을 하고, '우리는 그가 정당했음을 깨달았다.'의 명사절은 목적어 기능을 하며, '지금은 집에 가기에 이른 시간이다.'의 명사절은 부사어 기능을 한다.

관형절은 안은문장 안에서 관형어 기능을 하는 절로서, 관형사형 어미 '-(으)ㄴ', '-는', '-(으)ㄹ', '-던'이 붙어서 만들어진다. 이 요소들은 각각 표현하는 시제가 서로 다르다.

부사절은 절 전체가 부사어의 기능을 하는 것을 말하는데, 서술어를 수식하는 기능을 한다. '그는 아는 것도 없이 잘난 척을 한다.'에는 '아는 것도 없다.'라는 문장이 안겨 있는데, '-이', '-게', '-도록' 등이 붙어서 부사절이 된다.

절 전체가 서술어의 기능을 하는 것을 서술절이라고 한다. 서술절을 가진 안은문장은 한 문장에 주어가 두 개 있는 것처럼 보인다. 이때 앞에 나오는 주어를 제외한 나머지 부분이 서술절에 해당한다. 서술절은 특별한 표지가 따로 없다는 점에서 다른 안긴문장과 차이를 보인다. '토끼는 앞발이 짧다.'에서 '앞발이'의 서술어는 '짧다'이고, '토끼는'의 서술어 기능을 하는 서술절은 '앞발이 짧다'이다.

다른 사람의 말이나 글을 인용한 것이 절의 형식으로 안기는 경우가 있는데, 이를 인용절이라고 한다. 인용절은 주어진 문장에 조사 '고, 라고'가 붙어서 만들어진다. 주어진 문장을 그대로 직접 인용하는 직접 인용절의 경우, 받침 없는 말 뒤에는 '라고'가, 받침 있는 말 뒤에는 '이라고'가 붙는다. 말하는 사람의 표현으로 바꾸어서 간접 인용하는 간접 인용절에는 주로 '고'가 종결 어미 '-다, -냐, -라, -자, -마' 따위 뒤에 붙는다.

이어진문장은 홑문장 두 개가 이어지는 방법에 따라 대등하게 연결된 이어진문장과 종속적으로 연결된 이어진문장으로 나뉜다.

다 의미 관계가 대등한 두 홑문장이 이어지는 문장을 대등하게 연결된 이어진문장이라고 한다. 대등하게 이어지는 문장에 앞 절과 뒤 절은 나열, 대조 등의 의미 관계를 이룬다. 한편 앞 절과 뒤 절의 의미가 독립적이지 못하고 종속적인 문장을 ㉮종속적으로 연결된 이어진문장이라고 한다. 이때 앞 절과 뒤 절의 의미 관계에 따라 다양한 종속적 연결 어미가 사용된다. 예를 들면 '-(아)서'는 원인, '-(으)면'은 조건, '-(으)려고'는 의도, '-는데'는 상황, '-(으)ㄹ지라도'는 양보의 의미를 띠고 있다.

수능형

05 이 글을 바탕으로 ㉠~㉤에 대해 탐구한 결과로 적절하지 않은 것은?

〈보기〉
㉠ 우리 집 마당에 개나리꽃이 가득 피었다.
㉡ 그 선수는 마지막 순간에 빠르게 달렸다.
㉢ 나의 동생은 자립심이 매우 강하다.
㉣ 누나가 최신 휴대폰을 사려고 돈을 모은다.
㉤ 그는 빵을 좋아하고, 엄마는 밥을 좋아한다.

① ㉠은 문장 성분이 여러 개 있지만 주어와 서술어가 한 번 나타나므로 홑문장에 해당하는군.
② ㉡은 안긴문장이 부사어의 역할을 하는 안은문장이므로 겹문장에 해당하는군.
③ ㉢은 주어가 두 개인 것처럼 보이지만 서술어가 하나이므로 홑문장에 해당하는군.
④ ㉣은 이어진문장에서 앞뒤 문장의 주어가 일치할 경우 하나를 생략할 수 있음을 보여 주는군.
⑤ ㉤은 ㉣과 달리 연결 어미를 그대로 두고 앞뒤 문장의 순서를 바꾸어도 그 의미가 통하는군.

06 이 글을 토대로 〈보기〉의 예문을 바르게 이해하지 못한 것은?

〈보기〉
㉠ 철수는 자기가 직접 확인하겠다고 말했다.
㉡ 내가 좋아하는 친구는 마음이 정말 착하다.
㉢ 학교 가기에 바쁜 동생은 정신없게 집을 나섰다.
㉣ 날이 더워지자 나는 성능이 좋은 선풍기를 샀다.

① ㉠에는 다른 사람의 말을 인용한 절이 안겨 있네.
② ㉡은 서술어의 기능을 하는 안긴문장 속에 부사어가 있어.
③ ㉢에 안겨 있는 명사절에는 생략된 문장 성분이 있군.
④ ㉣에는 이어진 문장과 안긴문장이 모두 포함되어 있어.
⑤ ㉠~㉣에는 모두 체언을 수식하는 안긴문장이 들어 있어.

07 (나)를 참고하여 ㉠~㉤의 밑줄 친 부분에 대해 이해한 내용으로 적절하지 않은 것은?

〈보기〉
㉠ 그녀가 범인임이 밝혀졌다.
㉡ 농부들은 비가 오기를 기다린다.
㉢ 나는 너희들이 행복하기 바란다.
㉣ 영수는 사람들이 도착하기 전에 떠났다.
㉤ 지금은 우리가 박물관에 가기에 이른 시간이다.

① ㉠: 명사절이 조사와 결합하여 주어로 쓰였다.
② ㉡: 명사절이 조사와 결합하여 목적어로 쓰였다.
③ ㉢: 명사절이 조사와 결합하지 않고 목적어로 쓰였다.
④ ㉣: 명사절이 조사와 결합하지 않고 부사어로 쓰였다.
⑤ ㉤: 명사절이 조사와 결합하여 부사어로 쓰였다.

08 ㉮에 해당하는 예시로 적절하지 않은 것은?

① 내 말을 잘 따른다면 허락해 주마.
② 집을 막 나서려는데 경보기가 울렸다.
③ 최선을 다했으나 결과가 좋지 않았다.
④ 오늘따라 몸이 아파서 일할 수가 없다.
⑤ 경기에 지더라도 정정당당하게 싸워 보자.

학습 활동 적용

09 다음 안은문장에서 관형절을 찾아 주어와 서술어를 갖춘 완결된 문장으로 바꾸어 쓰시오.

· 어제 핀 꽃이 벌써 시들었어.

[10~11] 다음 글을 읽고 물음에 답하시오.

상대 높임법은 화자가 청자에 대하여 높이거나 낮추어 말하는 방법이다. 상대 높임법은 종결 표현으로 실현되는데, 크게 격식체와 비격식체로 나뉜다. 격식체는 높임의 순서에 따라 하십시오체, 하오체, 하게체, 해라체로 나뉘고, 비격식체는 해요체와 해체로 나뉜다. 격식체는 의례적 용법으로 심리적 거리감을 나타내는 데 반해, 비격식체는 정감 있고 격식을 덜 차리는 표현이다.

주어가 가리키는 인물, 즉 문장에서 서술의 주체를 높이는 방법을 주체 높임법이라고 한다. 주체 높임법은 일반적으로 용언의 어간에 선어말 어미 '-(으)시-'가 붙어 표현되지만, '계시다', '잡수시다' 등 특수한 어휘로 표현되기도 한다. 또 주격 조사 '께서'가 쓰이기도 하고, 주어인 명사에 '-님'이 덧붙기도 한다.

주체를 직접 높이는 것을 직접 높임이라고 하고, 주체와 밀접하게 관련된 대상을 높임으로써 주체를 간접적으로 높이는 것을 간접 높임이라고 한다. '선생님께서 벌써 도착하셨어.'는 직접 높임의 예이고, '선생님 말씀이 타당하십니다.'는 간접 높임의 예이다.

목적어나 부사어가 지시하는 대상, 즉 문장에서 서술의 객체를 높이는 방법을 객체 높임법이라고 한다. 객체 높임법은 어미를 사용하는 주체 높임법이나 상대 높임법과 달리 특수한 어휘를 사용해서 표현한다. 그리고 객체 높임법에서는 조사 '에게' 대신 '께'를 사용하기도 한다.

10 **〈보기〉의 ㉠~㉢에서 높임을 받고 있는 대상으로 적절한 것은?**

〈보기〉
㉠ 할아버지, 동생이 지금 집에 가고 있대요.
㉡ 선생님께서 학생들에게 좋은 말씀을 해 주셨다.
㉢ 이 서류를 지금 부장님께 드리면 좋겠어.

	㉠	㉡	㉢		㉠	㉡	㉢
①	객체	청자	주체	②	객체	주체	청자
③	주체	청자	객체, 청자	④	청자	주체	객체
⑤	청자	객체	객체, 청자				

고난도 수능형

11 **〈보기〉를 바탕으로 높임법에 대해 탐구한 내용으로 적절하지 않은 것은?**

〈보기〉
㉠ 선생님께서 아프시다고 해서 걱정이 됩니다.
㉡ 할머니께서 눈이 잘 안 보이시는 듯합니다.
㉢ 제가 아버지께 말씀을 드리고 할머니를 모시고 올게요.
㉣ 할아버지, 하실 말씀이 있으시면 제가 그분들께 여쭐게요.

① ㉠과 ㉡에서는 주격 조사에서도 주체에 대한 높임의 태도가 나타나 있다.
② ㉠과 ㉢에는 주체에 대한 높임의 태도를 나타내는 선어말 어미가 사용되었다.
③ ㉡과 ㉣에서는 높여야 할 대상과 관련이 있는 것을 간접적으로 높이고 있다.
④ ㉢과 ㉣에서는 부사격 조사에서도 객체에 대한 높임의 태도가 나타나고 있다.
⑤ ㉢과 ㉣에는 객체에 대한 높임의 태도를 나타내는 동사가 사용되었다.

12 **〈보기〉를 참고하여 ⓐ, ⓑ의 문장 종결 유형을 쓰시오.**

〈보기〉
말하는 사람은 자기 생각이나 느낌을 어떻게 표현할 것인가에 따라 다양한 종결 표현을 사용할 수 있다. 국어의 문장은 종결 표현 방식에 따라 대체로 평서문, 의문문, 명령문, 청유문, 감탄문으로 나뉜다. 화자가 청자에게 특별히 요구하는 바 없이 단순하게 진술하는 문장을 평서문, 화자가 청자에게 질문하여 대답을 요구하는 문장을 의문문, 화자가 청자에게 어떤 행동을 하도록 강하게 요구하는 문장을 명령문, 화자가 청자에게 어떤 행동을 함께하도록 요청하는 문장을 청유문, 화자가 청자를 별로 의식하지 않거나 거의 독백하는 어조로 자기의 느낌을 표현하는 문장을 감탄문이라고 한다.

- 영수 어머니: ⓐ 철수야, 너무 늦었는데 집에 가는 게 어떠니?
- 영수: ⓑ 철수 오늘 저랑 과제 마쳐야 하는데 우리 집에서 자고 가면 안 될까요?

[13~15] 다음 글을 읽고, 물음에 답하시오.

가 주어가 다른 주체에 의해서 동작을 당하는 것을 피동(被動)이라 한다. ㉠피동사는 능동사 어근에 피동 접미사 '-이-, -히-, -리-, -기-'가 붙어서 만들어진다.

주어가 남에게 동작을 하도록 시키는 것을 사동(使動)이라 한다. ㉡사동사는 주동사 어근에 사동 접미사 '-이-, -히-, -리-, -기-, -우-, -구-, -추-' 등이 붙어서 만들어진다.

나 부정 부사 '안, 못'과 부정 용언 '아니하다', '못하다'를 사용하여 부정 표현을 만들 수 있다. 앞의 방식으로 만들어진 부정문을 짧은 부정문, 뒤의 방식으로 만들어진 부정문을 긴 부정문이라고 한다.

의미에 따라 자신의 의지에 의한 부정, 객관적 사실에 관한 부정, 자신의 능력 부족이나 적절하지 않은 상황에 의한 부정 등이 있다.

13 밑줄 그은 단어가 (가)의 ㉠과 ㉡에 해당되는 예로 적절한 것은?

① ㉠: 이번 겨울에는 유난히 더 몸이 떨리는 것 같아.
㉡: 애들을 좀 놀려. 공부만 시키면 안 돼.
② ㉠: 종이를 태우고 나니, 그 재가 바람에 날리고 있어.
㉡: 오늘 아침 서랍 깊숙한 곳에 돈을 감추었다.
③ ㉠: 그는 조금씩 상대방과의 거리를 좁혔다.
㉡: 너무 피곤해서 눈이 자꾸 감겼다.
④ ㉠: 그 일을 하고 나니 이제야 마음이 놓인다.
㉡: 그녀는 이번 사건으로 궁지에 몰리기 시작 했다.
⑤ ㉠: 삼겹살을 구워 먹게 불을 좀 피워 봐.
㉡: 그는 다른 사람들이 들어오지 못하게 담을 높였다.

14 (나)를 참고할 때, 〈보기〉의 ㉮와 ㉯에 각각 사용된 부정 표현과 동일한 것은?

〈보기〉
㉮ 음정과 가사를 완벽하게 외우지 못했다.
㉯ 행사 관련 자료집이 아직 안 나왔다.

① ㉮: 최선을 다했지만 그 시험에 통과하지 못했다.
㉯: 민정은 배가 불러서 저녁을 먹지 않았다.
② ㉮: 날씨가 흐려서 밝은 달을 보지 못했다.
㉯: 철수는 몸살이 나서 밖에 안 나가기로 했다.
③ ㉮: 늦게 도착하는 바람에 그 친구를 못 보았다.
㉯: 아무리 기억하려고 해도 생각이 안 난다.
④ ㉮: 문제가 너무 어려워 시간 내에 풀지 못했다.
㉯: 어제에 비해 오늘은 날씨가 안 춥다.
⑤ ㉮: 아쉽게도 성민은 못 먹는 음식이 많다.
㉯: 그는 주변 사람들의 의견을 듣지 않는다.

수능형

15 (나)를 참고할 때, 〈보기〉의 ⓐ~ⓒ에 들어갈 문장으로 적절한 것은?

〈보기〉
'나는 탁구를 친다.'라는 긍정문을 아래의 과정을 통해 부정문으로 바꾸어 보자.

주체의 의지가 있습니까? → 아니요 → ⓐ
↓ 예
긴 부정문입니까? → 아니요 → ⓑ
↓ 예
ⓒ

	ⓐ	ⓑ	ⓒ
①	나는 탁구를 치지 못한다.	나는 탁구를 치지 않는다.	나는 탁구를 안 친다.
②	나는 탁구를 못 친다.	나는 탁구를 안 친다.	나는 탁구를 치지 않는다.
③	나는 탁구를 안 친다.	나는 탁구를 치지 않는다.	나는 탁구를 못 친다.
④	나는 탁구를 치지 못한다.	나는 탁구를 못 친다.	나는 탁구를 치지 않는다.
⑤	나는 탁구를 못 친다.	나는 탁구를 안 친다.	나는 탁구를 치지 못한다.

고난도 수능형

16 〈보기 1〉과 〈보기 2〉를 바탕으로, 직접 인용 표현을 간접 인용 표현으로 바꿀 때 나타나는 변화를 설명한 것중 적절하지 않은 것은?

보기 1

다른 사람의 말이나 글을 끌어다 쓰는 것을 인용이라고 한다. 인용 표현은 직접 인용 표현과 간접 인용 표현으로 나눌 수 있다.

직접 인용 표현은 다른 사람의 말이나 글을 원래의 형식과 내용 그대로 유지한 채 인용하는 것이다. 표기할 때는 해당 인용절에 큰따옴표를 붙이고, 인용절 다음에 조사 '라고'를 쓴다.

간접 인용 표현은 다른 사람의 말이나 글을 인용할 때 그 형식은 유지하지 않고 그 내용만 이해하여 자신의 말로 바꾸어 인용하는 방법이다. 간접 인용절 다음에는 조사 '고'를 쓴다.

직접 인용 표현은 원래의 말이나 글을 그대로 가져오면 되지만, 간접 인용 표현은 말하는 사람이 자신의 말로 바꾼 것이기 때문에 지시 표현, 높임 표현, 시간 표현, 문장 종결 표현 등을 상황에 맞게 적절히 바꾸어야 한다. 예를 들어, '철수가 "제가 가겠습니다."라고 말했다.'라는 직접 인용문을 간접 인용문으로 바꾸면 '철수가 자기가 가겠다고 말했다.'로 되는 것과 같이 지시 표현, 높임 표현, 문장 종결 표현 등에서 변화가 생긴다.

보기 2

다음은 직접 인용을 간접 인용으로 바꾼 문장이다.

ㄱ. 그는 어제 "내일 비가 오겠어."라고 했다.
 → 그는 어제 오늘 비가 오겠다고 했다.
ㄴ. 연미는 "제가 가겠습니다."라고 말했다.
 → 연미는 자기가 가겠다고 말했다.
ㄷ. 동생은 "빨리 떠납시다."라고 재촉했다.
 → 동생은 빨리 떠나자고 재촉했다.
ㄹ. 그 남자는 "물을 한 컵 주시오."라고 애원했다
 → 그 남자는 물을 한 컵 달라고 애원했다.

① 직접 인용절의 대명사는 간접 인용절에 어울리게 바뀔 수 있다.
② 직접 인용절의 서술어와 간접 인용절의 서술어가 달라질 수 있다.
③ 직접 인용 표현을 간접 인용 표현으로 바꿀 때, 높임의 단계가 조정될 수 있다.
④ 직접 인용 표현을 할 때와 간접 인용 표현을 할 때 시간 표현이 바뀔 수 있다.
⑤ 직접 인용 표현을 간접 인용 표현으로 바꾸면 인용절 이외의 다른 절이 나타날 수 있다.

서술형 문제

17 〈보기〉를 참고하여 ㉠~㉢의 서술어의 자릿수를 각각 쓰고, 그렇게 판단한 근거를 서술하시오.

보기

문장의 기본 구조를 이루기 위해 서술어가 필수적으로 요구하는 문장 성분의 수효를 '서술어의 자릿수'라고 한다. 서술어는 그 성격에 따라서 필수적으로 요구하는 문장 성분의 개수가 다르다.

㉠ 꽃이 예쁘게 활짝 피었다.
㉡ 그분은 나의 손을 꼭 잡으셨다.
㉢ 내가 언니에게 예쁜 선물을 주었다.

㉠
㉡
㉢

18 〈보기〉의 ㉠과 ㉡이 홑문장인지 겹문장인지 판단하고, 그 이유를 서술하시오.

보기

㉠ 나는 추운 겨울을 싫어한다.
㉡ 나는 사계절 중에 겨울을 가장 싫어한다.

㉠
㉡

학습 활동 적용

19 〈보기〉를 참고하여 ㉮와 ㉯이 의미 차이를 서술하시오.

보기

사동사에 의한 사동문을 파생적 사동문이라고 하고, '-게 하다'에 의한 사동문을 통사적 사동문이라고 한다.

㉮ 엄마가 아이에게 양말을 신겼다.
㉯ 엄마가 아이에게 양말을 신게 하였다.

담화

1 담화의 개념과 특성

[학습 목표] **담화의 개념과 특성을 탐구하여 적절하고 효과적인 국어 생활을 할 수 있다.**

- 담화의 개념과 구성 요소
- 담화의 특성

• 담화의 개념과 구성 요소

개념	개별 발화들이 모여서 이루어진 구조체
구성 요소	화자와 청자, 장면(시간적, 공간적 상황), 발화

• 담화의 특성

통일성	내용적 요건	발화가 담화의 주제를 향해 내용적으로 긴밀하게 연결되어 있는 성질
응집성	형식적 요건	발화가 서로 관련되어 있음을 나타내는 표현들이 있어야 한다는 성질. 담화의 응집성은 주로 지시 표현, 대용 표현, 접속 표현 등에 의해 실현됨. • 지시 표현: 어떤 사람이나 사물, 사건을 지시하는 표현 • 대용 표현: 담화에서 앞에 나온 어휘나 발화 전체를 다시 가리키는 표현 • 접속 표현: 구절과 구절, 문장과 문장을 이어 주는 표현

➔ 이 단원은 담화의 개념과 구조 이해를 목표로 한다. 발화들이 모여 이뤄진 통일체가 담화인데, 제대로 구성된 담화가 되기 위해서는 통일성과 응집성을 가져야 한다. 이를 이해하고, 실제 국어 생활에서 활용할 수 있도록 한다.

2 담화의 맥락과 효과적인 국어 생활

[학습 목표] **담화의 맥락을 파악하여 효과적인 국어 생활을 할 수 있다.**

- 담화의 맥락 파악의 중요성 알기
- 언어적 맥락 파악하기
- 비언어적 맥락 파악하기

• 담화의 맥락 파악의 중요성

담화의 의미를 바르게 파악하고 효과적인 담화 표현을 하기 위해서 담화의 맥락을 바르게 파악해야 한다.

• 담화의 맥락의 유형

언어적 맥락	담화 내에서 어떤 발화를 둘러싼 앞뒤의 발화를 말함.
비언어적 맥락	• 상황 맥락: 화자와 청자가 처한 시간, 공간적 장면 • 사회, 문화적 맥락: 담화를 둘러싼 사회, 문화적 상황

➔ 이 단원은 담화의 의미 해석에 관여하는 맥락에 대해 이해하는 것을 목표로 한다. 언어적 맥락, 비언어적 맥락을 학습하여 실제 국어 생활에서 맥락에 따라 적절하고 효과적인 표현을 할 수 있는 능력을 기르도록 한다.

{ 1 } 담화의 개념과 특성

소단원 시험 족보

• 담화의 개념

- 담화의 의미: 발화들이 모여서 이루어진 구조체
- 담화의 외적 구성 요소

화자와 청자	말을 주고받는 사람 • 화자: 발화를 생산하는 역할 • 청자: 발화를 이해하는 역할
장면	화자와 청자가 처한 시간적·공간적 상황
발화	일정한 상황 속에서 문장 단위로 실현된 말

1 통일성

- 담화 내의 발화들이 담화의 주제를 향해 긴밀하게 연결되어 있는 성질을 말함.
- 적절하고 자연스러운 담화가 이루어지기 위해서 갖추어야 할 기본 요건임.

확인하기 ❶

- 다음 세 발화가 통일성이 있는 하나의 담화를 구성할 수 있는지 말해 보자.

> • 코페르니쿠스는 지구가 태양의 주위를 돈다고 주장했다.
> • 갈릴레이는 지구가 둥글다고 주장했다.
> • 아인슈타인은 시간이 흐르는 속도는 상황에 따라 다르다고 주장했다.

2 응집성

- 발화들이 서로 긴밀하게 묶여 하나의 담화를 구성하도록 해 주는 형식적 요건들을 말함.
- 지시 표현, 대용 표현, 접속 표현 등에 의해 실현됨. 이와 같은 표현들은 앞에 나온 어휘, 문장, 상황 전체를 대신하거나, 상황들 사이의 시간적 순서 또는 논리적 흐름 등을 드러내어 발화의 응집성을 높임.
- 순서나 과정을 드러내는 어휘를 쓰거나 동일한 표현을 반복하는 방법으로도 응집성을 높일 수 있음.

① 지시 표현

어떤 사람이나 사물, 사건을 지시하는 표현을 말함. 화자와 청자가 대화를 나누는 시간적, 공간적 장면이 없으면 그 의미를 정확히 이해할 수 없음.

이것, 여기, 이, 이리, 이렇다	화자에게 좀 더 가까운 대상이나 장소를 가리킬 때 예 언니, 이것 어디서 났어?
그것, 거기, 그, 그리, 그렇다	화자에게서는 멀지만 청자에게는 가까운 대상이나 장소를 가리킬 때 예 그것 좀 나한테 갖다 줘.
저것, 저기, 저, 저리, 저렇다	화자와 청자 모두에게서 멀리 떨어져 있는 대상이나 장소를 가리킬 때 예 저것 좀 옮기자.

② 대용 표현

담화에서 앞에 나온 어휘나 발화 전체를 다시 가리키는 표현을 말함.

- 대용 표현과 지시 표현의 차이점: 대용 표현은 앞선 발화에서 언급된 것을 다시 가리키지만, 지시 표현은 앞선 발화에서 언급되었는지와 상관 없이 화자와 청자로부터의 멀고 가까움에 따라 특정한 대상을 가리킬 때 쓰임.

> • 아들: 잠시 도서관 좀 다녀올게요.
> • 엄마: 이 시간에 거기는 왜?
> → '거기'는 아들 말에 언급된 '도서관'을 가리키기 위해 사용된 대용 표현임.

③ 접속 표현

구절과 구절, 문장과 문장을 이어 주는 표현을 말함.

접속 부사	그리고, 그러나, 하지만, 그래서, 그래도 등
시간적 순서를 나타내는 말	먼저, 다음으로, 마지막으로 등
논리적 순서를 나타내는 말	첫째, 둘째, 셋째 등

확인하기 ❷

- 다음 발화들이 응집성을 갖추어 하나의 담화를 구성하도록 돕는 요소를 찾아보자.

> 정치 발전이란 사회 공공의 문제를 해결하는 정치 체제의 능력의 향상을 말한다. 이런 정치 발전이 이루어진 사회가 되려면 시민들의 정치의식 수준도 높아야 하지만, 국가가 합리적인 제도와 절차를 마련하여 이에 따라 국가의 일들을 결정해야 한다. 그리하면 국민이 정치 과정에 참여하기 쉬워진다.

확인하기 정답 ❶ 세 가지 발화는 하나의 통일된 주제로 묶이지 않으므로 하나의 정상적인 담화로 볼 수 없다. 그러나 수업 시간에 각자 알고 있는 과학적 지식을 발표하는 상황에서 예를 들어 '위대한 과학자', '과학사의 중요한 사건' 등과 같은 주제로 발화를 생산한 것이라면 이 발화들을 가지고 하나의 통일성 있는 담화를 구성할 수 있다. / ❷ ① '정치 발전'이란 구절의 반복 ② '이런', '이'와 같은 대용 표현의 사용 ③ '그리하면'과 같은 접속 표현의 사용

정답과 해설 p. 19

[01~03] 다음 글을 읽고, 물음에 답하시오.

가 우리는 언제나 일정한 상황에서 말을 주고받는다. 이때의 상황이란 화자와 청자, 그리고 그들이 처한 시간적·공간적 상황, 즉 장면(場面)을 포함한다. 이러한 일정한 상황 속에서 문장 단위로 실현된 말을 발화(發話)라고 하고, 발화들이 모여서 이루어진 구조체를 담화(談話)라고 한다.

나 둘 이상의 발화가 모였다고 해서 항상 적절한 담화가 이루어지는 것은 아니다. 발화들이 모여서 담화를 이루기 위해서는 일정한 조건이 갖추어져야 한다. 담화를 이루는 발화들은 우선 내용적인 면에서 하나의 주제와 관련된 것이어야 하고, 형식적인 면에서 각 발화가 서로 관련되어 있음을 나타내 주는 표현들이 있어야 한다. 전자를 통일성, 후자를 응집성이라고 한다.

다 적절하고 자연스러운 담화가 되기 위해서는 담화 내의 발화들이 하나의 주제 아래 유기적으로 모여 있어야 한다. 즉, 화자와 청자가 하나의 주제를 공유하고 그 주제에 대해서만 발화를 해야 하는 것이다. 이처럼 담화 내의 발화들이 주제를 향해 긴밀하게 연결되어 있는 성질을 담화의 통일성이라고 한다. 통일성은 담화가 갖추어야 할 가장 기본적인 요건이다.

라 담화의 응집성이란 발화들이 서로 긴밀하게 묶여 하나의 담화를 구성하도록 해 주는 형식적 요건이다. 담화의 응집성은 주로 ㉠지시 표현, ㉡대용 표현, ㉢접속 표현 등에 의해 실현된다. 이러한 표현들은 앞에 나온 어휘, 문장, 상황 전체를 대신하거나 상황들 사이의 시간적 순서 또는 논리적 흐름 등을 드러내어 발화들의 응집성을 높인다. 그 밖에 '먼저, 다음으로'와 같이 ㉣순서나 과정을 드러내는 어휘를 쓰거나 ㉤동일한 표현을 반복하는 방법으로 응집성을 표현할 수도 있다.

01 이 글을 이해한 내용으로 적절하지 않은 것은?

① 담화란 일정한 상황 속에서 발화들이 모여서 이루어진 구조체를 의미한다.
② 문장 단위인 발화가 둘 이상 모이면 적절한 담화가 이루어졌다고 말할 수 있다.
③ 담화의 응집성은 발화들이 서로 긴밀하게 관련되어 있음을 나타내 주는 형식적 요건이다.
④ 담화 내의 발화들이 하나의 주제 아래 유기적으로 연결되어 있어야 적절한 담화라고 할 수 있다.
⑤ 말을 주고받는 일정한 상황이란 화자와 청자뿐만 아니라 그들이 처한 시간적·공간적 상황까지 포함한다.

02 이 글의 ㉠~㉤ 중 〈보기〉에서 확인할 수 있는 것만을 바르게 묶은 것은?

〈보기〉

탄수화물은 사람을 비롯한 동물이 생존하는 데 필수적인 에너지원이다. 탄수화물은 섬유소와 비섬유소로 구분된다. 사람은 체내에서 합성한 효소를 이용하여 곡류의 녹말과 같은 비섬유소를 포도당으로 분해하고 이를 소장에서 흡수하여 에너지원으로 이용한다. 반면 사람은 풀이나 채소의 주성분인 셀룰로스와 같은 섬유소를 포도당으로 분해하는 효소를 합성하지 못하므로, 섬유소를 소장에서 이용하지 못한다.

① ㉠, ㉡, ㉢　② ㉠, ㉡, ㉣　③ ㉡, ㉢, ㉣
④ ㉡, ㉢, ㉤　⑤ ㉢, ㉣, ㉤

서술형　학습 활동 적용

03 이 글과 〈보기〉를 바탕으로, ⓐ~ⓒ 중 지시 표현과 대용 표현을 구별해 보고, 그 이유를 서술하시오.

〈보기〉

담화에서 화자와 청자로부터의 멀고 가까움에 따라 구별하여 특정한 대상을 가리키는 것을 지시 표현이라고 한다. 한편, 담화에서 앞에 나온 어휘나 발화 전체를 다시 가리키는 것을 대용 표현이라고 한다.

영수: 손에 들고 있는 ⓐ그거 뭐야?
민희: 고구려 역사와 관련된 책이야. 언니가 생일 때마다 책을 사주는데, ⓑ이것도 ⓒ그것 중 하나야.

{2} 담화의 맥락과 효과적인 국어 생활

소단원 시험 족보

• 담화의 맥락 파악의 중요성

담화의 의미를 바르게 파악하고 효과적인 담화 표현을 하기 위해서는 담화의 언어적 맥락과 비언어적 맥락을 정확히 파악해야 함.

1 언어적 맥락

- 담화 내에서 어떤 발화를 둘러싼 앞뒤의 발화를 의미함.
- 발화의 의미는 언어적 맥락에 의해 분명해지기도 하고, 달라지기도 함.
- 주어나 목적어를 생략한 발화가 빈번한 이유는 청자가 언어 맥락 속에서 그러한 생략 성분을 충분히 추리할 수 있기 때문임.

- 생략 가능한 요소를 의도적으로 생략하지 않음으로써 화자의 의도를 강조할 수 있음.

  예 "지난번에 빌려 간 책, 오늘 가져왔니?"
  "그래, 책 여기 있어."

> **확인하기 1**
> • 다음 담화에서 밑줄 친 "안 돼."라는 말이 지닌 구체적인 의미가 각각 어떻게 다른지 말해 보자.
>
> 철수: 우리 어제 개봉한 그 영화 보러 갈까?
> 영수: ㉠ 안 돼. 다음 주가 시험이잖아.
> ㉡ 안 돼. 청소년은 볼 수 없는 영화잖아.

2 비언어적 맥락

① 상황 맥락

화자와 청자가 처한 시간적·공간적 장면으로, 동일한 발화라도 상황이 달라지면 그 의미가 달라지기 때문에 상황을 고려하지 않으면 그 발화의 정확한 의미를 알 수 없음.

발화	상황 맥락	발화의 의미
"엄마, 비 와요."	실외에 빨래가 널려 있음.	빨래 걷으세요.(권고)
	화자가 학교에 가려고 함.	우산 좀 주세요.(요청)
	어머니(청자)가 심부름을 시키심.	심부름 가기 싫어요.(호소)

- 담화의 기능: 담화는 발화의 상황에 따라 '선언, 명령, 요청, 질문, 제안, 약속, 경고, 축하, 위로, 비난' 등의 다양한 행위와 관련된 기능을 수행함.

> **확인하기 2**
> • 다음과 같은 실제 발화가 어떤 상황에서 어떤 의미로 제시되는지를 말해 보자.
> ㉠ 지금 뭐 하니?
> ㉡ 내립시다.

② 사회·문화적 맥락

담화를 둘러싼 사회·문화적 상황으로, 언어 공동체마다 담화의 사회·문화적 맥락이 다르기 때문에 대화할 때 상대방이 속한 사회·문화적 맥락을 파악하는 일이 중요함.

> **확인하기 3**
> • 다음 담화에서 외국인이 의아하게 반응하는 이유를 사회, 문화적 맥락의 관점에서 설명해 보자.

확인하기 정답

❶ ㉠ 지금 영화를 보러 가는 것에 대하여 부정하고 있다. ㉡ 철수가 제안한 특정('그') 영화 작품을 보는 것에 대하여 부정하고 있다. / ❷ ㉠ 일반적으로 묻는 상황에서는 단순히 상대에 대하여 정보를 요청하는 것으로 볼 수 있고, 상대가 하지 말아야 할 일을 한 상황이라면 '질책'을 의미할 수도 있다. ㉡ 탈것 안에서 동행하는 사람에게 목적지에 도착했으니 함께 내리자고 하는 '청유'의 의미로 볼 수도 있고, 출구로 가기 위해 앞의 사람에게 자리를 비켜 달라고 하는 '요청'의 의미로 볼 수도 있다. / ❸ 사회 · 문화적 맥락을 고려할 때 우리나라에서 "차린 건 없지만 많이 드세요."라는 말은, 실제로 차린 음식이 적다는 사실적 의미를 지니기보다는 겸손이나 겸양의 의미로 이해되는 경우가 더 많다. / '시원하다'의 경우도 우리나라에서는 '음식이 차고 산뜻하다.'의 의미뿐만이 아니라 '뜨거우면서 속을 후련하게 하는 점이 있다.'의 의미로 더러 쓰인다.

정답과 해설 p. 19

소단원 적중 문제

[01~02] 다음 글을 읽고, 물음에 답하시오.

가 담화의 의미를 바르게 파악하기 위해서는 앞뒤 문맥에서 나타나는 언어적 맥락은 물론, 상황 맥락이나 사회·문화적 맥락과 같은 비언어적 맥락도 고려해야 한다. 이와 마찬가지로 표현을 할 때도 담화의 언어적 맥락과 비언어적 맥락을 살핌으로써 그에 적절히 어울리는 담화 표현을 사용해야 한다.

나

> 선생님: 철수 어디 갔니?
> 학 생: 못 봤는데요.

담화 내에서 어떤 발화를 둘러싼 앞뒤의 발화를 언어적 맥락이라고 한다. 발화의 의미는 언어적 맥락에 의해 분명해지기도 하고 달라지기도 한다. 예를 들어, 위의 담화에서 "못 봤는데요."라는 발화는 앞 발화에서 '철수'가 언급되었기 때문에 의미가 제대로 전달되는 것이다. 이처럼 발화의 의미를 제대로 이해하고 정확한 의사소통을 위해서는 우선 담화가 이루어지고 있는 언어적 맥락을 정확히 파악해야 한다.

다 화자와 청자가 처한 시간적·공간적 장면을 상황 맥락이라고 한다. 같은 발화라도 상황이 달라지면 그 의미도 달라지기 때문에 상황을 고려하지 않으면 발화의 정확한 의미를 알 수 없다. 예를 들어, "엄마, 비 와요."라는 발화도 상황에 따라 여러 가지 의미로 이해될 수 있다. 특별한 상황을 고려하지 않는다면 날씨에 대한 단순 진술로 이해되지만, 상황에 따라서 "우산 좀 주세요."라는 요청으로 이해될 수도 있고, "빨래 걷으세요."라는 권고로 이해될 수도 있으며, "심부름 가기 싫어요."라는 호소로 이해될 수도 있다. 이처럼 실제 발화의 의미는 화자, 청자, 장면 등 담화를 구성하고 있는 다양한 요소들을 고려해야만 제대로 이해할 수 있다. 특히 지시 표현, 높임 표현, 생략 표현 등이 나타내는 의미나 화자의 심리적 태도는 담화 맥락과 상황에 의존하는 바가 크다.

라 모든 언어 공동체는 그 나름의 사회·문화적 관습과 규범 등을 공유한다. 따라서 화자와 청자가 나누는 담화는 그들이 속한 언어 공동체의 사회·문화적 관습과 규범을 따르게 된다. 이처럼 담화를 둘러싼 사회·문화적 상황을 사회·문화적 맥락이라 한다.

소속된 언어 공동체가 다르면 담화의 사회·문화적 맥락이 다르므로 대화할 때 상대방의 사회·문화적 맥락을 고려해야 한다. 예를 들어, 우리나라에서는 상대의 권유를 한 번쯤 거절하는 태도를 겸손하다고 여기는 문화가 있어서 음식을 더 먹으라는 권유에 대해 흔히 "괜찮습니다."라고 말한다. 하지만 이러한 사회·문화적 분위기를 겪어 보지 못한 외국인은 "괜찮습니다."라는 말을 의미 그대로 이해하고 더 권하지 않을 수 있다.

01 이 글의 내용과 일치하지 않은 것은?

① 동일한 발화라도 상황에 따라 그 의미가 달라질 수 있다.
② 소속된 언어 공동체에 따라 담화의 사회·문화적 맥락이 다르다.
③ 화자의 심리적 태도는 담화의 맥락, 상황과 별개로 파악해야 한다.
④ 담화의 의미를 파악하기 위해서는 언어적 맥락과 비언어적 맥락을 모두 고려해야 한다.
⑤ 발화의 의미를 제대로 이해하기 위해서는 우선적으로 언어적 맥락을 정확히 파악할 필요가 있다.

학습 활동 적용

02 이 글을 참고하여 상황 맥락을 고려할 때, 〈보기〉의 [A]에 대해 이해한 내용으로 가장 적절한 것은?

〈보기〉
> 선생님: 벌써 1시네. 난 지금 식사하려고 하는데, 밥 먹으러 같이 가는 건 어떠니?
> 영 호: [A]집에서 친척 모임이 있는데요, 곧 시작할 시간이에요.
> 선생님: 그래. 그럼 다음에 보자.

① 상대방의 제안을 완곡하게 거절하고 있다.
② 상대방에게 구체적인 방법을 제시해 주고 있다.
③ 상대방이 가지고 있는 부담을 완화시키고 있다.
④ 상대방의 태도 변화를 우회적으로 촉구하고 있다.
⑤ 상대방의 요구를 일부 수용하면서 조건을 제시하고 있다.

중단원 실전 문제

정답과 해설 p. 20

[01~03] 다음 글을 읽고, 물음에 답하시오.

우리는 언제나 일정한 상황에서 말을 주고받는다. 이때의 상황이란 화자와 청자, 그리고 그들이 처한 시간적·공간적 상황, 즉 장면(場面)을 포함한다. 이러한 일정한 상황 속에서 문장 단위로 실현된 말을 발화(發話)라고 하고, 발화들이 모여서 이루어진 구조체를 담화(談話)라고 한다.

둘 이상의 발화가 모였다고 해서 항상 적절한 담화가 이루어지는 것은 아니다. 발화들이 모여서 담화를 이루기 위해서는 일정한 조건이 갖추어져야 한다. 담화를 이루는 발화들은 우선 내용적인 면에서 하나의 주제와 관련된 것이어야 하고, 형식적인 면에서 각 발화가 서로 관련되어 있음을 나타내 주는 표현들이 있어야 한다. 전자를 ㉠통일성, 후자를 응집성이라고 한다.

적절하고 자연스러운 담화가 되기 위해서는 담화 내의 발화들이 하나의 주제 아래 유기적으로 모여 있어야 한다. 즉, 화자와 청자가 하나의 주제를 공유하고 그 주제에 대해서만 발화를 해야 하는 것이다. 이처럼 담화 내의 발화들이 주제를 향해 긴밀하게 연결되어 있는 성질을 담화의 통일성이라고 한다. 통일성은 담화가 갖추어야 할 가장 기본적인 요건이다.

담화의 응집성이란 발화들이 서로 긴밀하게 묶여 하나의 담화를 구성하도록 해 주는 형식적 요건이다. 담화의 응집성은 주로 지시 표현, 대용 표현, 접속 표현 등에 의해 실현된다. 이러한 표현들은 앞에 나온 어휘, 문장, 상황 전체를 대신하거나 상황들 사이의 시간적 순서 또는 논리적 흐름 등을 드러내어 발화들의 응집성을 높인다. 그 밖에 '먼저, 다음으로'와 같이 순서나 과정을 드러내는 어휘를 쓰거나 동일한 표현을 반복하는 방법으로 응집성을 표현할 수도 있다.

지시 표현은 화자와 청자가 대화를 나누는 시간적·공간적 장면이 없으면 그 의미를 정확히 이해할 수 없다. 예를 들어, '이것, 그것, 저것'과 같은 지시 대명사들은 어떤 장면에서 사용되는지에 따라 달리 선택된다. '이것'은 화자에게 좀 더 가까운 대상을, '그것'은 화자에게는 멀지만 청자에게는 가까운 대상을, 그리고 '저것'은 화자와 청자 모두에게서 멀리 떨어져 있는 대상을 가리킬 때 각각 사용한다.

담화에서 앞에 나온 어휘나 발화 전체를 다시 가리키는 것을 대용 표현이라고 한다. 대용 표현에는 지시 표현에 사용되는 대명사 가운데 주로 '이'와 '그' 계통의 것들이 사용되기 때문에 형식상으로 잘 구별되지 않는다. 그러나 대용 표현은 화자 또는 청자의 말에서 언급된 것을 다시 가리킬 때 쓰인다는 점에서 화자와 청자로부터의 멀고 가까움에 따라 특정한 대상을 가리키는 지시 표현과 구별된다.

응집성을 갖춘 담화를 구성하는 데에는 지시 표현이나 대용 표현 이외에 접속 표현이 특히 중요한 기능을 한다. 예를 들어, '소리를 높여 다시 불렀다.'는 발화와 '대답이 없었다.'는 발화는 서로 관련이 없어 보이지만, '그래도'와 같은 접속 표현으로 응집성 있는 담화로 묶일 수 있다.

01 이 글에서 확인할 수 없는 내용은?

① 발화와 담화의 개념
② 담화 상황의 구성 요소
③ 접속 표현의 다양한 유형
④ 적절한 담화의 성립 조건
⑤ 담화의 응집성이 실현되는 방식

서술형

02 ㉠을 고려하여 〈보기〉의 담화에 대해 평가하시오.

〈보기〉

우리 학교 도서관 이름이 왜 '슬기ᄀᆞ름'인지 아십니까?

우리는 책을 통해 많은 지식뿐만 아니라 살아가는 데 필요한 지혜를 얻을 수 있습니다. 도서관은 우리가 이러한 책들과 만나게 해 주는 장소입니다. 그래서 도서관 이름을 '슬기ᄀᆞ름'으로 정했습니다. '슬기'는 '사리를 밝히고 잘 처리해 가는 능력'이라는 순 우리말이고, 'ᄀᆞ름'은 '강'의 순 우리말로서 인간이 모여 문명을 발전시켜 온 터전을 의미합니다. 강은 인간에게 혜택도 주지만 피해도 줍니다.

다시 말해, '슬기ᄀᆞ름'은 '슬기를 얻는 터전', 그것도 '강처럼 우리에게 많은 슬기를 주는 터전'이라는 뜻입니다.

중단원 실전 문제

수능형 학습 활동 적용

03 이 글을 바탕으로 (가)~(마)의 밑줄 친 부분을 이해한 내용으로 적절하지 않은 것은?

〈보기〉

(가) A: 책상에 있는 그것이 혹시 오늘 모임 자료인가요?
B: 아닙니다. 이것은 동아리 발표 자료입니다.
(나) A: 잠깐 놀이터에 갔다 올게요.
B: 이 시간에 거기는 왜?
(다) A: 오늘 학급회의 어떻게 할까?
B: 우선 임원 선거를 하고, 다음으로 학급 테마 활동에 관해서 이야기해 보자.
(라) A: 계획서에 이 사업의 추진 배경을 기재해 주십시오.
B: 네 알겠습니다. 그러면 더 좋은 계획서가 되겠네요.
(마) A: 다음 동아리 축제 때에는 무엇을 하지?
B: 이건 어때? 동아리 활동 사진전을 열어 보는 거야.

① (가): 담화의 응집성을 높이는 지시 표현으로, A의 '그것'과 B의 '이것'이 가리키는 대상은 동일하다.
② (나): B의 '거기'는 '놀이터'를 다시 가리키는 대용 표현으로, 담화의 응집성을 높이는 데 기여한다.
③ (다): B의 '우선', '다음으로'는 순서나 과정을 드러내는 어휘로, 담화의 응집성을 드러내고 있다.
④ (라): B의 '그러면'은 접속 표현으로, 발화와 발화를 응집성 있는 담화로 묶어 준다.
⑤ (마): B의 '이건'은 지시 표현으로, 화자와 청자가 대화를 나누는 장면을 통해 그 의미를 알 수 있다.

[04~05] 다음 글을 읽고, 물음에 답하시오.

가 담화의 의미를 바르게 파악하기 위해서는 앞뒤 문맥에서 나타나는 언어적 맥락은 물론, 상황 맥락이나 사회·문화적 맥락과 같은 비언어적 맥락도 고려해야 한다. 이와 마찬가지로 표현을 할 때도 담화의 언어적 맥락과 비언어적 맥락을 살핌으로써 그에 적절히 어울리는 담화 표현을 사용해야 한다.

선생님: 철수 어디 갔니?
학 생: 못 봤는데요.

담화 내에서 어떤 발화를 둘러싼 앞뒤의 발화를 언어적 맥락이라고 한다. 발화의 의미는 언어적 맥락에 의해 분명해지기도 하고 달라지기도 한다. 예를 들어, 위의 담화에서 "못 봤는데요."라는 발화는 앞 발화에서 '철수'가 언급되었기 때문에 의미가 제대로 전달되는 것이다. 이처럼 발화의 의미를 제대로 이해하고 정확한 의사소통을 위해서는 우선 담화가 이루어지고 있는 언어적 맥락을 정확히 파악해야 한다.

다 화자와 청자가 처한 시간적·공간적 장면을 상황 맥락이라고 한다. 같은 발화라도 상황이 달라지면 그 의미도 달라지기 때문에 상황을 고려하지 않으면 발화의 정확한 의미를 알 수 없다. 예를 들어, "엄마, 비 와요."라는 발화도 상황에 따라 여러 가지 의미로 이해될 수 있다. 특별한 상황을 고려하지 않는다면 날씨에 대한 단순 진술로 이해되지만, 상황에 따라서 "우산 좀 주세요."라는 요청으로 이해될 수도 있고, "빨래 걷으세요."라는 권고로 이해될 수도 있으며, "심부름 가기 싫어요."라는 호소로 이해될 수도 있다. 이처럼 실제 발화의 의미는 화자, 청자, 장면 등 담화를 구성하고 있는 다양한 요소들을 고려해야만 제대로 이해할 수 있다. 특히 지시 표현, 높임 표현, 생략 표현 등이 나타내는 의미나 화자의 심리적 태도는 담화 맥락과 상황에 의존하는 바가 크다.

라 모든 언어 공동체는 그 나름의 사회·문화적 관습과 규범 등을 공유한다. 따라서 화자와 청자가 나누는 담화는 그들이 속한 언어 공동체의 사회·문화적 관습과 규범을 따르게 된다. 이처럼 담화를 둘러싼 사회·문화적 상황을 사회·문화적 맥락이라 한다. 예를 들어, "자네 어디 가나?"와 같은 '하게체' 말투는 나이 지긋한 어른들이 쓰는 말이라는 우리의 사회·문화적 분위기상 젊은 층이 쓸 때 어색하게 느껴지는 것이다.

마 소속된 언어 공동체가 다르면 담화의 사회·문화적 맥락이 다르므로 대화할 때 상대방의 사회·문화적 맥락을 고려해야 한다. 예를 들어, 우리나라에서는 상대의 권유를 한 번쯤 거절하는 태도를 겸손하다고 여기는 문화가 있어서 음식을 더 먹으라는 권유에 대해 흔히 "괜찮습니다."라고 말한다. 하지만 이러한 사회·문화적 분위기를 겪어 보지 못한 외국인은 "괜찮습니다."라는 말을 의미 그대로 이해하고 더 권하지 않을 수 있다.

학습 활동 적용

04 (다)를 참고할 때, 다음 발화 중 이질적인 하나는?

① (반장이 떠드는 학생에게) 시끄러워서 집중이 안 돼.
② (버스 정류장에서 흡연을 하는 사람에게) 이곳은 금연 구역입니다.
③ (엄마가 감기로 기침을 하는 아이에게) 자, 이리 와서 약 먹을까?
④ (승강기 안쪽의 사람이 자신의 앞을 가로막고 있는 문 앞의 사람에게) 저 내립니다.
⑤ (학급회의의 안건에 대해 표결까지 마친 뒤) 오늘 회의는 여기에서 마치도록 하겠습니다.

수능형

05 이 글을 바탕으로 상황 맥락을 고려할 때, 〈보기〉의 ㉠에 대해 이해한 내용으로 가장 적절한 것은?

〈보기〉

이 과장: 저희 회사 연수원에 비치할 냉장고, 텔레비전, 전기 포트 등 생활 가전을 대량 구매하고자 하는데요, 보내 드린 목록대로 총 50대가량을 구매하는 만큼 저희 쪽에서는 15% 정도의 할인 혜택을 얻어 보다 합리적인 가격에 구매하고자 합니다.

매장 주인: 예, 저번에 전화로 말씀하신 대로군요. 일단 저희 매장을 선택해 주신 것에 감사드립니다. 저희 브랜드의 특성을 말씀드리죠. 널리 알려져 있듯이 저희는 할인 행사를 하지 않습니다. ㉠대신 무상 에이에스(AS) 기간이 타 브랜드보다 두 배나 길지요. 기업 등에서 대량 구매 시 5% 할인을 해 드리고 있으며 그 이상은 어렵다는 것이 저희 입장입니다. 따라서 5%까지만 할인해 드릴 수 있습니다.

① 상황 맥락을 고려해 볼 때, 상대방의 요구 사항을 수용할 수 없음을 나타내는 발화이다.
② 사회·문화적 맥락을 고려해 볼 때, 상대방 주장의 약점을 파악하여 반박하기 위한 발화이다.
③ 상황 맥락을 고려해 볼 때, 상대방의 요구 사항에 부합하는 일상적 정보를 제공하기 위한 발화이다.
④ 언어적 맥락을 고려해 볼 때, 상대방의 요구 중 자신이 양보할 수 있는 부분을 알려 주기 위한 발화이다.
⑤ 사회·문화적 맥락을 고려해 볼 때, 상대방의 요구 사항을 수용하는 데 필요한 조건을 나타내는 발화이다.

서술형 문제

06 〈보기〉 중 'B'의 발화에서 '거기'가 어디인지 쓰고, 그렇게 판단한 이유를 서술하시오.

〈보기〉

A: 우리 오늘 축구하기로 한 거 알지?
B: 응. 저녁에 거기에서 봐.

07 다음은 학생의 발표 내용이다. '통일성'과 '응집성' 측면에서 발표 내용을 평가하시오.

과테말라에서는 옛날부터 걱정이 많아 잠을 못 이루는 아이들이 자신의 걱정을 '걱정 인형'에게 털어놓은 뒤 잠을 청했다고 합니다. 과테말라에는 걱정 인형과 관련된 풍습 외에도 다양한 민간 풍습이 전해 내려옵니다.
제가 어릴 적에 읽었던 「겁쟁이 빌리」는 이 인형을 소재로 한 이야기입니다. 빌리는 소심한 성격 때문에 모든 일을 걱정합니다. 이러한 빌리에게 할머니는 걱정 인형을 선물합니다. 이 인형으로 걱정을 잊고 지내던 빌리에게 또 다른 걱정이 생깁니다. '걱정 인형'의 걱정이 마음에 걸렸습니다. 그래서 빌리는 '걱정 인형'의 걱정을 대신하는 인형을 만들어 그 걱정을 해결합니다.
이제 빌리는 더 이상 걱정을 하지 않게 될까요? 아마 빌리는 또 다른 인형이 필요하게 될지 모릅니다. 걱정 인형은 빌리에게 위안이 될 수는 있습니다. 하지만 빌리의 걱정 자체를 해결해 주지는 못합니다. 인형에만 기댄다면 우리도 '빌리'가 되지 않을까요?

〈조건〉

• 통일성과 응집성의 개념을 제시할 것

매체 언어의 탐구와 활용

≫ 대단원의 흐름

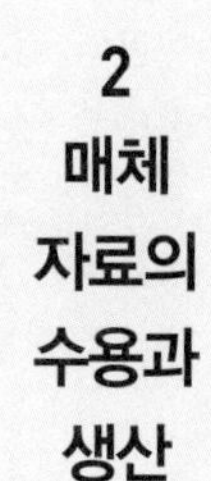

1 매체 언어의 특성

(1) 정보의 구성과 유통 방식
- 매체에 따라 정보를 구성하는 방식은 어떻게 다를까?
- 매체에 따라 자료를 유통하는 방식은 어떻게 다를까?

(2) 표현의 창의성과 심미적 가치
- 매체를 활용하며 창의적으로 표현하려면 어떻게 해야 할까?
- 매체 언어의 심미적 가치를 담은 자료에는 무엇이 있을까?

2 매체 자료의 수용과 생산

(1) 매체로 만나는 너와 나
- 편지, 블로그, 누리 소통망(SNS) 등과 같은 친교를 위한 매체 자료는 무엇에 중점을 두어 수용하고 생산해야 할까?

(2) 매체로 주고받는 정보
- 정보 전달 매체 자료의 수용과 생산 기사나 뉴스, 사전과 같은 정보를 전달하는 매체 자료를 수용하고 생산할 때 고려해야 할 점은 무엇인가?

(3) 매체로 설득하다
- 광고나 사설 등과 같은 설득을 위한 매체 자료를 수용하고 생산할 때 유의할 점은 무엇일까?

(4) 매체로 빚은 예술
- 우리에게 아름다움을 주는 매체 자료는 어떻게 만들고, 그것을 수용할 때는 어떻게 해야 할까?

3 생활 속의 매체

(1) 매체와 사회·문화
- 현대인의 삶에 매체는 어떤 영향을 끼칠까?
- 대중 매체는 문화 발전에 어떤 영향을 끼칠까?

(2) 매체 생활의 성찰
- 매체 문화를 향유하는 바람직한 태도는 무엇일까?
- 매체 언어생활의 성찰 바람직한 매체 언어생활을 위해서는 어떻게 해야 할까?

1 매체 언어의 특성

1 정보의 구성과 유통 방식

[학습 목표] 매체의 특성에 따라 정보가 구성되고 유통되는 방식을 알고 이를 의사소통에 활용할 수 있다.

• 매체에 따른 정보 구성 방식의 차이 알기 • 매체에 따른 자료 유통 방식의 차이 알기

• 매체 자료의 정보 구성 방식

매체 종류			정보 구성 방식
인쇄 매체	책, 신문 등	➡	문자, 사진 등의 매체 언어를 활용
방송 매체	라디오, 텔레비전 등	➡	음향, 음성, 영상 등의 매체 언어를 활용
정보 통신 매체	인터넷, 휴대 전화 등	➡	문자, 사진, 음향, 음성, 영상, 하이퍼링크 등의 매체 언어를 활용

• 매체의 정보 유통 방식

전통적인 개인 매체	➡	대중 매체	➡	정보 통신 매체
• 일방향성, 일대다 소통 • 정보 전달의 속도가 상대적으로 느림. • 정보 제공자의 범위가 한정적이어서 전문성이 높음.	+	• 일방향성, 일대다 소통 • 대량의 정보를 많은 사람에게 동시에 전달이 가능함. • 정보 제공자와 정보 수용자의 구분이 명확함.	+	• 쌍방향성, 다대다 소통 • 다양한 정보를 신속하게 전달할 수 있음. • 정보의 수용자에 머물렀던 일반인들도 쉽게 정보 제공자가 될 수 있으나, 이에 따라 정보의 신뢰성이 떨어질 수 있음.

➡ 기술의 발달과 함께 새로운 매체가 등장하면서 정보를 구성하고 유통하는 방식에도 큰 변화가 생겼다. 매체의 특성에 따라 정보를 구성하고 자료를 유통하는 방식이 어떻게 다른지 알아보고 이를 실제 의사소통에 활용할 수 있도록 한다.

2 표현의 창의성과 심미적 가치

[학습 목표] 매체 언어의 창의적 표현 방법과 심미적 가치를 이해하고 향유할 수 있다.

• 매체 언어의 창의적 표현 방법 이해하기 • 매체 자료에 나타난 심미적 가치 이해하기

• 매체 언어의 창의적 표현 방법

• 필요성: 매체를 통해 의사소통의 효율성을 제고할 수 있음.
• 방법: 매체의 특성을 고려하고, 매체 언어의 복합적 양식을 활용함.

• 매체 언어의 심미적 가치

• 표현 방법: 정서적 자극, 창의적 표현 등을 통해 구현
• 양식: 영화, 드라마, 사진, 만화, 웹툰, 비디오 아트 등

➡ 매체 언어의 심미적 가치는 수용자들의 정서적 자극이나 매체 언어의 창의적 표현을 통해 구현된다. 매체 언어를 창의적이고 아름답게 표현하는 방법과 양식을 알아보고 이를 실제 의사소통에 활용할 수 있도록 한다.

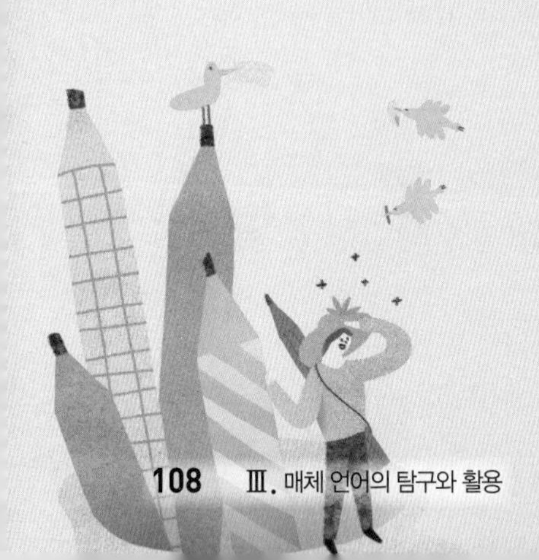

{ 1 } 정보의 구성과 유통 방식

소단원 시험 족보

활동 1 아날로그 매체와 디지털 매체의 정보 구성과 유통

① 정보 구성 방식

인쇄 매체 자료	인터넷 매체 자료
• 문자, 이미지 등의 매체 언어를 활용함. • 일반적으로 문자 언어의 역할이 크고, 이해를 돕기 위해 이미지가 활용되는 형태가 많음. • 전문적이고 깊이 있는 내용을 다룰 수 있음.	• 소리, 문자, 음성, 이미지, 동영상, 하이퍼링크 등 매체 언어의 복합 양식성을 활용하여 주제를 전달함. • 하이퍼텍스트를 기반으로 정보 간 유기적 조직이 가능함. • 누구나 정보의 생산 주체가 될 수 있어 다양한 분야에 관한 정보를 전달할 수 있음.

② 정보 유통 방식

유통 방식 \ 매체	인쇄 매체(책)	인터넷 매체(블로그)
정보 제공 속도	인터넷 매체보다 정보 제공 속도가 느림.	신속하게 대량의 정보를 전달함.
정보 보존 방법	인쇄물의 형태로 정보가 보존됨.	서버 등의 디지털 정보의 형태로 정보가 보존됨.
정보 제공자의 범위	정보를 제공하는 주체가 해당 분야의 전문가인 경우가 많아 정보 제공자의 범위가 폐쇄적이나 정보의 신뢰성이 높음.	일반인들도 쉽게 정보 제공자가 될 수 있어 정보 제공자의 범위는 개방적이지만 상대적으로 정보의 신뢰성이 떨어짐.

제재 연구

(제재 1) 인쇄 매체 – 책 (1) 스매시

제재	배드민턴 기술인 스매시
주제	스매시의 개념과 방법, 그리고 공격 조건
특징	• 문자 언어를 활용하여 스매시 기술에 관한 기본적인 내용을 설명함. • 이미지(그림, 사진)를 통해 스매시를 하는 자세와 라켓의 타격 방향을 설명함.

(제재 2) 인터넷 매체 – 블로그 '스트로크 익히기: 스매시 편'

제재	배드민턴 기술인 스매시
주제	스매시를 잘 구사하는 방법
특징	• 동영상을 통해 스매시을 하는 자세와 방법을 설명함. • 핵심 정보와 연관성이 있는 부가적인 정보는 하이퍼링크로 연결함.

활동 2 신문 매체와 방송 매체의 정보 구성과 유통

① 정보 구성과 유통 방식

신문 매체	방송 매체(텔레비전 뉴스)
• 문자, 이미지 등의 매체 언어를 활용함. • 기사 분량이나 제목 활자의 크기 등으로 기사의 중요도를 드러냄.	• 문자, 음성, 이미지, 동영상, 등의 매체 언어를 활용함. • 문자를 활용한 자막 등의 장치로 핵심 정보를 전달하기도 함. • 중요한 뉴스를 순서에 따라 앞부분에 소개함으로써 뉴스의 중요도를 드러냄.

② 신문과 방송 매체의 장단점

매체	장점	단점
신문	• 정보를 전달하는 데 있어 시간의 제한이 없으므로 내용 구성이 상대적으로 쉬움. • 독자가 원하는 기사만을 선택적으로 읽고 정보를 수용할 수 있음.	• 텔레비전보다 정보 전달의 속도가 늦음. • 텔레비전보다 정보의 실재감이 떨어짐.
방송(텔레비전)	• 동영상을 위주로 정보를 전달할 수 있으므로 정보의 실재감을 높일 수 있음. • 신문보다 정보 전달 속도가 빠름.	• 정보의 구성과 유통에 시간적 제약이 따름. • 시청자들이 원하는 뉴스만을 선택하여 보기 어려움.

제재 연구

(제재 1) 신문 매체 – 학교 폭력 잡은 '선플의 기적'

제재	선플 달기 운동
주제	학교 폭력을 잡은 선플 달기 운동
특징	• 한 초등학교에서 '선플 달기 운동'을 한 사연을 문자 언어를 활용하여 소개함. • 이미지(그래프)를 통해 학교 폭력 월별 발생 건수를 시각적으로 제시함.

(제재 2) 방송 매체 – 아름다운 댓글, '선플'로 사랑을

제재	선플로 사랑을 전하는 시민운동
주제	선플을 하자는 시민운동 및 선플 운동 효과 소개
특징	• 동영상, 음성, 문자 등의 매체 언어를 활용하여 내용을 전달함. • 뉴스의 핵심 내용을 자막으로 처리함.

소단원 적중 문제

[01~03] 다음 매체 자료를 보고, 물음에 답하시오.

가 (1) 스매시(smash)

스매시는 높이 떠오는 셔틀콕을 빠른 속도와 강한 힘으로 화살과 같이 상대방의 코트 면에 쳐서 넣는 타구이다. 배구의 스파이크와 마찬가지이다. 스매시는 배드민턴의 기술 중 가장 매력적이고 화려하며 공격적 파괴력을 지닌 것이 특징이다. 주로 셔틀콕을 빠르게 낙하시켜 상대의 자세를 무너뜨리며 랠리의 결정구로 사용된다.

타구하는 방법은 속도를 싣기 위해 백스윙을 시작하는 동작이나 타구 후의 동작 등을 크게 해야 한다. 공격에 성공하면 바로 득점으로 연결되지만, 실수가 잦다는 것이 스매시의 단점이다. 또한 동작이 클수록 상대에게 공격이 읽히기 쉽고, 타구 후에도 다음 동작으로 연결하는 것이 비교적 늦어져 상대에게 반격을 당할 수 있다. 따라서 스매시는 강하고 빠른 속도로만 타구하려 하지 말고 날카로운 각도로 경기장 양쪽 구석을 향해 정확히 치는 것이 효과적이다.

㉠ 스매시 공격 조건

스매시는 지능적인 작전을 잘하는 경기자가 사용할 때 가장 효과적이다. 그러나 여기에 따르는 다음과 같은 조건이 충족되어야 한다.

- 체력의 소모를 적절히 조절할 것(과도한 스매시는 삼갈 것).
- 결정적 순간의 포착을 위해 정확한 타이밍을 맞출 것.
- 수비자의 허술한 지점을 포착하여 공격할 것.

나

무지개 블로그

프로필▸ 쪽지▸ 이웃 추가▸

무지개님 블로그 이웃 블로그 바로 가기

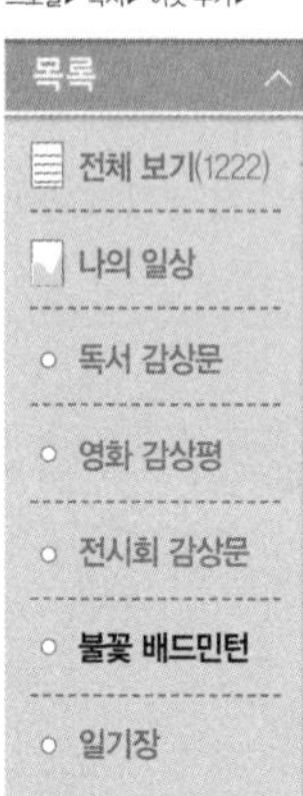

스트로크 익히기: 스매시 편

배드민턴 기술 중 다양한 스트로크 방법에 대해 알려 드리겠습니다.
(〉〉 배드민턴 그립 잡는 방법은 링크를 누르세요. 배드민턴 그립)

배드민턴을 하는 사람이라면 멋진 스매시를 구사하고 싶어 합니다.
스매시를 하는 방법은 다음과 같습니다. 먼저 상체에 힘을 빼고 점프한 뒤, 라켓을 어깨 뒤로 뺀 후 백스윙을 오른쪽 어깨 뒤쪽으로 충분히 해 준 후, 셔틀콕을 15도 정도 앞에서 타격해 주고, 손목을 최대한 이용하여 내리꽂는 느낌으로 칩니다.
자세는 아래 동영상을 참고해 주세요.

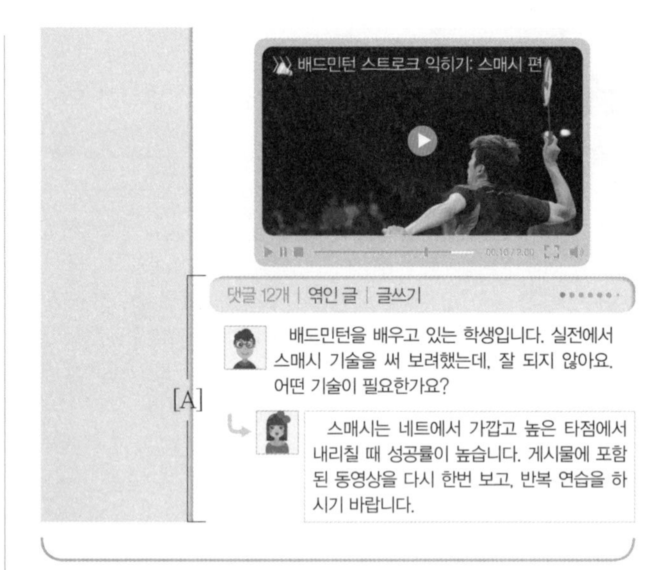

배드민턴 스트로크 익히기: 스매시 편
댓글 12개 | 엮인 글 | 글쓰기
[A]
배드민턴을 배우고 있는 학생입니다. 실전에서 스매시 기술을 써 보려했는데, 잘 되지 않아요. 어떤 기술이 필요한가요?
스매시는 네트에서 가깝고 높은 타점에서 내리칠 때 성공률이 높습니다. 게시물에 포함된 동영상을 다시 한번 보고, 반복 연습을 하시기 바랍니다.

01 정보의 유통 방식의 차이를 고려할 때, (가)와 (나)의 두 매체를 비교한 것으로 적절한 것은?

① (가)는 (나)에 비해 정보를 제공하는 속도가 빠르다.
② (가)는 (나)보다 정보 제공자의 범위가 넓다.
③ (가)는 (나)에 비해 정보의 복제와 대량 유통에 용이하다.
④ (가)는 인쇄물의 형태로 유통되지만, (나)는 디지털 정보의 형태로 유통된다.
⑤ (가)는 정보의 보존과 유통이 자유롭지만 (나)는 정보의 보존과 유통이 제한적이다.

수능형

02 (가)를 보고 (나)를 만들었다고 할 때, 고려한 사항으로 적절하지 않은 것은?

① (가)에서 다룬 여러 정보 중 한 가지에 집중에서 내용을 구성해야겠어.
② (가)에서 설명한 동작을 이해하기 쉽도록 동영상 자료를 첨부해야겠어.
③ (가)에서 설명하는 동작을 배우기 위해 기본이 되는 정보를 하이퍼링크를 통해 알려 줘야겠어.
④ (가)에 사용된 정보를 인용할 때는 출처를 밝혀 독자들이 추가로 찾아볼 수 있도록 해야겠어.
⑤ (가)의 핵심 정보에 대해 독자들이 궁금해 할 사항들을 해소할 수 있는 장치를 만들어야겠어.

서술형 학습 활동 적용

03 [A]의 기능이 무엇인지 '소통'이라는 측면에서 서술하시오.

[04~06] 다음 글을 읽고, 물음에 답하시오.

(가) 신문 기사

세계일보 2013년 6월 18일

학교 폭력 잡은 '선플의 기적'

울산 교육청 '선플 운동'
8개월째 비속어가 일상어였던
학생들의 언어 순화
학교 폭력 신고도 30% 감소
선플 20개 달면
봉사 활동 1시간 인정

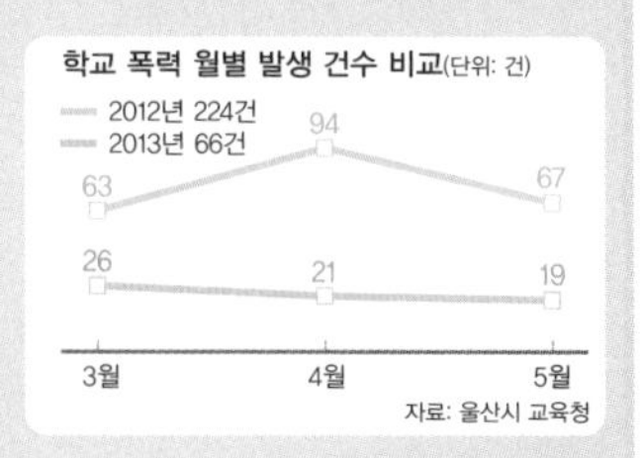

○○ 초등학교는 5~6월 선플(착한 댓글) 달기 운동 전국 1위 학교이다. 김△△ 교감은 "월요일 조례 시간마다 악성 댓글 때문에 힘들어하는 사례를 소개하고, 선플을 남기는 운동을 설명한다."며 "선플 달기 운동을 한 후 비속어를 일상어처럼 쓰던 학생들의 언어 습관이 확 달라졌다."라고 덧붙였다.

또한 학생들의 달라진 언어 습관은 학교 폭력을 줄이는 긍정적인 효과를 가져왔다. 17일 울산시 교육청에 따르면 지난해 3~5월 224건이던 학교 폭력 신고 건수가 올해 들어서는 66건을 기록, 3분의 1 수준으로 급감했다.

울산시 교육청이 지난해 9월 울산 경찰청, 선플 달기 운동 본부와 업무 협약을 맺고 '선플 달기 운동'을 벌이기 시작한 지 8개월 만의 일이다.

울산시 교육청은 학생들의 참여를 높이기 위해 일주일에 선플을 20개 이상 남기면 자원 봉사 활동을 1시간 인정하고, 선플을 많이 남기면 학교에서 상을 주고 있다. 대신 댓글을 다는 데만 학생들의 봉사 활동이 쏠리지 않도록 일주일에 인정되는 자원 봉사 시간을 1시간으로 제한했다.

(나) 방송 뉴스

아름다운 댓글, '선플'로 사랑을

아나운서 인터넷 문화가 확산하면서 악성 댓글이 사회에 악영향을 끼치고 있습니다. 악성 댓글이 아닌 아름다운 댓글, '선플'로 사랑을 전하자는 시민운동이 펼쳐지고 있습니다. ○○○ 기자가 보도합니다.

기자 선플 자원 봉사단 발대식이 열렸습니다. 학생과 학부모 할 것 없이 착한 댓글로 언어 정화 운동에 나설 것을 다짐했습니다.

고등학생: 아름다운 말과 아름다운 글과 아름다운 행동으로…….

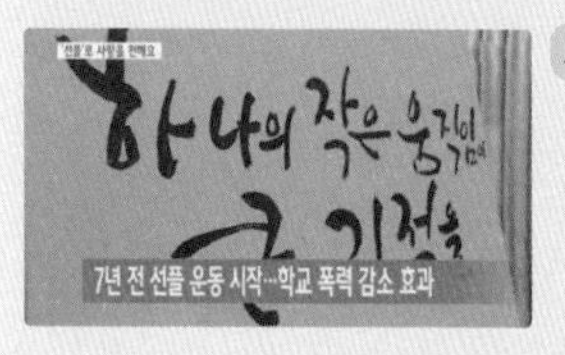

기자 선플 운동은 앞서 서로 격려하자는 의미에서 시작된 추임새 운동에 뿌리를 두고 있습니다. 교육부 조사 결과, 울산의 경우 지난 2012년 선플 운동을 벌인 뒤 1년 만에 학교 폭력이 60% 가까이 줄었다는 통계도 나왔습니다.

– 와이티엔(YTN), 2014년 9월 8일 방송

04 (가)와 (나) 매체를 비교한 것으로 적절한 것은?

① (가)에 비해 (나)는 정보 전달의 속도가 느리다.
② (가)에 비해 (나)는 전달되는 정보의 실재감이 더 높다.
③ (가)에 비해 (나)는 정보 수용을 선택적으로 할 수 있다.
④ (나)에 비해 (가)는 정보의 구성과 유통에 시간적 제약성이 따른다.
⑤ (나)에 비해 (가)는 더 다양한 매체 언어를 사용하여 내용을 구성할 수 있다.

05 (가)의 정보 구성 방식을 설명한 것으로 적절하지 <u>않은</u> 것은?

① 전달하고자 하는 정보의 핵심을 짧은 문장에 함축하여 제시한다.
② 정보의 내용을 육하원칙에 따라 몇 문장으로 요약하여 제시한다.
③ 문자 언어를 기본으로 하되, 필요한 경우 도표나 이미지를 활용할 수 있다.
④ 글자의 크기나 굵기를 조절하여 정보의 중요 내용을 부각할 수 있다.
⑤ 시각과 청각 등 다양한 이미지를 복합적으로 사용하여 내용을 구성할 수 있다.

{ 2 } 표현의 창의성과 심미적 가치

소단원 시험 족보

활동 1 매체 언어의 창의적 표현 방법

① 창의적 표현 방법의 필요성

- 매체를 통한 의사소통의 효율성을 높이기 위해서는 전달하고자 하는 내용을 인상적으로 제시할 필요가 있음.
- 창의적 표현은 수용자의 주의를 환기하여 내용 전달의 효과를 높이는 역할을 함.

② 창의적 표현 방법

- 매체의 특성을 고려하고, 매체 언어의 복합 양식성을 활용함.
- 매체 언어의 복합 양식성이란 언어와 다양한 기호, 예컨대 이미지, 음악, 음향, 몸짓 등이 복합적으로 결합하여 의미 작용을 이루는 성질을 말함. 매체 언어는 말과 글, 이미지, 음향 등 다양한 언어와 기호가 복합적으로 결합하여 의미 작용을 한다는 점에서 복합 양식성을 지니고 있다고 말할 수 있음.

활동 2 매체 언어의 심미적 가치

① '매체 언어의 심미적 가치'의 개념

- 다양한 매체 자료에서 매체 언어가 구현하는 아름다움을 느낄 수 있는데, 이를 매체 언어의 심미적 가치라고 함.
- 심미(審美)는 아름다움을 식별하여 가늠하는 것을 의미하는 것으로, 심미적 가치는 예술 등의 영역에서 아름다움으로 평가될 수 있는 가치를 나타냄.

② 심미적 가치의 표현 방법

수용자들의 정서적 자극이나 매체 언어의 창의적 표현 등을 통해서 발현됨.

③ 심미적 가치가 잘 드러나는 매체 양식

영화, 드라마, 사진, 만화, 웹툰, 비디오 아트 등

제재 연구

제재 1 영상 매체 광고

주제	증강 현실 기술을 이용한 제품 광고
특징	• 증강 현실 기술을 이용하여 가상의 호랑이를 도심에 출현시킴. • 도심에 호랑이가 나타난다는 낯선 설정을 통해 사람들의 관심을 끌어 냄으로써 광고 효과를 높임.

제재 2 인쇄 매체 광고

종이를 함부로 사용하는 건,
CO_2를 함부로 배출하는 것과 같습니다.
1톤의 폐지 재활용은
1.07379톤의 CO_2를 저감합니다.
kobaco
공익광고협의회

주제	지구 환경을 위한 종이 절약 및 폐지 재활용 홍보
특징	• 종이가 찢긴 듯한 느낌을 주는 이미지로 자동차에서 나오는 배기가스가 연상되게 표현함으로써 광고 효과를 높임. • 이미지와 문자를 활용하여 종이를 절약할 것을 설득함.

- 공익 광고: 사회적으로 공중에게 이익이 되는 활동을 지원하거나 실행할 것을 권장하는 광고. 공공 문제에 대한 광고를 말함.

제재 연구

제재 1 소금의 포장지에 쓰인 안내문

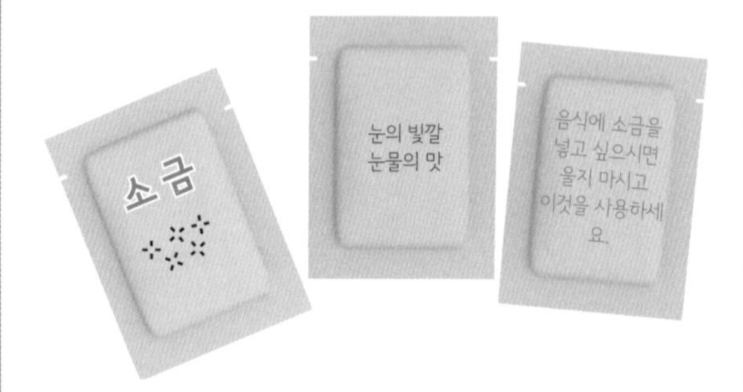
소금
눈의 빛깔
눈물의 맛
음식에 소금을
넣고 싶으시면
울지 마시고
이것을 사용하세
요.

주제	제품이 소금임을 안내함.
특징	• 소금의 색과 맛을 창의적으로 표현함. • 익숙한 것을 새롭거나 낯설게 나타내는 표현은 보는 이에게 신선한 느낌을 주고, 무심코 지나쳐 버릴 수 있는 대상에 관해 생각을 할 기회를 제공하는 효과를 줌.

제재 2 애니메이션 『잃어버린』

주제	• 자연을 파괴하는 인간의 이기심에 대한 비판 • 부모의 헌신적인 사랑
특징	• 인물의 대사 없이 배경 음악과 인물의 행동만으로 서사가 진행됨. • 배경 음악을 통해 인물의 정서를 전달하며, 인물의 행동을 통해 주제 의식을 드러냄.

- 애니메이션: 그림, 인형, 그림자 또는 움직이지 않는 물체를 스톱 모션으로 찍어 프레임별로 촬영하는 기법, 혹은 그렇게 촬영된 영화를 지칭함.

소단원 적중 문제

정답과 해설 p. 21

[01~04] 다음 매체 자료를 보고, 물음에 답하시오.

(가) 영상 매체

버스 정류장.
한쪽 창에 다급하게 뛰어오는 남자가 보인다.

창에 보이던 남자가 버스 정류장으로 뛰어온다.

이어서 어떤 동물이 버스 정류장으로 다가오는 모습이 보인다.

다가오던 동물은 이제 곧 창 옆으로 모습을 드러낼 참이다.

먼저 뛰어왔던 남자가 장난기 어린 표정으로 웃음을 터트린다. 다른 사람에게 증강 현실을 생생하게 보여 준 것이다.

이는 도심 한복판에 호랑이가 등장하는 가상의 영상 장치였음이 밝혀진다. 늘 반복되는 일상에 신선한 충격을 선사하려는 광고였다.

(나) 인쇄 매체

종이를 함부로 사용하는 건,
CO2를 함부로 배출하는 것과 같습니다.
1톤의 폐지 재활용은
1.07379톤의 CO2를 저감합니다.
kobaco
공익광고협의회

01 (가)와 (나)의 공통점으로 가장 적절한 것은?

① 인쇄 매체를 사용하여 자신의 생각을 전달하고 있다.
② 시청각 매체를 활용하여 높은 실재감을 구현하고 있다.
③ 창의적 표현을 바탕으로 의사소통의 효율성을 높이고 있다.
④ 심미적 목적으로 창작되어 수용자들의 미적 욕구를 충족시켜주고 있다.
⑤ 관습적 표현을 사용하여 전달하고자 하는 내용을 상대방이 쉽게 연상할 수 있도록 하고 있다.

02 (가)의 표현상 특징으로 적절하지 않은 것은?

① 증강 현실 기술을 사용하여 가상의 정보를 현실에 구현하고 있다.
② 예측할 수 없는 놀라운 사건을 연출하여 신선한 충격을 주고 있다.
③ 인터뷰를 통해 광고에 대한 시민들의 솔직한 의견을 전달하고 있다.
④ 일종의 실험을 통해 이에 대한 시민들의 실제 반응을 보여주고 있다.
⑤ 동영상 매체를 사용하여 사람들의 움직임이나 표정을 가감 없이 보여 주고 있다.

수능형

03 (나)를 본 사람들의 반응으로 적절하지 않은 것은?

① 사진과 문자 언어를 적절하게 조합하여 구성하였군.
② 찢어진 종이와 배기가스 이미지를 연결한 점이 참신하군.
③ 구체적인 수치를 제시하여 대중들의 경각심을 불러일으키고 있군.
④ 글자의 크기를 조절하여 자신이 주장하고자 하는 바를 부각시키고 있군.
⑤ 유사한 통사 구조를 반복한 표현을 통해 전달하고자 하는 내용을 강조하고 있군.

서술형

04 (나)를 만든 목적과 (나)가 전달하고자 하는 핵심 내용은 무엇인지 서술하시오.

소단원 적중 문제

[05~07] 다음 글을 읽고, 물음에 답하시오.

(가) 소금 포장지에 쓰인 안내문

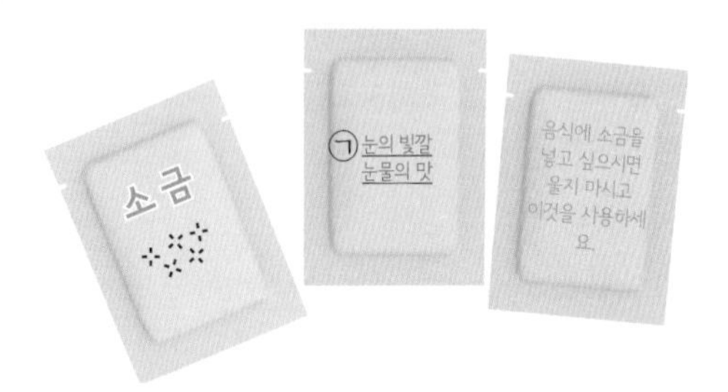

소금
㉠ 눈의 빛깔
눈물의 맛
음식에 소금을
넣고 싶으시면
울지 마시고
이것을 사용하세
요.

(나) 애니메이션

❶ 별에 구멍을 뚫어 얻은 물을 물통에 담고 있는 장면
❷ 별에서 얻은 물을 병상에 누워 있는 딸에게 주는 장면
❸ 별에 구멍을 뚫는 아빠를 딸이 방해하는 장면
❹ 딸이 물고기 형태를 한 별의 목소리를 보는 장면
❺ 집에 있던 어항을 들고 별의 목소리를 따라가는 장면
❻ 어항을 땅에 놓쳐 물고기가 땅에 떨어지는 장면
❼ 땅에 떨어진 물고기가 구멍을 통해 별 내부로 들어가는 장면
❽ 별에 새싹과 물이 차오르는 장면
❾ 메말랐던 별에 비가 내리고 생명이 가득한 별로 바뀌는 장면

서술형

05 (가)의 ㉠에 담긴 표현상의 특징은 무엇인지 서술하시오.

수능형

06 (가)와 (나)의 공통점으로 가장 적절한 것은?

① 수용자들을 정서적으로 자극하는 심미적 표현이 나타나 있다.
② 생산자의 심미적 체험을 표현하기 위한 목적으로 만들어진 것이다.
③ 생산자와 수용자가 즉각적으로 소통할 수 있는 매체를 사용하고 있다.
④ 다양한 매체 언어를 바탕으로 영상과 이미지가 다양하게 사용하고 있다.
⑤ 창의적인 발상을 통한 신선함으로 미적 아름다움을 배가시키고 있다.

07 <보기>를 읽고, (나)를 감상한 내용으로 적절하지 <u>않은</u> 것은?

<보기>

이 작품은 인물의 대사가 없이 배경 음악과 인물의 행동만으로 메시지를 전달하고 있는 애니메이션으로, 작품의 줄거리는 다음과 같다. 알 수 없는 병에 걸린 딸에게 줄 물을 구하기 위해 아버지가 메마른 별에 구멍을 내고, 딸은 별을 파괴하는 아버지의 행동을 만류하지만 아버지는 이를 듣지 않는다. 어느 날 딸은 별의 목소리를 듣고 어항을 들고 나가고, 이 때 별이 폭발하면서 어항의 물이 엎질러진다. 엎질러진 물은 별의 구멍으로 들어가고 이로 인해 별에는 새싹이 나고 비가 내리면서 별은 생명의 별이 된다.

① 정수: 별에 구멍을 뚫는 아버지의 행위에서 자연을 파괴하는 인간의 모습을 볼 수 있었어.
② 민영: 그렇지만 나는 아버지의 행동이 딸을 살리기 위한 것이라는 점에서 아버지의 사랑이 느껴지던데.
③ 연우: 이 애니메이션은 대사는 없지만 색감의 변화만으로도 하고 싶은 내용이 다 전달되는 것 같아서 좋아. 별에 생명이 자란 후 변화된 색감은 희망을 말하는 것 같지 않니?
④ 지나: 하긴, 앞부분에 어둡고 날카로운 이미지가 메마른 별의 암담한 현실을 그대로 보여 주고 있긴 하지.
⑤ 병주: 인물이 행동도 주제를 드러내는 데 한 몫을 하고 있어. 걷지도 못한 채 누워 있던 딸이 별에 새싹인 난 후에는 아버지와 함께 서 있잖아? 새로운 생명을 얻은 거지.

중단원 실전 문제

정답과 해설 p. 22

[01~02] 다음 매체 자료를 읽고, 물음에 답하시오.

(가) 신문 기사

세계일보 2013년 6월 18일

학교 폭력 잡은 '선플의 기적'

울산 교육청 '선플 운동'
8개월째 비속어가 일상어였던
학생들의 언어 순화
학교 폭력 신고도 30% 감소
선플 20개 달면
봉사 활동 1시간 인정

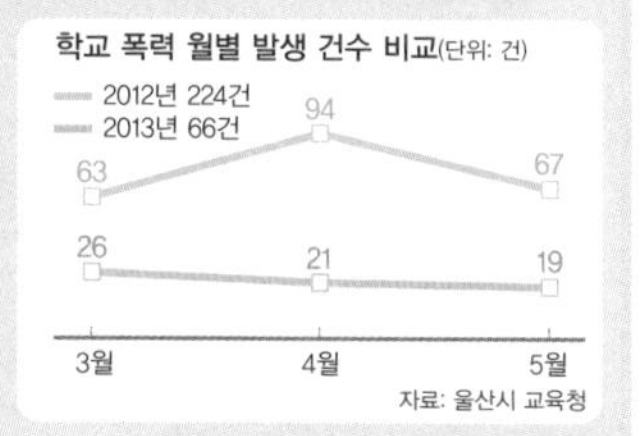

○○ 초등학교는 5~6월 선플(착한 댓글) 달기 운동 전국 1위 학교이다. 김△△ 교감은 "월요일 조례 시간마다 악성 댓글 때문에 힘들어하는 사례를 소개하고, 선플을 남기는 운동을 설명한다."며 "선플 달기 운동을 한 후 비속어를 일상어처럼 쓰던 학생들의 언어 습관이 확 달라졌다."라고 덧붙였다.

또한 학생들의 달라진 언어 습관은 학교 폭력을 줄이는 긍정적인 효과를 가져왔다. 17일 울산시 교육청에 따르면 지난해 3~5월 224건이던 학교 폭력 신고 건수가 올해 들어서는 66건을 기록, 3분의 1 수준으로 급감했다.

울산시 교육청이 지난해 9월 울산 경찰청, 선플 달기 운동 본부와 업무 협약을 맺고 '선플 달기 운동'을 벌이기 시작한 지 8개월 만의 일이다.

울산시 교육청은 학생들의 참여를 높이기 위해 일주일에 선플을 20개 이상 남기면 자원봉사 활동을 1시간 인정하고, 선플을 많이 남기면 학교에서 상을 주고 있다. 대신 댓글을 다는 데만 학생들의 봉사 활동이 쏠리지 않도록 일주일에 인정되는 자원 봉사 시간을 1시간으로 제한했다.

(나) 방송 뉴스

아름다운 댓글, '선플'로 사랑을

아나운서 인터넷 문화가 확산하면서 악성 댓글이 사회에 악영향을 끼치고 있습니다. 악성 댓글이 아닌 아름다운 댓글, '선플'로 사랑을 전하자는 시민운동이 펼쳐지고 있습니다. ○○○ 기자가 보도합니다.

기자 선플 자원 봉사단 발대식이 열렸습니다. 학생과 학부모 할 것 없이 착한 댓글로 언어 정화 운동에 나설 것을 다짐했습니다.

고등학생: 아름다운 말과 아름다운 글과 아름다운 행동으로…….

– 와이티엔(YTN), 2014년 9월 8일 방송

01 (가)와 (나)의 매체에서 중요한 정보를 드러내는 방식으로 가장 적절한 것은?

① (가)는 면의 순서나 크기를 통해서, (나)는 보도의 순서나 보도 시간을 통해서 중요성을 드러낸다.
② (가)는 정보 제공의 횟수를 통해서, (나)는 사용되는 매체 언어의 숫자에 따라서 중요성을 드러낸다.
③ (가)는 정보의 출처에 대한 확인을 통해서, (나)는 정보 전달자의 인지도를 통해서 중요성을 드러낸다.
④ (가)는 정보를 담은 텍스트의 색깔을 통해서, (나)는 정보 전달 매체의 전환을 통해 중요성을 드러낸다.
⑤ (가)는 직접 공지를 통해서, (나)는 추가 보도를 통해 정보의 중요성을 드러낸다.

수능형

02 <보기>의 설명을 참고하여 (가)와 (나)를 이해한 것으로 적절하지 않은 것은?

<보기>
신문은 방송 매체와 달리 전달되는 정보의 전체 내용을 미리 개관할 수 있다. 또한 신문의 수용자는 신문의 여러 정보 중 자신이 원하는 정보를 선별해서 볼 수 있다. 반면에 방송 뉴스는 신문보다 다양한 매체 언어를 사용할 수 있고, 동영상을 활용하기 때문에 정보를 현실감 있게 제공할 수 있다.

① (가)의 제목은 정보의 전체 내용을 개관하는 기능을 하는군.
② (나)의 인터뷰는 정보의 실재감을 높여 주는 데 기여하고 있군.
③ (가)의 수용자가 (나)의 수용자보다 정보 선택권을 더 보장받겠군.
④ (가)와 (나)에서 제공되는 정보는 수용자와의 쌍방향적 소통으로 만들어진 것이군.
⑤ (가)는 문자와 도표만 사용하지만 (나)는 문자와 음성, 영상 등 많은 매체 언어를 사용하는군.

[03~06] 다음 매체 자료를 읽고, 물음에 답하시오.

(가) 영상 매체

버스 정류장.
한쪽 창에 다급하게 뛰어오는 남자가 보인다.

창에 보이던 남자가 버스 정류장으로 뛰어온다.

이어서 어떤 동물이 버스 정류장으로 다가오는 모습이 보인다.

다가오던 동물은 이제 곧 창 옆으로 모습을 드러낼 참이다.

먼저 뛰어왔던 남자가 장난기 어린 표정으로 웃음을 터트린다. 다른 사람에게 증강 현실을 생생하게 보여 준 것이다.

이는 도심 한복판에 호랑이가 등장하는 가상의 영상 장치였음이 밝혀진다. 늘 반복되는 일상에 신선한 충격을 선사하려는 광고였다.

(나) 인쇄 매체

종이를 함부로 사용하는 건,
CO_2를 함부로 배출하는 것과 같습니다.
1톤의 폐지 재활용은
1.07379톤의 CO_2를 저감합니다.
kobaco
공익광고협의회

(다) 단편 애니메이션

03 (가)~(다)에 대한 설명으로 가장 적절한 것은?

① (가)와 달리 (나), (다)는 인쇄 매체를 바탕으로 만들어진 자료이다.
② (나)와 달리 (가), (다)는 매체 언어의 복합 양식성을 활용하고 있다.
③ (다)와 달리 (가), (나)는 시각적 이미지만으로 내용을 전달하고 있다.
④ (가), (나)와 달리 (다)는 심미적 가치를 주된 목적으로 하고 있다.
⑤ (가), (다)와 달리 (나)는 제품의 판매를 목적으로 하는 상품 광고이다.

04 매체 언어가 심미적 가치를 구현하는 방식을 다음과 같이 정리할 때 빈칸에 알맞은 말을 쓰시오.

> 매체 언어는 [　　　]를 자극하거나 [　　　]적인 표현 방식을 활용해 심미적 가치를 구현한다.

05 (가)를 만들기 위한 계획 회의를 하였다. 회의 내용으로 적절하지 <u>않은</u> 것은?

① 반복되는 일상에 신선한 충격을 선사하는 광고였으면 좋겠어요.
② 현실에서 우리가 실제로 경험하기 어려운 일이 일어나도록 하면 어떨까요?
③ 증강 현실 기술을 활용한다면 가상의 일을 현실에서 구현하는 효과가 있겠네요.
④ 실재감을 높이기 위해 사람들이 실제로 사건을 직접 경험하도록 연출하는 것이 좋을 것 같아요.
⑤ 배우들의 연기보다 상황에 대한 실제 시민들의 반응을 볼 수 있으면 재미있겠네요.

고난도 수능형

06 〈보기〉와 (나)의 공통점을 파악한 것으로 적절하지 <u>않은</u> 것은?

〈보기〉

① 자동차 매연으로 인한 폐해를 경고하고 있군.
② 문자의 크기나 진하기를 통해 내용을 강조하고 있군.
③ 공공의 이익과 관련된 행동을 촉구하기 위한 광고로군.
④ 이미지의 연상을 통해 주제가 드러나도록 내용을 창의적으로 표현하였군.
⑤ 이미지와 문자를 활용하여 보는 즉시 내용이 전달되도록 구성하였군.

서술형 문제

07 〈보기〉의 내용을 전달하기 위해서는 어떤 매체를 활용하는 것이 좋은지 쓰고(1), 그 이유를 설명하시오(2).

〈보기〉

대학 합격자를 발표하는 경우

(1):

(2):

08 〈보기〉의 작품에 담긴 창의적 표현은 무엇이고(1), 그것을 통해 전달하고자 하는 내용은 무엇인지 서술하시오(2).

〈보기〉

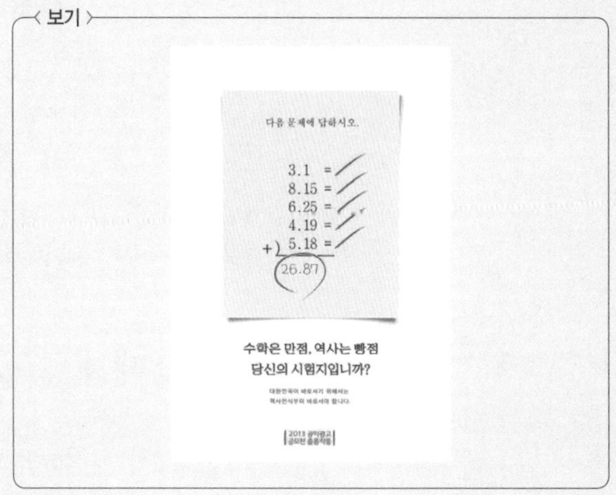

(1):

(2):

매체 자료의 수용과 생산

1 매체로 만나는 너와 나

[학습 목표] • 친교적 매체 자료의 다양성과 특징을 이해하고 이를 고려하여 매체 자료를 수용하고 생산할 수 있다.

수용	다양한 친교적 매체의 성격을 고려하여 상대방과의 관계를 바탕으로 수용함.
생산	관계를 새롭게 형성하거나, 기존의 관계를 친밀한 방향으로 변화시키기 위한 목적으로 생산함.

➜ 편지, 블로그, 누리 소통망(SNS) 등과 같은 친교를 위한 매체 자료는 무엇에 중점을 두어 수용하고 생산해야 하는지 알고 목적에 맞는 친교적 매체 자료를 만드는 능력을 기른다.

2 매체로 주고받는 정보

[학습 목표] • 정보 전달 매체 자료의 다양성과 특징을 이해하고 이를 고려하여 매체 자료를 수용하고 생산할 수 있다.

수용	정보가 전달되는 맥락과 매체의 특성을 고려하여 주체적으로 수용함.
생산	정보를 전달할 대상과 목적을 고려하여 신뢰성과 공정성을 바탕으로 생산함.

➜ 기사나 뉴스, 사전과 같은 정보를 전달하는 매체 자료를 수용하고 생산할 때 고려해야 할 점은 무엇인지 알고 목적에 맞는 정보 전달 매체 자료를 만드는 능력을 기른다.

3 매체로 설득하다

[학습 목표] • 설득적 매체 자료의 설득 전략을 이해하고 이를 비판적으로 수용하며 설득 전략을 활용하여 매체 자료를 생산할 수 있다.

수용	매체의 특성과 파급력을 파악하고, 내용의 타당성을 판단하며 비판적으로 수용함.
생산	예상 독자를 고려한 타당성 있는 설득 전략을 활용하여 생산함.

➜ 광고나 사설 등과 같은 설득을 위한 매체 자료를 수용하고 생산할 때 유의할 점은 무엇인지 알고 설득에 효과적인 매체 자료를 만드는 능력을 기른다.

4 매체로 빚은 예술

[학습 목표] • 심미적 매체 자료의 특성을 이해하여 매체 자료를 감상하고 이를 토대로 심미적 가치를 가진 매체 자료를 생산할 수 있다.

수용	매체 자료의 다양한 표현 방식을 이해하고 다양한 관점에서 감상하며 수용함.
생산	매체의 특성을 바탕으로 예상 독자에게 공감과 감동을 주는 내용으로 생산함.

➜ 우리에게 아름다움을 주는 매체 자료의 특성과 바른 수용 태도를 알고 심미적 가치를 지닌 매체 자료를 만드는 능력을 기른다.

{ 1 } 매체로 만나는 너와 나

소단원 시험 족보

활동 1 친교적 매체 자료의 다양성

• 친교적 매체 자료의 목적, 기능, 유형

목적	생산자와 수용자의 관계를 새롭게 형성하거나, 기존의 관계를 친밀하게 변화시키기 위한 목적으로 생산됨.	
기능	정보를 전달하거나 정서를 공유하는 기능을 가짐.	
유형	아날로그 매체	손 편지, 엽서 등
	전자 매체	문자 메시지, 누리 소통망(SNS), 이메일, 인터넷 카페 등

* 누리 소통망(SNS): 특정한 관심이나 활동을 공유하는 사람들 사이의 관계를 구축해 주는 온라인 서비스
예 페이스북, 트위터, 인스타그램 등

제재 연구

제재 ㉮ 엽서, ㉯ 문자 메시지, ㉰ 누리 소통망(SNS) 비교

	㉮ 엽서	㉯ 문자 메시지	㉰ 누리 소통망
내용	고등학교를 졸업하는 수민이가 엄마께 자신이 성장했고, 엄마도 꿈을 펼치면 좋겠다는 내용의 편지	학교 축제에서 동아리 발표를 잘한 친구를 칭찬하는 문자	도시의 아름다운 불빛을 보며 이 시간에 친구들이 무엇을 하고 있는지 궁금한 마음을 올리고, 친구들이 답하는 내용
매체의 속성	개인과 개인이 친밀한 감정을 주고받음.	개인과 개인이 친밀한 감정을 주고받음.	둘 이상의 사람들이 정서를 공유하고 의견을 나눔.
소통의 범위	대화 당사자가 지정한 대상	대화 당사자가 지정한 대상	지정된 대상뿐 아니라 때에 따라 불특정 대상까지 소통의 범위가 확대될 수 있음.
시공간의 제한	일정 부분 시공간의 제한이 있을 수 있음.	없음.	없음.
신속성과 편의성	메시지가 전달되는 데 상대적으로 시간이 오래 걸리고, 편의성도 떨어짐.	원하는 시간에 언제든 신속하고 편하게 접근할 수 있음.	원하는 시간에 언제든 신속하고 편하게 접근할 수 있음.
보관 및 보안성	보관 중 분실할 우려가 있고, 다른 사람이 보지 못하도록 하려면 추가적인 보안 방법이 필요함.	자동으로 보관되지만, 다른 사람이 보지 못하도록 하려면 추가적인 보안 방법이 필요함.	자동으로 보관되지만, 다른 사람이 보지 못하도록 하려면 추가적인 보안 방법이 필요함.
접근 가능성	지정된 수신자에 한해 접근이 가능함.	해당 매체를 주고받을 수 있는 기기를 가지고 있다면 쉽게 접근할 수 있음.	인터넷으로 누구나 쉽게 접근할 수 있음.

확인하기 1
• 다음 빈칸에 알맞을 말을 쓰시오.
• (　　)적 매체 자료는 상대와의 친밀한 감정을 주고받으며 상호 작용하는 것을 목적으로 한다.

활동 2 친교적 매체 자료 깊이 읽기

① 인터넷 친목 카페

• 인터넷 친목 카페 가입 이유: 비슷한 취향이나 목적을 가진 사람끼리 정보를 공유하거나 친목을 도모하기 위해 가입함.
• 카페 이용자들이 친밀감을 느끼는 이유: 같은 취향과 정서를 가진 사람들의 생활을 공유하면서 동질감과 친밀감을 느끼게 됨.

친교 텍스트 수용과 생산의 바람직한 자세	• 상대방을 비난하거나 비하하는 등의 태도는 지양함. • 상대방을 존중하고 배려하는 자세를 지녀야 함.

* 인터넷 커뮤니티: 인터넷 상에서 각종 모임이나 단체를 만들 수 있도록 지원하는 서비스. 시간과 공간을 초월하여 다양한 취미를 가진 사람들이 모일 수 있는 온라인의 장점을 최대한 활용하여 네티즌들을 끌어 모음. 사용자는 서비스 업체에 접속하여 다양한 커뮤니티에 가입·등록하거나 새로운 커뮤니티를 개설할 수 있으며 이메일은 물론 다양한 컨텐츠와 전자상거래 서비스 등을 이용할 수 있음.

확인하기 2
• 친교적 매체 자료를 수용하고 생산하는 데 가장 중요한 태도는 무엇인지 쓰시오.

확인하기 정답 ❶ 친교 / ❷ 상대방을 존중하고 배려하는 태도

② 누리 소통망(SNS)

• 누리 소통망의 긍정적·부정적 측면

긍정적인 면	부정적인 면
• 공간적으로 멀리 떨어져 있는 사람과도 자유롭게 소식을 전할 수 있음. • 평소 만날 수 없는 사람과도 친교를 맺어 인간관계를 확장할 수 있음.	• 다른 사람에 대한 비판이나 불확실한 소문 등이 불특정 다수에게 급속하게 퍼질 수 있음. • 익명성에 기대어 오프라인상에서 가해지는 폭력보다 훨씬 더 큰 상처를 상대에게 줄 수 있음.

• 누리 소통망의 사회적 파급력과 사용 시 바람직한 자세

누리 소통망(SNS)의 사회적 파급력

• 정보 전달이 즉각적이고 시·공간적 제약이 없어 그 확산 속도가 매우 빠름.
• 많은 사람이 짧은 시간 내에 정보를 공유할 수 있으므로 사회적 파급력이 매우 큼.

⬇

바람직한 자세

• 정보나 공유할 때는 많은 사람에게 공개될 만한 정확한 정보인지 확인하고 판단해야 함.
• 공유하는 정보가 누리 소통망(SNS)에서 긍정적인 기능을 하는 것인지 판단하고 사용해야 함.

제재 연구

제재 1 **다큐멘터리 영화 「트윈스터즈」 제작 노트에서**

갈래	다큐멘터리 영화 제작 노트(설명문)	주제	「트윈스터즈」의 탄생 계기
특징	• 어릴 때 각자 먼 곳으로 입양된 쌍둥이가 누리 소통망(SNS)을 통해 다시 만날 수 있었던 실화를 다큐멘터리로 제작하게 된 과정을 소개함. • 공간의 제약이 없이 멀리 떨어진 사람들과도 친교를 맺어 인간관계를 확장시킬 수 있는 누리 소통망(SNS)의 긍정적인 기능을 보여 주는 이야기임.		

제재 2 **사이버 불링**

갈래	기사문	제재	사이버 불링(Cyber Bullying)
주제	온라인 공간에서 발생하는 불특정 다수의 집단 괴롭힘의 폐해		
특징	• 사이버 불링의 개념을 설명하며 누리 소통망(SNS)의 부정적인 측면을 제시함. • 사이버 공간에서는 도를 넘고 과열된 양상을 보이는 비판은 자제해야 함을 언급함.		

확인하기 3

• 누리 소통망에 대한 설명 중 맞는 것은 ○표, 틀린 것은 ×표를 하시오.
• 정보 전달의 확산 속도가 매우 빠르다. ( )
• 정보 전달이 일방향적이기 때문에 사회적 파급력이 작다. ( )

활동 3 친교적 매체 자료의 생산

① 친교를 위한 매체 자료를 만들 때의 유의점

친교를 위한 의사소통의 성격		바람직한 자세
쌍방향적 성격이 강함.	➡	의사소통의 과정에서 상대에 대한 고려가 매우 중요함.

② 영상 편지

캠코더나 디지털 카메라, 휴대 전화 카메라 등으로 어떤 대상에게 이야기하는 모습을 촬영하여 주고받는 영상. 영상 편지는 동영상 이미지뿐만 아니라 음악, 사진 및 그림과 텍스트 등 다양한 매체를 복합적으로 활용하여 매체 자료를 구성할 수 있음.

• 영상 편지 제작 과정

1. 영상 편지의 수신자와 주제 선정

⬇

2. 영상 편지 제작 계획 세우기 (매체 선정, 역할 분담)

⬇

3. 영상 편지의 대본 작성

⬇

4. 영상 촬영과 편집

⬇

5. 완성된 영상 편지를 누리 소통망에 게시

⬇

6. 감상 공유

• 영상 편지 제작 시의 유의점
– 음악 및 자막, 영상이 잘 어우러질 수 있도록 함.
– 영상 편지의 목적과 주제에 잘 맞게 제작함.
– 기존 영상 제작물을 참고하되, 흉내내지 않도록 함.
– 창의적이고 재치 있게 내용을 구성함.

확인하기 4

• 다음 빈칸에 알맞을 말을 쓰시오.
• 친교를 위한 의사소통은 지속적이고 적극적이며 (　　　)인 성격이 강하다. 따라서 친교를 위한 매체 자료를 만들 때는 (　　)에 대한 고려가 매우 중요한다.

확인하기 정답 ❸ ○/× / ❹ 쌍방향적/상대

소단원 적중 문제

[01~05] 다음 매체 자료를 읽고, 물음에 답하시오.

가 엽서

언제나 수민이 편, 우리 엄마께

엄마, 저는 고등학교 생활을 마치고 이제 새로운 출발을 하는 시점에 서 있어요. 지난 3년간 저는 참 많이 성장한 것 같아요.

며칠 전 엄마가 이제 제 걱정은 하지 않으신다고 말씀하셨던 것 기억하세요? 저는 그 말이 무척 좋았어요. 또 요즘 엄마가 힘들고 지칠 때마다 제게 고민을 털어놓으시는 것이 무척 좋아요. 제가 이제 엄마의 걱정과 염려를 끼치는 아이가 아니라, 엄마의 버팀목이 되어 드릴 수 있는 어른이 된 것 같아 기뻐요.

엄마는 늦었지만 공부를 더 해 보고 싶다고 하셨어요. 엄마, 이제 제 걱정을 하지 마시고, 아무런 제약 없이 엄마의 큰 꿈을 펼치셨으면 좋겠어요. 우리 같이 서로의 꿈을 위해 달려갔으면 좋겠어요.

- 엄마의 자랑, 수민 올림

나 누리 소통망(SNS)

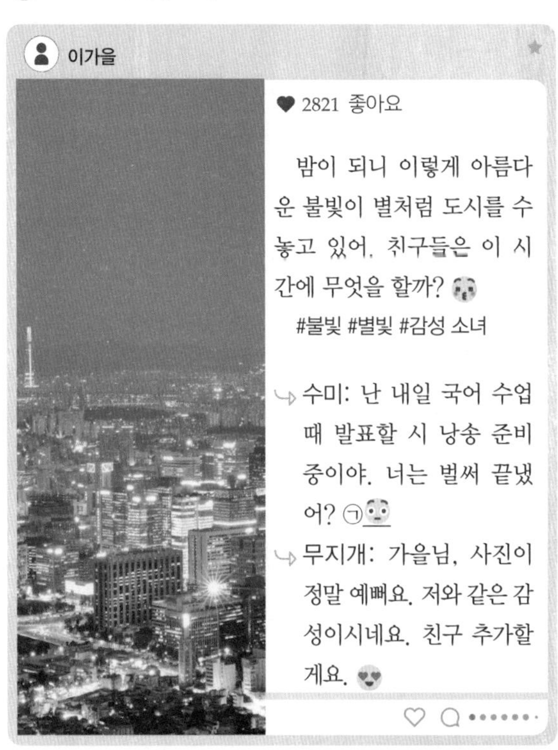

이가을
2821 좋아요
밤이 되니 이렇게 아름다운 불빛이 별처럼 도시를 수놓고 있어. 친구들은 이 시간에 무엇을 할까?
#불빛 #별빛 #감성 소녀
수미: 난 내일 국어 수업 때 발표할 시 낭송 준비 중이야. 너는 벌써 끝냈어? ㉠
무지개: 가을님, 사진이 정말 예뻐요. 저와 같은 감성이시네요. 친구 추가할게요.

다 인터넷 친목 카페

01 (가)~(다)에 대한 설명으로 적절하지 않은 것은?

① (가)와 (나)는 다양한 매체 언어를 통해 소통한다.
② (나)와 (다)는 전자 매체를 통해서 소통된다.
③ (가)는 (나)에 비해 신속성과 편의성이 상대적으로 떨어진다.
④ (다)는 (가)에 비해 소통의 범위가 상대적으로 개방적이다.
⑤ (가)~(다)는 상대방과의 친교를 목적으로 소통한다.

02 (가)를 통해 확인할 수 있는 내용으로 가장 적절한 것은?

① 수민이는 엄마가 다시 공부하는 것을 반대하였다.
② 수민이는 고등학교를 졸업하고 대학에 입학하였다.
③ 수민이는 학창 시절에 말썽을 많이 부린 학생이었다.
④ 엄마는 수민이에게 자신의 고민을 털어놓기도 하였다.
⑤ 엄마는 자신의 꿈을 위해 수민이가 꿈을 포기할 것을 강요하였다.

서술형

03 (다)의 카테고리를 보고, 회원들이 (다)에 가입한 목적이 무엇인지 서술하시오.

소단원 적중 문제

수능형

04 〈보기〉를 읽고, (다)와 같은 매체 자료를 이용하는 바람직한 태도에 대해 토의한 내용으로 적절한 것은?

〈보기〉

당부의 말씀을 드립니다.

작성: 길 위의 집사 | 20○○. 9. 6. 13:00

어제 '우리냥이 알리기' 게시판에 반려동물 '하늬'의 사진을 올렸습니다.

정말 감사하게도 하늬에 대해 호감을 많이 보여 주셨고, 칭찬도 많았죠.

그런데 몇몇 분은 하늬의 꼬리 길이나 털 윤기 등 외모에 대해 깎아내리셨고, 비하하는 발언도 하셨습니다. 하늬를 가족처럼 생각하는 저로서는 너무 마음이 아팠습니다.

글을 올린 사람과 읽는 사람 모두 고양이를 사랑하는 마음에 이 카페에 오셨다고 생각합니다.

소통하실 때 한 번 더 상대의 입장이 되어 주시길 부탁드립니다.

① 근호: 남이 올린 게시물에 대해 이런저런 의견을 다는 것은 옳지 않은 일이야.
② 명준: 난 글을 올린 사람의 마음을 헤아려 좀 더 예의 바르게 글을 써야 한다고 생각해.
③ 미영: 고양이를 싫어하는 사람도 있을 텐데, 게시판에 꼭 자신의 고양이를 자랑해야 했을까?
④ 진우: 게시판은 글을 쓰는 공간이니, 글 외에 사진이나 동영상 같은 걸 올리는 것은 자제해야 해.
⑤ 혜윤: 고양이를 사랑하는 마음을 알겠지만, 그렇게 도배성으로 글을 마구 올리면 소통에 오히려 방해가 된다구.

05 ㉠에 대한 설명으로 가장 적절한 것은?

① 정보를 공유할 목적으로 사용한다.
② 인터넷 상에서 자신을 나타내는 이름에 해당한다.
③ 글의 주제나 발화자의 관심사를 알 수 있게 한다.
④ 문자 언어에 드러나지 않는 발화자의 감정을 표현한다.
⑤ 다른 사이트나 페이지의 관련 내용으로 연결하는 기능을 한다.

[06~08] 다음 글을 읽고, 물음에 답하시오.

가 태어나자마자 각각 미국과 프랑스로 입양되어 서로의 존재를 모른 채 살았던 쌍둥이 자매 '사만다'와 '아나이스'는 우연히 누리 소통망(SNS)과 동영상 공유 사이트를 통해 25년 만에 재회했다. 이들의 만남은 아나이스가 동영상에서 우연히 자신과 똑같이 생긴 사만다를 발견하면서 시작된다. 온라인을 통해 사만다에게 연락할 방법을 찾던 아나이스는 친구들과 함께 사만다의 개인 계정으로 쪽지를 보냈고, 쪽지를 확인한 사만다가 아나이스가 보낸 친구 신청을 확인하면서 두 사람의 본격적인 이야기가 전개된다. LA와 런던, 지구 반대편에 사는 두 사람은 멀리 떨어져 있음에도 불구하고 화상 채팅, 전자 우편 등을 통해 서로에 대해 알아 갔고, 자신들이 쌍둥이 자매일지도 모른다는 생각을 하게 된다. 사만다는 확신을 하고 아나이스의 동의하에 영상을 남기기 시작했고, 「트윈스터즈」라는 자전적 다큐멘터리가 탄생하게 되었다.

– 다큐멘터리 영화 「트윈스터즈」 제작 노트에서

나 '사이버 불링(Cyber Bullying)'은 온라인 공간에서 발생하는 불특정 다수의 집단 괴롭힘을 뜻하는 단어로, 대상이 누군지를 떠나 악성 댓글을 비롯한 '언어폭력', '개인정보 유포', '악성 소문 생산' 등이 모두 포함된다. [중략]

온라인 커뮤니티가 거대해지고, 누리 소통망(SNS) 문화가 확산되면서 일반인들도 사이버 불링의 피해에 노출되고 있다. 별 뜻 없이 올린 자신의 누리 소통망(SNS) 글이 논란이 되는 일도, 거짓 글로 무고한 사람이 피해를 보는 일도 적잖이 발생하는 상황이다. [중략] 물론 정당한 비판이 필요한 순간도 분명히 있다. 하지만 그 비판도 도를 지나치고, 과열되는 양상을 띠게 되면 그 정당성을 잃어버리게 된다는 점도 기억해둬야 할 것이다.

– 『공감신문』 2018. 4. 25

06 (가)와 (나)를 바탕으로 누리 소통망(SNS)의 장단점을 설명한 것으로 적절하지 않은 것은?

① 익명성에 기대어 상대에게 폭력을 가할 수 있다.
② 면대면 소통에 비해 소통의 범위를 확장할 수 있다.
③ 상대의 모습을 확인할 수 없어 친교에 제한이 있다.
④ 멀리 떨어져 있는 사람과도 자유롭게 소통할 수 있다.
⑤ 불확실하거나 거짓된 정보가 급속히 퍼져 나갈 수 있다.

07 (가)를 통해 알 수 있는 사실로 적절한 것은?

① 사만다와 아나이스가 재회한 것은 20년 만이다.
② 사만다와 아나이스는 각각 미국과 프랑스에서 태어났다.
③ 사만다와 아나이스는 전자 매체를 통해 서로 소통하였다.
④ 사만다는 아나이스를 우연히 동영상 사이트에서 발견하였다.
⑤ 사만다는 아나이스의 동의 없이 자전적 다큐멘터리를 만들었다.

수능형

08 (나)를 바탕으로 〈보기〉의 상황을 이해한 것으로 적절하지 않은 것은?

〈보기〉

화연이는 천지에게 잘해 주는 척하지만 실제로는 뒤에서 천지를 욕하고 은근하게 따돌린다. 어느 날 화연이는 자신의 생일잔치에 천지를 초대하고, 친구들이 다 모여 있는 자리에서 모여 있는 친구들을 온라인 대화방에 초대하고 그곳에서 대화를 나눈다. 그리고 화연이와 친구들은 그 대화방에 천지가 있음에도 불구하고 마치 천지가 없는 것처럼 천지에 대한 험담을 한다.

– 김려령의 〈우아한 거짓말〉 내용의 일부

① 천지는 사이버 불링의 피해자라고 할 수 있다.
② 화연이와 친구들의 별 뜻 없는 대화로 인해 천지가 피해를 보게 된 상황이다.
③ 화연이가 생일잔치에 초대한 친구들은 사이버 불링의 가해자라고 할 수 있다.
④ 천지가 불행한 상황에 놓인 데에는 누리 소통망 문화의 확산에도 그 원인이 있다.
⑤ 화연이가 천지와 단 둘이 대화방에서 다투었다면 그 내용은 사이버 불링이라 할 수 없다.

[09~10] 다음 물음에 답하시오.

09 〈보기〉의 조건에 따라 영상 편지를 제작하고자 한다. 제작 상의 유의점으로 적절하지 않은 것은?

〈보기〉

목적: 친구의 생일 축하
사용 매체: 영상으로 제작하여 누리 소통망에 올릴 것

① 친구가 즐거울 수 있도록 그 내용을 창의적이고 재치 있게 구성한다.
② 영상 편지 제작의 목적 상 둘 만이 알 수 있는 은밀한 내용이 들어가도록 한다.
③ 사용 매체의 특성을 고려하여 음악이나 문자, 음성 등 다양한 매체 언어를 사용한다.
④ 영상 편지 제작에 있어 기존의 영상물을 참고할 수는 있으나 모방하지는 않도록 한다.
⑤ 영상 편지 제작의 목적 상 편지의 대본은 둘 사이의 정서적 교감이 이루어질 수 있는 내용으로 한다.

10 수행 평가로 영상 편지를 제작하려고 한대. 이때, 고려해야할 사항으로 가장 거리가 먼 것은?

① 수신자가 누구인지 설정한다.
② 영상 편지의 목적과 주제가 무엇인지 결정한다.
③ 영상 편지의 주요 내용에 대한 대본을 작성한다.
④ 영상에 어울리는 음악이나 자막 등을 적절한 활용하여 편집한다.
⑤ 고급스러운 영상을 얻기 위해 반드시 전문가용 촬영 장비를 준비한다.

{ 2 } 매체로 주고받는 정보

활동 1 정보 전달 매체 자료의 다양성

① 정보 전달 매체 자료의 특성

매체 유형	정보 전달 방식	효과
인쇄 매체 (신문 기사)	문자, 그래프, 표를 통해 정보 전달	영상이나 이미지에 비해 추상적인 매체 언어인 문자를 중심으로 정보를 전달함으로써 독자가 적극적인 사고와 판단력으로 정보를 주체적으로 수용하게 만드는 효과가 있음.
영상 매체 (다큐멘터리)	영상, 이미지, 음향, 자막 등을 조합하여 정보 전달	다양한 매체 언어들을 적절하게 조합하여 정보를 전달함으로써 시청자가 정보를 쉽게 이해할 수 있도록 하는 효과가 있음.
인터넷 매체 (블로그)	문자, 이미지, 영상 등을 조합하여 정보 전달	다양한 이미지와 문자, 영상 등을 정보를 전달하기 쉬운 방식으로 조합하여 독자의 이해를 높여 주고 독자 스스로 필요한 내용을 취사선택할 수 있게 함.

* 대중매체: 조직화되지 않은 일반 대중을 상대로 하여 대량의 정보 및 시사 내용, 당대의 이슈 등을 전달하는 역할을 담당하는 매체를 통칭함. 전통적으로 신문이나 방송 뉴스가 대표적이나 최근에는 인터넷과 같은 뉴미디어의 비중이 높아짐.
* 다큐멘터리: 허구가 아닌 현실을 직접적으로 다루면서 현실의 허구적인 해석 대신 현실 그대로를 전달하는 장르. 대체로 기록으로 남길만한 사회적 사건이나 현상 등을 대상으로 함.
* 1인 미디어: 블로그나 누리 소통망(SNS) 등을 기반으로 하여 개인이 다양한 콘텐츠를 생산하고 공유하는 커뮤니케이션 플랫폼. 기존의 미디어에 비해 쌍방향 소통과 즉각적인 상호작용이 가능하므로 파급력이 큼.

확인하기 1

• <보기> 중 다음 설명에 해당하는 정보 전달 매체의 유형을 쓰시오.

신문 기사, 다큐멘터리, 블로그

• 문자를 중심으로 정보를 전달하여 독자가 정보를 주체적으로 수용하게 하는 매체:
• 독자 스스로 필요한 내용을 취사선택할 수 있게 하는 매체:

② 정보 수용 시의 유의점

정보의 신뢰성 판단	• 제시된 자료의 출처가 분명한가? • 자료의 내용이 객관적이고 공정한가?
정보의 유용성 판단	• 제시된 자료의 내용이 자신에게 필요한 내용을 담고 있는가? • 현실적으로 활용, 혹은 실현 가능한 것인가?

확인하기 2

• 다음 빈칸에 알맞을 말을 쓰시오.
• 정보의 신뢰성은 자료의 출처가 분명한지와 자료의 내용이 (　　　)이고 공정한지가 주요한 판단 근거가 된다.
• 정보의 (　　　)은 제시된 자료의 내용이 자신에게 필요한 내용을 담고 있는지와 현실적으로 활용, 혹은 실현 가능하지가 주요한 판단 근거가 된다.

제재 연구

제재 ㉮ 신문 기사, ㉯ 다큐멘터리, ㉰ 인터넷 블로그

	㉮ 신문 기사	㉯ 다큐멘터리	㉰ 인터넷 블로그
목적	모기 급감 현상에 대한 정보 전달	승선교의 구조적 아름다움에 대한 정보 전달	감자조림의 조리법을 전달
내용	가뭄과 불볕더위의 영향으로 서식지가 줄어 모기의 개체수가 급감함.	반원형의 무지개 모양으로 돌을 쌓아 만든 승선교의 완벽한 곡선미가 주변과 어우러져 아름다움을 선사함.	감자조림의 재료와 요리 과정 설명
전달 대상	신문을 구독하는 사람들	다큐멘터리를 시청하는 사람들	인터넷상에서 감자조림의 조리법을 검색하여 익히고자 하는 사람들

활동 2 정보 전달 매체 자료 깊이 읽기

① 매체에 담긴 정보의 수용 자세

정보 전달 매체 자료의 역할	➡	매체에 담긴 정보를 수용하는 자세
• 정보에 대한 관점을 제시하는 역할 • 매체에 담긴 정보는 수용자의 관점에서 유용한 것일 수도, 그렇지 않은 것일 수도 있음.	➡	수용자는 매체에 담긴 정보를 비판적이고 주체적으로 수용할 필요가 있음.

② 방송 뉴스에서 중시되어야 하는 요건

공정성	쟁점이나 갈등 상황을 뉴스로 다룰 때는 양적·질적으로 균형 있는 정보를 제공해야 함.
정확성	과장이나 허위 없이 정확한 정보와 사실을 보도하되, 사실을 둘러싼 다양한 정보를 종합적으로 제공해야 함.
중립성	중립적인 자세로 사건과 문제의 진실에 접근해야 함.

* 가짜 뉴스: 교묘하게 조작된 '속임수 뉴스'를 뜻함. 정치·경제적 이익을 위해 실제 언론 보도처럼 꾸미고 유포되는 거짓 정보로, 일정 부분은 사실에 기반을 두고 작성해 독자가 사실로 믿게 함.

• 뉴스의 가치 기준: 시의성, 근접성, 저명성, 영향성, 이상성(異常性), 흥미성 등이 뉴스 선택의 기준이 될 수 있음.

- 시의성: 시간적으로 가까운 사건인가?
- 근접성: 심리적, 지리적으로 가까이서 벌어진 사건인가?
- 저명성: 평범한 일반인보다 대중에게 잘 알려진 유명인과 관련된 사건인가?
- 영향성: 사건이 미치는 영향력 범위는 어디까지 인가?
- 이상성: 평범하지 않은 이상한 점이 많은가?
- 흥미성: 인간적 흥미를 얼마나 끌 수 있는가?

확인하기 ③

• 다음 빈칸에 알맞을 말을 쓰시오.
- 정보를 전달하는 매체 자료를 수용할 때에는 매체에 담긴 정보를 (　　　)이고 주체적으로 수용해야 한다.
- 방송 뉴스에서 중시되어야 하는 요건에는 공정성, 정확성, (　　　)이 있다.

제재 연구

(제재) 가을 산행 '독버섯' 주의

갈래	텔레비전 방송 뉴스	제재	독버섯
주제	식용 버섯과 구별하기 어려운 독버섯으로 인한 사고 예방		
특징	• 영상, 소리, 자막, 이미지 등의 매체를 종합하여 정보를 전달함. • 식용 버섯과 독버섯의 차이점, 국립공원 내에서의 임산물 채취는 벌금을 물 수 있다는 등의 정보를 전달함.		

• 이 뉴스에서 공정성과 정확성이 드러나는 부분

공정성	버섯의 무단 채취 실태를 보여 주면서 그것을 하지 말아야 하는 이유를 제시하는 부분
정확성	모양이 비슷한 식용 버섯과 독버섯을 시각 자료로 비교하여 제공하는 부분

• 이 방송 뉴스의 구성 요소가 전달하고 있는 정보

구성 요소	정보
아나운서	뉴스 화제를 소개하고, 식용 버섯과 독버섯을 구분하지 못하는 문제를 제시함.
기자	제공할 정보의 구체적 내용 소개. 버섯 무단 채취의 위험성을 알리고 식용 버섯과 독버섯을 구분하지 못하는 구체적 사례를 제시함.
취재 대상자	식용 버섯과 독버섯을 구분하지 못한 채 버섯을 무단 채취하는 사례를 드러냄.
시각 자료	식용 버섯과 독버섯의 모양이 비슷하여 구분하기 어려운 사례를 시각적으로 보여 줌.

• 이 방송 뉴스에서 다루지 않은 정보를 찾고, 이를 바탕으로 다른 관점의 내용을 구성

다루지 않은 정보		다른 관점의 뉴스 내용
독버섯과 식용 버섯을 구분하는 방법	➡	버섯 채취 시 유의할 점 소개
독버섯을 먹었을 때, 해독하는 방법	➡	독버섯의 성분과 해독할 수 있는 약 소개
독버섯의 분포와 생태	➡	독버섯이 어떤 환경에서 잘 자라고, 어떤 지역에 많이 분포하고 있는지 소개

활동 3 정보 전달 매체 자료의 생산

① 정보를 전달하는 매체 자료 생산 시 고려할 점

1. 정보를 누구에게 어떤 목적으로 전달할지 고려함.

⬇

2. 목적과 대상에 맞게 유용하고 가치 있는 정보를 선별함.

⬇

3. 선별된 정보를 효과적으로 전달하는 방법을 찾음.

② 정보 전달 매체 자료를 평가하는 기준

- 정보의 내용과 구성이 정보 전달 목적에 부합하는가?
- 제공된 정보가 정보를 수용하는 사람의 수준에 맞고 유용한 것인가?
- 정보의 배치나 자료 제공이 효과적으로 이루어졌는가?
- 자료의 활용에 있어 윤리적인 측면을 준수하였는가?

확인하기 정답 ❶ 신문 기사/블로그 / ❷ 객관적/유용성 / ❸ 비판적/중립성

소단원 적중 문제

[01~04] 다음 매체 자료를 읽고, 물음에 답하시오.

가 신문 기사

동아일보 2017년 9월 1일

㉠그 많던 모기, 다 어디로 갔을까

㉡

8월 감시 지점 10곳서 1,541마리 잡혀
5년간 평균 대비 절반으로 뚝
"중부 폭우 – 남부 가뭄, 서식지 줄어"

㉢

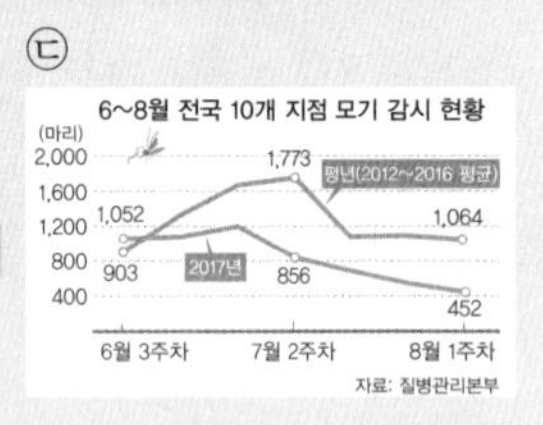

[A] 장마가 끝난 뒤 모기 기피제를 잔뜩 구매한 홍○○ 씨(33)는 지난 몇 주간 포장도 뜯지 않았다. 홍○○ 씨는 "비가 그치면 모기가 크게 늘 줄 알았는데 몇 주간 거의 보이지 않았다."라고 말했다.

[B] 31일 질병관리본부가 전국 10개 감시 지점의 모기 수를 집계한 결과 모기 수가 급감한 것으로 나타났다. 8월 3주간 채집된 모기 수는 1,541마리로 최근 5년간(2012~2016년) 평균(3,075마리)의 절반에 불과했다. 지난해 8월 3주간 모기 수는 2,615마리로 올해보다 70% 가량 많았다.

[C] '여름의 불청객' 모기가 급감한 것은 '너무 많이 오기도 하고, 너무 적게 오기도 한' 비 때문이다. 중부 지방에는 이번 장마 기간(6월 29일~7월 14일) 지엽적이고 강한 폭우가 쏟아졌다. 장마가 끝난 8월 중순에도 서울에 시간당 30밀리미터(mm)의 강한 비가 내리는 등 이례적인 강우가 이어졌다.

[D] 반면 남부 지방에는 비가 오지 않았다. 장마 기간 남부 지방의 강우량은 평년의 53% 수준을 기록해 중부 지방과의 강우량 차이가 254.9밀리미터(mm)나 됐다. 장마 기간 강원 홍천에는 432.5밀리미터(mm)의 비가 내렸지만, 대구의 강우량은 13.1밀리미터(mm)에 그쳐 지역별 강우량 차이가 33배나 나기도 했다. 8월 중순에도 중부 지방에는 비가 많이 왔지만, 남부 지방에는 폭염 주의보가 내려졌다.

[E] 질병관리본부 매개체 감시과에서는 "보통 장마가 끝나고 모기가 늘어나는 게 일반적인데 올해는 지엽적 집중 호우와 고온이 이어지면서 모기의 서식 환경이 악화된 것으로 보인다."라고 했다.

나 다큐멘터리

[내레이션] 우리나라에서 가장 아름다운 아치형 돌다리로 손꼽히는 승선교. 조선 시대에 만들어진 승선교는 기다란 화강암으로 다듬은 돌을 연결한 후 반원형의 무지개 모양으로 다리를 쌓은 것인데, 돌들이 서로 견고하게 맞물린 모양이 매우 정교하고 아름답다. 특히 아래로 갈수록 좁아지는 돌들을 고도의 기술로 빈틈없이 밀착시켜 완벽한 곡선미를 이루는데, 그 신비스러운 정취가 주변과 어우러져 마치 한 폭의 그림 같다.

– 광주방송, 『남도의 보물 100선』(12회 「봄이 내린 선암사를 걷다」)에서

다 인터넷 블로그

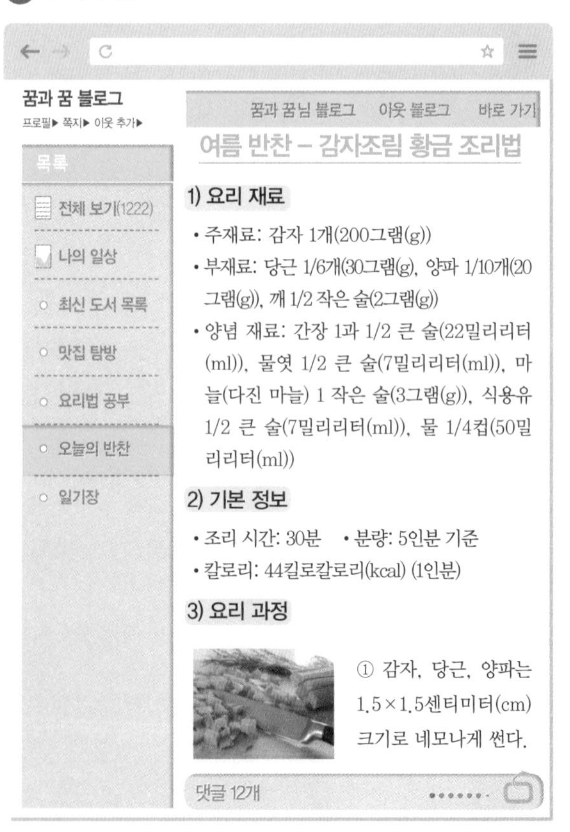

꿈과 꿈 블로그
프로필▸ 쪽지▸ 이웃 추가▸
꿈과 꿈님 블로그 이웃 블로그 바로 가기
목록
전체 보기(1222)
나의 일상
최신 도서 목록
맛집 탐방
요리법 공부
오늘의 반찬
일기장
여름 반찬 – 감자조림 황금 조리법
1) 요리 재료
• 주재료: 감자 1개(200그램(g))
• 부재료: 당근 1/6개(30그램(g), 양파 1/10개(20그램(g)), 깨 1/2 작은 술(2그램(g))
• 양념 재료: 간장 1과 1/2 큰 술(22밀리리터(ml)), 물엿 1/2 큰 술(7밀리리터(ml)), 마늘(다진 마늘) 1 작은 술(3그램(g)), 식용유 1/2 큰 술(7밀리리터(ml)), 물 1/4컵(50밀리리터(ml))
2) 기본 정보
• 조리 시간: 30분 • 분량: 5인분 기준
• 칼로리: 44킬로칼로리(kcal) (1인분)
3) 요리 과정
① 감자, 당근, 양파는 1.5×1.5센티미터(cm) 크기로 네모나게 썬다.
댓글 12개

01 (가)~(다)의 공통점으로 가장 적절한 것은?

① 수용자에게 정보 제공을 목적으로 생산된 자료이다.
② 수용자에게 의견을 전달할 목적으로 생산된 자료이다.
③ 수용자에게 심미적 체험을 경험하게 할 목적으로 생산된 자료이다.
④ 수용자와 생산자 사이의 친밀한 교분을 쌓기 위한 목적으로 생산된 자료이다.
⑤ 수용자와 생산자 사이의 즉각적이고 쌍방향적인 소통을 목적으로 생산된 자료이다.

수능형

02 <보기>를 토대로 (가)를 이해한 것으로 적절하지 않은 것은?

< 보기 >

신문 기사는 기본적으로 표제와 부제, 전문, 본문으로 구성된다. 표제는 기사 내용 전체를 간단하게 나타내는 큰 제목이고, 부제는 표제를 보충하는 작은 제목이다. 또한 전문은 기사의 내용을 한두 문장으로 요약한 부분이고, 본문은 전문의 내용을 구체적으로 제시한 부분이다.

① ㉠을 보니 이 기사가 '모기가 사라진 이유'를 설명하는 것임을 알 수 있군.
② ㉡에서는 모기 수가 급감한 현상과 그 이유를 간략하게 설명해 주고 있군.
③ [B]에서 설명한 모기 수 집계 결과는 ㉢에서 시각적으로 제시하고 있군.
④ [C]와 [D]를 보니 모기 수의 증감은 '비'와 관련되어 있음을 알 수 있군.
⑤ [A]와 [E]에서는 문답의 형식으로 모기 수의 급감이 모기의 서식 환경 악화 때문임을 밝히고 있군.

03 (나)와 (다)의 매체적 특성에 대한 설명으로 적절한 것은?

① (나)는 일반인에 의해, (다)는 전문가에 의해 정보가 생산된다.
② (나)는 정보를 선별하여 볼 수 있지만 (다)는 정보를 순차적으로 모두 보아야 한다.
③ (나)는 방송 송신을 통해 정보를 전달하지만 (다)는 인터넷을 통해 정보를 전달한다.
④ (나)는 문자 언어를 사용하여 내용을 전달하지만 (다)는 음성 언어를 사용하여 내용을 전달한다.
⑤ (나)는 사진 자료를 중심으로 정보를 전달하지만 (다)는 동영상 자료를 중심으로 정보를 전달한다.

04 (다)를 제작하기 위한 계획으로 적절하지 않은 것은?

① 사람들에게 감자조림을 맛있게 하는 방법을 소개해야겠어.
② 요리 재료와 조리의 기본 정보는 문자 언어로 간략하게 소개해야겠어.
③ 구체적인 요리 과정을 이해하기 쉽도록 시각 정보를 함께 제공해야겠어.
④ 사람들의 반응을 그때그때 살펴볼 수 있게 댓글 기능을 사용할 수 있게 해야겠어.
⑤ 감자와 관련된 다른 요리법을 참고할 수 있게 해당 내용에 하이퍼링크를 달아놓아야겠어.

[05~08] 다음 글을 읽고, 물음에 답하시오.

㉠**가을 산행 '독버섯' 주의**

㉡**아나운서** 가을 산에 올랐다가 버섯이 보인다고 막 따오는 분들이 계신데요. 구분을 잘 못 해서 독버섯을 먹을 수 있는 버섯인 줄 알고 들고 내려오는 경우가 아직도 있어서 걱정입니다. ○○○ 기자입니다.

㉢**기자** 국립 공원 단속반이 한 탐방객을 불러 세웁니다. 가방을 열어 보니 야생 버섯이 한가득합니다.

단속반: 이게 무슨 버섯이에요?

㉣**탐방객:** 모르겠어요. 모르고 딴 거예요.

또 다른 탐방객 배낭에서도 종류별로 다양한 야생 버섯이 잔뜩 나옵니다.

㉤

단속반: 이건 송이버섯, 이건 싸리버섯. 이건 흰굴뚝버섯이라고 아주 쓴 버섯이에요. 그리고 이런 종류는 밀버섯, 그리고 이건 소나무 밑에 나는 솔버섯.

단속도 단속이지만, 식용 버섯과 구별하기 어려운 독버섯들이 널려 있어 위험합니다. 바위틈에서 자라난 노란다발이란 독버섯입니다. 식용으로 쓰는 개

소단원 적중 문제

암버섯과 비슷합니다. 또 다른 독버섯인 외대버섯은 흔히 먹는 느타리버섯과 닮았습니다. 마귀광대버섯과 광대버섯아재비는 독성이 매우 강해 절대 먹어선 안 됩니다.

국립 공원에서는 허가받은 현지인 말고는 등산객이 버섯이나 임산물을 무단으로 따다 적발되면 3천만 원 이하의 벌금을 물 수 있습니다.

– 에스비에스(SBS), 2017년 9월 25일 방송

05 이 방송 뉴스에서 다루고 있는 핵심적인 정보로 가장 적절한 것은?

① 독버섯을 잘못 먹으면 위험하니 주의해야 한다.
② 버섯을 무단으로 채취하면 위험하니 주의해야 한다.
③ 가을에 버섯을 채취하는 것은 불법이니 하지 말아야 한다.
④ 독버섯과 식용 버섯을 일반인이 구분하기는 어려우니 주의해야 한다.
⑤ 국립 공원에서 버섯을 사고파는 일은 금지되어 있으니 하지 말아야 한다.

06 ㉠~㉤에 대한 설명으로 적절하지 않은 것은?

① ㉠: 뉴스의 주요 내용을 간략하게 요약하여 제공하고 있다.
② ㉡: 뉴스에서 다루고 있는 화제를 소개하고 있다.
③ ㉢: 뉴스에서 제공하고자 하는 정보를 구체적으로 제시하고 있다.
④ ㉣: 정보에 대한 전문가적인 분석을 통해 뉴스의 신뢰성을 높여 주고 있다.
⑤ ㉤: 뉴스에서 다루고 있는 문제점을 시각적으로 분명하게 드러내고 있다.

서술형

07 뉴스의 제공 목적을 고려할 때, 정보 전달에 있어 중시되어야 하는 요건에는 어떤 것이 있는지 서술하시오.

수능형

08 이 방송 뉴스를 보고, '독버섯'과 관련한 후속 뉴스를 제작하고자 한다. 제작 아이디어로 적절하지 않은 것은?

① 독버섯과 식용 버섯을 구별하는 방법은 제시되지 않았으니까 이에 대한 뉴스를 제작해 보는 것이 좋겠어.
② 국립 공원에서 버섯 채취를 허가받는 방법은 제시되지 않았으니 이에 대한 뉴스를 제작해 보는 것이 좋겠어.
③ 우리가 조심해야 하는 독버섯의 종류는 어떤 것이 있는지는 제시되지 않았으니 이에 대한 뉴스를 제작해 보는 것이 좋겠어.
④ 허가받지 않고 버섯을 채취했을 때는 어떤 벌을 받게 되는지는 제시되지 않았으니 이에 대한 뉴스를 제작해 보는 것이 좋겠어.
⑤ 독버섯을 잘못 먹었다면 어떻게 해독해야 하는지에 대한 정보가 제시되지 않았으니 이에 대한 뉴스를 제작해 보는 것이 좋겠어.

[09~10] 다음 글을 읽고, 물음에 답하시오.

09 인터넷 학급 신문을 제작하기 위해 모은 자료로 적절하지 않은 것은?

① 적성 검사의 방법
② 직업의 종류와 하는 일
③ 학급 구성원의 인적 정보
④ 과목별 과제와 평가 일정
⑤ 대학생 대상 아르바이트 정보

10 인터넷 학급 신문을 평가하기 위한 항목으로 적절하지 않은 것은?

① 제공된 사건이나 정보가 객관적 사실에 부합하는가?
② 자료의 활용에 있어 윤리적인 측면을 준수하였는가?
③ 정보의 배치나 자료 제공이 효과적으로 이루어졌는가?
④ 독자의 흥미를 위해 기사를 재미 위주로 구성하였는가?
⑤ 기사의 내용과 구성이 신문 제작의 목적에 부합하는가?

{ 3 } 매체로 설득하다

소단원 시험 족보

활동 1 설득적 매체 자료의 다양성

① 설득을 위한 매체 자료의 특성

매체 유형	특징
인쇄 매체 (시사 평론)	• 시사 평론은 대상에 관한 글쓴이의 견해가 담겨 있는 글로, 독자들을 설득하려는 의도를 담고 있음. • 우리 사회에서 일어나는 모든 것을 소재로 삼을 수 있음.
영상 매체 (공익 광고)	• 제품을 판매하거나 각종 정보 자료를 널리 알리기 위해 활용되는 매체 자료임. • 최근에는 정부 기관, 공공 단체는 물론 개인도 광고를 만들어 발표함. • 표면적으로는 정보를 전달하지만, 그 이면에는 수용자들을 설득하려는 의도가 담겨 있음.
청각 매체 (라디오 광고)	• 라디오 방송은 청각 매체이므로, 영상이나 문자 텍스트 없이 음성, 음향, 음악을 통해서만 내용을 전달함.

② 설득을 위한 매체 자료를 수용할 때 고려해야 할 사항

• 매체 자료가 생산자의 추측과 주관적인 판단에 의한 것은 아닌지 파악해야 함.

• 매체 자료의 내용이 타당한지 판단해 보고, 무조건 수용하는 태도는 지양해야 함.

• 자신의 사고와 행동에 어떤 유용한 가치가 있는지 그 효용성을 판단하며 주체적으로 살펴봐야 함.

제재 연구

제재 ㉮ 시사 평론, ㉯ 공익 광고, ㉰ 지역 축제 라디오 광고

	㉮ 시사 평론	㉯ 공익 광고	㉰ 지역 축제 라디오 광고
주제	과도한 선행 학습을 지양하자.	어려운 이웃을 돕는 모금에 적극적으로 참여하자.	청양 고추·구기자 축제에 참여하자.
매체를 생산한 의도	신문을 읽는 독자들에게 과도한 선행 학습을 하는 우리의 교육 환경을 변화시키자고 설득하기 위해	공익 광고를 시청한 사람들에게 어려운 이웃들을 도울 수 있도록 성금 모금에 참여하자고 설득하기 위해	라디오 광고를 듣는 청자들에게 각종 먹거리와 즐길 거리가 풍부한 청양 고추·구기자 축제에 참여하자고 설득하기 위해
예상 독자	자녀의 학습에 관심을 두고 있는 학부모	어려운 사람들에게 도움을 줄 수 있는 다수의 사람	지역 축제에 참여하여 축제를 활성화해 줄 수 있는 사람들

• ㉮~㉰의 설득 전략

㉮ 시사 평론

중앙일보 2016년 8월 27일

예습이 중요한가, 복습이 중요한가?

아이가 뒤처질까 선행 학습시키는 불안 내려놓고
스스로 싸울 수 있는 면역력을 키워 주자.

쟁점이 무엇인지 평론의 표제로 보여 주고, 그에 대한 필자의 주장을 부제로 제시하여 전달하고자 하는 내용을 명확하게 드러냄.

㉯ 공익 광고

도움을 받은 사람들의 감사 표현과 모금된 성금이 필요한 분야를 제시하여 모금의 필요성을 드러냄.

㉰ 지역 축제 라디오 광고

(신나는 행진곡이 배경 음악으로 나오며)

온 가족이 함께하는 신나는 건강 여행!
가자, 청양으로!

제00회 청양 고추·구기자 축제.
8월 26일부터 28일까지!

화려하고 신나는 공연,
청양고추 할인 경품 행사 등 특별한 이벤트!

'축제', '화려하고 신나는' 등의 어휘와 흥을 돋우는 어조로 축제를 홍보하여 청자의 기대감을 높임.

확인하기 ❶

• 설득을 위한 매체 자료를 수용할 때 고려할 사항에 대한 설명 중 맞는 것은 ○표, 틀린 것은 ×표를 하시오.

• 자료의 내용이 타당하고 합리적인지 비판적 관점에서 파악한다. ( )

• 매체 자료 생산자와의 관계 형성을 고려하여 수용 여부를 결정한다. ( )

확인하기 정답

❶ ○/×

활동 2 설득적 매체 자료 깊이 읽기

• 설득을 위한 매체 자료 수용 시 필요한 태도

비판적 태도	• 매체를 통해 전달되는 메시지가 타당하고 합리적인 것인지를 비판적인 관점에서 파악할 수 있어야 함. • 비판적 태도로 자료를 수용하기 위해서는 매체 자료에 담긴 설득 전략을 제대로 분석할 수 있는 능력이 필요함.

제재 연구

제재 '쓰레기에도 족보가 있다'

갈래	공익 광고	제재	우유팩과 휴지
주제	재활용의 독려		
특징	• 로봇 청소기와 두루마리 휴지, 우유팩을 의인화하여 애니메이션 형태로 제작함. • 우유팩과 두루마리 휴지의 관계를 부각하여 광고의 목적을 전달함.		

• 이 광고에 사용된 설득 전략과 효과

설득 전략

로봇 청소기와 두루마리 휴지, 우유팩을 의인화하여 표현함.

효과

• 수용자의 흥미 유발
• 수용자가 우유팩과 두루마리 휴지의 관계에 주목할 수 있게 함.

• 이 광고에서 잘된 점과 보완해야 할 점

잘된 점	보완할 점
재미있는 설정을 통해 광고에 대한 독자들의 흥미를 자극함.	우유팩과 두루마리 휴지의 관계(재활용)만 강조하여 재활용 독려하는 메시지가 명확하게 전달되지 않기 때문에 이를 보완할 필요가 있음.

* 광고: 소비 대중을 대상으로 하여 상품의 판매나 서비스의 이용 또는 기업이나 단체의 이미지 증진 등을 궁극 목표로 이에 필요한 정보를 매체를 통하여 전달하는 행위를 말함. 광고는 기본적으로 정보 전달의 기능과 함께 설득의 기능을 가지고 있음.

확인하기 ❷

• 설득을 위한 매체 자료를 수용하고 생산하는 데 가장 중요한 태도는 무엇인지 쓰시오.

활동 3 설득적 매체 자료의 생산

① 광고를 제작할 때 고려할 점

대상과 목적에 대한 분석

• 이 광고를 만들려는 목적은 무엇인가?
• 광고의 예상 독자는 누구인가?
• 예상 독자의 관심은 무엇인가?
• 예상 독자의 수준은 어떠한가?

\+

적절한 설득 전략 사용

• 사용하는 매체의 특성을 고려하여 적절한 설득 전략을 사용해야 함.

• 광고의 주된 설득 전략 예시

• 전문가나 유명인 등 광고 출연자의 인지도를 통해 제품의 신뢰도를 높임.
• 인상 깊은 이미지나 문구로 수용자의 감각을 자극하고, 비유나 비교를 통해 대상의 특성을 드러냄.
• 기발한 발상의 표현이나 재미있는 표현을 통해 수용자에게 흥미와 친근감을 유발함.
• 질문을 던지거나 추리 형식으로 수용자의 관심을 유발함.
• 장점과 우수성을 나열하여 대상의 필요성을 강조함.

* 홍보: 사업이나 상품, 업적 따위를 일반에 널리 알림. 또는 그 소식이나 보도를 뜻함. 홍보는 대개 광고와 비슷한 의미로 쓰이지만 목적이나 전략에 있어 미세한 차이가 있음. 홍보는 대중들에게 자신이 알리고 싶은 대상이나 생각에 대한 긍정적 이미지를 심어주는 데 그 목적이 있으며, 광고는 자신이 알리고 싶은 대상에 대한 구매를 일으키거나 생각에 동조하게 하는 데 그 목적이 있음.

② 광고를 만드는 과정

• 광고를 제작하는 목적 파악
• 예상 독자 분석
• 광고에 들어갈 내용 마련
• 효과적인 매체 선정
• 내용 구성 및 설득 전략 수립
• 광고 제작

③ 광고에 대한 평가 기준

• 예상 독자의 수준에 맞는 내용인가?
• 광고의 목적에 맞는 매체 언어를 효과적으로 사용하였는가?
• 광고의 설득 전략은 주제를 표현하기에 적절한가?

확인하기 ❸

• 다음에서 광고를 제작할 때 고려할 점을 모두 고르시오.

ㄱ. 대상과 목적에 대한 분석
ㄴ. 주제에 대한 중립적이고 공정한 자세
ㄷ. 매체의 특성을 고려한 적절한 설득 전략의 사용

확인하기 정답 ❷ 비판적 태도 / ❸ ㄱ, ㄷ

정답과 해설 p. 25

소단원 적중 문제

[01~05] 다음 매체 자료를 읽고, 물음에 답하시오.

가 시사 평론

중앙일보 2016년 8월 27일

예습이 중요한가, 복습이 중요한가?

아이가 뒤처질까 선행 학습시키는 불안 내려놓고
스스로 싸울 수 있는 면역력을 키워 주자.

어린 시절에는 복습보다 예습이 효과적이라고 배웠다. 수업 시간에 뭘 배울지 미리 알아 두면 훨씬 빠르게 학습 내용을 흡수할 수 있다고들 했다. 정말 그런 줄 알고 열심히 예습을 했다. 하지만 막상 공들여 예습을 하니, 수업에서 느끼는 생생한 현장성과 흥미가 떨어져 버렸다. '오늘은 과연 뭘 배울까.' 하고 나도 모르게 설레는 느낌이 없어져 버렸다. 어른이 되고 나서야 깨달았다. 나에게는 예습보다 복습이 훨씬 효과적이라는 것을. [중략]

나는 복습 예찬론자다. 복습을 하면서 비로소 내가 오늘 배운 것이 무엇인지를 더 잘 이해할 수 있고, 읽고 느낀 것을 자꾸만 되새김질하면서 불현듯 새로운 아이디어를 얻기도 한다. 그런데 우리 사회는 정반대로 가고 있다. 요새는 내일 공부할 것을 오늘 미리 들춰 보는 조금 부지런한 학생의 개인적인 예습을 뛰어넘어 아예 집단적인 '선행 학습'이라는 것이 사회적 문제가 되고 있다. '예습의 중요성'이 눈덩이처럼 불어나 아예 '선행 학습을 하지 않으면 입시에 성공하기 어렵다.'는 식의 집단적인 불안으로 변질되어 버린 것이다. 주변의 학부모들에게 물어보니 '선행 학습이 옳다고 생각하지는 않지만 남들이 다 하니 어쩔 수 없이 학원에 보낸다.'는 분들이 대다수이다. 선행 학습에 진심으로 찬성해서가 아니라 '아이가 뒤처지는 것이 싫어' 학원에 보낸다는 것이다. 하지만 다음 학기는 물론 내년에 배울 내용까지 완벽하게 통달하는 정도의 과도한 선행 학습이 교사의 '가르칠 권리'를 빼앗는 것은 아닐까? 과도한 선행 학습이 학생들에게 '오늘 무엇을 배울지 설렐 기회'마저 빼앗는 것은 아닐까?

나 공익 광고

[내레이션(어린아이 1)]
고맙습니다.
맛있게 잘 먹었습니다.

[내레이션(어린아이 2)]
이제 아프지 않아요.
고맙습니다.

[내레이션(성인 1)]
불났을 적에 엄청 도움이 됐어. 고마워.

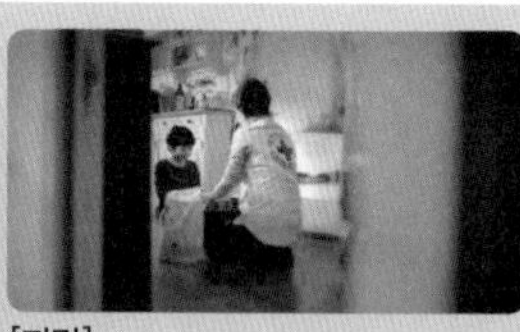

[자막]
'취약 계층 맞춤형 지원'

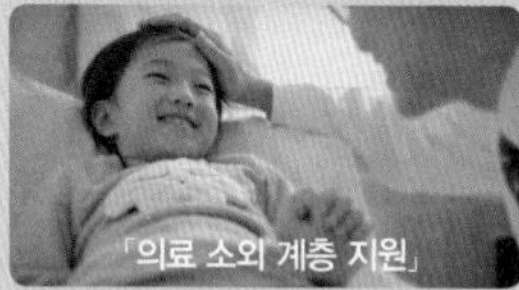

[자막]
'의료 소외 계층 지원'

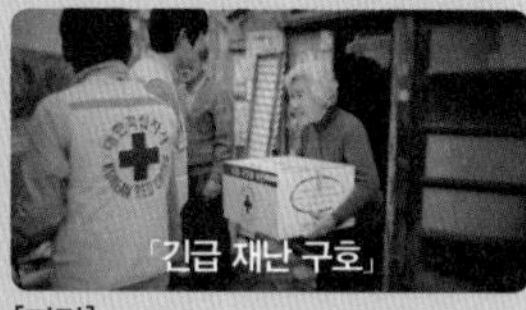

[자막]
'긴급 재난 구호'

[내레이션(성인 2)]
여러분은 모르시지만, 많은 분이 고마워하고 있습니다.

[내레이션(성인 2)]
모금, 사랑을 켜면 희망이 커집니다.

다 지역 축제 라디오 광고(20초)

(신나는 행진곡이 배경 음악으로 나오며)

온 가족이 함께하는 신나는 건강 여행!
가자, 청양으로!

제00회 청양 고추·구기자 축제.
8월 26일부터 28일까지!

화려하고 신나는 공연,
청양고추 할인 경품 행사 등 특별한 이벤트!
먹거리, 즐길 거리 풍성한 청양 장날.
손자, 손녀와 함께 하는 놀이마당이 마련됩니다!

제00회 청양 고추·구기자 축제.
가자, 청양으로!

소단원 적중 문제

01 (가)~(다)에 대한 설명으로 적절한 것은?

① (가)는 인쇄 매체로서 의견이나 주장을 담고 있고, (나)는 동영상 매체로서 공익적 목적을 가지고 있다.
② (가)는 인터넷 매체로서 공익적 목적을 가진 광고이고, (다)는 동영상 매체로서 상업적 목적을 가진 광고이다.
③ (나)는 동영상 매체로서 상업적 목적을 가진 광고이고, (다)는 인쇄 매체로서 특정 사안에 대한 논쟁적인 성격을 가진 광고이다.
④ (가)와 (다)는 모두 인쇄 매체로서 설득의 목적으로 생산된 매체 자료이다.
⑤ (나)와 (다)는 모두 동영상 매체로서 정보 전달을 목적으로 생산된 매체 자료이다.

02 (가)에 담긴 글쓴이의 생각으로 적절하지 않은 것은?

① 예습이 본 수업에 대한 흥미를 떨어뜨리게 한다고 생각하고 있다.
② 예습이 집단적인 '선행 학습'으로 변질된 상황을 문제시하고 있다.
③ 예습이 학생들이 새로운 아이디어를 떠올리는 것을 방해한다고 생각하고 있다.
④ 과도한 선행 학습이 교사의 가르칠 권리를 빼앗는 것일지도 모른다고 우려하고 있다.
⑤ 선행 학습을 시키는 학부모 역시 선행 학습을 옳은 것으로 보지 않는다고 생각하고 있다.

수능형

03 <보기>의 요구 사항들을 바탕으로 (나)를 제작했다고 했을 때, ⓐ~ⓔ 중 (나)에 반영되지 않은 것은?

<보기>
ⓐ 수용자가 직접 감사 인사를 받는 느낌으로 만들어 주세요.
ⓑ 간단한 이미지를 통해 모금에 참여하는 구체적인 방법을 소개해 주세요.
ⓒ 자막을 통해서 모금으로 할 수 있는 다양한 지원 사업을 소개해 주세요.
ⓓ 내레이션을 통해 도움을 받는 사람들의 목소리를 생생하게 전달해 주세요.
ⓔ 고마움을 전하는 표현을 반복적으로 제시하여 모금 활동의 가치를 부각해 주세요.

① ⓐ ② ⓑ ③ ⓒ
④ ⓓ ⑤ ⓔ

서술형

04 설득적 매체 자료로서 (가)~(다)를 수용할 때, 유의해야 할 점은 무엇인지 서술하시오.

05 (다)에 나타난 표현 전략으로 적절하지 않은 것은?

① 반복적 표현으로 독자에게 핵심 내용을 기억하게 하고 있다.
② 도치의 표현 방식을 사용하여 전달하고자 하는 바를 강조하고 있다.
③ 자막을 사용하여 행사의 주요 일정을 일목요연하게 안내하고 있다.
④ 신나는 음악을 사용하여 현장의 분위기를 느낄 수 있도록 하고 있다.
⑤ 구체적인 사항들을 나열하여 소개하고자 하는 대상에 흥미를 갖도록 유도하고 있다.

06 '학교 홍보 광고'를 만들기 위한 아이디어 회의에서 나온 생각 중 광고에 담길 내용으로 적절하지 않은 것은?

① 학교의 우수한 교육 시설
② 교육을 위한 면학 분위기
③ 다양하고 알찬 동아리 활동
④ 졸업생과 연계된 멘토링 활동
⑤ 학교 구성원과 관련된 다양한 사건·사고

[07~09] 다음 자료 매체를 읽고, 물음에 답하시오.

1

2

3
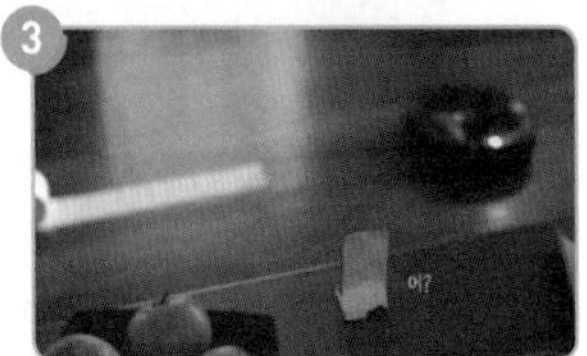

4

5

6

7

8

9

10
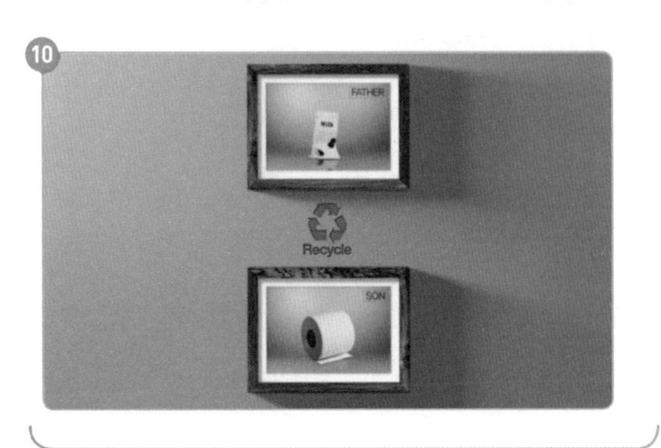

수능형

07 〈보기〉를 바탕으로 이 매체 자료를 이해한 것으로 적절한 것은?

〈보기〉

광고는 수용자에 대한 설득이 가장 중요한 목적이기 때문에, 수용자를 설득하기 위한 다양한 설득 전략이 사용된다. 광고에 출연한 사람의 인지도를 통해 제품의 신뢰도를 높이거나 장점과 우수성을 나열하여 대상의 필요성을 강조하는 것, 또는 기발한 발상의 표현을 통해 시청자의 흥미를 유발하거나 질문을 던지거나 추리 형식으로 시청자의 관심을 유발하는 전략, 비유적 표현이나 비교의 방식으로 대상의 특성을 드러내는 전략 등이 이에 해당한다.

① 유명 연예인을 광고 출연자로 내세워 재활용된 제품의 신뢰도를 높이고 있다.
② 로봇 청소기와 화장지의 특성을 비교하여 재활용품의 특성을 드러내고 있군.
③ 우유팩으로 만든 화장지의 장점과 우수성을 나열하여 재활용의 필요성을 강조하고 있군.
④ 우유팩과 화장지를 아버지와 자식 관계로 설정한 발상을 통해 시청자의 흥미를 유발하고 있군.
⑤ 우유팩이 화장지를 돕는 이유에 대한 질문을 던지고 추리하게 함으로써 시청자의 관심을 유도하고 있군.

08 이 광고를 평가한 내용을 적절하지 않은 것은?

① 주미: 위기에 빠진 화장지를 우유팩이 구해 주는 설정이 재미있고 흥미롭군.
② 승렬: 상황을 이해할 수 있도록 자막을 사용해 설명해 주니까 훨씬 이해가 편하군.
③ 지원: 재활용 광고에서 흔히 제시하는 방식을 그대로 모방해서 조금 식상한 느낌이 드는군.
④ 재완: 재미있는 광고이긴 한데, 정작 재활용을 독려하고 있다는 메시지는 잘 보이지 않아서 아쉽군.
⑤ 혜연: 우유팩과 화장지의 위치를 재활용 마크를 사용해 수직으로 배치함으로써 둘 사이의 관계를 잘 드러내고 있군.

서술형

09 이 매체 자료를 통해서 전달하고자 하는 핵심적인 내용은 무엇인지 서술하시오.

{ 4 } 매체로 빚은 예술

활동 1 심미적 매체 자료의 다양성

① 현대 사회의 심미적 활동

매체의 발달 ⇨	현대 사회의 삶	삶의 모습이 다양해짐.
	심미적 활동	다양한 양상으로 발전함.

- 심미성: 아름다움을 살펴 찾으려는 성질을 의미함. 여기서 아름다움은 단순히 예쁜 것이 아니라 부정적인 것까지 포함한 넓은 의미임.

② 심미적 매체 자료의 특성

- 아름다움을 통해 정서적 고양이나 공감을 일으키기 위한 심미적 목적이 있음.
- 심미적 매체 자료들이 향유되는 이유는 인간에게 기본적으로 내재한 심미적 욕구 때문임.

② 심미적 매체 자료를 수용하는 자세

- 작가가 전달하고자 하는 내용을 매체 자료로 어떻게 아름답게 표현하는지를 감상함.
- 작가와 전달 매체, 작품 전달 맥락을 종합적으로 고려해 공감하는 태도가 필요함.
- 심미적 매체 자료를 수용하는 것은 결국 그 작품이 표현하고자 하는 바에 정서적으로 감응하는 것임. 따라서 심미적 매체 자료를 감상하는 데 있어 너무 분석적인 태도는 지양해야 함.

제재 연구

제재 ㉮ 풍뎅이뎅이(주니콩), ㉯ 너를 기다리는 동안(황지우), ㉰ 별이 빛나는 밤(가립 아이)

	㉮ 웹툰	㉯ 시 낭송 동영상과 듣기 자료	㉰ 마블링 아트 비디오
주제	곤충의 숲에서 살게 된 풍뎅이의 유쾌한 숲 속 생활	기다림의 절실함과 만남의 의지	반 고흐의 '별이 빛나는 밤'의 재해석
특징	• 어린 풍뎅이를 주인공으로, 의인화된 곤충들의 숲 속 일상을 부드러운 색채로 그려 냄. • 따뜻하고 교훈적인 이야기를 다룸.	• 청각적 심상과 의성어의 사용으로 기다림의 초조함을 표현함. • 동일한 시구의 반복으로 운율감을 형성함. • 역설적 표현을 통하여 능동적 기다림의 자세를 강조함.	• 터키의 전통 예술인 에브루 기법으로 명화를 재해석하여 그린 그림 • 완성된 이미지뿐만 아니라 작품을 만들어 가는 과정을 비디오로 보여 줌.

• ㉮~㉰의 심미적 표현 방법

㉮ 웹툰

온라인상에서 작가가 설정한 만화 캐릭터가 큰 이야기 구조 안에서 각 회마다 소주제를 가지고 만화를 이끌어 감.

㉯ 시 낭송 동영상과 듣기 자료

문자, 음성, 음악, 이미지 등을 조합하여 시의 정서를 입체적으로 표현함.

㉰ 마블링 아트 비디오

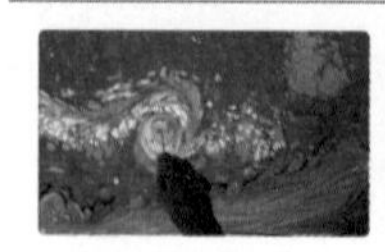

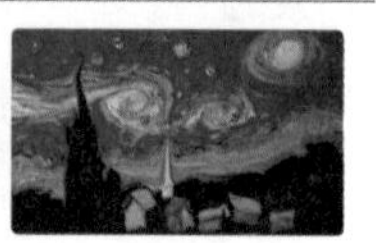

물 위에 특수 물감을 뿌려 나타나는 여러 가지 모양으로 형상을 만드는 과정을 비디오로 찍어 표현함.

확인하기 1

• 다음 설명 중 맞는 것은 ○표, 틀린 것은 ×표를 하시오.
- 심미적 매체 자료는 인간에게 내재한 심미적 욕구로 인해 향유된다. ( )
- 심미적 매체 자료는 아름다움을 통해 수용자를 설득하려는 목적으로 창작된다. ( )
- 매체의 발달로 인해 심미적 활동도 다양한 양상으로 발전하였다. ( )

활동 2 심미적 매체 자료 깊이 읽기

• 심미적 매체 자료의 수용 방법

매체 특성과 표현 방식	➡	수용 방법
어떤 매체를 매개로 심미적 표현을 하느냐에 따라 같은 대상이라도 표현되는 내용이나 방식이 달라짐.	➡	매체가 지니는 특성이나 표현 방식을 알아야 함.

제재 연구

제재 두근두근 내 인생

갈래	영화
제재	가장 어린 부모와 가장 늙은 자식의 청춘과 사랑에 대한 눈부신 이야기
주제	• 시련 속에서도 희망을 잃지 않게 하는 가족 간의 사랑 • 작은 것에도 소중함을 느끼는 삶
특징	• 아프지만 아름다운 청춘과 인생을 생기발랄하게 그려냄. • 제목을 통해 사랑하는 사람들과 함께 하는 인생의 순간 순간은 두근거림을 느낄 수 있는 소중한 것이라는 메시지를 전달함.

•「두근두근 내 인생」 전체 줄거리

서른네 살인 미라와 대수는 열일곱 살에 아름을 낳았고, 현재 아름은 열일곱 살이다. 아름은 빠른 속도로 신체가 늙어 가는 조로증을 앓고 있다. 부모님이 하던 일이 점점 기울게 되어 아름의 치료비를 감당할 수 없게 되자, 방송 피디인 엄마 친구의 제의에 방송에 출연한다. 방송이 나간 후 골수암을 앓는 서하라는 소녀에게서 메일을 받는다. 처음에는 마음을 열지 않았지만, 아름은 서서히 서하와 진실한 이야기들을 나눈다. 하지만 서하는 암을 앓는 여자아이가 아니라 무명 시나리오 작가라는 게 밝혀지고 아름도 그 사실을 우연히 듣게 된다. 크게 실망한 아름은 점점 건강이 나빠진다. 아름은 부모님의 이야기를 소설로 써서 남기고 결국 죽음을 맞이한다.

* 영화: 사진의 원리를 이용, 피사체를 연속 촬영함으로써 영사했을 때 피사체가 움직이는 것처럼 보이는 영상 매체. 흔히 영화는 제작 과정을 통하여 회화와 건축, 미술, 음악, 무용, 문학 등을 모두 통합한다는 점에서 종합 예술로 불림. 현대에 이르러 영화는 가장 대중적인 예술 장르 중 하나로 평가받음.
* 서사 작품을 통한 감동: 자기와는 다른 인간의 기쁨과 슬픔과 고통을 확인하고 그것에 공감하며 감동하게 됨.

확인하기 ❷

• 다음 빈칸에 알맞을 말을 쓰시오.

어떤 (   )를 매개로 심미적 표현을 하느냐에 따라 같은 대상이라도 표현되는 내용이나 방식은 다를 수 있다. 따라서 심미적 매체 자료를 풍부하게 감상하기 위해서는 매체가 지니는 특성이나 (   )을 알아야 한다.

활동 3 심미적 매체 자료의 생산

① **심미적 매체 자료 생산 시 고려할 점:** 매체의 특성을 바탕으로 예상 독자에게 공감과 감동을 주는 내용으로 생산함.

② **심미적 가치를 지닌 랩 가사를 쓰고, 뮤직 비디오 만들기**

1. 일상생활의 경험을 토대로 랩 가사의 주제 선정

⬇

2. 주제에 어울리는 비트를 고르고 랩 가사 쓰기

⬇

3. 뮤직 비디오를 만들기 위한 역할 분담
– 래퍼, 연기자, 촬영, 음향

⬇

4. 주요 내용을 스토리 보드로 작성하기

⬇

5. 뮤직 비디오 만들기

⬇

6. 뮤직 비디오 감상

• 뮤직 비디오: 음악과 화면이 융합한 형태의 영상물. 일반적으로 대중음악을 가지고 그와 연관된 표현적인 영상으로 구성한 5분 내외의 영상 작품을 뜻함.
• 랩(rap): 음악 반주에 맞춰 리듬감과 운을 살려 이야기하듯 노래하는 음악 형식.
• 스토리보드: 보는 사람이 주요 흐름과 내용을 쉽게 이해할 수 있도록 주요 장면을 그림으로 정리한 계획표. 주로 화면 제목, 구성, 설명, 연결 화면 등을 기록함.

* 스토리보드 작성 방법

• 시각 이미지 칸에 보여 줄 장면을 간단히 스케치함.
• 장면에 맞는 소리나 음악, 대사, 자막을 적음.
• 장면을 어떤 방식으로 찍을지 촬영 정보를 메모함.

확인하기 정답 ❶ ○/×/○ / ❷ 매체/표현 방식

소단원 적중 문제

[01~05] 다음 매체 자료를 읽고, 물음에 답하시오.

(가) 웹툰

(나) 시 낭송 동영상과 듣기 자료

(다) 마블링 아트 비디오

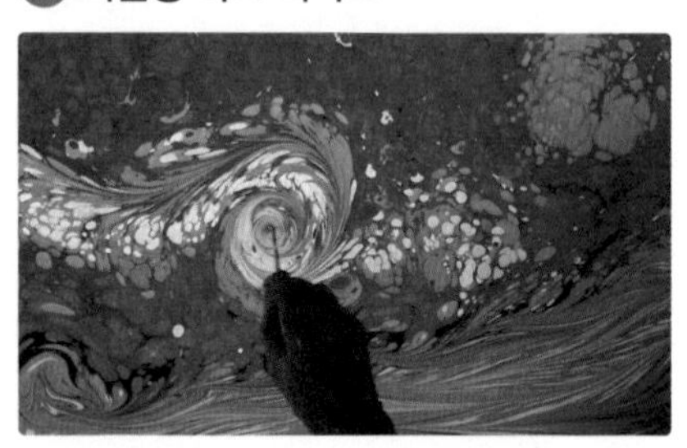

– 가립 아이, 「별이 빛나는 밤」(2016년)

01 (가)~(다)를 감상하는 태도로 가장 적절한 것은?

① (가)~(다)에 담겨진 정보를 이성적으로 수집하여, 그것의 사실성을 검증한다.
② (가)~(다)의 표현 기법과 그것의 기능을 익히고, 그것을 재현하려고 노력한다.
③ (가)~(다)의 매체적 특징보다는 그것이 표현하고자 한 사실을 객관적으로 수용한다.
④ (가)~(다)의 생산자가 의도한 내용이 무엇인지 찾고, 그 의미만을 이해한다.
⑤ (가)~(다)의 매체적 표현 방식을 이해하고, 각각의 매체 자료에 정서적으로 감응하고자 한다.

서술형

02 (가)~(다)의 공통된 창작 목적을 서술하시오.

수능형

03 〈보기〉를 바탕으로 (가)를 이해한 것으로 적절하지 않은 것은?

〈보기〉

웹툰(webtoon)은 웹(web)과 만화(cartoon)의 합성어로, 인터넷을 매개로 배포하는 만화를 의미한다. 기존의 출판 만화와 달리 즉각적인 독자 참여가 가능하다. 웹툰을 즐기는 독자는 댓글을 통해 문제 제기, 의견 표현, 작가 응원 등 능동적 참여가 가능하다. 현재는 각종 멀티미디어 효과도 동원되어 움직이는 웹툰도 제공되고 있다.

① 인터넷 상에서 볼 수 있는 만화로군.
② 출판 만화에 비해 독자와의 즉각적 소통이 더 잘 되겠군.
③ 독자 참여 기능을 통해 독자가 만화가의 역할을 대체하기도 하겠군.
④ 움직이는 영상을 사용하여 좀 더 생생한 장면을 만들어 낼 수 있겠군.
⑤ 만화의 내용 전개에 대한 의견이 있다면 댓글 기능을 이용하면 되겠군.

04 황지우의 '너를 기다리는 동안'을 (나)와 같은 매체로 변환하여 자료를 만들기 위해 고려했을 내용으로 가장 적절한 것은?

① 시를 좋아하는 사람들과 즉각적인 소통을 할 수 있게 해야겠어.
② 시 속에 담긴 정서를 서사적인 장면을 통해 이해하게 하고 싶어.
③ 시가 담고 있는 이야기를 사실적으로 검증할 수 있게 하고 싶어.
④ 시가 지닌 정서를 다양한 감각을 통해 입체적으로 느끼게 하고 싶어.
⑤ 시를 깊이 있게 이해할 수 있도록 시와 관련된 정보를 제공하고 싶어.

수능형

05 〈보기〉의 정보를 바탕으로 (다)를 감상한 것으로 적절하지 않은 것은?

〈보기〉

- 에브루(Ebru) 기법: 금속제로 된 그릇 안에 기름 물을 담고 그 위에 여러 색상의 물감을 흩뿌리거나 붓질을 해서 무늬를 만들고 그 위에 종이나 천을 덮어 오일 그림을 전사해 만든 것으로 화려한 무늬를 연출하는 터키의 전통적인 예술 기법
- 반 고흐, 「별이 빛나는 밤에」(1890년, 유채화)
- 가립 아이: 세계적 마블링 예술가로 반 고흐 등 여러 유명 작가의 작품을 에브루 기법으로 재해석함. 작품의 창작 과정을 누리 소통망(SNS)에 공유하면서 많을 사람의 관심을 받음.

① 반 고흐의 「별이 빛나는 밤에」를 재해석한 작품이군.
② 터키의 전통적 예술 기법을 사용하여 만든 작품이군.
③ 기름 물 위에 흩뿌려진 물감의 이미지가 화려하고 환상적으로 느껴지는군.
④ 연속으로 배치된 작은 그림을 통해 작품이 완성되어 가는 과정을 엿볼 수 있군.
⑤ 물감이 계속 기름 물 위에서 움직이므로 완성된 작품 이미지가 시간이 흐르면 달라질 수 있겠군.

06 〈보기〉는 뮤직 비디오를 촬영하기 위해 쓴 랩 가사이다. 이에 대한 이해로 적절한 것은?

〈보기〉

매일 아침 일곱 시 알람 소리에 기상
이런 시간에 눈이 번쩍 떠지는 게 이상
무거운 몸이 떨어지지 않는 곳은 지상

1교시 수업 종이 울리면 나도 모르게 눈꺼풀이 내려와
책상에 엎드려 코를 고는 소리에 주변의 눈초리가 따가와
칠판 앞에 서 계시던 선생님이 어느 새 내 곁으로 다가와

① 학교생활의 즐거움을 재치 있게 표현하고 있다.
② 학교 수업의 문제점을 비판적으로 지적하고 있다.
③ 학생들의 고단한 일상을 소재로 공감을 얻고 있다.
④ 일탈 행동의 이유를 학생들의 입장에서 설명하고 있다.
⑤ 이상적인 학교 환경에 대한 학생들의 희망을 노래하고 있다.

소단원 적중 문제

[07~09] 다음 글을 읽고, 물음에 답하시오.

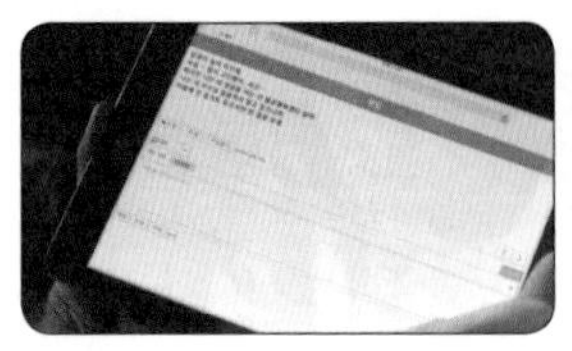

서하: (소리) 아름이 넌 어떨 때 가장 살고 싶어지냐고.

아름: (소리) 살고 싶어지는 때?

아름: (소리) 푸른 하늘에 하얀 뭉게구름을 볼 때.

아름: (소리) 아이들의 해맑은 웃음소리를 들을 때 나는 살고 싶어져.

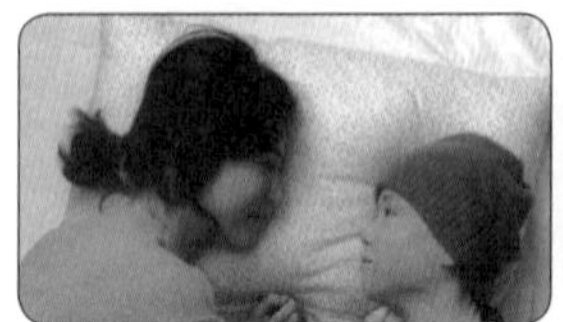

아름: (소리) 맑은 날 오후, 엄마와 함께 햇빛을 머금은 포근한 빨래 냄새를 맡을 때도.

아름: (소리) 무뚝뚝한 우리 동네 구멍가게 아저씨가 연속극을 보며 우는 걸 보고, 살고 싶다고 생각했던 적도 있고.

아름: (소리) 저녁 무렵, 골목길에서 밥 먹으라고 손주를 부르는 할머니의 소리가 울려 퍼질 때도.

아름: (소리) 여름날, 엄마가 아빠 등목을 시켜 주며 찬물을 끼얹는 걸 볼 때도 나는 살고 싶어져.

줄거리 서른네 살인 미라와 대수는 열일곱 살에 아름을 낳았고, 현재 아름은 열일곱 살이다. 아름은 빠른 속도로 신체가 늙어 가는 조로증을 앓고 있다. 부모님이 하던 일이 점점 기울게 되어 아름의 치료비를 감당할 수 없게 되자, 방송 피디인 엄마 친구의 제의에 방송에 출연한다. 방송이 나간 후 골수암을 앓는 서하라는 소녀에게서 메일을 받는다. 처음에는 마음을 열지 않았지만, 아름은 서서히 서하와 진실한 이야기들을 나눈다. 하지만 서하는 암을 앓는 여자아이가 아니라 무명 시나리오 작가라는 게 밝혀지고 아름도 그 사실을 우연히 듣게 된다. 크게 실망한 아름은 점점 건강이 나빠진다. 아름은 부모님의 이야기를 소설로 써서 남기고 결국 죽음을 맞이한다.

07 이 영화에 대한 감상평으로 적절하지 <u>않은</u> 것은?

① 미라와 대수, 그리고 아름의 모습을 통해 진한 가족애를 느낄 수 있었어.
② 아름의 간절한 시선을 통해 무심코 지나쳤던 일상의 소중함을 일깨울 수 있었어.
③ 절망적인 상황에서도 포기하지 않고, 마침내 병을 이겨낸 아름의 모습에서 생명의 경이로움을 느낄 수 있었어.
④ 자신의 아이를 버리기도 하는 무정한 세상에 끝까지 자식을 지키려는 미라와 대수의 모습에서 책임감을 느낄 수 있었어.
⑤ 힘든 와중에도 아픈 자식 앞에서는 그것을 내색하지 않는 미라와 대수의 모습에서 서로에 대한 배려심을 읽을 수 있었어.

08 이 장면을 영화로 제작할 때, 고려했을 내용으로 적절하지 <u>않은</u> 것은?

① 장면들이 소중하고 아름답게 보일 수 있도록 영상으로 예쁘게 담아야겠어.
② 관객들이 공감할 수 있도록 누구나 경험했음직한 장면들 위주로 장면을 구성해야겠어.
③ 아름이 떠올리는 장면들임을 알 수 있도록 아름의 목소리를 장면 장면에 삽입하면 좋겠어.
④ 아름이를 살고 싶게 하는 장면이므로, 아름이가 아직 경험하지 못한 상황들을 제시해야겠어.
⑤ 관객들이 아름이 떠올리는 장면들을 생생하게 느낄 수 있도록 시·청각적 효과를 복합적으로 사용해야겠어.

서술형

09 이 작품의 제목인 『두근두근 내 인생』이 의미하는 바가 무엇인지 서술하시오.

정답과 해설 p. 27

중단원 실전 문제

[01~03] 다음 매체 자료를 읽고, 물음에 답하시오.

가 누리 소통망(SNS)

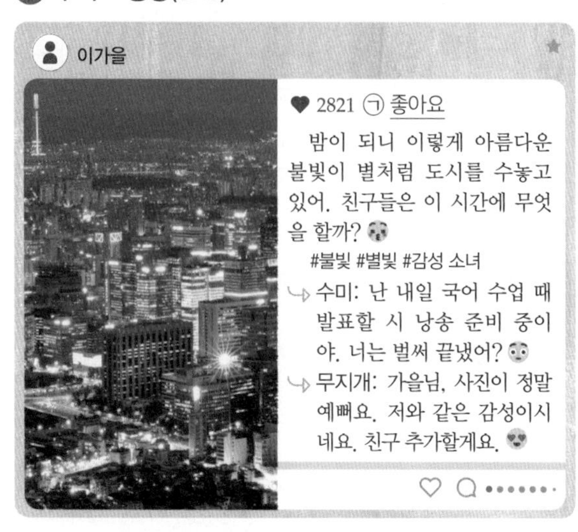

이가을
♥ 2821 ㉠ 좋아요
밤이 되니 이렇게 아름다운 불빛이 별처럼 도시를 수놓고 있어. 친구들은 이 시간에 무엇을 할까?
#불빛 #별빛 #감성 소녀
수미: 난 내일 국어 수업 때 발표할 시 낭송 준비 중이야. 너는 벌써 끝냈어?
무지개: 가을님, 사진이 정말 예뻐요. 저와 같은 감성이시네요. 친구 추가할게요.

나 인터넷 카페

당부의 말씀을 드립니다.

작성: 길 위의 집사 | 20○○. 9. 6. 13:00

어제 '우리냥이 알리기' 게시판에 반려동물 '하늬'의 사진을 올렸습니다.

정말 감사하게도 하늬에 대해 호감을 많이 보여 주셨고, 칭찬도 많았죠.

그런데 몇몇 분은 하늬의 꼬리 길이나 털 윤기 등 외모에 대해 깎아내리셨고, 비하하는 발언도 하셨습니다. 하늬를 가족처럼 생각하는 저로서는 너무 마음이 아팠습니다.

글을 올린 사람과 읽는 사람 모두 고양이를 사랑하는 마음에 이 카페에 오셨다고 생각합니다. 소통하실 때 한 번 더 상대의 입장이 되어 주시길 부탁드립니다.

└ ㉡댓글 20개 | 조회 30건 | 글쓰기

다 '사이버 불링(Cyber Bullying)'은 온라인 공간에서 발생하는 불특정 다수의 집단 괴롭힘을 뜻하는 단어로, 대상이 누군지를 떠나 악성 댓글을 비롯한 '언어폭력', '개인정보 유포', '악성 소문 생산' 등이 모두 포함된다. [중략] 온라인 커뮤니티가 거대해지고, 누리 소통망(SNS) 문화가 확산되면서 일반인들도 사이버 불링의 피해에 노출되고 있다. 별 뜻 없이 올린 자신의 누리 소통망(SNS) 글이 논란이 되는 일도, 거짓 글로 무고한 사람이 피해를 보는 일도 적잖이 발생하는 상황이다.

– 『공감신문』 2018. 4. 25.

01 (가)~(다)에 대한 설명으로 가장 적절한 것은?

① (가)는 (나)와 (다)에 비해서 다른 사람들이 접근하는 데 있어 제한이 있다.
② (나)는 (가), (다)와는 달리 문자 언어를 주요한 매체 언어로 사용하고 있다.
③ (다)는 (가)와 (나)의 매체가 가질 수 있는 긍정적 면과 부정적 면을 소개하고 있다.
④ (가)와 (나)는 해당 공간에 모인 사람들과 친밀해지고자 하는 목적으로 만들어진 것이다.
⑤ (나)와 (다)는 객관적인 정보 전달을 주요한 목적으로 하고 있다.

수능형

02 (다)에서 설명하고 있는 '사이버 불링'에 해당하지 <u>않은</u> 것은?

① 반 친구들이 다 모여 있는 모바일 대화방에서 특정 친구를 비방하는 일
② 자신이 소속된 기관에서 벌어지는 부조리한 일에 대한 민원을 상급 기관에 제기하는 일
③ 연예인과 관련된 근거 없는 소문을 사실인 양 불특정 다수에게 유포하고 공유하는 일
④ 지역 모임 카페에 불친절한 식당의 상호와 사장님의 개인정보를 동의 없이 공개하는 일
⑤ 인터넷 신문에 올라온 기사의 댓글 창에 욕설을 지속적으로 올리는 일

03 ㉠과 ㉡을 비교한 것으로 가장 적절한 것은?

① ㉠과 ㉡은 다양한 매체 언어를 복합적으로 사용하여 의사를 전달하게 한다.
② ㉠과 ㉡은 게시물의 게시자가 가지고 있는 관심사를 드러내는 기능을 한다.
③ ㉠과 ㉡은 해당 게시물에 대한 다른 사람들의 관심 정도를 알 수 있게 한다.
④ ㉠과 ㉡은 해당 게시물을 매개로 서로 다른 사람들이 대화를 나눌 수 있게 한다.
⑤ ㉠과 ㉡은 언어적으로 전달되지 않는 사람들의 감정이나 느낌을 전달하는 기능을 한다.

[04~05] 다음 매체 자료를 읽고, 물음에 답하시오.

(가) 신문 기사

동아일보 2017년 9월 1일

㉠그 많던 모기, 다 어디로 갔을까

㉡
8월 감시 지점 10곳서 1,541마리 잡혀
5년간 평균 대비 절반으로 뚝
"중부 폭우 – 남부 가뭄, 서식지 줄어"

㉢
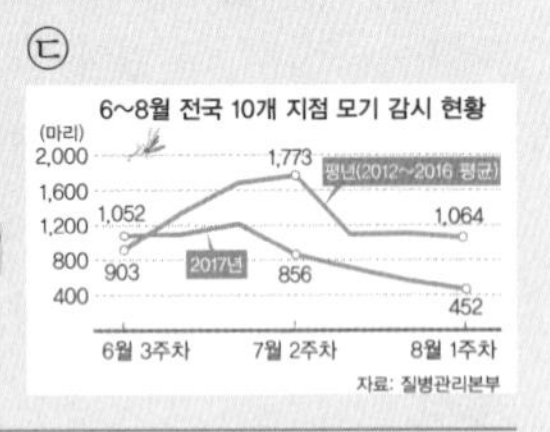

[A] 장마가 끝난 뒤 모기 기피제를 잔뜩 구매한 홍○○ 씨(33)는 지난 몇 주간 포장도 뜯지 않았다. 홍○○ 씨는 "비가 그치면 모기가 크게 늘 줄 알았는데 몇 주간 거의 보이지 않았다."라고 말했다.

[B] 31일 질병관리본부가 전국 10개 감시 지점의 모기 수를 집계한 결과 모기 수가 급감한 것으로 나타났다. 8월 3주간 채집된 모기 수는 1,541마리로 최근 5년간(2012~2016년) 평균(3,075마리)의 절반에 불과했다. 지난해 8월 3주간 모기 수는 2,615마리로 올해보다 70% 가량 많았다.

[C] '여름의 불청객' 모기가 급감한 것은 '너무 많이 오기도 하고, 너무 적게 오기도 한' 비 때문이다. 중부 지방에는 이번 장마 기간(6월 29일~7월 14일) 지엽적이고 강한 폭우가 쏟아졌다. 장마가 끝난 8월 중순에도 서울에 시간당 30밀리미터(mm)의 강한 비가 내리는 등 이례적인 강우가 이어졌다.

[D] 반면 남부 지방에는 비가 오지 않았다. 장마 기간 남부 지방의 강우량은 평년의 53% 수준을 기록해 중부 지방과의 강우량 차이가 254.9밀리미터(mm)나 됐다. 장마 기간 강원 홍천에는 432.5밀리미터(mm)의 비가 내렸지만, 대구의 강우량은 13.1밀리미터(mm)에 그쳐 지역별 강우량 차이가 33배나 나기도 했다. 8월 중순에도 중부 지방에는 비가 많이 왔지만, 남부 지방에는 폭염 주의보가 내려졌다.

[E] 질병관리본부 매개체 감시과에서는 "보통 장마가 끝나고 모기가 늘어나는 게 일반적인데 올해는 지엽적 집중 호우와 고온이 이어지면서 모기의 서식 환경이 악화된 것으로 보인다."라고 했다.

(나) 방송 뉴스

㉠가을 산행 '독버섯' 주의

㉡**아나운서** 가을 산에 올랐다가 버섯이 보인다고 막 따오는 분들이 계신데요. 구분을 잘 못 해서 독버섯을 먹을 수 있는 버섯인 줄 알고 들고 내려오는 경우가 아직도 있어서 걱정입니다. ○○○ 기자입니다.

㉢**기자** 국립 공원 단속반이 한 탐방객을 불러 세웁니다. 가방을 열어 보니 야생 버섯이 한가득합니다.

단속반: 이게 무슨 버섯이에요?

㉣탐방객: 모르겠어요. 모르고 딴 거예요.

또 다른 탐방객 배낭에서도 종류별로 다양한 야생 버섯이 잔뜩 나옵니다.

– 에스비에스(SBS), 2017년 9월 25일 방송

04 매체 언어적인 측면에서 (가)와 (나)를 비교할 때 ⓐ, ⓑ에 들어가기에 알맞은 말을 쓰시오.

> 신문 기사인 (가)는 (ⓐ)를 중심으로 정보를 전달하고 있으며 방송 뉴스인 (나)는 (ⓑ)를 통해 기본적으로 정보를 전달하면서 자막을 보조적 수단으로 활용하고 있다.

수능형

05 (가) 매체의 형식을 활용하여 〈보기〉의 내용을 생산하기 위한 계획으로 적절하지 않은 것은?

> 〈보기〉
> 목적: 학급 구성원들에게 유용한 정보 전달
> 내용: 적성과 진로–진학과 관련된 정보, 학사 일정과 관련된 정보 등 학급 구성원들의 관심사

① 교감 선생님께 학사 일정이 나와 있는 표를 구해 실어야겠어.
② 적성 검사를 할 수 있는 사이트를 하이퍼링크로 연결해 놓아야겠어.
③ 진로를 소개해 놓은 책의 내용을 인용하고, 그 출처를 표시해 두어야겠어.
④ 학교 진학 부장 선생님과 인터뷰를 통해 진학과 관련된 정보를 수집해야겠어.
⑤ 학급 구성원들에게 관심사를 물어보아, 그 순위에 따라 기사 내용을 배치해야겠어.

[06~07] 다음 매체 자료를 읽고, 물음에 답하시오.

가 시사 평론

중앙일보 2016년 8월 27일

예습이 중요한가, 복습이 중요한가?

아이가 뒤처질까 선행 학습시키는 불안 내려놓고
스스로 싸울 수 있는 면역력을 키워 주자.

어린 시절에는 복습보다 예습이 효과적이라고 배웠다. 수업 시간에 뭘 배울지 미리 알아 두면 훨씬 빠르게 학습 내용을 흡수할 수 있다고들 했다. 정말 그런 줄 알고 열심히 예습을 했다. 하지만 막상 공들여 예습을 하니, 수업에서 느끼는 생생한 현장성과 흥미가 떨어져 버렸다. [중략]

집단적인 '선행 학습'이라는 것이 사회적 문제가 되고 있다. '예습의 중요성'이 눈덩이처럼 불어나 아예 '선행 학습을 하지 않으면 입시에 성공하기 어렵다.'는 식의 집단적인 불안으로 변질되어 버린 것이다. 주변의 학부모들에게 물어보니 '선행 학습이 옳다고 생각하지는 않지만 남들이 다 하니 어쩔 수 없이 학원에 보낸다.'는 분들이 대다수이다. 선행 학습에 진심으로 찬성해서가 아니라 '아이가 뒤처지는 것이 싫어' 학원에 보낸다는 것이다. 하지만 다음 학기는 물론 내년에 배울 내용까지 완벽하게 통달하는 정도의 과도한 선행 학습이 교사의 '가르칠 권리'를 빼앗는 것은 아닐까? 과도한 선행 학습이 학생들에게 '오늘 무엇을 배울지 설렘 기회'마저 빼앗는 것은 아닐까?

나 공익 광고

[내레이션(어린아이 1)]
고맙습니다.
맛있게 잘 먹었습니다.

[내레이션(어린아이 2)]
이제 아프지 않아요.
고맙습니다.

[내레이션(성인 1)]
불났을 적에 엄청 도움이 됐어. 고마워.

[자막]
'취약 계층 맞춤형 지원'

[자막]
'의료 소외 계층 지원'

[자막]
'긴급 재난 구호'

[내레이션(성인 2)]
여러분은 모르시지만, 많은 분이 고마워하고 있습니다.

[내레이션(성인 2)]
모금, 사랑을 켜면 희망이 커집니다.

06 (가)와 (나)에 대한 설명으로 가장 적절한 것은?

① (가)와 (나)는 모두 생산자의 주관적 의사나 주장을 수용자에게 전달하는 목적을 지니고 있다.
② (가)와 (나)는 모두 생산자가 아름다움을 매개로 수용자와 정서적 공감을 이루려는 목적을 지니고 있다.
③ (가)와 (나)는 모두 생산자가 수용자와 정보를 공유하면서 친밀한 관계를 유지하려는 목적을 지니고 있다.
④ (가)와 (나)는 모두 생산자가 수용자에게 유용하고 객관적인 정보를 전달하고자 하는 목적을 지니고 있다.
⑤ (가)와 (나)는 모두 생산자가 수용자에게 옳고 그름을 식별하는 능력을 부여하고자 하는 목적을 지니고 있다.

고난도 수능형

07 (나)와 〈보기〉를 비교한 것으로 적절하지 않은 것은?

〈보기〉

나의 작은 나눔이, 받는 사람에게는 큰 선물이 됩니다.
재능 나눔은 특별한 사람들만의 것이 아닙니다.
작은 재능 나눔이 누군가에게는 큰 힘이 될 수 있습니다.
지금, 당신의 재능을 나눠 주세요.

① (나)와 〈보기〉는 모두 공공의 이익을 위한 광고이다.
② (나)와 〈보기〉는 모두 나눔의 가치를 주제로 하고 있다.
③ (나)는 시청각적 이미지를 사용하고 있고, 〈보기〉는 시각적 이미지를 사용하고 있다.
④ (나)는 음성 언어를 중심으로, 〈보기〉는 문자 언어를 중심으로 주요 내용을 전달하고 있다.
⑤ (나)는 서로 반대의 상황을 가진 대상이 등장하고, 〈보기〉는 같은 상황을 지닌 대상만이 등장한다.

[08~10] 다음 매체 자료를 읽고, 물음에 답하시오.

가 마블링 아트 비디오

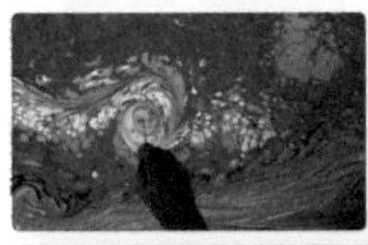

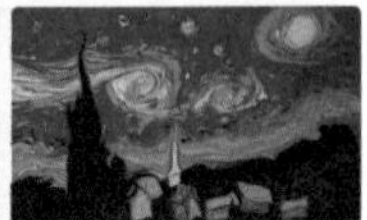

– 가립 아이, 「별이 빛나는 밤」(2016년)

나 영화

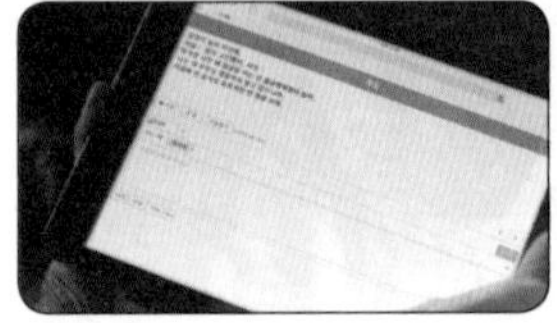

서하: (소리) 아름이 넌 어떨 때 가장 살고 싶어지냐고.

아름: (소리) 살고 싶어지는 때?

아름: (소리) 푸른 하늘에 하얀 뭉게구름을 볼 때.

아름: (소리) 아이들의 해맑은 웃음소리를 들을 때 나는 살고 싶어져.

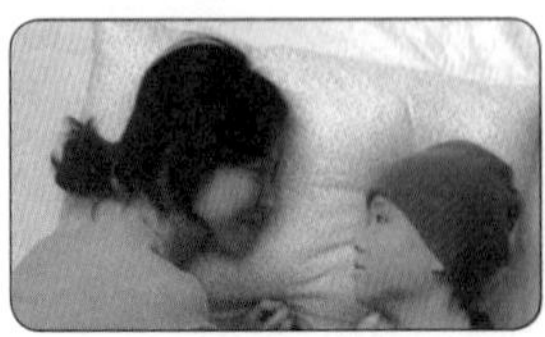

아름: (소리) 맑은 날 오후, 엄마와 함께 햇빛을 머금은 포근한 빨래 냄새를 맡을 때도.

아름: (소리) 무뚝뚝한 우리 동네 구멍가게 아저씨가 연속극을 보며 우는 걸 보고, 살고 싶다고 생각했던 적도 있고.

아름: (소리) 저녁 무렵, 골목길에서 밥 먹으라고 손주를 부르는 할머니의 소리가 울려 퍼질 때도.

아름: (소리) 여름날, 엄마가 아빠 등목을 시켜 주며 찬물을 끼얹는 걸 볼 때도 나는 살고 싶어져.

08 (가)와 (나)를 감상하기 위한 태도로 가장 적절한 것은?

① 매체 자료에 담긴 의미의 사실 여부를 판단한다.
② 매체 자료의 공익적 기여는 무엇인지 생각해 본다.
③ 매체 자료의 실제적 효용성이 무엇인지 판단한다.
④ 매체 자료에 담긴 심미적 가치를 정서적으로 공유해 본다.
⑤ 매체 자료를 매개로 다른 사람과 친밀한 관계를 형성할 수 있는지 고려한다.

고난도 수능형

09 (가)와 〈보기〉를 비교한 것으로 적절한 것은?

〈보기〉

샌드 아트(sand art)는 펼쳐진 모래에 손가락으로 그림을 그려 영상이나 이야기를 표현하는 예술이다. 대체로 라이트 박스를 켜고 그 위에 모래를 올려 손가락으로 그림을 그린다. 일반적으로 한편의 완성 샷보다는 그리고 지우고, 다시 그리는 과정을 연결하여 하나의 이야기로 만들고, 그 과정을 영상으로 찍는다.

① (가)와 〈보기〉는 모두 작품을 만드는 과정 자체가 하나의 작품이 되는군.
② (가)와 〈보기〉는 모두 예술 작품을 창작하는 데 자연적인 재료를 사용하는군.
③ (가)와 〈보기〉는 모두 전통 기법을 현대적으로 변용하여 작품을 창작하는군.
④ (가)와 〈보기〉는 모두 주로 유명 작가의 작품을 재해석하여 작품을 만드는군.
⑤ (가)와 〈보기〉는 모두 여러 사람이 작품 창작에 참여하는 형태로 만들어지는군.

10 〈보기〉는 (나)의 장면들을 보고 쓴 감상문이다. 밑줄 친 ⓐ~ⓔ 중 그 내용이 적절하지 <u>않은</u> 것은?

〈보기〉

아름이 살고 싶어지는 때를 설명하는 장면이 참 인상적이었다. ⓐ<u>그 장면들은 평소 우리가 익숙하게 보고 듣는 것들이었다.</u> 아름은 왜 그것에 의미를 둘까? ⓑ<u>아마도 그 소소한 일상 속에서 행복을 발견한 것은 아닐까?</u> ⓒ<u>우리가 무심코 지나치는 일상이 얼마나 가치 있는 것인지 깨닫는 순간이다.</u> ⓓ<u>아울러 항상 곁에 있어서 잘 인식하지 못한 가족의 사랑도 잊지 말아야지.</u> ⓔ<u>아름이가 자신의 목숨을 버리고 지키려고 한 것이 바로 그것이었던 것이다.</u>

① ⓐ ② ⓑ ③ ⓒ ④ ⓓ ⑤ ⓔ

서술형 문제

11 친교적 매체 자료의 예를 하나 들고(1), 친교적 매체 자료를 생산하고 수용하는 데 있어 유의할 점은 무엇인지 서술하시오(2).

(1)

(2)

12 〈보기〉의 광고가 전달하는 메시지가 무엇인지 쓰고(1), 이 광고의 핵심적인 표현 전략이 무엇인지 서술하시오(2).

〈보기〉

"동일한 고양이, 다른 주인"

(1)

(2)

13 〈보기〉의 '이것'에 해당하는 것이 무엇인지 쓰고(1), 이것에 현혹되지 않기 위해서 수용자에게 필요한 것은 무엇인지 서술하시오(2).

〈보기〉

이것은 사람들의 흥미와 본능을 자극하여 시선을 끄는 황색언론(yellow journalism)의 일종으로, 재정적 또는 정치적으로 이득을 얻으려고 오도된 의도로 작성되고 발간되며, 종종 주목을 끌기 위해 선정주의, 과장됨 또는 거짓 표제를 사용한다.

(1)

(2)

[14~15] 다음 〈보기〉의 매체 자료를 보고 물음에 답하시오.

〈보기〉

14 〈보기〉와 같은 매체 자료의 창작 목적(1)과 이런 매체 자료들이 향유되는 이유를 서술하시오(2).

(1)

(2)

15 매체 언어의 특성을 고려하여 〈보기〉가 심미적 복석을 구현해 내기 위해 어떤 표현 방식을 사용하고 있는지 서술하시오.

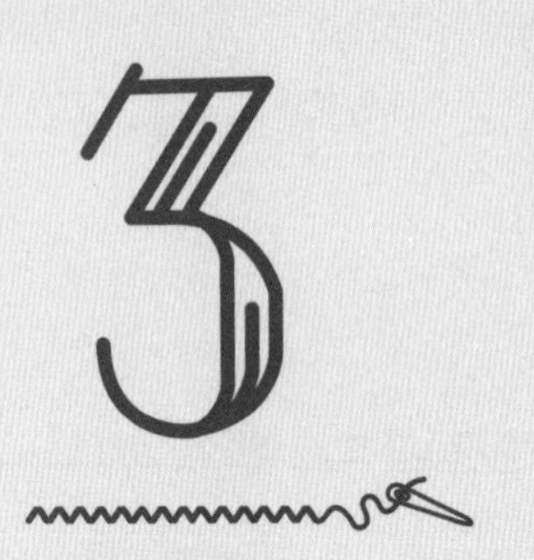

생활 속의 매체

1 매체와 사회·문화

[학습 목표] 매체를 바탕으로 형성되는 문화를 비판적으로 이해하고 주체적으로 향유할 수 있다.

• 현대 사회와 매체의 관계 알기
• 대중문화와 대중 매체의 관계 알기

• 현대 사회와 매체

현대 사회에서 매체는 개인적·사회적 의사소통을 위한 중요한 수단 ➡ 매체 언어가 의사소통과 인간관계에 미치는 영향을 생각하여 올바르게 사용하는 태도를 지녀야 함.

• 대중 매체와 대중문화

대중 매체		대중 매체와 대중문화와의 관계
텔레비전, 신문, 라디오, 인터넷처럼 다양한 정보를 다수의 사람에게 동시에 전파하는 매체	➡	대중문화의 형성과 발전에 큰 영향을 미침.

• 대중문화의 장단점

장점	• 다양한 정보를 다수의 사람에게 동시에 전달할 수 있음. • 다른 문화에 비해 큰 영향력을 지님.
단점	• 상업성과 통속성을 보이는 경우가 있음. • 지배층의 이념에 따라 내용이 제약될 수 있음.

➡ 이 단원을 통해 현대 사회에서 매체가 지니는 위상을 이해하고 매체 언어 문화 발전에 참여하는 태도를 기르도록 한다.

2 매체 생활의 성찰

[학습 목표] • 매체 언어가 인간관계와 사회생활에 미치는 영향에 관해 탐구할 수 있다.
• 자신의 매체 언어생활에 대해 성찰하고 언어문화 발전에 참여하는 태도를 가질 수 있다.

• 매체 언어생활 점검하기
• 바람직한 매체 언어생활을 위한 태도 지니기

• 매체 언어의 점검과 개선

• 타인에 대한 비방, 개인 정보 유출 등을 하지 않고 상대를 배려하며 예의를 갖춘 언어를 사용해야 함.
• 표절이나 불법 복제 등 지적 재산권을 침해해서는 안 됨.

➡ 바람직한 매체 문화의 발전에 참여하는 태도를 지녀야 함.

➡ 이 단원을 통해 자신의 매체 언어생활을 점검하고 개선함으로서 바람직한 매체 언어문화 발전을 위해 노력하는 자세를 지니도록 한다.

{ 1 } 매체와 사회·문화

소단원 시험 족보

1 현대 사회와 매체

① 현대 사회에서 매체가 지니는 위상

현대 사회에서 매체는 의사소통을 위한 중요한 수단으로서 개인은 물론 사회 전반에 큰 영향을 끼침.

제재 연구

제재 ㉮ 누리 소통망 관련 신문 기사, ㉯ '1인 방송' 관련 방송 뉴스

㉮ 신문 기사(머니투데이, 2017. 3. 17.)	
제재	누리 소통망(SNS)의 연계망
주제	관심사를 기반으로 연계망을 형성하는 누리 소통망(SNS)
특징	① 주로 문자 매체를 통해 정보를 전달하고 있으며 사진 이미지로 내용을 보완함. ② 누리 소통망(SNS)의 연계망이 '인맥'에서 '관심사'로 바뀌어 가는 경향을 소개함.

㉯ 텔레비전 뉴스 방송(에스비에스(SBS), 2015. 7. 2.)	
제재	1인 방송
주제	방송 콘텐츠 분야로 자리 잡은 1인 방송
특징	① 영상, 자막, 소리 등의 매체 언어를 활용함. ② 특정 1인이 주체가 돼 다양한 주제의 자유로운 형식으로 제작되는 개인 방송이 하나의 방송 콘텐츠 분야로 자리 잡음을 소개함.

• ㉮, ㉯에 나타난 '누리 소통망(SNS)'과 '1인 방송 매체'의 긍정적인 면과 부정적인 면

매체	긍정적인 면	부정적인 면
누리 소통망(SNS)	자신과 관심사가 비슷한 사람들과 자유롭게 소통할 수 있음.	개인의 신상이나 개인에 관한 정보 등이 유출될 수 있는 위험성이 있음.
1인 방송	1인 방송을 통해 관심 분야에 관한 필요 정보를 얻을 수 있음.	간혹 폭력적이거나 선정적인 내용 등을 다루는 해로운 개인 방송들이 있음.

• 바람직한 매체 문화와 발전 방향: 매체 언어생활에서 타인을 존중하고 배려하는 태도가 중요함.

2 대중 매체와 대중문화

① 대중문화 향유 모습 비교

㉮ 전통극 공연

• 공연자–관객 간 직접적 소통 비교적 자유롭다.
• 공연자–관객 직접적 접촉을 통해 공연이 이루어진다.

㉯ 동영상 공유 사이트

• 매체의 특성상 상업성이 두드러진다.
• 동시에 여러 사람에게 대량으로 전파할 수 있어 사람들에게 미치는 영향력이 크다.

• ㉯와 같은 대중 매체가 등장하면서 소수 지배층의 전유물이었던 문화가 일반 대중들에게까지 널리 유통되기 시작하고, 대중문화가 등장하게 됨.

② 대중 매체와 대중문화의 관계

• 대중 매체가 대중문화에 미치는 영향과 장단점

새로운 대중 매체의 등장은 기존의 대중문화의 내용과 소비 방식 등을 변화시키거나, 새로운 체계의 대중문화를 형성하기도 함.

장점	단점
• 다양한 정보를 다수의 사람에게 동시에 전달할 수 있음. • 다른 문화에 비해 큰 영향력을 지님.	• 상업성과 통속성을 보이는 경우가 있음. • 지배층의 이념에 따라 내용이 제약될 수 있음.

[참고] 대중 매체와 대중문화

대중 매체	텔레비전, 라디오, 신문, 인터넷처럼 다양한 정보를 다수의 사람에게 동시에 전파하는 매체
대중문화	대중 매체에 의해 대량으로 생산된 문화 혹은 다수의 사람이 누리는 문화

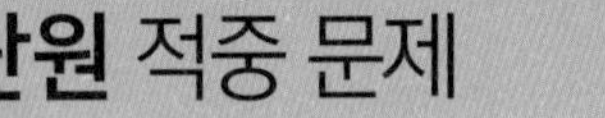

소단원 적중 문제

정답과 해설 p.28

[01~02] 다음 기사를 읽고, 물음에 답하시오.

문화일보 2017년 9월 5일

텔레비전만 봐도 알았었는데, '스타의 무대'가 달라졌다

과거 텔레비전은 불특정 다수 겨냥 요즘엔 특정 연령층 맞춤 공략 스마트폰 위주 콘텐츠 세분화

불과 10여 년 전만 해도 신문에서 '가족들이 텔레비전 앞에 둘러앉아'라는 표현이 자주 쓰였다. 당시에는 지금보다 볼 것, 놀 것에 해당하는 매체가 다양하지 않았던 이유도 있다. 그러니 저녁 식사 이후 가족이 텔레비전 앞에 옹기종기 모였던 모습을 흔히 볼 수 있었다. 50대 아버지나 10대 아들이나 같은 콘텐츠를 보며 울고 웃었던 때이다. 또한 당시 유명했던 가요 프로그램에서는 5주 연속 1위에 올라 상을 받던 가수를 남녀노소를 막론하고 최고로 꼽았다. 그런 상황이 되다 보니 텔레비전을 통해 인기를 얻어야 진짜 스타였다.

하지만 기술의 발달은 세대별로 즐기는 방식에 변화를 주었다. 가족이 텔레비전 앞에 둘러앉지 않는 가정이 많아지는 시대가 온 것이다. 같은 거실에 있어도 부모 세대는 텔레비전을 켜고, 자녀들은 스마트폰을 본다. 연예인들도 텔레비전 외에 자신의 활동을 보일 무대가 많아졌다. 물론 부모 세대도 스마트폰을 활용하지만, 자녀 세대에서 말하는 콘텐츠는 양적으로 성장하고 동시에 세분화된 것이다.

텔레비전을 보는 방식도 달라졌다. 요즘은 '키우기'가 대세다. 최근 유행하는 ㉠가수 선발 프로그램은 선발 과정에서 팬들이 실시간 투표에 참여하며 자신이 지지하는 후보가 최종 구성원으로 선발되도록 지원한다. 팀이 결성된 후에는 그들의 공연장을 찾고 광고하는 제품을 적극적으로 구매하며 스타로 키워 간다. 콘텐츠를 소비하는 방식이 달라진 것이다.

– 문화일보, 2017년 9월 5일 –

01 이 기사에서 확인할 수 있는 내용만을 골라 바르게 묶은 것은?

〈보기〉

ㄱ. 대중문화를 향유하는 바람직한 태도
ㄴ. 기술의 발달로 인해 다양화된 대중 매체
ㄷ. 대중 매체가 현대 사회에 끼치는 부정적 영향
ㄹ. 새로운 대중 매체로 인한 콘텐츠 소비 방식의 변화

① ㄱ, ㄴ ② ㄱ, ㄷ ③ ㄴ, ㄷ ④ ㄴ, ㄹ ⑤ ㄷ, ㄹ

02 이 기사를 읽고, 시청자들이 ㉠을 즐기는 방식에 대해 이해한 내용으로 가장 적절한 것은?

① 방송 내용의 유익한 점을 적극적으로 홍보한다.
② 수동적으로 시청하면서 자신들의 감정을 표현한다.
③ 방송 제작 과정과 내용 등에 직·간접적으로 참여한다.
④ 방송 내용의 문제점을 발견하여 지속적으로 개선을 요구한다.
⑤ 연령대에 관계없이 누구나 동일한 기준을 가지고 방송을 평가한다.

03 〈보기〉를 통해 알 수 있는 '1인 방송'에 대한 설명으로 적절하지 않은 것은?

기자: 인기 연예인이 미용과 최신 유행을 주제로 1인 방송을 하고 있습니다. 비교적 가벼운 주제를 가지고 사적인 모습과 생각들을 자연스럽게 보여 주는 이 영상은 조회 수가 2만 건을 넘을 정도로 인기가 높습니다. 이처럼 특정 1인이 주체가 돼 다양한 주제를 갖고 자유로운 형식으로 제작되는 개인 방송이 하나의 방송 콘텐츠 분야로 자리 잡았습니다. 선정적인 내용 등으로 사회적 지탄을 받기도 하지만 앞으로도 1인 방송은 더욱 다양하게 나타날 것으로 예상됩니다.

[인터뷰] 한국콘텐츠진흥원 책임 연구원: 젊은 세대는 이미 인터넷이나 이동 통신 기기를 통한 동영상 이용에 익숙해져 있습니다. 이러한 인터넷 개인 방송은 국경에 제한 없이 세계로 확산할 수 있기에 재미있고 창의력을 갖춘 개인 방송 콘텐츠는 한류 콘텐츠의 새로운 원천이 될 가능성이 큽니다.

– 에스비에스(SBS), 2015년 7월 2일 방송

① 국경에 제한 없이 세계로 확산될 수 있다.
② 특정 1인이 주체가 되어 자유로운 형식으로 제작된다.
③ 주로 사회적 문제를 다루면서 이에 대한 개인적인 생각을 표현한다.
④ 몇몇 방송은 선정적인 내용을 다루어 사회적 비난을 받기도 한다.
⑤ 창의력을 갖춘 방송 콘텐츠는 한류 콘텐츠의 원천이 될 가능성이 크다.

2 매체 생활의 성찰

소단원 시험 족보

1 매체 문화에 대한 비판적 향유

① 대중문화의 장·단점

장점	대량의 정보를 많은 사람에게 전파
단점	• 상업성과 통속성을 보임. • 지배층의 이념에 따라 내용이 제약될 수 있음.

② 대중문화를 수용하는 바람직한 자세

• 대중문화의 상업적 속성을 이해하고, 비판적으로 대중문화를 수용하는 자세가 필요함.

• 대중문화 중 유익한 것과 그렇지 않은 것을 선별하여 수용할 수 있는 안목을 길러야 함.

제재 연구

제재 라디오 방송_(와이티엔(YTN) 라디오, 2017. 1. 17.)

갈래	라디오 방송 대담
제재	간접 광고
주제	지정된 범위 안에서 허용된 간접 광고
특징	① 간접 광고의 개념과 영향 등에 대한 정보를 전문가의 인터뷰를 통해 전달함. ② 간접 광고가 합법화되어 있으므로 간접 광고에 대한 인식을 달리해야 함을 드러냄.

• 이 라디오 방송에서 확인할 수 있는 대중문화의 특징: 대중문화는 상업적 속성이 강함.

• 간접 광고: 영화, 방송 프로그램 등에 특정 상품을 등장시켜 간접적으로 광고하는 홍보 기법

2 매체 언어의 점검과 개선

① 맥락과 목적에 적합한 매체 언어를 사용해야 하는 필요성

맥락과 목적에 적합한 매체 언어를 사용할 때 효율적인 의사소통을 할 수 있음.

매체	내용	표현 방법
편지	부모님께 감사하는 마음	주로 문자를 통해 내용을 표현함.
인터넷 게시판 및 블로그	큐브를 맞추는 방법	문자를 통해 기본적인 내용을 소개하고, 사진이나 동영상 등을 통해 세부적인 내용을 소개함.
누리 소통망(SNS)	여행지에서 본 풍경에 대한 감상	사진으로 내용을 구성하고, 문자로 감상을 적음.
그 밖	동아리의 역사와 활동 소개	• 주로 문자를 통해 정보를 전달 • 동아리 활동사진 등을 첨부하여 내용을 구성할 수 있음.

② 매체 언어가 우리에게 끼치는 영향과 바람직한 매체 언어생활

• 매체가 인간관계에 끼치는 영향

현대인들의 삶에서 매체가 차지하는 비중이 큰 만큼 매체는 인간관계에도 직접적인 영향을 끼침.

바람직하지 않은 매체 언어생활 ➡ 타인에 대한 비방과 같은 사이버 블링, 개인 정보 유출, 표출이나 불법 복제 등으로 인한 재산권 침해

• 바람직한 매체 언어생활을 위한 태도

온라인 예절 지키기

⬇

• 게시판의 글은 명확하고 간결하게 쓰고, 문법과 맞춤법에 맞는 표현을 사용해야 함.
• 타인을 비방하거나 욕설을 하지 않으며 개인 정보를 유출하지 않도록 함.
• 표절이나 불법 복제 등 지적 재산권을 침해해서는 안 됨.

* 불법 복제: 컴퓨터의 소프트웨어를 저작권자의 허락 없이 불법으로 복제하는 일.

제재 연구

제재 "예의를 갖추고 스스로 닦으세요"_(『연합뉴스』, 2017. 3. 22.)

갈래	신문 기사문
제재	사이버 블링
주제	온라인 공간에서 특정인을 괴롭히는 '사이버 블링'의 문제점 고발
특징	① 구체적인 사례를 통해 사이버 블링이 문제가 되고 있음을 제기함. ② 사이버 블링의 개념과 범위를 설명하고, 경찰청의 통계를 제시해 정보의 신뢰도를 높임.

소단원 적중 문제

정답과 해설 p.29

[01~03] 다음 라디오 방송 중 일부를 읽고, 물음에 답하시오.

진행자: 최근에는 대단히 많은 상품과 회사들이 드라마 장면들에 등장합니다. 자연스럽게 녹아들었다는 생각을 하시는 시청자도 계시지만, 간접 광고를 불편해하거나 이야기 흐름에 방해가 된다고 생각하시는 분들이 많은데요. 하지만 이 간접 광고를 드라마 장면의 적재적소에 어우러지게 등장시켜 시청자들이 별명을 붙이는 등 호감을 표현하는 드라마도 있다고 합니다. 과연 이 간접 광고가 어디까지 와 있으며 어떤 영향을 미치는지 문화 평론가와 전화로 연결하여 알아보겠습니다. 안녕하십니까?

문화 평론가: 네, 안녕하세요.

진행자: 간접 광고라는 용어가 낯선 분도 계실 것 같고, 그 역사가 길지는 않은 것으로 알고 있습니다. 정확하게 간접 광고란 무엇인가요?

문화 평론가: 간접 광고, 그야말로 상품을 따로 떨어진 광고 시간대에 홍보하는 형태가 아니라, 콘텐츠 안에서 상품들을 소비하는 모습을 자연스럽게 보여 줌으로써 광고가 되게끔 하는 형태의 광고를 말합니다. 사실 우리는 일상생활에서 수많은 상품과 더불어 살고 있지 않습니까. 만약에 그 상품들을 모두 빼 버리면 일상을 구성할 수 없겠죠. 어쩔 수 없이 살아가면서 뭔가를 쓰고, 어딘가에 가고, 그런 모습은 노출될 수밖에 없습니다. 그럴 때마다 상표가 노출되면 광고라고 인식되었기 때문에 상표의 노출을 철저하게 막았던 것이 종래의 방송 관행이었습니다. 그런데 요즘에는 일상을 고스란히 구현할 수 있다는 점에서 상품을 사용하는 장면도 어느 정도 허용해야 한다는 인식이 늘어났습니다. 그런데 간접 광고가 너무 무분별하게 늘어나다 보니 편법적으로 광고의 형태를 띠면서도 사실 광고로 분류되지 않고, 광고 효과는 좋지만 시장을 어지럽히는 형태가 생겨났습니다. 그런 이유에서 관련 법안을 정비해서 지정된 범위 안에서 허용하게 했던 것이죠. 이런 법들이 정비된 건 그렇게 오래되지 않았고, 최근에는 간접 광고가 적극적인 하나의 광고 형태로 소비되게끔 관련 법들이 바뀐 상태입니다. 하지만 일부 시청자는 간접 광고를 보면 옛날 방송 관행을 떠올리고 불편하다는 선입견을 품을 수 있습니다. 간접 광고는 최근 변화된 법에서는 합법입니다. 광고가 간접 광고로 할 수 있기에, 이제는 다른 인식을 해야 할 때가 아닌가 하는 지적도 나오고 있는 것도 사실입니다.

– 와이티엔(YTN) 라디오, 2017년 1월 17일 방송

01 이 라디오 방송에 대한 설명으로 가장 적절한 것은?

① 간접 광고의 역사를 둘러싼 논쟁점들을 소개하고 있다.
② 찬반 토론을 통해 간접 광고의 바람직한 방향을 모색하고 있다.
③ 간접 광고가 지닌 문제점들을 유형별로 나누어 분석하고 있다.
④ 즉석 인터뷰를 통해 간접 광고로 인한 피해 사례를 소개하고 있다.
⑤ 전문가와의 인터뷰를 통해 간접 광고의 개념과 영향 등에 대해 전달하고 있다.

02 '간접 광고'에 관련된 설명으로 적절하지 않은 것은?

① 종래의 방송 관행에서는 철저하게 금지되었다.
② 시장을 어지럽히면서 광고 효과를 떨어뜨리기도 한다.
③ 일부 시청자들은 이야기의 흐름에 방해가 된다고 여긴다.
④ 관련 법안이 정비된 최근에는 지정된 범위 안에서 허용된다.
⑤ 콘텐츠 안에서 상품들을 소비하는 모습을 통해 이루어진다.

03 이 방송을 통해 알 수 있는 대중문화의 특징으로 가장 적절한 것은?

① 획일성 ② 선정성 ③ 통속성
④ 상업성 ⑤ 편파성

중단원 실전 문제

[01~02] 다음 글을 읽고, 물음에 답하시오.

대중문화는 일반적으로 상업적 속성을 지니고 있고, 내용의 측면에서도 정제되지 못한 저급한 언어를 사용하는 경우도 있으며, 대중의 관심을 끌기 위해 지나치게 폭력적이거나 선정적인 장면을 포함하는 경우도 있다. 이 때문에 대중문화는 교사나 학부모들에 의해 수준이 낮거나 심지어 그 수용자에게 악영향을 끼칠 수 있는 것으로 평가 절하되는 경우가 많다. 또 최근에는 인터넷이나 컴퓨터 게임에 청소년들이 빠져들어 중독되다시피 하는 경우가 있어 사회적 문제가 되고 있기도 하다. [중략]

사실 대중문화 가운데에서도 삶에 대해 돌아보게 하거나 즐거운 웃음을 선사하는 훌륭한 작품들도 많다. 예를 들어, 어린이들이 즐겨 보는 텔레비전 애니메이션 중에는 그 나이 어린이들이 가정이나 학교에서 흔히 경험할 수 있는 사건들을 통해 바람직한 가치에 대해 생각해 보도록 하는 것들도 있다. 청소년들이 사춘기를 겪으며 경험할 수 있는 여러 가지 갈등에 대해 다루는 드라마나 영화도 있고, 역사적 사실이나 사회적 쟁점 혹은 과학적 발견에 대해 흥미로운 방식으로 소개하는 교양물들도 있다. 따라서 대중문화라면 무조건 저급한 것으로 간주하여 비판하는 보호주의적 입장을 취하기보다는, 대중문화 가운데에서도 문화적 성취가 높은 것과 그렇지 않은 것을 가려낼 수 있는 안목을 길러 줄 필요가 있다.

– 최미숙 외, 「국어 교육의 이해」에서

01 이 글에 드러난 대중문화의 모습으로 적절하지 않은 것은?

① 선정적이고 폭력적인 장면을 포함한다.
② 정제되지 않은 저급한 언어를 사용한다.
③ 수용자들과 직접적으로 실시간 소통한다.
④ 바람직한 가치에 대해 생각해 보도록 한다.
⑤ 역사적 사실 등을 흥미로운 방식으로 소개한다.

02 대중문화 수용에 대한 글쓴이의 입장으로 가장 적절한 것은?

① 대중문화를 분석하고 비판적으로 수용하는 자세가 필요하다.
② 청소년들이 지나치게 대중문화에 빠지지 않도록 교육해야 한다.
③ 대중문화의 상업성과 저급함을 인식하고 가급적 멀리할 필요가 있다.
④ 대중문화가 평가 절하되지 않도록 좋은 작품들을 널리 소개해야 한다.
⑤ 대중문화에서 다루고 있는 사회적 쟁점에 대해 명확하게 인지해야 한다.

03 〈보기〉의 상황을 바탕으로 '바람직한 매체 언어생활'에 대한 글을 작성하려고 한다. 그 주제로 가장 적절한 것은?

〈보기〉

① 매체 언어도 일종의 언어이므로 문법과 맞춤법에 맞는 표현을 사용해야 한다.
② 매체 언어가 인간관계에 미치는 영향을 알고, 상대방을 존중하고 배려해야 한다.
③ 매체 언어가 사회생활에 영향을 끼치므로 흥미를 끌 수 있는 표현을 사용해야 한다.
④ 매체 언어가 의사소통의 도구임을 이해하고, 글을 명확하고 간결하게 작성해야 한다.
⑤ 매체 언어의 파급 효과를 인식하고, 개인 정보를 함부로 공개하거나 퍼뜨리지 않아야 한다.

중단원 실전 문제

[04~05] 다음 글을 읽고, 물음에 답하시오.

> 대학원생 한○○ 씨(25)는 웹툰을 좋아한다. 돈을 내고 봐야 하는 유료 웹툰도 자주 본다. 만화 속 주인공의 대사가 마음에 들면, 그 장면을 찍어 저장했다가 친구들에게 보내 주기도 했다. 그는 이런 행동이 저작권법에 위반된다는 사실을 몰랐다. 그는 "화면을 그대로 찍어서 저장하는 기능은 스마트폰에 처음부터 내장되어 있어 당연히 법적으로 문제가 안 되는 줄 알았다."라며 놀랐다.
>
> 이와 같은 사례처럼 저작물로 보호해야 할 인터넷 콘텐츠들이 손쉽게 복제, 유포되면서 관련 업계가 몸살을 앓고 있다. 버튼을 누르기만 하면 현재 보고 있는 화면을 원본 그대로 갈무리해 누구에게든 보내거나 아예 누리 소통망(SNS)에 올려 누구나 찾아보게 할 수 있기 때문이다.
>
> 한국저작권보호원에 따르면 지난해 전체 불법 복제물 21억 4810만여 개 중 스마트폰 프로그램을 통해 유통된 콘텐츠는 약 4억 4천만 개로 20.3 %를 차지했다. 개인 간 파일 공유 프로그램에 이어 두 번째로 많았다. 전문가들은 변화하는 기술 환경에 발맞춰 제도적, 기술적 보완이 필요하다고 강조했다.
>
> – 국민일보, 2017년 5월 29일

04 **이 글을 바탕으로 '바람직한 매체 생활'에 대해 발표한다고 할 때, 적절한 것만을 바르게 묶은 것은?**

〈보기〉
ㄱ. 저작권법의 구체적인 내용을 알아야 한다.
ㄴ. 스마트폰 기능의 장단점을 파악해야 한다.
ㄷ. 타인의 권리를 침해하지 않도록 해야 한다.
ㄹ. 유익한 콘텐츠들만 선별적으로 수용해야 한다

① ㄱ, ㄴ ② ㄱ, ㄷ ③ ㄴ, ㄷ
④ ㄴ, ㄹ ⑤ ㄷ, ㄹ

고난도 수능형

05 **이 글과 〈보기〉를 통해 알 수 있는 내용으로 적절하지 않은 것은?**

〈보기〉

연도별 온라인·모바일 불법복제물 유통 비중(단위: %)

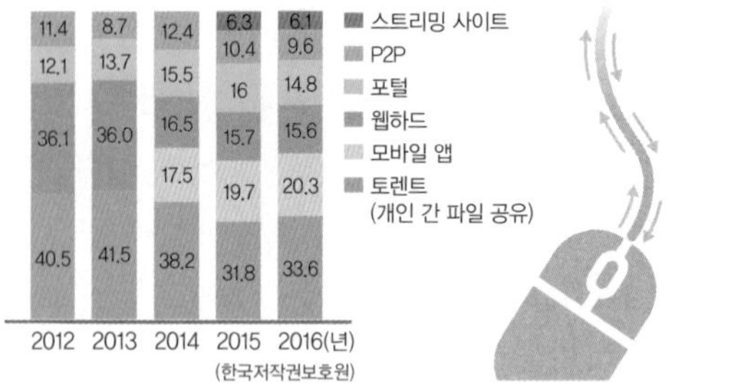

■ 스트리밍 사이트
■ P2P
■ 포털
■ 웹하드
■ 모바일 앱
■ 토렌트 (개인 간 파일 공유)

2012: 11.4 / 12.1 / 36.1 / 40.5
2013: 8.7 / 13.7 / 36.0 / 41.5
2014: 12.4 / 15.5 / 16.5 / 17.5 / 38.2
2015: 6.3 / 10.4 / 16 / 15.7 / 19.7 / 31.8
2016(년): 6.1 / 9.6 / 14.8 / 15.6 / 20.3 / 33.6

(한국저작권보호원)

① 스마트폰(모바일앱)을 통한 불법 복제는 2014년부터 해마다 늘고 있다.
② 개인 간 파일 공유를 통한 불법 복제는 매년 가장 많은 비중을 차지한다.
③ 웹툰의 장면을 찍어 저장했다가 친구들에게 보내 주는 것도 저작권법에 위반된다.
④ 불법 복제 문제와 관련하여 불법 콘텐츠를 제공하는 관련 업체에 대한 제도적 조치가 필요하다.
⑤ 화면을 그대로 찍어서 저장하는 스마트폰의 기능을 통해 콘텐츠들이 손쉽게 복제 및 유포된다.

06 **이 글을 읽은 후의 반응으로 가장 적절한 것은?**

> 문화체육관광부 해외문화홍보원은 2018년도 대한민국 국가 이미지 조사 결과를 발표했다.
>
> 이번 조사 결과에 따르면 외국인들이 우리나라에 대해 가장 많이 접할 수 있는 분야는 한류, 기초 예술 등 '현대문화(36.2 %)'이였으며, '경제(18.1 %)', '안보(17.8 %)', '문화유산(10.7 %)' 이 그 뒤를 이었다.
>
> 우리나라에 대한 정보를 습득하는 매체는 누리 소통망(SNS), 인터넷 등 온라인 매체(46.6 %), 방송(33.4 %), 신문·잡지(9.5 %) 순으로 많은 것으로 조사되었다.
>
> – 머니투데이, 2019년 1월 22일 –

① 매체 언어는 인간관계에 직접적인 영향을 끼치는군.
② 연령대별로 활용하는 매체의 종류와 그 정도가 다르군.
③ 매체는 소수만 독점하던 정보를 다수가 누리게 해 주는군.
④ 매체는 현대 사회에 대한 정보를 얻을 수 있는 주요 수단이군.
⑤ 매체는 현대 사회에 대한 깊이 있는 사고를 가로막기도 하는군.

[07~08] 다음 글을 읽고, 물음에 답하시오.

가 '한국관광 100선'은 문화체육관광부와 한국관광공사가 공동으로 한국인이 꼭 가봐야 할 우수 관광지 100개소를 2년에 한 번씩 선정해 국내외에 홍보하는 사업이다. '한국관광 100선' 선정 평가는 빅데이터 분석 등을 통한 예비 후보 2배수 발굴로 시작해 전문가 그룹으로 구성된 정성평가와 누리 소통망(SNS), 이동통신사, 길도우미(내비게이션) 등의 정량평가를 통해 이뤄진다. 한편 한국관광공사에서는 한국관광 100선을 홍보하기 위하여 이를 홍보할 SNS 홍보단을 모집한다.

나 홍보 전문가 김○○ 씨는 "㉠기존의 누리 소통망(SNS)은 자신이 알고 있던 사람들을 기반으로 연계망을 형성한다."며 "그러나 비교적 최근에 생긴 ㉡사진 위주의 누리 소통망(SNS)은 나의 관심사를 기반으로 새로운 연계망을 형성해 다른 누리 소통망(SNS)에 비해 자유로운 소통이 가능하다."라고 말했다.

특히 사진에 핵심어를 붙여 자신과 같은 관심사를 가진 사람들을 쉽게 찾을 수 있고, 그 사람들이 무엇에 관심을 가졌는지 쉽게 파악할 수 있다. 김 씨는 "사진과 1~2분 남짓의 짧은 동영상에 특화된 경로인 만큼 젊은 세대의 마음을 사로잡을 수 있는 여행이나 음식 등과 같은 분야를 중심으로 활성화되어 있다."라고 말했다.

– 머니투데이, 2017년 3월 17일

07 (가)와 (나)에서 알 수 있는 누리 소통망(SNS)의 특징으로 적절하지 않은 것은?

① 다른 사람들의 관심사를 쉽게 파악할 수 있다.
② 특정 주제에 대해 사람들에게 알리는 역할을 한다.
③ 특정 대상에 대해서 자신의 선호를 드러낼 수 있다.
④ 관심사가 비슷한 사람들과 자유롭게 소통을 할 수 있다.
⑤ 특정 상품을 효율적으로 판매하기 위한 수단이 될 수 있다.

08 ㉠, ㉡에 대한 설명으로 가장 적절한 것은?

① ㉠은 긴 동영상에, ㉡은 짧은 동영상에 특화된 경로이다.
② ㉠은 사진으로만, ㉡은 사진에 핵심어를 붙여 이루어진다.
③ ㉠은 인맥을 중심으로, ㉡은 관심사를 중심으로 연계망을 형성한다.
④ ㉠은 ㉡과 달리 여행이나 음식 분야를 중심으로 활성화되어 있다.
⑤ ㉡은 ㉠과 달리 젊은 세대를 중심으로 활성화되어 있다.

서술형 문제

09 (가)와 (나)를 모두 참고하여, 바람직한 매체 언어생활에 대해 서술하시오.

(가) '○○○톡 왕따' 현상에 대한 10대들의 생각

ㅂ양: ○○에서 욕 좀 들었다고 그 친구가 힘들어할 것 같지 않아요. 그냥 일상이니까요.

ㅅ양: 여럿이서 한 명을 괴롭히면 괜히 우쭐해져요. ○○방 안에서는 증거 없애기도 쉬워요. 계정을 삭제하면 되니까요.

ㄴ군: 괴롭힘당한 애가 울면서 "학생부에 가겠다"고 하길래 '장난친 건데 장난도 모르니'라며 달래고 말았어요.

ㄹ군: 누군지 몰라도 ○○방의 방장이 "공격해" 라고 하면 그냥 공격해요. 인맥 쌓기죠.

(나) 이탈리아의 한 모델은 개인이 사용하는 누리 소통망(SNS)을 통해 "옷 스타일이 교양이 없다." 등의 많은 악성 댓글을 받았습니다. 그는 이 글을 모아 두루마리에 휴지에 인쇄한 후 '예의를 갖추고 스스로 닦으세요.'라는 메시지와 함께 자신의 누리 소통망(SNS) 계정에 사진을 올렸습니다. 창의적인 방법으로 일침을 가한 겁니다. 이 사례처럼 최근 사이버 불링(cyber bullying)이 문제가 되고 있습니다. 사이버 불링(cyber bullying)은 온라인 공간에서 특정인을 괴롭히는 행동 또는 그러한 현상을 일컫습니다.

국어의 역사와 문화

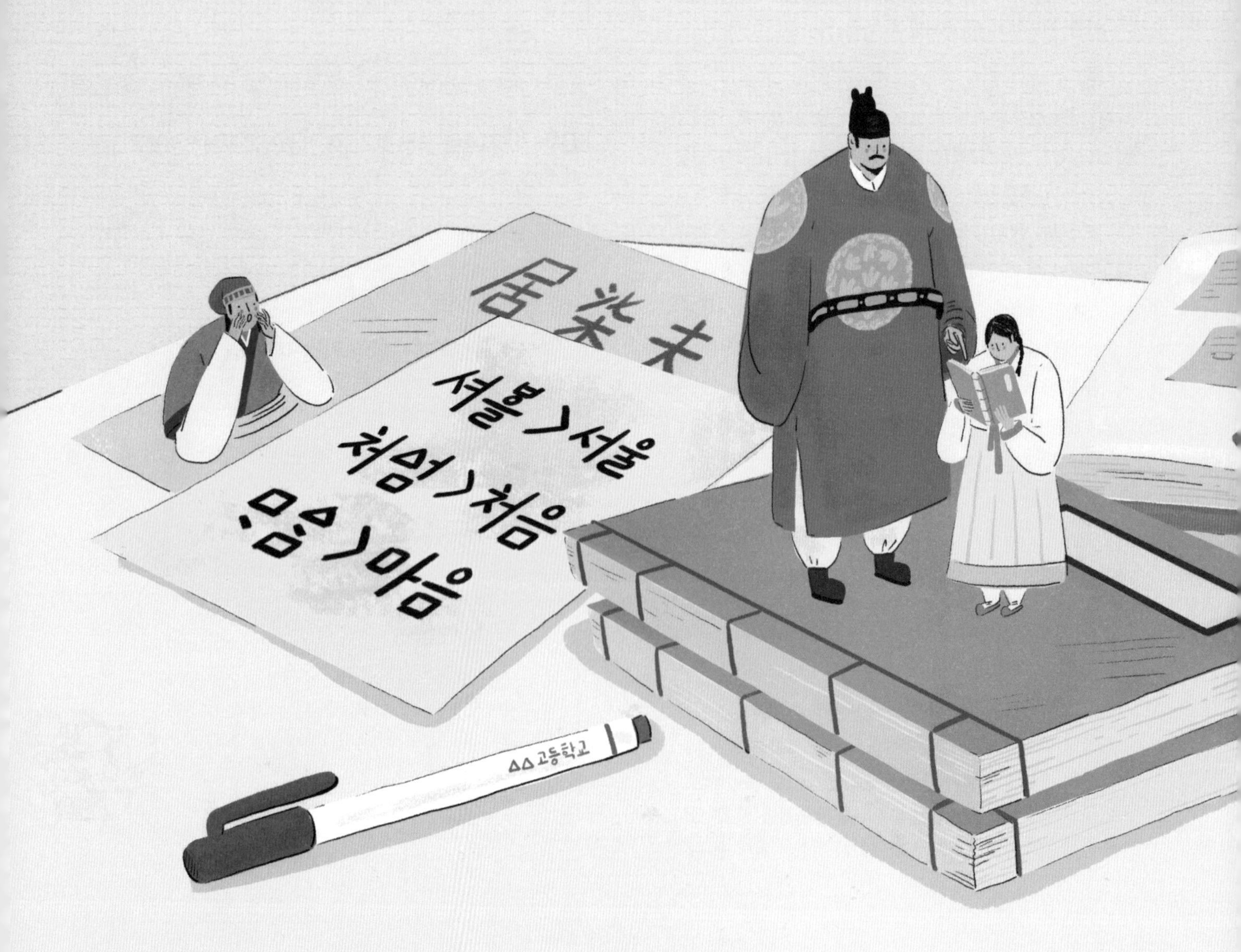

≫ 대단원의 흐름

1 국어의 역사

(1) 고대 국어
- 한국어의 뿌리는 무엇이며 어떤 형태였을까?

(2) 중세 국어
- 고려 건국을 중세 국어의 시작 지점으로 보는 이유는 무엇일까?
- 조선 시대 한글 창제 당시의 국어는 현대 국어와 어떤 점이 같고 어떤 점이 다를까?

(3) 근대 국어
- 현대 국어의 형성에 영향을 끼친 근대 국어의 변화는 무엇일까?

2 국어 생활과 문화

(1) 국어 자료의 다양성과 국어 문화
- 국어 자료에는 왜 다양한 언어적 특성이 생겨날까?
- 우리의 국어 문화를 이해하는 일이 왜 중요할까?

(2) 국어 규범과 국어 생활의 성찰
- 우리 말과 글에 관한 규범에는 어떤 것들이 있을까?
- 바람직한 국어 생활을 위해서는 어떤 점에 관심을 두어야 할까?

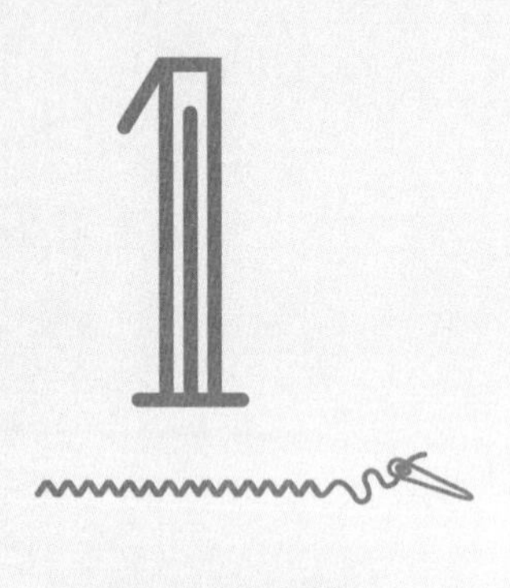

국어의 역사

{1} 고대 국어

[학습 목표] 고대 국어의 개념과 특징을 알고, 다른 시기의 국어와의 차이점을 이해한다.

• 국어의 계통과 형성 과정 알기 • 고대 국어의 개념과 특징 알기

음운의 특징	자음 체계에 예사소리와 거센소리의 대립만 있음.	된소리 계열은 없었던 것으로 추정됨.
어휘의 특징	한자가 유입되어 어휘 체계에서 한자어의 비중이 커짐.	고유어 지명이나 명칭이 한자어로 바뀌는 일이 나타남.
표기의 특징	구결, 이두, 향찰 등 한자 차용 표기법이 사용됨.	한자 차용 표기법의 두 가지 원리 음독(音讀): 한자의 뜻을 버리고 소리만 이용 석독(釋讀): 한자의 소리를 버리고 뜻만 이용

➜ 이 단원은 고대 국어의 음운, 어휘, 표기법을 국어 자료를 통해 이해하는 것을 목표로 한다. 한자를 빌려 우리말을 적는 차자 표기의 양상이나 고대 국어의 특징을 탐구하고 시대에 따른 국어 자료의 차이를 확인해 보자.

{2} 중세 국어

[학습 목표] 중세 국어의 개념과 특징을 알고, 다른 시기의 국어와의 차이점을 이해한다.

• 중세 국어의 개념과 특징 알기

음운의 특징	• 자음 체계에 된소리 계열이 등장함. • 유성 마찰음 'ㅸ', 'ㅿ'이 있었음. • 모음 체계에 'ㆍ'가 있었고 모음 조화가 엄격하게 지켜짐.
어휘의 특징	• 한자어가 침투하여 고유어와의 경쟁이 계속됨. • 한자어 이외에도 몽골어 등에서 어휘가 차용됨.
표기의 특징	• 받침으로 'ㄱ, ㄴ, ㄷ, ㄹ, ㅁ, ㅂ, ㅅ, ㅇ'의 8개 자음만 적는 것이 일반적이었음.
문법의 특징	• 주격 조사로 '가'를 사용하지 않고 '이(혹은 'ㅣ')'만 사용함. • 객체 높임법이 선어말 어미 '-숩-'에 의해, 상대 높임법은 선어말 어미 '-(으)이-'에 의해 실현됨.

➜ 이 단원은 중세 국어의 음운, 어휘, 문법, 표기법을 국어 자료를 통해 이해하는 것을 목표로 한다. 중세 국어의 한글 표기 양상이나 특징을 탐구하고 시대에 따른 국어 자료의 차이를 확인해 보자.

{3} 근대 국어

[학습 목표] 근대 국어의 개념과 특징을 알고, 다른 시기의 국어와의 차이점을 이해한다.

• 근대 국어의 개념과 특징 알기

음운의 특징	자음 'ㅸ', 'ㅿ'과 모음 'ㆍ'가 사라짐. 구개음화가 일어남.
어휘의 특징	중국을 통한 서양 문물과 문화의 유입으로 인한 번역 한자어, 일본이나 서양과의 접촉으로 인한 새 어휘가 나타남.
표기의 특징	중세 국어의 이어적기(사ᄅᆞ미)가 현대 국어의 끊어적기(사ᄅᆞᆷ이)로 가는 과도기로 거듭적기(사ᄅᆞᆷ미)가 나타남.
문법의 특징	주격 조사 '가'가 등장, 과거 시제 선어말 어미 '-았-/-었-'이 확립, 명사형 어미 '-기'가 널리 사용됨.

➜ 이 단원은 근대 국어의 음운, 어휘, 문법, 표기법을 국어 자료를 통해 이해하는 것을 목표로 한다. 근대 국어의 한글 표기 양상이나 특징을 탐구하고 시대에 따른 국어 자료의 차이를 확인해 보자.

{ 1 } 고대 국어

소단원 시험 족보

• 국어의 형성

• 고대 국어 시기: 우리말이 함께 알타이 어족에 속했던 다른 언어들과 분리된 이후부터 통일 신라 시대까지를 이름. 이 시기에는 신라의 삼국 통일로 언어적 통일이 이루어졌고, 신라의 수도가 '경주'였으므로 동남 방언(경상 남·북도, 강원도 남부의 방언)을 기반으로 우리말의 기초가 형성됨.

1 음운

• **음운에 나타나는 특징**

㉠ 자음 체계에 예사소리와 거센소리의 대립만 있었음.

㉡ 된소리 계열은 없었던 것으로 추정됨.

> 확인하기 ❶
>
> • 고대 국어 시기의 특징은 무엇인지 다음 빈 칸을 완성하시오.
> • 신라의 삼국 통일로 (   ) 통일이 이루어졌다.
> • 신라의 수도가 경주였기 때문에 삼국 통일과 함께 국어의 중심은 (   ) 방언이 되었고 이로써 우리말의 기초가 형성되었다.

2 어휘

• 한자의 유입과 더불어 한자어들도 함께 들어오게 되면서 우리말 어휘 체계에 한자어가 차지하는 비중이 증가함.

3 표기법: 한자 차용 표기법

(1) 원리: 음독(音讀)과 석독(釋讀) 두 가지 원리가 있음.

- 음독(音讀): 한자의 뜻을 버리고 소리만 이용하는 차용법
- 석독(釋讀): 한자의 소리를 버리고 뜻만 이용하는 차용법

(2) 고유 명사 표기

• 사례 ①

> 永同郡本吉同郡 (원문)
> 영동군은 본래 길동군이다. (현대어 역)
>
> —『삼국사기』, 권 34

- 한자 '永'을 음독으로 읽으면: 永同郡(영동군)
- 한자 '永'을 석독으로 읽으면: 永同郡(길동군)

• 사례 ②

> 居柒夫或云荒宗 (원문)
> 거칠부 혹은 황종이라 한다. (현대어 역)
>
> —『삼국사기』, 권 44

- '居柒夫'와 '荒宗'은 동일 인명에 대한 두 가지 표기로, 표기가 달라도 똑같이 읽어야 함.
- '荒宗'의 '荒'을 '황'이라는 한자음이 아니라 '거칠-'이라는 뜻의 소리로 읽으면, 즉 음독이 아니라 석독을 하면 '居柒夫'의 '居柒'과 같은 방식으로 읽게 됨.

> 확인하기 ❷
>
> • 고대 국어의 한자 차용 표기법의 원리를 정리해 보자.
> • 한자 차용에서 뜻을 버리고 소리를 이용하는 방법 – (   )
> • 한자 차용에서 소리를 버리고 뜻을 이용하는 방법 – (   )

(3) 구결, 이두, 향찰

① **구결:** 한문 문장의 문맥을 파악하기 쉽도록 우리말 조사나 어미를 한자로 표기하는 방법

② **이두:** 단어를 우리말 어순에 맞게 바꾸고 조사나 어미를 한자로 표기하는 방법

③ **향찰:** 어순을 우리말에 맞도록 배열하고 조사나 어미와 같은 형식 형태소를 한자로 표기할 뿐 아니라 명사나 동사 등의 실질 형태소와 단어들까지 한자로 표기한, 가장 발달한 형태의 한자 차용 표기법

<table>
<tr><th>구결</th><th>이두</th><th>향찰</th></tr>
<tr><td>한문에 조사나 어미 같은 형식 형태소만 더 표기한 것</td><td>어순까지 우리말에 맞도록 재배열하여 표기</td><td rowspan="2">형식 형태소, 실질 형태소, 단어 등 여러 가지를 한자 차용 표기법에 따라 표기하다 보니 읽고 쓰기의 방식이 복잡해지는 문제점이 발생</td></tr>
<tr><td>구결 글자를 빼면 그대로 한문이 됨.</td><td>형식 형태소 표기를 빼도 온전한 한문이 되지 않음.</td></tr>
<tr><td colspan="2">조선 시대까지 꾸준히 사용됨.</td><td>통일 신라 시대까지만 사용되고 사라짐.</td></tr>
</table>

> 확인하기 ❸
>
> • 구결과 이두의 차이점은 무엇인지 설명해 보자.
> • 구결은 (   )를 빼면 그대로 한문이 되지만, 이두는 (   )를 빼면 온전한 한문이 되지 않는다.
> • 구결은 한문에 조사나 어미와 같은 (   )만 더 표기한 것이고, 이두는 단어를 우리말 (   )에 맞게 바꾸고 조사나 어미도 한자로 표기한 것이다.

확인하기 정답 ❶ 언어적, 동남 / ❷ 음독, 석독 / ❸ 구결 글자, 형식 형태소 표기, 형식 형태소, 어순

소단원 적중 문제

[01~05] 다음 글을 읽고, 물음에 답하시오.

가 알타이 어족에 속하는 우리말이 다른 언어들과 분리된 이후부터 통일 신라 시대까지를 고대 국어 시기라고 한다. 이 시기는 신라가 삼국 통일을 통해 언어적 통일을 이룬 시기로, 신라의 수도가 지금의 경주에 있었기 때문에 오늘날의 동남 방언을 기반으로 현대 우리말의 기초가 형성되었던 시기라 하겠다.

나 음운

고대 국어 시기의 가장 큰 특징 가운데 하나는 자음 체계에 예사소리와 거센소리의 대립만 있고 된소리 계열이 없다는 점이다. 이는 우리나라의 한자음에 된소리 계열이 거의 없다는 것에서 확인할 수 있다. 중국의 한자음에 된소리가 있음에도 우리나라의 한자음에 된소리가 드문 것으로 보아, 한자와 한자음을 중국으로부터 받아들였던 고대 국어 시기에는 우리말에 된소리가 없었던 것으로 추정된다.

다 어휘

한자의 유입과 더불어 우리나라에 들어오게 된 한자어들은 시간이 흐름에 따라 우리말 어휘 체계에서 차지하는 비중이 점차 커졌다. '왕'이라는 한자어 명칭이 정식으로 사용되고, 순우리말로 되어 있던 지명이 한자어 지명으로 바뀌는 등 한자어 어휘가 일상으로 들어와서 쓰임이 확대되는 일이 통일 신라 시대에 이미 진행되고 있었다.

라 표기법: 한자 차용 표기법

고대 국어 시기에는 우리말을 표기할 수 있는 우리 글자가 없던 때여서 일부 전하는 자료도 우리말의 모습을 온전하고 정확하게 보여 주지는 못한다. 그런데도 한자 차용 표기법을 사용한 자료들은 부분적으로나마 우리말의 옛 모습을 엿볼 수 있게 해 주는 귀중한 자료들이다.

① 원리

한자 차용 표기법의 원리는 음독(音讀)과 석독(釋讀) 두 가지였다. 한자의 뜻을 버리고 소리만 이용하는 것이 음독이고, 반대로 한자의 소리를 버리고 뜻만 이용하는 것이 석독이다. 예를 들어, '古[옛 고]' 자를 뜻과는 상관없이 단순히 '고'라는 소리를 표기하기 위해 사용하는 것이 음독이고, '水[물 수]' 자를 써 놓고 '물'이라고 읽는다면 그것이 석독이다.

② 고유 명사 표기

한자 차용 표기법은 한자로 표기하기 어려운 우리말 고유 명사의 표기에서 시작되었다. 고유 명사 표기는 『삼국사기』나 『삼국유사』의 기록에 우리말로 인명이나 지명, 관직명 등을 적기 위해 한자의 소리나 뜻을 빌려서 표기한 방식이다.

③ 구결·이두·향찰

한자 차용 표기법은 고유 명사 표기에서 시작되어 점차 구결(口訣), 이두(吏讀), 향찰(鄕札) 등으로 발달하였다. ㉠구결은 한문 문장의 문맥을 파악하기 쉽도록 우리말 조사나 어미를 한자로 표기하는 방법이고, ㉡이두는 단어를 우리말 어순에 맞게 바꾸고 조사나 어미도 한자로 표기하는 방법이다. 구결의 경우 한문에 조사나 어미와 같은 형식 형태소만 더 표기한 것이기 때문에 구결 글자를 빼면 그대로 한문이 되지만, 이두의 경우 어순까지 우리말에 맞도록 재배열하였기 때문에 형식 형태소 표기를 빼도 온전한 한문이 되지 않는다는 차이가 있다.

향찰은 신라의 향가를 표기하는 데 사용된 표기법으로, 어순을 우리말에 맞도록 배열하고 조사나 어미와 같은 형식 형태소를 한자로 표기할 뿐 아니라 명사나 동사 등의 실질 형태소와 단어들까지 한자로 표기하였기 때문에 가장 발달한 형태의 한자 차용 표기법이라 할 수 있다.

01 이 글의 내용과 일치하지 않는 것은?

① 고대 국어 시기는 통일 신라 시대까지를 가리킨다.
② 고대 국어 시기에 동남 방언을 기반으로 우리말 기초가 형성되었다.
③ 국어에는 알타이 어족에 속하는 다른 언어들과 분리되는 과정이 있었다.
④ 고대 국어 시기에 된소리 계열의 자음은 없었던 것으로 확인된 바가 있다.
⑤ 고대 국어의 표기는 한자를 차용하는 방법에 따라 음독과 석독의 원리로 이루어졌다.

수능형 학습 활동 적용

02 이 글을 바탕으로 〈보기〉를 이해한 내용으로 적절하지 않은 것은?

〈보기〉
ⓐ 居柒夫或云荒宗 (원문)
거칠부 혹은 황종이라 한다. (현대어 역) – 『삼국사기』, 권 44
ⓑ 永同郡本吉同郡 (원문)
영동군은 본래 길동군이다. (현대어 역) – 『삼국사기』, 권 34

① ⓐ와 ⓑ의 '원문'은 한문을 빌려 우리말을 표기한 사례이다.
② ⓐ의 '居柒'은 우리말을 한자의 소리를 빌려 표기한 것이다.
③ ⓐ의 '居柒'은 '荒'을 석독했을 때와 동일하게 읽게 된다.
④ ⓑ의 '永'은 음독하여 '吉'을 석독했을 때와 동일하게 읽는다.
⑤ ⓐ와 ⓑ에 제시된 인명, 지명은 동일한 대상에 대한 두 가지 표기로, 표기는 달라도 똑같이 읽어야 한다.

03 ㉠과 ㉡에 대한 설명으로 적절한 것은?

① ㉠과 달리 ㉡은 단어를 우리말 어순에 따라 표기하였다.
② ㉠은 ㉡과 달리 한자를 차용해 표기한 글자를 빼면 원래의 한문이 되지 않는다.
③ ㉠과 ㉡은 우리 글자가 없던 시기에 한자를 빌려 우리말을 전부 표기했다는 공통점이 있다.
④ ㉠은 ㉡과 달리 조사나 어미와 같은 형식 형태소만 한자로 표기하였다.
⑤ ㉠과 ㉡은 우리말 어순과 달리 한문의 어순에 따라 표기되었다는 점에서 공통된다.

서술형 학습 활동 적용

04 〈보기〉의 ⓐ의 이유를 본문을 참고하여 서술하시오.

〈보기〉
ⓐ이런 복잡성으로 말미암아 가장 발달한 한자 차용 표기법이었음에도 향가의 소멸과 함께 그 표기법인 향찰 역시 사라지게 된다. 향찰이 통일 신라 시대까지만 사용되고 사라졌다는 점에서 조선 시대에도 그 쓰임이 꾸준히 이어졌던 구결이나 이두와는 그 운명이 사뭇 달랐음을 알 수 있다.

학습 활동 적용

05 다음은 '임신서기석'의 기록 일부이다. 이에 대한 설명으로 적절하지 않은 것은?

若此事失天大罪得誓 (원문)
만약 이 일을 실패하면 하늘에 큰 죄를 얻을 것을 맹세하니 (현대어 역)
* 若(약): 만약, 此事(차사): 이 일, 失(실): 실패하다, 놓치다

① 이두의 표기 원리와 유사한 모습을 보여 준다.
② '此事失'과 '大罪得'에는 같은 어순이 적용되었다.
③ 한문이라면 '若失此事'와 같이 목적어인 '此事'를 동사 '失' 뒤에 놓았을 것이다.
④ 이 서기체 표기는 우리말의 어휘뿐 아니라 어미, 조사까지 한자를 이용해 표기했다.
⑤ 이 서기체 표기는 고유 명사만을 표기하던 차자 표기 방식에서 한층 발전한 형태이다.

06 다음 표의 ⓐ에 들어갈 알맞은 내용은?

시대 구분		시기	특징
고대 국어		~9세기	ⓐ
중세 국어	전기	10세기 초~15세기 중엽	
	후기	15세기 중엽~16세기 말	
근대 국어		17세기 초~19세기 말	

① 한글 창제로 우리말을 온전히 기록할 수 있게 되었다.
② 언어의 중심이 동남 지역에서 중부 지역으로 옮겨졌다.
③ 서양과의 직간접적 접촉을 통해 서구어들이 유입되었다.
④ 음운에서 '예사소리–거센소리–된소리'의 대립 체계가 성립되었다.
⑤ 삼국 시대의 언어가 통일 신라에 이르러 하나의 언어로 통일되었다.

2 중세 국어

1 음운

(1) 자음

① **된소리 계열의 발달:** '예사소리-거센소리-된소리'의 대립 체계가 완성됨.

② **유성 마찰음 'ㅸ, ㅿ'의 사용:** 'ㅸ'은 'ㅂ'에 대립하는 유성 마찰음, 'ㅿ'은 'ㅅ'과 대립하는 유성 마찰음임.

[참고 자료] 중세 국어의 자음 체계

	전청(全淸)	차청(次淸)	불청불탁(不淸不濁)	전탁(全濁)
어금닛소리(아음)	ㄱ	ㅋ	ㆁ	ㄲ
혓소리(설음)	ㄷ	ㅌ	ㄴ	ㄸ
입술소리(순음)	ㅂ	ㅍ	ㅁ	ㅃ
잇소리(치음)	ㅅ, ㅈ	ㅊ		ㅆ, ㅉ
목구멍소리(후음)	ㆆ	ㅎ	ㅇ	ㆅ
반혓소리(반설음)			ㄹ	
반잇소리(반치음)			ㅿ	

(2) 모음

① **'ㆍ'의 사용:** 현대 국어에는 없는 'ㆍ'가 사용됨.

② **모음 조화가 잘 지켜짐.:** 양성 모음(ㆍ, ㅏ, ㅗ)은 양성 모음끼리, 음성 모음(ㅡ, ㅓ, ㅜ)은 음성 모음끼리 어울리는 현상이 비교적 엄격하게 지켜짐.

[참고 자료] 중세 국어의 단모음 체계

	전설	중설	후설
고	ㅣ	ㅡ	ㅜ
중		ㅓ	ㅗ
저		ㅏ	ㆍ

③ 중세 국어의 모음 조화

• 환경

㉠ 체언이나 용언 어간 내부

예 나모(木), 다ᄅᆞ다(異), 구무(穴), 흐르다
(양성 모음, 양성 모음, 음성 모음, 음성 모음)

㉡ 체언과 조사 결합, 용언 어간과 어미 결합

예 나ᄂᆞᆫ(나는), 마ᄀᆞᆫ(막은), 머근(먹은)
(양성 모음, 양성 모음, 음성 모음)

• 변화

㉠ 15세기 모음 조화 현상에도 예외가 있음. 예 ᄒᆞ고져, 졀ᄎᆞ로

㉡ 16세기 'ㆍ'가 점점 소실되면서 일부는 음성 모음인 'ㅡ'로 대체되며 모음 조화의 붕괴에 영향을 미침.

(3) 성조

소리의 높낮이인 성조(聲調)를 이용하여 단어의 뜻을 구별하였으며, 이를 글자 왼쪽의 점(방점)으로 표시함. 대체로 평성, 거성은 짧은 소리, 상성은 긴 소리로 바뀌어 현대 국어의 장단 체계를 형성함.

• 평성: 낮은 소리로 방점이 없음.
• 거성: 높은 소리로 방점이 1개임.
• 상성: 처음에는 낮다가 나중에는 높아지는 소리로 방점이 2개임.

2 어휘

(1) 고유어와 한자어의 이원 체계를 이루며 한자어의 비중이 점점 높아짐.

① **과거 제도의 시행:** 고려 광종 때 과거 시험(한자를 포함함.) 시행으로 인해 한자어가 확산됨.

② **새로운 개념이나 사물의 유입:** 새로운 개념이나 사물, 문화가 유입되는 과정에서 적절한 단어가 없는 고유어의 공백을 한자어가 메움.

• 유교 문화의 영향으로 인한 한자어 유입 예 붇[筆], 먹[墨]
• 불교의 유입에 의한 불교 용어 유입 예 미륵(彌勒), 보살(菩薩)

③ **고유어의 소멸:** 한자어와 경쟁하다 사라지는 고유어가 많아짐.

예 온(百), 즈믄(天), ᄀᆞᄅᆞᆷ(江), 미르(龍), 뫼(山), 오래(門), 비숨(丹粧), 아ᅀᆞᆷ(親戚)

(2) 고유어의 의미 변화: 새로운 어휘의 유입으로 고유어의 의미 범주에 변화가 생기게 됨.

① **의미의 확대:** 의미가 변화하여 그 적용되는 영역이 원래 영역보다 넓어지는 현상

예 다리(脚): 사람이나 짐승의 다리 > 무생물에까지 적용
영감: 당상관에 해당하는 벼슬을 지낸 사람 > 남자 노인
세수하다: 손만 씻는 동작 > 얼굴을 씻는 행위

② **의미의 축소:** 의미가 변화하되 그 적용 영역이 원래 영역보다 좁아지는 현상

예 놈: 일반적인 남자 > 남자를 낮잡아 말할 때만 사용됨.
겨집(계집): 일반적인 여자 > 여자를 낮잡아 말할 때만 사용됨.

③ **의미의 이동:** 의미의 축소나 확대와 달리 본래의 의미를 잃고 다른 의미를 가지게 되는 현상

예 어리다: 어리석다 → 나이가 어리다
어엿브다: 불쌍하다 → 어여쁘다

(3) 몽골어, 여진어 등의 유입: 13, 14세기 고려와 원나라가 밀접해지면서 몽골, 여진으로부터 새로운 어휘가 유입됨.

예 보라매, 수라

확인하기 ❶

• 다음 중 후대에 의미 변화를 보이는 어휘를 고르고, 그 의미 변화 유형을 쓰시오.

어리다, 놈, ᄀᆞ룸, 어엿브다, 미르

3 문법

(1) **주격 조사:** '이' 하나만 쓰였다.

형태	환경	예
이	자음으로 끝난 체언 뒤	심+이 → 시미
ㅣ	'ㅣ' 이외의 모음으로 끝난 체언 뒤	부텨+ㅣ → 부톄
ø	'ㅣ' 모음으로 끝난 체언 뒤	불휘+ø → 불휘

• 'ㅣ'는 한글로 표기할 때는 체언과 합쳐 쓰고, 한자로 표기할 때는 따로 씀. 예 대장뷔 세상에 나매(대장부가 세상에 남에), 믈읫 字ㅣ 모로매(모든 글자가 모름지기)

(2) **높임 표현**

• 높임 선어말 어미에 의한 높임 표현

	내용
주체 높임	'-(으)시-'에 의해 실현(현대 국어와 비슷)
객체 높임	'-숩-/-줍-/-숩-'에 의해 실현(모음으로 시작되는 어미 앞에서는 '-숩-/-줗-/-숳-'에 의해 실현됨.)
상대 높임	'-(으)이-'에 의해 실현(선어말 어미에 의한 상대 높임은 사라지고 현대에는 어말 어미로 상대를 높임. 예 -습니다)

(3) **시간 표현:** 동사 어간에 시제를 나타내는 선어말 어미가 연결되어 실현됨.

① **시제 표현 선어말 어미**

시제	선어말 어미	용례
과거	ø, -더-	가다, 가더라
현재	-ᄂᆞ-	가ᄂᆞ다
미래	-(으)리-	가리라

② **현재 시제 선어말 어미 '-ᄂᆞ-'의 쓰임:** '-ᄂᆞ-'는 동사에만 결합되며 형용사나 서술격 조사는 현대 국어에서처럼 기본형(예 덥다, 책이다) 그대로 씀으로써 현재 시제를 나타냄.

③ **과거 시제 선어말 어미 '-더-'의 쓰임:** 회상의 의미를 표현함.

④ **미래 시제 선어말 어미 '-(으)리-'의 쓰임:** '-(으)리-'가 현대 추측의 의미를 표현하는(현대에는 '-겠-'을 씀.) 기능을 하였음.

4 표기법

(1) **음소적 원리:** 각 음소를 충실히 표기하는 방법으로, 단어의 형태를 항상 고정해 표기하지 않고 실제 소리 나는 대로 표기하는 원리

예 '곶[花]'이라는 단어의 형태를 고정하지 않고 '곳, 고지, 곳도' 등 소리 나는 대로 표기함.

※ 중세 국어의 음소적 원리는 현대 국어에서 '꽃, 꽃이, 꽃도'와 같이 '꽃'이라는 단어의 형태를 일정하게 고정한 표기(이를 '형태 음소적 원리'라고 함.)와 차이를 보임.

(2) **음절적 원리:** 각 음절 단위로 표기하는 방법으로, 음절 구조를 정확히 반영하는 표기 방법. 즉 음절 경계에서 일어나는 소리의 변화를 반영하는 표기 원리

예 '사ᄅᆞᆷ'에 주격 조사 '이'가 연결되는 경우 '사ᄅᆞᆷ이'와 같이 적지 않고 '사ᄅᆞ미'와 같이 적음.

[참고 자료] 중세 국어의 표기법

(1) **종성부용초성(終聲復用初聲):** 초성과 종성이 음운론적으로 동일성을 갖는다는 사실에 근거하여 종성을 따로 만들지 않는다는 제자상의 원칙

(2) **8종성가족용(八終聲可足用):** 'ㄱ, ㆁ, ㄷ, ㄴ, ㅂ, ㅁ, ㅅ, ㄹ'의 8자만 종성으로 사용해도 좋다는 규정. 이것은 종성의 대표음화를 반영한 것임.(ㄱ, ㅋ → ㄱ/ㄷ, ㅌ → ㄷ/ㅂ, ㅍ → ㅂ/ㅅ, ㅈ, ㅊ → ㅅ)

(3) **동국정운(東國正韻)식 표기:** 한자음을 당시 중국 한자의 원음에 가깝도록 표기하는 방식

확인하기 ❷

• 아래의 밑줄친 어휘가 높이는 대상을 쓰고, 그 이유를 설명하시오.

絕世(절세) 英才(영재)를 邊人(변인)이 拜伏(배복)ᄒᆞᄉᆞᄫᆞ니
[현대어 풀이]
절세의 영재를 변방의 사람들이 절하며 복종하니

• 높이는 대상:
• 이유:

확인하기 정답

❶ 어리다(의미의 이동), 놈(의미의 축소), 어엿브다(의미의 이동) / ❷ 英才(영재)/객체 높임 표현은 행위의 대상인 목적어나 부사어를 높이는 방법으로 객체 높임 선어말 어미 '-습/줍/숩-'을 사용한다. 'ᄒᆞᄉᆞᄫᆞ니'는 객체 높임 선어말 어미 '-숳-'을 사용하여 대상인 '(絕世(절세)) 英才(영재)'를 높이고 있다.

소단원 적중 문제

[01~04] 다음 글을 읽고, 물음에 답하시오.

가 중세 국어의 음운적 특징으로는, 된소리 계열이 생겨난 점, 유성 마찰음 'ㅸ, ㅿ'이 쓰이는 점, 'ㆍ'가 소멸되기 시작하고 모음 조화가 잘 지켜진 점, 성조가 있었던 점 등을 들 수 있다.

나 먼저 된소리의 발달은 현대 국어에서 '예사소리－거센소리－된소리'의 대립 체계가 성립되는 변화라는 의미가 있다. 또한, 현대 국어에서는 볼 수 없는 'ㅸ, ㅿ' 소리가 이 시기에 사용되고 있었는데, 이 소리들은 근대 국어 시기까지 이어지지 않고 그 전에 소멸의 길을 걸었다. 예를 들어, '셔ᄫᅳᆯ>서울', '처ᅀᅥᆷ>처음' 등에서 그 변화를 볼 수 있다.

다 중세 국어에는 현대 국어에 없는 'ㆍ'가 있었다. 모음 'ㆍ'는 후기 중세 국어 때부터 변화되었는데 16세기에는 둘째 음절 이하의 'ㆍ'가 주로 'ㅡ'로 변하고, 이후 근대 국어 시기에 이르러 첫째 음절의 'ㆍ'가 주로 'ㅏ'로 변하면서, 모음 'ㆍ'는 완전히 소멸되었다. 'ᄆᆞᅀᆞᆷ>마음'은 그러한 변화 양상을 잘 보여 주는 예이다.

라 현대 국어와 달리 중세 국어에서는 모음 조화가 엄격하게 지켜졌다. 예를 들어, 조사나 어미에는 모음 조화에 의한 교체 형태를 갖추고 있어서, 1인칭 대명사 '나'와 2인칭 대명사 '너'는 모음 조화에 따라 '나ᄂᆞᆫ, 나ᄅᆞᆯ'과 '너는, 너를' 등으로 나타났고, 동사 '막－'과 '먹－'은 '마가, 마ᄀᆞᆫ, 마ᄀᆞᆯ'과 '머거, 머근, 머글' 등으로 나타났다.

마 ㉠<u>소리의 높낮이인 성조를 이용해서 단어의 뜻을 구별하던 점은, 장단에 의해 뜻을 구별하는 현대 국어와 차이를 보인다.</u> 성조는 글자 왼쪽에 방점을 찍어 표시하였는데, 낮은 소리인 평성은 점이 없으며, 높은 소리인 거성은 한 점, 처음에는 낮다가 나중에는 높아지는 상성은 두 점을 찍었다. 성조는 대략 16세기 말에 소멸되었으며, 대체로 평성과 거성은 짧은 소리로, 상성은 긴 소리로 바뀌어 현대 국어의 장단 체계를 가지게 된 것으로 보인다. 예를 들어, 'ᄆᆞᆯ[馬]'은 평성, 'ㆍ발[足]'은 거성, ':말[言]', ':발[簾]'은 상성이었는데, 현대에 와서 앞의 둘은 짧은 소리, 뒤의 둘은 긴 소리로 남아 있다.

01 이 글을 통해 알 수 <u>없는</u> 내용은?

① 된소리 계열의 음운들이 중세 국어에 처음 등장한다.
② 중세 국어 시기 'ㆍ'의 소멸은 모음 조화에 영향을 주었다.
③ 중세 국어는 소리의 높낮이를 사용하여 의미를 구별하였다.
④ 중세 국어에서는 현대 국어에 사용되지 않는 음운이 사용되었다.
⑤ 'ㅸ, ㅿ'이 사용됨으로써 현대 국어와 같은 대립 체계가 중세 국어에도 성립되었다.

02 ㉠에 대한 설명으로 적절하지 <u>않은</u> 것은?

① 평성은 낮은 소리로 점을 찍지 않는다.
② 거성은 높은 소리로 점 한 개를 찍는다.
③ 상성은 이중 성조로 점 두 개를 찍는다.
④ 성조는 소리의 장단을 통한 의미 구별을 이용한 것이다.
⑤ 거성과 평성으로 표시되었던 음절은 현대 국어에서는 같은 길이를 갖는다.

수능형

03 이 글을 바탕으로 <보기>를 이해한 내용이 적절하지 <u>않은</u> 것은?

<보기>

<u>나ㆍ랏:말ᄊᆞㆍ미</u> 中듕國ㆍ귁ㆍ에 달ㆍ아 文문字ㆍᄍᆼㆍ와ㆍ로 서르 ᄉᆞᄆᆞᆺㆍ디 아ㆍ니ᄒᆞᆯㆍᄊᆡ
ㆍ이런 <u>젼ㆍᄎᆞㆍ로</u> 어ㆍ린 百ㆍᄇᆡᆨ姓ㆍᄉᆞᆼㆍ이 니르ㆍ고ㆍ져 ㆍᄒᆞᇙ ㆍ배 이ㆍ셔ㆍ도 ᄆᆞㆍᄎᆞᆷ:내 제 ㆍᄠᅳㆍ들 시ㆍ러 펴ㆍ디 :몯ᄒᆞᇙ ㆍ노ㆍ미 하ㆍ니ㆍ라
ㆍ내 <u>ㆍ이ㆍᄅᆞᆯ</u> 爲ㆍᅌᅱᆼㆍᄒᆞㆍ야 <u>:어엿ㆍ비</u> 너ㆍ겨 ㆍ새ㆍ로 ㆍ스ㆍ믈여ㆍ듧 字ㆍᄍᆼㆍᄅᆞᆯ ᄆᆡᇰㆍᄀᆞ노ㆍ니
:사ᄅᆞᆷ:마ㆍ다 :ᄒᆡㆍᅇᅧ <u>:수ㆍᄫᅵ</u> 니ㆍ겨 ㆍ날ㆍ로 ㆍᄡᅮㆍ메 便뼌安ᅙᅡᆫㆍ킈 ᄒᆞㆍ고ㆍ져 ᄒᆞᇙ ᄯᆞᄅᆞㆍ미니ㆍ라

－『훈민정음언해』에서

① '나ㆍ랏:말ᄊᆞㆍ미'를 통해 중세 국어의 자음에는 된소리에 의한 대립 체계가 형성되었음을 알 수 있군.
② '젼ㆍᄎᆞㆍ로'는 현대 국어의 장단 체계로 바뀌면서 각 음운을 짧게 발음하겠군.
③ 'ㆍ이ㆍᄅᆞᆯ'로 보아 모음 'ㅣ'는 음성 모음의 성향이 강했음을 알 수 있군.
④ ':어엿ㆍ비'는 낮은 소리로 시작하여 높은 소리로 올랐다가 다시 낮은 소리－높은 소리의 순서로 진행하겠군.
⑤ ':수ㆍᄫᅵ'를 통해 유성 마찰음이 사용되었음을 알 수 있군.

서술형

04 **이 글을 바탕으로 〈보기〉의 빈칸에 알맞은 어형을 제시하고 변화 과정을 단계별로 설명하시오.**

〈보기〉

ᄆᆞᅀᆞᆷ > (   ) > (   ) > 마음
※ 단, 자음의 변화가 모음의 변화보다 선행한다.

[05~07] 다음 글을 읽고, 물음에 답하시오.

(가) 삼국 시대에 한자가 들어오면서 자연스럽게 우리말의 어휘 체계는 고유어와 한자어의 이원 체계를 기본으로 하게 되었다. 시간이 흐르면서 어휘 체계 안에서 차지하는 고유어의 비중은 작아지고 한자어의 비중은 높아지는 변화가 지속적으로 진행되었다.

한편으로 새로운 개념이나 사물이 들어오면서 한자어가 같이 유입되어 적절한 고유어가 없는 공백을 자연스럽게 메웠을 뿐 아니라, 다른 한편으로 이미 고유어가 존재하는 경우에도 같은 의미를 가진 한자어가 유입되어 고유어와 한자어의 대립 관계가 형성되었다. 이러한 대립 관계 속에서 고유어는 원래의 의미 영역 가운데 큰 부분을 한자어에 넘겨주고 자기의 ㉠의미 영역을 축소하면서 살아남거나 완전히 소멸되는 길을 가게 되었다.

(나) 중세 국어 시기에는 주격 조사에 '가'는 없고 '이'만 있어서 앞말의 받침 유무에 상관없이 '이'가 쓰였다. 예를 들어, ㉡['ᄉᆡᆷ미 기픈 므른', '부톄 니ᄅᆞ샤ᄃᆡ', '불휘 기픈 남ᄀᆞᆫ'] 등에서 주격 조사 '이'가 쓰인 양상을 볼 수 있다.

㉢높임 표현은 선어말 어미에 의해 실현되었는데, '-(으)시-'에 의한 주체 높임법, '-습-'에 의한 객체 높임법, '-(으)이-'에 의한 상대 높임법의 정연한 체계를 이루고 있었다. 대체로 주체 높임법의 경우는 현대 국어와 비슷하지만, 객체 높임법의 '-습-'은 현대에 와서 거의 흔적을 남기지 않고 사라졌고, 상대 높임법 또한 선어말 어미에 의해 표현되던 체계는 사라지고 현대에 와서는 어말 어미에 의해 표현된다.

(다) 세종 28년(1446) '훈민정음'이란 이름으로 한글이 반포되면서 비로소 우리말을 온전하게 적을 수 있는 문자가 탄생하였다. 한글 창제 이후 한글 표기법의 원리로 채택된 것은 음소적 원리와 음절적 원리였다.

음소적 원리는 각 음소를 충실히 표기하는 방법으로, 단어의 형태를 항상 고정해 표기하지 않고 실제 소리 나는 대로 표기하는 원리이다.

음절적 원리는 각 음절을 표기에 정확히 반영하는 표기 방법이다.

05 **다음 중 ㉠의 예가 될 수 있는 것은?**

① 즈믄　② 겨집　③ 수라　④ ᄀᆞᄅᆞᆷ　⑤ 어리다

06 **다음 중 ㉡을 통해 알 수 있는 주격 조사 '이'에 대한 설명으로 적절하지 않은 것은?**

① 앞말의 끝소리가 자음인 경우 주격 조사로 '이'를 사용한다.
② 앞말이 모음으로 끝나는 경우 주격 조사로 'ㅣ'가 사용된다.
③ 앞말의 음운론적 환경에 따라 주격 조사의 양상이 달라진다.
④ 'ᄉᆡᆷ미'와 '부톄'에서 주격 조사가 서로 다른 양상으로 나타나고 있다.
⑤ 체언의 끝소리가 'ㅣ' 모음인 경우 주격 조사는 형태가 나타나지 않는다.

서술형

07 **〈보기〉는 ㉢에 대한 사례이다. ⓐ에 나타난 높임의 종류와 높임의 대상, 높임을 실현한 방법을 한 문장으로 서술하시오.**

〈보기〉

내 ᄯᆞᆯ…부텨옷 ⓐ보ᅀᆞᄫᆞ면 　　－『석보상절』에서
[현대어 풀이]
내 딸이…부처만 뵈면

{3} 근대 국어

소단원 시험 족보

• 근대 국어

- 17세기 초부터 19세기 말까지에 해당하는 시기의 국어
- 안으로는 자생적인 근대 의식이 싹트고, 밖으로는 중국을 통해 새로운 서양 문물과 과학 지식 및 기독교 문화가 유입되는 시기를 배경으로 함.
- 음운, 어휘, 문법 등에서 중세 국어와 현대 국어의 차이를 이어 주는 중요한 고리 역할을 하는 언어

1 음운

(1) 자음 'ㅸ, ㅿ'의 소멸

(2) 모음 'ㆍ'의 변화: 16세기 말(후기 중세 국어)에 둘째 음절 이하에서 'ㅡ'로 변했던 모음 'ㆍ'는 근대 국어 시기인 18세기에 와서 첫째 음절에서 대체로 'ㅏ'로 변함.

(3) 모음 조화의 붕괴: 'ㆍ'의 변화가 어느 정도 완성되자 모음 조화가 잘 지켜지지 않는 현상이 나타남.

(4) 구개음화의 발생: 근대 국어 시기에 구개음화가 나타남.

확인하기 1

- <보기>를 통해 알 수 있는 국어 음운의 변화에 대해 빈칸을 완성하시오.

<보기>

ᄆᆞᅀᆞᆯ > ᄆᆞᄋᆞᆯ > ᄆᆞ을 > 마을
　　　㉠　　　㉡　　　㉢

㉠ 중세 국어 시기를 거치면서 (　　　　)이 소멸됨.
㉡ (　　　　) 둘째 음절 이하에서 'ㆍ'가 (　　　　)로 변함.
㉢ (　　　　)에 와서 첫째 음절의 'ㆍ'가 (　　　　)로 변함.

2 어휘

(1) 서양 문물과 번역 한자어의 유입: 기존의 한자어에 더하여 서양의 새로운 지식이 중국을 통해 유입되는 과정에서 번역 한자어가 새로 유입됨.

(2) 일본이나 서양과의 접촉을 통한 새 어휘의 유입

(3) 우리나라 어휘의 삼중 체계 형성: 우리나라 어휘 체계가 '고유어–한자어–외래어'의 삼중 체계로 완성되었고 이것이 현대에도 지속되고 있음.

3 문법

(1) 주격 조사 '가'의 등장

(2) 과거 시제 선어말 어미의 확립: 과거 시제를 표현하는 선어말 어미 '–았–/–었–'이 이 시기에 확립됨.

(3) 객체 높임 선어말 어미의 소멸: 앞 시기에 사용되던 객체 높임 선어말 어미 '–습–'은 소멸하고 그 형태('–습–')는 상대 높임법을 나타내는 선어말 어미로 남게 됨.

(4) 명사형 어미 '–기'의 활발한 사용

확인하기 2

- 다음 자료에서 제시된 근대 국어 문법의 특징에 해당하는 예시를 찾아보자.

> 우리신문이 한문은 아니쓰고 다만 국문으로만 쓰는거슨 샹하귀쳔이 다보게 ᄒᆞᆷ이라 ᄯᅩ 국문을 이러케 귀졀을 ᄯᅦ여 쓴즉 아모라도 이신문 보기가 쉽고 신문속에 잇는 말을 자세이 알어 보게 ᄒᆞᆷ이라
>
> –「독립신문」 창간사에서

- 주격 조사 '가'가 쓰임. –(　　　　)
- 명사형 어미 '기'가 쓰임. –(　　　　)

4 표기법

- 표기법의 혼란: 중세 국어 시기에 음소적 원리와 음절적 원리에 따라 정연하게 지켜지던 표기법은 근대에 와서 혼란한 양상을 보이며 한 문헌 안에서 이어적기, 거듭적기, 끊어적기가 섞여서 나타나기도 함.

중세 국어에서는 음소적 원리와 음절적 원리가 정연하게 지켜지며, 이어적기가 일반적이었음. 예 사ᄅᆞ미	➡	근대 국어 시기 표기법의 혼란이 심해지며 이어적기, 끊어적기, 거듭적기 등이 섞여서 나타남. → 표기법의 기준이 될 만한 규범이 따로 없었기 때문 예 사ᄅᆞ미, 사ᄅᆞᆷ미, 사ᄅᆞᆷ이	➡	표기법 체계가 완성되며 끊어적기로 정착됨. 예 사ᄅᆞᆷ이

확인하기 3

- 다음은 표기 방식의 종류를 정리한 것이다. 빈칸에 적절한 말을 쓰시오.

표기 방식			
	이어적기	앞말의 종성을 뒷말의 (　　　　)으로 내려 씀.	예 (　　　　)
	(　　　　) 적기	앞말의 종성을 적고 뒷말의 초성으로도 다시 적음.	예 사ᄅᆞᆷ미
	끊어적기	앞말의 종성을 (　　　　) 적음.	예 사ᄅᆞᆷ이

확인하기 정답 ❶ ㉠ ㅿ ㉡ 16세기 말, ㅡ ㉢ 18세기, ㅏ / ❷ 보기가/보기가 / ❸ 초성, 사ᄅᆞ미/거듭/그대로 올려

소단원 적중 문제

[01~04] 다음 글을 읽고, 물음에 답하시오.

가 ㉠근대 국어 시기는 17세기 초부터 19세기 말까지에 해당한다. 이 시기는 안으로는 자생적인 근대 의식이 싹트는 한편, 밖으로는 중국을 통해 새로운 서양 문물과 과학 지식 및 기독교 문화가 유입되는 시기였다. 이와 같은 언어 외적 환경의 변화와 맞물려 이 시기의 우리말 또한 많은 변화를 겪게 되면서 음운, 어휘, 문법 등 언어적인 면에서도 앞 시대의 국어와는 많이 다른 모습을 보이게 되었다.

전반적으로 근대 국어는 시기적인 측면에서 중세 국어와 현대 국어의 가운데에 자리 잡고 있을 뿐 아니라 음운, 어휘, 문법 등 언어적인 측면에서도 중세 국어와 현대 국어의 차이를 이어 주는 중요한 고리의 역할을 하고 있다고 평가할 수 있다. 국어의 기본적인 특징들은 대체로 고대 국어부터 현대 국어까지 공통되는 것이지만 현대 국어의 특징이라 할 만한 것 가운데에는 근대 국어 시기의 변화에서 비롯된 부분이 적지 않은 것이다.

나 중세 국어 시기를 거치면서 자음 'ㅸ, ㅿ'은 소멸되었고, 모음 'ㆍ'는 16세기 말에 둘째 음절 이하에서 'ㅡ'로 변하였고 근대 국어 시기인 18세기에 와서 첫째 음절에서 대체로 'ㅏ'로 변하였다.

'ㆍ'의 변화가 어느 정도 완성되자 모음 조화가 잘 지켜지지 못하는 현상이 발생하였다. 'ㆍ' 자체는 양성 모음으로서 모음 조화에서 음성 모음 'ㅡ'와 대립되면서 중요한 역할을 하였는데, 첫째 음절에서는 양성 모음, 둘째 음절 이하에서는 음성 모음으로 변하는 일이 많았기 때문에 자연스럽게 모음 조화를 지키지 못하게 되었다. 예를 들어, 모음 조화를 잘 지키던 'ᄆᆞᅀᆞᆯ'이란 단어가 'ㆍ' 소멸 과정을 겪은 후에 '마을'이란 형태로 변하여 한 단어 내에 양성 모음과 음성 모음이 공존하는, 즉 모음 조화를 지키지 못하는 양상을 보이게 된 것이다.

근대 국어 시기에 발생한 구개음화는 자음의 변천과 관련하여 가장 주목되는 음운 현상이다. 이전 시기까지 'ㄷ, ㅌ'이 'ㅣ' 앞에서 그대로 소리 나던 것이 이 시기에 와서 'ㅈ, ㅊ'으로 음운 변화를 일으키게 되었고, 그 결과가 현대 국어까지 이어지게 되었다. 예를 들어, '디다>지다[落], 티다>치다[打], 부텨>부처[佛]' 등에서 구개음화를 확인할 수 있다.

중세 국어 시기에 음소적 원리와 음절적 원리에 따라 정연하게 지켜지던 표기법은 근대에 와서 상당히 혼란한 양상을 보인다. 예를 들어, '사ᄅᆞ미'로 표기되던 것이 '사ᄅᆞᆷ이'로 표기되기도 하고 '사ᄅᆞᆷ미'와 같이 표기되기도 하였다. '사ᄅᆞ미'와 같은 표기를 이어적기, '사ᄅᆞᆷ이'와 같은 표기를 끊어적기, '사ᄅᆞᆷ미'와 같은 표기를 거듭적기라 한다.

다 우리 셔울 가면 어ᄃᆡ 머므러야 죠ᄒᆞ료

우리 順城門(순성문) 官店(관점)에 가셔 머므쟈 져긔셔 ᄆᆞᆯ 져제 가기 ᄯᅩ 져기 갓가오니라

㉡네 니ᄅᆞ미 올타 나도 ᄆᆞᄋᆞᆷ애 이리 ᄉᆡᇰ각ᄒᆞ엿더니 네 니ᄅᆞ미 맛치 내 ᄯᅳᆺ과 ᄀᆞᆺ다

–『중간노걸대언해』 상권, 10장

우리 서울 가면 어디에 머물러야 좋을까?

우리 순성문 관점에 가서 머물자. 저기서 말 시장에 가기가 또 적이 가깝다.

네 말이 옳다. 나도 마음에 이리 생각하였는데 네 말이 마침 내 뜻과 같다.

01 ㉠에 대한 설명으로 적절하지 않은 것은?

① 17세기 초~19세기 말에 해당하는 시기를 말한다.
② 중세 국어와 현대 국어를 이어 주는 시기로 평가된다.
③ 이 시기에 진행된 모음 'ㆍ'의 소멸은 모음 조화 현상이 강화되는 원인이 되었다.
④ 자음의 변천에 기인하며 이 시기에 처음 등장한 구개음화 현상은 현대까지 이어지고 있다.
⑤ 내부적인 변화의 요인뿐만 아니라 외부적인 변화의 요인까지 작용하여 이전 시기의 국어와 다른 모습을 보인다.

02 이 글을 참고하여 〈보기〉의 빈칸을 완성하시오.

〈보기〉

ᄆᆞᅀᆞᆯ > ᄆᆞᄋᆞᆯ > (　　　　　) > 마을
16세기 말　　18세기

소단원 적중 문제

수능형 학습 활동 적용

03 **(나)를 참고하여 ⓛ과 〈보기〉를 탐구하여 중세 국어와 현대 국어 사이의 국어의 변화를 설명한 내용이 맞지 <u>않은</u> 것은?**

〈 보기 〉

ⓐ 네 닐·오·미 ·올·타 나·도 ᄆᆞᅀᆞ·매 ·이·리 너·기노·라

– 『번역노걸대』(16세기)

ⓑ 네 니ᄅᆞ미 올타 나도 ᄆᆞ음애 이리 ᄉᆡᆼ각ᄒᆞ엿더니

– 『중간노걸대언해』(18세기)

ⓒ 네가 이르는 것(말)이 옳다. 나도 마음에 이리(이렇게) 생각하였는데

– 현대 국어 풀이

① ⓐ와 ⓑ를 비교해 보니 'ㅿ'이 소멸되었다.
② ⓐ의 'ᄆᆞᅀᆞ매'에서 ⓑ의 'ᄆᆞ음애'로 변한 것에서 표기법이 이어적기에서 끊어적기로 변하였음을 알 수 있다.
③ ⓐ와 ⓑ를 비교해 보니 방점(·) 표시가 사라졌다.
④ ⓑ는 이어적기, 끊어적기, 거듭적기가 모두 나타나면서 표기법의 혼란을 보여 준다.
⑤ ⓐ와 ⓒ를 비교해 보니 'ㆍ'가 첫음절에서는 'ㅏ', 둘째 음절에서는 'ㅡ'로 바뀌었다.

04 **(다)를 참고하여 근대 국어에 대한 탐구 활동을 수행하여 얻은 결론으로 적절한 것은?**

① 중세 국어 '셔ᄫᅳᆯ'이 근대 국어에서 '셔울'로 바뀐 것을 보니 'ㅸ'은 'ㅇ'으로 바뀌었군.
② '<u>죠흐료</u>'의 중세 국어 표기는 '됴ᄒᆞ(하)료'였겠군.
③ 중세 국어라면 'ᄆᆞᅀᆞ매'로 표기되었을 것이 거듭적기가 적용되어 'ᄆᆞ음애'로 표기되었군.
④ 'ᄉᆡᆼ각ᄒᆞ엿더니'를 보니 과거 시제 선어말 어미 '–앗–/–엇–'은 근대 국어에서는 아직 나타나지 않았군.
⑤ '니ᄅᆞ미'와 'ᄆᆞ음애'를 보니 이 시기 표기법은 한 가지로 통일되어 안정된 모습을 보이는군.

[05~08] 다음 글을 읽고, 물음에 답하시오.

가 어휘 면에서는 기존의 한자어에 더하여 서양의 새로운 지식이 중국을 통해 유입되는 과정에서 번역 한자어가 새로 유입되는 경우가 많았다. 또한 중국 이외에 일본이나 서양과의 접촉을 통해 유입되는 새로운 어휘가 늘어난 것도 이 시기의 특징이다. '자명종(自鳴鐘)', '천리경(千里鏡)' 등이 근대에 새로 들어온 한자어이다.

결과적으로 우리나라의 어휘 체계는 고유어와 한자어의 두 계열에 더하여 일본과 서양의 외래어가 유입되어 증가하는 경향을 보이게 되었으며 이러한 양상은 현대까지 지속되고 있다.

나 문법 변화의 가장 큰 특징 가운데 하나는 주격 조사 '가'의 등장이다. 현대 국어에서 선행되는 체언의 어말에 받침이 있느냐 없느냐에 따라 주격 조사 '이'와 '가'가 교체를 보이는 현상은 바로 이 변화에 말미암은 것이다. 대부분의 역사적 변화가 그러하듯이 새로운 주격 조사 '가'는 처음부터 전면적으로 사용된 것이 아니었다. 체언의 말음이 모음 'ㅣ'인 경우와 같이 일부 제한된 환경에서 나타나다가 서서히 그 쓰임을 넓혀 가서 모음 아래에서는 '가', 자음 아래에서는 '이'가 나타나는 양상을 보이게 되었다.

또 과거 시제를 표현하는 선어말 어미 '–았–/–었–'이 이 시기에 확립되었으며, 앞 시기에 객체 높임법에 사용되던 선어말 어미 '–숩–'은 상대 높임법을 나타내는 선어말 어미로의 변화를 보인다. 명사형 어미 '–기'가 널리 쓰이게 된 것도 근대 국어 시기의 중요한 특징이다.

다 중세 국어 시기에 음소적 원리와 음절적 원리에 따라 정연하게 지켜지던 표기법은 근대에 와서 상당히 혼란한 양상을 보인다. 예를 들어, '사ᄅᆞ미'로 표기되던 것이 '사ᄅᆞᆷ이'로 표기되기도 하고 '사ᄅᆞᆷ미'와 같이 표기되기도 하였다. '사ᄅᆞ미'와 같은 표기를 이어적기, '사ᄅᆞᆷ이'와 같은 표기를 끊어적기, '사ᄅᆞᆷ미'와 같은 표기를 거듭적기라 한다.

근대 국어 시기의 경우 한 문헌 안에서도 이어적기, 거듭적기, 끊어적기가 섞여서 나타나는 경우도 적지 않다. 16세기부터 부분적으로 나타난 표기법 혼란이 근대 국어

시기에 와서 더욱 심해졌음을 보이는 것이다. 이 시기에는 표기법의 기준이 될 만한 규범이 따로 없었기 때문에 이러한 양상이 나타났던 것으로 보인다.

라 우리신문이 한문은 아니쓰고 다만 국문으로만 쓰ᄂᆞᆫ 거슨 샹하귀쳔이 다보게 홈이라 또 국문을 이러케 귀졀을 ᄯᅦ여 쓴즉 아모라도 이신문 보기가 쉽고 신문속에 잇ᄂᆞᆫ 말을 자세이 ㉠알어 보게 홈이라 각국에셔ᄂᆞᆫ 사ᄅᆞᆷ들이 남녀 무론ᄒᆞ고 본국 국문을 몬저 ᄇᆡ화 능통ᄒᆞᆫ 후에야 외국 글을 ᄇᆡ오ᄂᆞᆫ 법인ᄃᆡ 죠션셔ᄂᆞᆫ 죠션 국문은 아니 ᄇᆡ오드ᄅᆡ도 한문만 공부 ᄒᆞᄂᆞᆫ ᄭᆞᄃᆞᆰ에 국문을 잘아ᄂᆞᆫ 사ᄅᆞᆷ이 드물미라 죠션 국문ᄒᆞ고 한문ᄒᆞ고 비교ᄒᆞ여 보면 죠션국문이 한문보다 얼마가 나흔거시 무어신고ᄒᆞ니 첫ᄌᆡᄂᆞᆫ ᄇᆡ호기가 쉬흔이 됴흔 글이요 둘ᄌᆡᄂᆞᆫ 이글이 죠션글이니 죠션 인민 들이 알어셔 ᄇᆡᆨᄉᆞ을 한문ᄃᆡ신 국문으로 써야 샹하귀쳔이 모도보고 ㉡알어보기가 쉬흘터이라 한문만 늘써 버ᄅᆞᆺᄒᆞ고 국문은 폐ᄒᆞᆫ ᄭᆞᄃᆞᆰ에 국문만쓴 글을 죠션 인민이 도로혀 잘 ㉢아러보지 못ᄒᆞ고 한문을 잘 ㉣알아보니 그게 엇지 한심치 아니ᄒᆞ리요

– 『독립신문』 창간사에서

05 이 글의 내용과 일치하는 것은?

① 새로운 문물이 중국을 통해 들어오면서 새로운 어휘들도 모두 중국을 통해 유입되었다.
② 우리말은 중세 국어 이전 단계부터 '고유어-한자어-외래어'의 삼중 체계로 이루어져 현재까지 이어지고 있다.
③ 근대 국어 시기에 주격 조사 '가'가 등장하였고 대중에게 필요했던 조사였기에 등장하자마자 전면적으로 사용되었다.
④ 객체 높임을 나타내던 선어말 어미 '-ᄉᆞᆸ-'은 사라지고 그 형태만 남아 근대 국어 시기에 상대 높임을 나타내는 선어말 어미로 사용된다.
⑤ 중세 국어 시기에 비교적 정연하게 사용되던 표기법은 근대 국어 시기에는 규범적 체계를 갖추면서 완성 단계에 이르렀다.

06 (라)의 ㉠~㉣에 대한 설명으로 적절한 것은?

① ㉠~㉣은 모두 다른 단어이다.
② ㉠, ㉣과 ㉡, ㉢은 띄어쓰기의 유무로 나눌 수 있다.
③ ㉠, ㉣과 ㉡, ㉢은 끊어적기와 이어적기로 나눌 수 있다.
④ ㉠~㉣은 '알아보다'라는 표현의 띄어쓰기와 표기법의 혼란을 보여 준다.
⑤ ㉠~㉣의 혼란은 중세 국어 시기의 음운이 근대 국어 시기에 소멸되면서 나타났다.

학습 활동 적용

07 (라)에 나타난 근대 국어의 특징을 설명한 것으로 적절하지 않은 것은?

① '신문'을 보니 근대 국어 시기에 신문명어들이 유입되었음을 알 수 있군.
② '홈이라'를 보니 근대 국어의 표기법은 '끊어적기'가 사용되었군.
③ '보기가'를 보니 근대 국어에 주격 조사 '가'가 쓰이고 있군.
④ '알어셔'를 보니 근대 국어 음운에서는 모음 조화가 파괴되었군.
⑤ 전체적으로 어절 단위의 띄어쓰기가 잘 지켜지고 있군.

학습 활동 적용

08 이 글을 참고하여 다음 〈보기〉의 빈칸을 완성하시오.

〈보기〉

	중세 국어	근대 국어	현대 국어
(1)	셔ᄫᅳᆯ	셔울	서울
(2)	둏다	죻다	좋다

(1) 'ㅸ'은 양성 모음 앞에서는 'ㅗ'로, 음성 모음 앞에서는 '(   )'로 변화하였다.
(2) 모음 'ㅣ, ㅑ, ㅕ, ㅛ, ㅠ' 앞의 'ㄷ, ㅌ'은 '(   )'으로 변화하였다.

중단원 실전 문제

[01~04] 다음 글을 읽고, 물음에 답하시오.

가 알타이 어족에 속하는 우리말이 다른 언어들과 분리된 이후부터 통일 신라 시대까지를 고대 국어 시기라고 한다. 이 시기는 신라가 삼국 통일을 통해 언어적 통일을 이룬 시기로 현대 우리말의 기초가 형성되었던 시기라 하겠다.

나 고대 국어 시기의 가장 큰 특징 가운데 하나는 자음 체계에 예사소리와 거센소리의 대립만 있고 된소리 계열이 없다는 점이다. 이는 우리나라의 한자음에 된소리 계열이 거의 없다는 것에서 확인할 수 있다. 중국의 한자음에 된소리가 있음에도 우리나라의 한자음에 된소리가 드문 것으로 보아, 한자와 한자음을 중국으로부터 받아들였던 고대 국어 시기에는 우리말에 된소리가 없었던 것으로 추정된다.

다 고대 국어 시기에는 우리말을 표기할 수 있는 우리 글자가 없던 때여서 일부 전하는 자료도 우리말의 모습을 온전하고 정확하게 보여 주지는 못한다. 그런데도 ㉠한자 차용 표기법을 사용한 자료들은 부분적으로나마 우리말의 옛 모습을 엿볼 수 있게 해 주는 귀중한 자료들이다.

한자 차용 표기법의 원리는 음독(音讀)과 석독(釋讀) 두 가지였다. 한자의 뜻을 버리고 소리만 이용하는 것이 음독이고, 반대로 한자의 소리를 버리고 뜻만 이용하는 것이 석독이다. 예를 들어, '古[옛 고]' 자를 뜻과는 상관없이 단순히 '고'라는 소리를 표기하기 위해 사용하는 것이 음독이고, '水[물 수]' 자를 써 놓고 '물'이라고 읽는다면 그것이 석독이다.

한자 차용 표기법은 한자로 표기하기 어려운 우리말 고유 명사의 표기에서 시작되었다. 고유 명사 표기는 『삼국사기』나 『삼국유사』의 기록에 우리말로 인명이나 지명, 관직명 등을 적기 위해 한자의 소리나 뜻을 빌려서 표기한 방식이다.

한자 차용 표기법은 고유 명사 표기에서 시작되어 점차 구결(口訣), 이두(吏讀), 향찰(鄕札) 등으로 발달하였다. 구결은 한문 문장의 문맥을 파악하기 쉽도록 우리말 조사나 어미를 한자로 표기하는 방법이고, 이두는 단어를 우리말 어순에 맞게 바꾸고 조사나 어미도 한자로 표기하는 방법이다. 구결의 경우 한문에 조사나 어미와 같은 형식 형태소만 더 표기한 것이기 때문에 구결 글자를 빼면 그대로 한문이 되지만, 이두의 경우 어순까지 우리말에 맞도록 재배열하였기 때문에 형식 형태소 표기를 빼도 온전한 한문이 되지 않는다는 차이가 있다.

㉡향찰은 신라의 향가를 표기하는 데 사용된 표기법으로, 어순을 우리말에 맞도록 배열하고 조사나 어미와 같은 형식 형태소를 한자로 표기할 뿐 아니라 명사나 동사 등의 실질 형태소와 단어들까지 한자로 표기하였기 때문에 가장 발달한 형태의 한자 차용 표기법이라 할 수 있다. 그러나 형식 형태소, 실질 형태소, 단어 등 여러 가지를 한자 차용 표기법에 따라 표기하다 보니 읽고 쓰기의 방식이 복잡해지는 문제가 생겼다. 이런 복잡성으로 말미암아 가장 발달한 한자 차용 표기법이었음에도 향가의 소멸과 함께 그 표기법인 향찰 역시 사라지게 된다.

01 이 글의 내용으로 미루어 알 수 없는 것은?

① 현전하는 향가는 해석자의 관점에 따라 다르게 해석될 여지가 있다.
② 고대 국어의 모습은 전하는 자료가 부족하여 구체적으로 알기 어렵다.
③ 신라의 삼국 통일은 서울 지역의 말이 현대에 표준어가 되는 데 기초가 되었다.
④ 현존하는 언어들은 대부분 친족 관계에 따라 분화되어 온 것으로 추정할 수 있다.
⑤ 신라의 삼국 통일 이전 고구려, 백제, 신라 간에 사람들은 의사소통의 어려움을 겪었을 것이다.

고난도

02 〈보기〉는 향가 「서동요」의 한 구절이다. (다)를 참고하여 ⓐ, ⓑ에 들어갈 알맞은 말을 쓰시오.

〈보기〉

善化公主主隱 | 선화 공주(善花公主)니믄

「서동요」의 첫 줄 '善化公主主隱'에서 '善化'는 사람 이름이니 '선화'로 읽고, '公主'는 원래 한자어이므로 '공주'로 읽지만, 다음의 '主'는 (ⓐ)하여 '님'으로 읽고, '隱'은 (ⓑ)하여 우리말의 조사 '은'으로 읽도록 표기한 것이다.

고난도

03 〈보기〉는 ㉠에 해당하는 자료이다. 〈보기〉에 대해 바르게 이해한 것은?

〈보기〉
居柒夫或云荒宗 (원문)
거칠부 혹은 황종이라 한다. (현대어 역) -『삼국사기』, 권44

① '居柒夫'와 '荒宗'은 다른 인물에 대한 표기이다.
② 우리말이 한자보다 영향력이 커져 감을 보여 준다.
③ '居柒'의 뜻을 취하면 '荒'과 같은 방식으로 읽게 된다.
④ 당시의 사람들은 '荒宗'이라 쓰고 '거칠부'라고 읽었을 것이다.
⑤ 한자의 뜻을 버리고 소리를 이용해 표기하는 원칙을 보여 주는 자료이다.

학습 활동 적용

04 다음 표기를 참고하여 구결 표기에 대해 탐구한 것으로 적절하지 <u>않은</u> 것은?

〈보기〉
天地之間萬物之中 唯人 最貴 所貴乎人子 以其有五倫也 (한문)
天地之間萬物之中厓 唯人伊 最貴爲尼 所貴乎人子隱 以其有五倫也羅 (구결문)
천지지간만물지중애 유인이 최귀ᄒᆞ니 소귀호인자ᄂᆞᆫ 이기유오륜야라 (독법)
하늘과 땅 사이의 모든 것 중에 오직 사람이 가장 귀하니, 사람이 귀한 것은 오륜이 있기 때문이다. (현대어 역)

① 이두와는 달리 구결문은 중국인도 이해하기 쉬웠을 것이다.
② 한자 '厓, 伊, 隱'은 각각 우리말 '에, 이, 는' 을 표기한 것이다.
③ 구결문은 한문의 어순을 바꾸지 않았다는 점에서 이두와 다르다.
④ 구결문은 한문 원문에 국어의 문법 형태소를 추가하여 표기하는 것이다.
⑤ 구결 표기는 한자의 뜻을 통해 전체 문장의 의미를 이해하기 위한 방법이다.

[05~08] 다음 글을 읽고, 물음에 답하시오.

가 중세 국어의 음운적 특징으로는, 된소리 계열이 생겨난 점, ㉠<u>유성 마찰음 'ㅸ, ㅿ'이 쓰이는 점</u>, 'ㆍ'가 소멸되기 시작하고 모음 조화가 잘 지켜진 점, 성조가 있었던 점 등을 들 수 있다.

나 먼저 된소리의 발달은 현대 국어에서 '예사소리-거센소리-된소리'의 대립 체계가 성립되는 변화라는 의미가 있다. 또한, 현대 국어에서는 볼 수 없는 'ㅸ, ㅿ' 소리가 이 시기에 사용되고 있었는데, 이 소리들은 근대 국어 시기까지 이어지지 않고 그 전에 소멸의 길을 걸었다. 예를 들어, '셔ᄫᅳᆯ>서울', '처ᅀᅥᆷ>처음' 등에서 그 변화를 볼 수 있다.

다 중세 국어에는 현대 국어에 없는 'ㆍ'가 있었다. 모음 'ㆍ'는 후기 중세 국어 때부터 변화되었는데 16세기에는 둘째 음절 이하의 'ㆍ'가 주로 'ㅡ'로 변하고, 이후 근대 국어 시기에 이르러 첫째 음절의 'ㆍ'가 주로 'ㅏ'로 변하면서, 모음 'ㆍ'는 완전히 소멸되었다. 'ᄆᆞᅀᆞᆷ>마음'은 그러한 변화 양상을 잘 보여 주는 예이다.

[A] 현대 국어와 달리 중세 국어에서는 모음 조화가 엄격하게 지켜졌다. 예를 들어, 조사나 어미에는 모음 조화에 의한 교체 형태를 갖추고 있어서, 1인칭 대명사 '나'와 2인칭 대명사 '너'는 모음 조화에 따라 '나ᄂᆞᆫ, 나ᄅᆞᆯ'과 '너는, 너를' 등으로 나타났고, 동사 '막-'과 '먹-'은 '마가, 마ᄀᆞᆫ, 마ᄀᆞᆯ'과 '머거, 머근, 머글' 등으로 나타났다.

라 소리의 높낮이인 성조를 이용해서 단어의 뜻을 구별하던 점은, 장단에 의해 뜻을 구별하는 현대 국어와 차이를 보인다. 성조는 글자 왼쪽에 방점을 찍어 표시하였는데, 낮은 소리인 평성은 점이 없으며, 높은 소리인 거성은 한 점, 처음에는 낮다가 나중에는 높아지는 상성은 두 점을 찍었다. 성조는 대략 16세기 말에 소멸되었으며, 대체로 평성과 거성은 짧은 소리로, 상성은 긴 소리로 바뀌어 현대 국어의 장단 체계를 가지게 된 것으로 보인다. 예를 들어, 'ᄆᆞᆯ[馬]'은 평성, '·발[足]'은 거성, ':말[言]', ':발[簾]'은 상성이었는데, 현대에 와서 앞의 둘은 짧은 소리, 뒤의 둘은 긴 소리로 남아 있다.

05 이 글로 보아 중세 국어의 특징으로 적절하지 않은 것은?

① 비분절 음운에 의해 어휘의 의미를 구별하였다.
② 고대 국어에 비하여 다양한 자음이 사용되었다.
③ 특정 음운의 소멸로 모음 조화에 변화가 생겼다.
④ 현대 국어에서 사용되지 않는 음운을 사용하였다.
⑤ 현대 국어와는 다른 음운의 대립 체계가 존재하였다.

고난도

06 [A]와 〈보기〉를 참고하여 다음 빈칸에 알맞은 말을 쓰시오.

〈보기〉
중세 국어 시기 표기법은 음소적 원리와 음절적 원리가 정연하게 지켜지며 일반적으로 이어적기가 나타난다.

중세 국어		현대 국어	
용언 어간	활용형	용언 어간	활용형
잡-	(ⓐ)	잡-	잡은
ᄭᅵ오-	ᄭᅵ와	깨우-	깨워
ᄡᅳ-	ᄡᅥ	쓰-	써
알-	(ⓑ)	알-	알아

학습 활동 적용

07 〈보기〉는 ㉠의 용례이다. 〈보기〉를 고려할 때 'ㅿ'과 'ㅸ'의 공통점으로 적절하지 않은 것은?

〈보기〉
- 'ㅿ'의 용례: 아ᅀᆞ(아우), ᄆᆞᅀᆞᆷ(마음), (낫+아=)나ᅀᅡ, (짓+어=)지ᅀᅥ, (닛+어=)니ᅀᅥ
- 'ㅸ'의 용례: 글ᄫᅡᆯ>글ᄫᅡᆯ>글왈>글월, 도ᄫᅡ(돕+아)>도와, 고ᄫᅡ(곱+아)>고와, 주ᄫᅥ(줍+어)>주워

① 체언과 용언에 모두 사용되었다.
② 현대 국어에 없는 음가를 가졌다.
③ 주로 울림소리 사이에서 사용된다.
④ 현대 국어에 그 흔적이 형태로 남아 있다.
⑤ 용언에 사용된 경우 그 용언은 불규칙 활용을 한 것이다.

08 이 글을 고려할 때 ⓐ~ⓔ에 들어갈 목적격 조사를 쓰시오.

중세 국어		현대 국어	
체언	조사	체언	조사
사ᄅᆞᆷ	ⓐ	사람	을
ᄠᅳᆮ	ⓑ	뜻	을
죠ᄒᆡ	ⓒ	종이	를
天下	ⓓ	천하	를
너	ⓔ	너	를

[09~12] 다음 글을 읽고, 물음에 답하시오.

가 아주 오래전으로 거슬러 올라가 보면 한자가 들어오기 전까지는 우리말에 고유어만 있었을 것이다. 하지만 삼국 시대에 한자가 들어오면서 자연스럽게 우리말의 어휘 체계는 고유어와 한자어의 이원 체계를 기본으로 하게 되었다. 시간이 흐르면서 어휘 체계 안에서 차지하는 고유어의 비중은 작아지고 한자어의 비중은 높아지는 변화가 지속적으로 진행되었다. 이미 고대 국어 시기에 '지증 마립간(智證麻立干)'이라는 호칭이 '지증왕(智證王)'이라는 중국식 호칭으로 변한 데서 이러한 경향을 엿볼 수 있고, 중세 국어 시기인 고려 광종 때 시행한 과거 시험에 한자가 포함되면서 한자어의 침투와 확산이 급격하게 진행되었다.

나 이처럼 중국어로부터 유입된 한자어의 비중이 꾸준히 높아지는 가운데, 13세기와 14세기에 고려가 원(元)과 밀접한 관계가 되면서 한자어와는 구별되는 몽골어가 많이 들어온 것이 중세 국어 시기의 매우 두드러진 특징이다.

다 중세 국어 시기에는 주격 조사에 '가'는 없고 '이'만 있어서 앞말의 받침 유무에 상관없이 '이'가 쓰였다. 예를 들어, '<u>ᄉᆡ미</u> 기픈 ᄆᆞᄅᆞᆫ', '<u>부톄</u> 니ᄅᆞ샤ᄃᆡ', '<u>불휘</u> 기픈 남ᄀᆞᆫ' 등에서 주격 조사 '이'가 쓰인 양상을 볼 수 있다.

라 높임 표현은 선어말 어미에 의해 실현되었는데, '-(으)시-'에 의한 주체 높임법, '-숩-'에 의한 객체 높임법, '-(으)이-'에 의한 상대 높임법의 정연한 체계를 이루고 있었다. 대체로 주체 높임법의 경우는 현대 국어와 비슷하지만, 객체 높임법의 '-숩-'은 현대에 와서 거

의 흔적을 남기지 않고 사라졌고, 상대 높임법 또한 선어말 어미에 의해 표현되던 체계는 사라지고 현대에 와서는 어말 어미에 의해 표현된다.

마 시간 표현의 경우, 현재 시제를 표현할 때 동사 어간에는 '-ᄂᆞ-'가 연결되는 반면 형용사 어간에는 특별한 형태소가 연결되지 않았다. '가ᄂᆞ다'와 '어엿브다'가 그 예인데, 현대 국어의 '간다'와 '불쌍하다'의 활용과 비슷한 면이 있다. 동사의 과거 시제는 현대 국어의 '-았-/-었-'에 해당하는 선어말 어미가 아직 발달되지 않아서 아무런 형태소의 결합도 없이 표현되었다. 예를 들어, '가ᄂᆞ다'가 현재 시제인 것과 달리 '가다'는 과거 시제였기 때문에 '갔다' 정도의 의미로 이해된다. 회상의 의미를 표현하는 '-더-'는 중세 국어에도 쓰였으며, 추측의 의미를 표현하는 '-겠-'은 아직 발달되지 않았지만 '-(으)리-'가 그 기능을 충분히 하고 있었다.

09 이 글로 미루어 알 수 없는 것은?

① 경쟁 관계에 있는 언어는 세력이 작아지면 소멸하게 된다.
② 중세 국어의 현재 시제와 과거 시제는 동일한 모습을 보였다.
③ 중세 국어의 높임 표현은 현대 국어와 다른 모습을 보였다.
④ 언어 사용의 양상은 사회 제도의 변화에 따라 변하기도 한다.
⑤ 형용사의 현재 시제 표현은 중세 국어와 현대 국어가 동일하다.

수능형

10 〈보기〉를 이해한 내용으로 적절하지 않은 것은?

〈보기〉

ⓐ 太子(태자)ㅣ 東門(동문) 밧긔 나가시니
태자께서 동문 밖에 나가시니
ⓑ 부텻 누니 비록 ᄇᆞᆯᄀᆞ시나
부처의 눈이 비록 밝으시나
ⓒ 너희 스승을 보ᅀᆞᆸ고져 ᄒᆞᄂᆞ니
너희 스승을 뵙고자 하나니
ⓓ 부텻 敎化(교화)ᄅᆞᆯ 돕ᄉᆞᆸ고
부처의 교화를 돕고
ⓔ 落水예 山行가 이셔 하나빌 미드니잇가
낙수에 사냥을 가 있으면서 할아버지를 믿었습니까?

① ⓐ에서는 '-시-'를 통해 행위의 주체인 태자를 직접 높이고 있군.
② ⓑ에서는 '-시-'를 통해 행위의 주체인 '부처'를 직접 높이고 있군.
③ ⓒ에서는 '-ᅀᆞᆸ-'을 사용하여 행위의 대상인 '스승'을 직접 높이고 있군.
④ ⓓ에서는 '-ᄉᆞᆸ-'을 사용하여 행위의 대상인 '교화'를 높임으로써 '부처'를 높이는 효과를 주고 있군.
⑤ ⓔ에서는 '-이-'를 사용하여 대화 상대를 높이고 있군.

수능형

11 (나)와 〈보기 1〉을 참고하여 〈보기 2〉의 ㉠~㉢을 알맞게 짝지은 것은?

〈보기 1〉

중세 국어의 주격 조사에는 '이, ㅣ, Ø'이 있었다. 앞에 오는 체언에 따라 그에 알맞은 형태의 주격 조사가 나타났다. 중세 국어의 주격 조사가 사용되는 환경을 정리하면 다음과 같다.

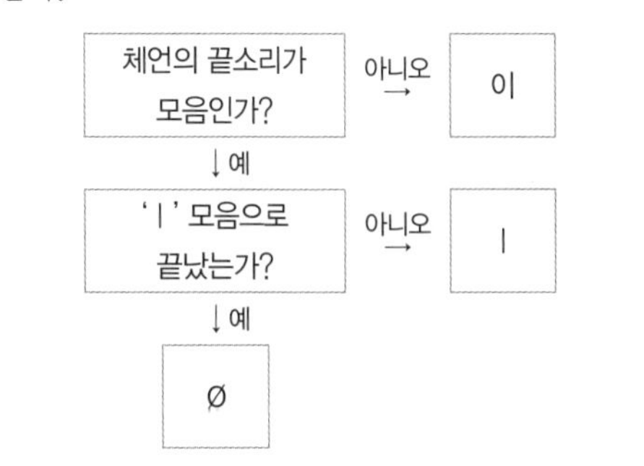

〈보기 2〉

• 십+[㉠] 기픈 므른 (샘이 깊은 물은)
• 불휘+[㉡] 기픈 남ᄀᆞᆫ (뿌리가 깊은 나무는)
• 부텨+[㉢] 니ᄅᆞ샤ᄃᆡ (부처께서 말씀하시기를)

	㉠	㉡	㉢
①	이	ㅣ	Ø
②	ㅣ	Ø	이
③	Ø	이	ㅣ
④	ㅣ	이	Ø
⑤	이	Ø	ㅣ

중단원 실전 문제

고난도

12 **이 글을 고려할 때 〈보기〉의 ㉠~㉢을 중세 국어로 표기하시오. (모음 조화와 이어적기를 반영할 것)**

〈 보기 〉
- 낙엽이 땅에 ㉠떨어졌다.
- 내 아들을 데려가려 ㉡하신다.
- 공덕(功德)이 많으냐 ㉢적으냐.

[참고] 중세 국어 사전

* ᄠᅥ러디다: 떨어지다 * ᄒᆞ다: (~을) 하다 * 젹다: 적다

[13~15] 다음 글을 읽고, 물음에 답하시오.

가 중세 국어 시기를 거치면서 자음 'ㅸ, ㅿ'은 소멸되었고, 모음 'ㆍ'는 16세기 말에 둘째 음절 이하에서 'ㅡ'로 변하였고 근대 국어 시기인 18세기에 와서 첫째 음절에서 대체로 'ㅏ'로 변하였다.

'ㆍ'의 변화가 어느 정도 완성되자 모음 조화가 잘 지켜지지 못하는 현상이 발생하였다. 'ㆍ' 자체는 양성 모음으로서 모음 조화에서 음성 모음 'ㅡ'와 대립되면서 중요한 역할을 하였는데, 첫째 음절에서는 양성 모음, 둘째 음절 이하에서는 음성 모음으로 변하는 일이 많았기 때문에 자연스럽게 모음 조화를 지키지 못하게 되었다.

근대 국어 시기에 발생한 구개음화는 자음의 변천과 관련하여 가장 주목되는 음운 현상이다. 이전 시기까지 'ㄷ, ㅌ'이 'ㅣ' 앞에서 그대로 소리 나던 것이 이 시기에 와서 'ㅈ, ㅊ'으로 음운 변화를 일으키게 되었고, 그 결과가 현대 국어까지 이어지게 되었다.

나 어휘 면에서는 기존의 한자어에 더하여 서양의 새로운 지식이 중국을 통해 유입되는 과정에서 번역 한자어가 새로 유입되는 경우가 많았다. 또한 중국 이외에 일본이나 서양과의 접촉을 통해 유입되는 새로운 어휘가 늘어난 것도 이 시기의 특징이다. '자명종(自鳴鐘)', '천리경(千里鏡)' 등이 근대에 새로 들어온 한자어이다.

결과적으로 우리나라의 어휘 체계는 고유어와 한자어의 두 계열에 더하여 일본과 서양의 외래어가 유입되어 증가하는 경향을 보이게 되었으며 이러한 양상은 현대까지 지속되고 있다.

다 문법 변화의 가장 큰 특징 가운데 하나는 주격 조사 '가'의 등장이다. 현대 국어에서 선행되는 체언의 어말에 받침이 있느냐 없느냐에 따라 주격 조사 '이'와 '가'가 교체를 보이는 현상은 바로 이 변화에 말미암은 것이다. 대부분의 역사적 변화가 그러하듯이 새로운 주격 조사 '가'는 처음부터 전면적으로 사용된 것이 아니었다. 체언의 말음이 모음 'ㅣ'인 경우와 같이 일부 제한된 환경에서 나타나다가 서서히 그 쓰임을 넓혀 가서 모음 아래에서는 '가', 자음 아래에서는 '이'가 나타나는 양상을 보이게 되었다.

또 과거 시제를 표현하는 선어말 어미 '-았-/-었-'이 이 시기에 확립되었으며, 앞 시기에 객체 높임법에 사용되던 선어말 어미 '-숩-'은 상대 높임법을 나타내는 선어말 어미로의 변화를 보인다. 명사형 어미 '-기'가 널리 쓰이게 된 것도 근대 국어 시기의 중요한 특징이다.

라 중세 국어 시기에 음소적 원리와 음절적 원리에 따라 정연하게 지켜지던 표기법은 근대에 와서 상당히 혼란한 양상을 보인다.

근대 국어 시기의 경우 한 문헌 안에서도 이어적기, 거듭적기, 끊어적기가 섞여서 나타나는 경우도 적지 않다. 16세기부터 부분적으로 나타난 표기법 혼란이 근대 국어 시기에 와서 더욱 심해졌음을 보이는 것이다. 이 시기에는 표기법의 기준이 될 만한 규범이 따로 없었기 때문에 이러한 양상이 나타났던 것으로 보인다.

13 **근대 국어에 대한 설명으로 적절하지 않은 것은?**

① 선어말 어미를 통해 객체를 높이는 어법이 사라지게 된다.
② 표기법의 기준이 정립되지 않아 다양한 표기법이 사용되었다.
③ 과거 시제 선어말 어미가 사용되어 시간 표현의 변화가 생겼다.
④ 중세 시기의 주격 조사 '이'는 '가'로, 'ㅣ'나 Ø는 '이'로 사용되었다.
⑤ 새로운 음운 변동 현상이 나타나면서 현대 국어로 가는 과도기적 양상을 띠었다.

수능형

14 **이 글을 근거로 〈보기〉의 자료를 탐구하여 말한 내용이 가장 적절한 것은?**

〈 보기 〉

A. ᄆᆞᆯ·ᄀᆞᆫᄀᆞ·ᄅᆞᆳᄒᆞᆫ고·ᄇᆡᄆᆞᅀᆞᆯ·ᄒᆞᆯ아·나흐르ᄂᆞ니
:긴녀·ᄅᆞᆳ江村·애:일:마다幽深·ᄒᆞ도다
절·로가·며절·로오ᄂᆞ·닌집우흿져비오
서르親ᄒᆞ·며서르갓갑ᄂᆞ·닌믌가·온·딋ᄀᆞᆯ며기로·다

– 『초간본 두시언해(初刊本杜詩諺解)』(1481년)

B. ᄆᆞᆯᄀᆞᆫᄀᆞᄅᆞᆳᄒᆞᆫ고ᄇᆡᄆᆞᄋᆞᆯᄒᆞᆯ아나흐르ᄂᆞ니
긴녀ᄅᆞᆳ江村애일마다幽深ᄒᆞ도다
절로가며절로오ᄂᆞ닌집우흿져비오
서르親ᄒᆞ며서르갓갑ᄂᆞ닌믌가온딋ᄀᆞᆯ며기로다

– 『중간본 두시언해(重刊本杜詩諺解)』(1632년)

[현대어 풀이]
맑은 강 한 굽이가 마을을 안아 흐르는데
긴 여름 강촌에 일마다 그윽하구나.
절로 가며 절로 오는 것은 지붕 위의 제비이고
서로 친하며 서로 가까운 것은 물 가운데 갈매기로구나.

① 근대 국어 시기로 넘어오면서 사라진 음운이 있음을 알 수 있구나.
② 새로운 문화의 유입으로 번역 한자어가 국어와 함께 쓰이고 있구나.
③ 중세 국어 시기와 달리 근대 국어 시기에는 모음 조화에 변화가 나타났구나.
④ 근대 국어 시기에는 방점을 표시하지 않으면서 성조가 사라지게 되었겠구나.
⑤ 이어적기의 사용 여부는 중세 국어와 근대 국어를 구분하는 기준이 되는구나.

서술형

15 **이 글을 참고하여 〈보기〉에 공통적으로 나타난 근대 국어 시기의 특징에 대해 서술하시오.**

〈 보기 〉

• ᄃᆞᆯ팡이>달팽이
• ᄆᆞᄋᆞᆯ>마을

서술형 문제

16 **한자 차용 표기법 중 구결과 이두에 대해 서술하시오.**

• 공통점과 차이점이 드러나도록 제시할 것
• 한 문장으로 서술할 것

17 **다음 밑줄 친 ㉠~㉢의 시제를 제시하고 이를 통해 알 수 있는 중세 국어 시제 표현의 원칙을 서술하시오.**

이ᄢᅴ 아ᄃᆞᆯᄃᆞᆯ히 아비 ㉠죽다 듣고
[현대어 역] 이때 아들들이 아버지가 죽었다 듣고

– 『월인석보』 권 17, 21장

하ᄂᆞᆯ히며 사ᄅᆞᆷ 사ᄂᆞᆫ ᄯᅡ홀 다 뫼호아 세계(世界)라 ㉡ᄒᆞᄂᆞ니라
[현대어 역] 하늘이며 사람 사는 땅을 다 모아서 세계라 한다.

– 『월인석보』 권 1, 8장

내 이제 분명(分明)히 너ᄃᆞ려 ㉢닐오리라
[현대어 역] 내가 이제 분명히 너에게 말하겠다.

– 『석보상절』 권 19, 4장

18 **다음 『독립신문』 창간사에서 표방한 표기의 원칙 두 가지와 각각의 이유를 제시된 〈조건〉에 맞게 서술하시오.**

우리신문이 한문은 아니쓰고 다만 국문으로만 쓰ᄂᆞᆫ거슨 샹하귀쳔이 다보게 홈이라 ᄯᅩ 국문을 이러케 귀졀을 ᄢᅦ여 쓴즉 아모라도 이신문 보기가 쉽고 신문속에 잇ᄂᆞᆫ 말을 자세이 알어 보게 홈이라.

– 『독립신문』 창간사에서

〈 조건 〉

• '~ 하기 위해서 ~한다.'의 구조로 서술할 것
• 의미를 알 수 있도록 풀이된 현대어 어휘를 사용할 것

국어 생활과 문화

{1} 국어 자료의 다양성과 국어 문화

[학습 목표] 국어 자료의 다양성을 이해하고 맥락과 관습에 맞게 국어 자료를 생산할 수 있다.

- 국어 자료의 갈래적 특성 알기
- 국어 자료의 사회적 특성 알기

(1) 국어 자료의 갈래적 특성

- **갈래에 따른 다양성:** 목적과 언어 사용의 특성에 따른 다양성

목적 층위에 따른 국어 자료	국어 자료를 만들 때 어떤 목적을 가지느냐에 따라 친교 및 정서 표현 자료, 정보 전달 자료, 설득적인 자료 등으로 나뉨.
갈래 층위에 따른 국어 자료	국어 자료를 구체적인 갈래 층위에 따라 구분하면 광고문, 기사문, 보도문, 공고문 등으로 나뉨.

(2) 국어 자료의 사회적 특성

- **사회에 따른 다양성**
  - 지역에 따른 차이
  - 성별에 따른 차이
  - 세대에 따른 차이
  - 문화에 따른 차이

➔ 다양한 국어 자료를 통해 언어의 특성을 이해하고 이를 바탕으로 상황에 맞는 국어 자료를 생산할 수 있는 능력을 기르도록 한다.

{2} 국어 규범과 국어 생활의 성찰

[학습 목표] 다양한 국어 자료를 통해 국어 규범을 이해하고 정확성, 적절성, 창의성을 갖춘 국어 생활을 한다.

- 표준어 규정 이해하기
- 한글 맞춤법 이해하기
- 외래어 표기법 이해하기
- 국어의 로마자 표기법 이해하기

(1) 어문 규범

표준어 규정	표준어는 교양 있는 사람들이 두루 쓰는 현대 서울말로 정함을 원칙으로 함.
한글 맞춤법	표준어를 소리대로 적되, 어법에 맞도록 함을 원칙으로 함.
외래어 표기법	외래어의 1 음운은 국어의 현용 24 자모 가운데 하나로 대응시켜 적음.
국어의 로마자 표기법	국어의 로마자 표기는 국어의 표준 발음법에 따라 적는 것을 원칙으로 함.

(2) 올바른 국어 생활

정확성	어문 규범에 대한 이해를 바탕으로 정확한 국어 생활을 해야 함.
적절성과 창의성	구어와 문어, 문학어와 일상어, 표준어와 방언, 현실 공간과 가상 공간 등에 따라 적절하고 창의적인 국어 생활을 해야 함.

➔ 이 단원에서는 표준어 규정, 한글 맞춤법, 외래어 표기법, 국어의 로마자 표기법 등을 익히고 이에 대한 이해를 심화하여 바람직한 국어 생활을 하는 능력을 기르도록 한다.

1 국어 자료의 다양성과 국어 문화

소단원 시험 족보

1 국어 자료의 갈래별 특성

국어 자료는 갈래적 측면에서 볼 때, 갈래의 목적과 구체적인 갈래 층위에 따라 다양한 언어적 특성을 보임.

① 목적 층위에서 국어 자료의 언어적 특성

구분	특성
친교 및 정서 표현 자료	• 상대방과 정을 나누며 친근함을 느끼고 글쓴이의 개인적인 정서 표현을 목적으로 만든 자료임. • 글쓴이 자신의 경험과 감정이 직접 드러난 것과 상상력으로 꾸며낸 것이 있음. • 글쓴이의 감정이 직접 드러난 것: 일기, 편지, 수필 • 상상력으로 꾸며낸 것: 문학 작품
정보를 전달하는 국어 자료	• 글쓴이가 어떤 대상에 대한 정보를 알리고 설명하려는 목적으로 만든 국어 자료를 의미함. • 쉽고 정확하며 신속하게 독자에게 필요한 정보를 전달하는 것을 중시함.
설득의 기능을 담고 있는 국어 자료	• 글쓴이가 자신의 주장이나 의견을 독자에게 이해시키고 나아가 그 주장을 믿고 따르게 할 목적으로 만든 자료를 의미함. • 자신의 주장과 주장을 뒷받침할 근거를 제시해야 함. • 정보를 전달하는 국어 자료처럼 간결하고 명료한 문장으로 진술하는 것이 특징임. • 자료의 구조나 표현이 일관적이고 논리적이라는 특성이 있음.

제재 연구

제재 1 만세야, 살다가 보면~ – 김용택, 『마음을 따르면 된다』에서

구분	내용
갈래	편지글
제재	잠 못 이루고 고뇌하는 아들에게 주는 아버지의 충고와 격려
주제	아들의 아픔을 이해하고, 아들이 사랑으로 사람을 대하며 살기를 바라는 아버지의 마음
특징	• 아들을 생각하는 글쓴이의 생각이나 마음이 진솔하게 드러남. • 대화하는 듯한 구어적인 표현으로 독자에게 아름다운 정서를 전해 줌.

제재 2 동메달이 은메달보다 행복한 이유 – 최인철, 『프레임』에서

구분	내용
갈래	설명문
제재	올림픽 메달 수상자들의 감정 분석 결과
주제	다른 성취(상상 속의 성취였다 할지라도)와의 비교를 통해 달리 해석되는 성취의 크기
특징	심리학적 주제를 일상의 사례에 적용하여 알기 쉽고 흥미롭게 설명함.

제재 3 정선이 말하기를~ – 정약용, 『목민심서』에서

구분	내용
갈래	논설문
제재	형벌 제도
주제	무고한 백성들에게 형벌을 사용해서는 안 됨.
특징	• 목민관들에게 백성을 다스리는 바른길을 제시하고자 한 계몽적 성격을 지님. • 정선의 말을 인용하여 형벌을 함부로 사용하지 말자는 결론을 대신함.

확인하기 1

• 다음 글이 지니는 언어적 특징에 대해 다음 빈 칸을 완성하시오.

> 민세야, 살다가 보면 그렇게 잠 못 이루는 밤이 있단다. 잠 못 든 밤을 뒤척일 때 네 뒤척이는 소리를 듣는 사람이 있다는 것은 행복한 일이란다. 아버지는 네가 돌아눕는 그 아픔을 안다. 누군들 그런 밤을 지새우지 않았겠느냐. 나는 네가 가난하게 사는 것을 걱정하는 게 아니라 비인간적으로 비굴하게 살까 봐 걱정한다. 사람을 대하는 것은 사랑이 아니면 안 된다. 진심으로 사람을 사랑하거라.

→ 이 글은 (　　　　　　)이 목적인 국어 자료로 글쓴이의 생각이나 느낌을 진솔하게 드러내며, (　　)적인 표현이 많이 쓰여 읽는 이가 공감대를 쉽게 형성할 수 있는 언어적 특성이 있다.

② 구체적 갈래 층위의 국어 자료의 언어적 특성

구분	특성
광고문	• 제품을 판매하거나 각종 정보나 자료를 널리 알리기 위하여 활용하는 국어 자료를 의미함. • 표면적으로는 정보를 전달하는 것이지만 그 이면에는 독자를 설득하려는 의도가 담겨 있음. • 문자 언어에 국한하지 않고, 설득이나 홍보 등 광고 효과를 높이기 위해 다른 매체 언어를 이용하는 특성이 있음. • 짧은 시간에 효과적으로 주제를 전달해야 하므로 표현이 간결하고 압축적인 특성이 있음.
기사문	• 실제 사건이나 상황이 전개되는 모습을 신문이나 방송과 같은 매체를 통해 독자에게 알려 주는 글을 의미함. • 육하원칙에 의해 작성됨. • 공정성과 정확성이 중요하기 때문에 주관적 의견이나 추측은 포함되지 않아야 함.
공고문	• 기업이나 단체 등에서 공고할 정보를 널리 알리는 의도로 만든 국어 자료를 의미함. • 공고할 내용을 정확하게 전달하기 위해 명사형 종결 어미를 쓰는 특징이 있음.

제재 연구

제재 1 **스마트폰 절제 공익 광고**

갈래	공익 광고, 인쇄 광고
제재	무분별한 스마트폰 사용
주제	스마트폰의 무분별한 사용을 절제하자.
특징	• 줄에 스마트폰을 매달아 '자린고비 이야기'를 연상시킴. • 한 장면만으로 주제에 관한 깊은 인상을 심어 줌.

제재 2 **사진 보고 따라 그렸을 뿐인데, 저작권법 위반이라고요? - 『한국일보』, 2017. 9. 19.**

갈래	기사문
제재	저작권법 위반 사례
주제	트레이싱의 저작권법 위반
특징	• 일상생활에서 저작권법을 위반한 사례를 가지고, 전문가의 의견과 함께 정보를 전달함. • 객관적인 태도로 간결하고 명확하게 서술함.

2 국어 자료의 사회적 특성

같은 내용이라도 사회 문화적인 차이에 따라 언어를 사용하는 양상이 다르므로 국어 자료도 상황에 따라 적절하게 만들어야 함.

① 지역 방언

• 같은 언어를 사용하는 사람들이 서로 다른 지역에 살게 되면서 언어가 변이된 말을 의미함.
• 지역 방언에 익숙한 사람들끼리 방언을 사용하면 친근감을 줌.
• 잘 모르는 사람들 사이에서는 의사소통의 어려움이 발생할 수 있음.

② 사회 방언

• 연령, 성별, 계층, 문화 등에 의해 변이가 일어난 말을 의미함.
• 세대나 성별에 따라 언어를 사용하는 양상이 다르기 때문에 국어 자료를 만들 때도 이 점을 고려해야 함.
• 성별에 따른 사회 방언의 경우 여성은 부가 의문문을 자주 사용하고 남성은 확신적 표현을 두드러지게 사용하는 특징이 있는데 현재는 그 구분이 약화됨.
• 세대에 따른 사회 방언의 경우 매체의 발달과 함께 세대별로 언어 사용을 달리하는 모습으로 많이 나타남.

③ 다른 문화권의 번역에 따른 국어 자료

• 해외에서 생산된 국어 자료, 국어로 번역된 외국 자료도 다양한 사회 문화적 변이 요인을 가진 방언 자료에 속한다고 볼 수 있음.
• 한국어로 된 자료라 해도 상황에 따라 각 문화의 기반을 두고 사용하고 있다는 점이 특징임.
• 외국 원문 자료를 국어로 번역할 때 외국의 문화를 기반으로 하고 있지만, 우리의 언어문화에 알맞게 번역하는 것이 일반적임.

제재 연구

제재 1 **지역 방언 자료 - 이문구, 『유자소전』 중에서**

갈래	소설
제재	우유 팩과 휴지유자와 총수를 통해 본 현대인의 삶
주제	물질만능주의에 물든 현대인의 삶과 인간적인 가치의 추구
특징	• 충청도 방언과 비속어를 사용하여 느낌을 생생하게 전달함. • 풍자와 해학을 담은 판소리 사설체 문장으로 현실의 모순을 폭로하고 비판함.

제재 2 **번역된 외국 자료 - 존 로널드 로웰 톨킨, 이미애 옮김, 『호빗』 중에서**

갈래	소설
제재	용의 보물을 되찾는 호빗 빌보 배긴스(Bilbo Baggins)의 모험
주제	물질에 대한 탐욕
특징	두 인물이 모두 상대 높임 표현을 쓰고 있는데, 이는 우리나라 언어문화를 고려하여 경어법을 반영한 것임.
줄거리	소설의 주인공 빌보 배긴스는 호빗으로 난쟁이다. 마법사 간달프가 부추기는 바람에 빌보는 난생 처음으로 자신의 마을인 샤이어를 떠나 한 무리의 난쟁이들과 함께 용에게 빼앗긴 보물을 되찾으러 나선다. 골룸을 만난 빌보는 약자가 끼면 사라질 수 있게 해 주는 마법의 반지를 자신이 가지고 있음을 알게 된다. 모험을 겪은 후 빌보와 간달프는 마을로 돌아오지만 그의 모험심이 호빗답지 않다고 생각하는 마을 사람들은 그를 거부한다.

확인하기 2

• 다음 빈칸에 알맞은 말을 쓰시오.

방언은 특정한 언어가 그것을 사용하는 지역이나 특정한 계층으로부터 영향을 받아서 분화를 일으킨 것을 말한다. 한 언어 안에서의 방언의 분화는 두 가지 원인에 의해 발생하는데, 지역적 요인의 차이에 따라서 생긴 방언을 ㉠ '(   )'이라고 하고, 사회적 요인의 차이에 따라서 생긴 방언을 ㉡ '(   )'이라고 한다.

확인하기 정답 ❶ 친교 및 정서 표현, 구어 / ❷ 세대, 사회 방원

소단원 적중 문제

정답과 해설 p. 35

[01~03] 다음 글을 읽고, 물음에 답하시오.

가 동메달이 은메달보다 행복한 이유

미국 코넬 대학교 심리학과 연구 팀은 1992년 하계 올림픽 메달 수상자들이 경기 종료 순간에 어떤 표정을 짓는지 분석하였다. 연구 팀은 실험 관찰자들에게 분석이 가능했던 23명의 은메달 수상자와 18명의 동메달 수상자의 얼굴 표정을 보고 이들의 감정이 '비통'에 가까운지 '환희'에 가까운지 10점 만점으로 평정하게 했다. [중략] 분석 결과, 경기가 종료되고 메달 색깔이 결정되는 순간 동메달 수상자의 행복 점수는 10점 만점에 7.1점으로 나타났다. 비통보다는 환희에 더 가까운 점수였다. 그러나 은메달 수상자의 행복 점수는 고작 4.8점으로 나타났다. 환희와는 거리가 먼 감정 표현이었다.

– 최인철, 『프레임』에서

나 갈등은 분열과 폭력의 도화선일 수도 있고, 발전과 통합의 씨앗일 수도 있다. 이 때문에 합의의 기술이 무엇보다 중요하다. 갈등으로 인해 낭비되는 비용을 줄이고, 분열된 사회를 합의의 기술로 잘 봉합해야 우리 경제도 다시 살아날 수 있다. 그렇다고 '합의'라는 결과만 강조하고 그 절차를 무시한다면 또 다른 억압을 동반할 수밖에 없다. 이제 과거에 우리가 머릿속에 갖고 있던 '합의'의 개념을 바꾸어야 한다. 합의의 문화, 갈등의 관리는 모든 이해 당사자들이 공평하게 자기 권리를 주장하는 것에서부터 시작되어야 한다.

– 케이비에스(KBS) 명견만리 제작팀, 「1장 당신은 합의의 기술을 가졌는가」에서

다 수필은 청자연적이다. 수필은 난이요, 학이요, 청초하고 몸맵시 날렵한 여인이다. 수필은 그 여인이 걸어가는 숲속으로 난 평탄하고 고요한 길이다. 수필은 가로수 늘어진 페이브먼트가 될 수도 있다. 그러나 그 길은 깨끗하고 사람이 적게 다니는 주택가에 있다.

– 피천득, 수필에서

01 (가)와 (나)를 비교한 것으로 적절한 것은?

① (가)와 (나)는 동일한 목적 층위의 국어 자료로 분류할 수 있다.
② (가)와 (나)의 국어 자료는 문장이 간결하고 명료하다는 공통적인 특성을 지닌다.
③ (가)는 설득을 위한 국어 자료인 반면, (나)는 정보를 전달하기 위한 국어 자료이다.
④ (가)는 글쓴이의 주장과 의견이, (나)는 객관적인 정보가 전달되어야 하므로 모두 지시적 언어를 사용한다.
⑤ (가)와 (나)는 독자의 신뢰가 중요하므로 신뢰를 얻기 위해 글쓴이의 주관이 뚜렷하게 드러나야 한다.

서술형

02 (나)의 국어 자료를 통해 글쓴이가 말하고자 하는 바를 서술하시오.

〈조건〉
• 한 문장으로 서술할 것

학습 활동 적용

03 (다)에 대한 설명으로 적절하지 않은 것은?

① 정서 표현을 목적으로 한다.
② 문학적 표현으로 읽는 이의 공감을 유도한다.
③ 글쓴이의 생각이나 경험을 진솔하게 드러낸다.
④ 같은 목적을 지닌 글의 종류로 편지와 일기가 있다.
⑤ 간결하고 명료한 언어로 내용을 사실적으로 전달한다.

소단원 적중 문제

[04~06] 다음 글을 읽고, 물음에 답하시오.

(가)
"웬늠으 잉어가 사람버덤 비싸다나?"
내가 기가 막혀 두런거렸더니,
"보통 것은 아닐러먼그려. 벨어낸벤또(베토벤)라 나 뭬라나를 틀어 주면 또 그 가락대루 따라서 허구, 차에코풀구싶어(차이코프스키)라나 뭬라나를 틀어 주면 또 그 가락대루 따라서 허구, 좌우간 곡을 틀어 주는 대루 못 추는 춤이 읎는 순전 딴따라 고기닝께. 물고기두 꼬랑지 흔들어서 먹구 사는 물고기가 있다는 건 이번에 그 집에서 츰 봤구먼."
– 이문구, 「유자소전」에서

위 글은 지역 방언이 풍부하게 쓰인 작품이다. 이 지역의 방언에 익숙한 사람은 인물들의 말을 이해할 수 있겠지만, 잘 모르는 사람은 말 자체를 이해하기 어려울 수도 있다. 그래서 특정한 지역이나 계층의 사람끼리 방언을 사용하면 그만큼 친근감을 느낄 수 있다.

(나)
[A]
아버지: 철수야, 담임 선생님은 어떤 분이니?
철수: 지금까지 만난 분 중 가장 완소 선생님이에요. 정말 볼매예요!
아버지: '완소', '볼매'? 허허. 어떤 면에서 그런 생각을 했니?
철수: 선생님은 항상 친구같이 저희와 이야기를 나눠요. 어제는 제 누리 소통망에서 댓글 놀이도 했는걸요?
아버지: '댓글 놀이'는 무슨 놀이니? 그런데 아무리 편해도 선생님께 무람없이 굴거나 허투루 말하면 안 된다. 알겠지?
철수: '무람없이'? '허투루'? 그게 무슨 말이에요?

위 대화에서 아버지는 철수가 사용하는 '완소', '볼매'라는 줄임말을 어색해하고, 철수는 아버지가 사용하는 '무람없다', '허투루'라는 말이 나오자 이전의 대화를 이어 가지 못하고 있다. 또한 '댓글 놀이'에서 새로운 문화에 당황하는 아버지의 모습도 볼 수 있는 등 세대에 따라 언어 사용의 모습이 다르다는 것을 알 수 있다.

04 (가), (나)에 제시된 [예제]에 대한 설명으로 적절한 것은?

① (가)의 [예제]에는 연령, 성별, 계층, 문화 등이 원인이 되어 변이가 일어난 말이 사용되고 있다.
② (나)의 [예제]에 사용된 방언은 계층, 연령, 성(性), 종교, 직업 등으로 말미암아 형성된 방언의 일종이라 할 수 있다.
③ (가)의 [예제]에 사용된 방언은 표준어와 달리 의사소통에 방해가 되므로 가급적 사용하지 말아야 한다.
④ (나)의 [예제]에 사용된 방언은 생생하고 풍부한 정감을 드러낼 수 있어서 표준어보다 우수하다고 할 수 있다.
⑤ (가)와 (나)의 [예제]에 사용된 방언은 국어의 여러 가지 음운적, 문법적 특징을 나타내므로 국어 연구에 좋은 자료가 된다.

05 (가)와 관련하여 표준어와 지역 방언을 비교하는 활동을 하였다고 할 때, 빈칸에 알맞은 말을 쓰시오.

	표준어	지역 방언
발화 상황	공적인 상황	( ) 상황
관계	( ) 관계	친근한 관계
목적	공적, 공식적인 내용의 전달	개인의 풍부한 정서 전달이나 ( )의 목적으로 사용

06 [A]에서 원활한 대화를 하기 위해 철수가 가져야 할 태도로 적절하지 않은 것은?

① 아버지의 말을 경청하면서 대화를 이어 가려고 노력한다.
② 대화를 할 때, 아버지가 알아들을 수 있는 어휘를 선택한다.
③ 대화 중 모르는 어휘는 아버지께 예의 바르게 그 의미를 물어본다.
④ 아버지가 외래어를 잘 이해하도록 풀어 설명하면서 대화에 임한다.
⑤ 아버지와 자신이 사용하는 언어 표현에 차이가 있음을 인식하고 아버지를 배려하며 말한다.

2 국어 규범과 국어 생활의 성찰

소단원 시험 족보

• 국어 규범의 종류

표준어 규정	표준어를 사정하고 그 표준 발음을 규정한 것
한글 맞춤법	우리말을 한글로 표기하는 방법에 대해 규정한 것
외래어 표기법	외래어를 한글로 표기하는 방법에 대해 규정한 것
로마자 표기법	우리말을 로마자로 표기하는 방법에 대해 규정한 것

1 표준어 규정

표준어 규정의 구성	제1부 표준어 사정 원칙 제2부 표준 발음법

① 제1부 표준어 사정 원칙

• 제1장 총칙
제1항 표준어는 교양 있는 사람들이 두루 쓰는 현대 서울말로 정함을 원칙으로 한다.

⬇

- 교양 있는 사람들: 계층적 조건
- 현대: 시대적 조건
- 서울말: 지역적 조건 → 서울말이 표준어 사정의 기준이 된 것은 단지 서울이 수도이기 때문이지 서울말이 다른 지역 말보다 우수하기 때문은 아님.
- 원칙으로 한다.: 예외가 있을 수 있음을 의미함.

- 규정: 우리말을 대상으로 표준어를 사정
- 표준어 사정 원칙

발음 변화에 따른 표준어 규정	양성 모음이 음성 모음으로 바뀌어 굳어진 단어들은 음성 모음 형태를 표준어로 삼음. (제2장 제8항)	• 깡충깡충(○) / 깡총깡총(×) • 오뚝이(○) / 오똑이(×)
	모음이 단순화한 형태를 표준어로 삼음. (제2장 제10항)	• 으레(○) / 으례(×)
	어원에서 멀어진 형태로 굳어져서 널리 쓰이는 것은 그것을 표준어로 삼음. (제3장 제26항)	• 강낭콩(○) / 강남콩(×) • 사글세(○) / 삭월세(×)
어휘 선택 변화에 따른 표준어 규정	단수 표준어: 널리 쓰이는 하나의 단어만을 표준어로 삼음.	• 한자어 계열이 널리 쓰여 표준어가 된 경우: 총각무(○) / 알타리무(×) • 압도적인 형태의 단어만이 표준어가 된 경우: 안절부절못하다(○) / 안절부절하다(×)
	복수 표준어: 한 가지 의미를 나타내는 형태 몇 가지가 널리 쓰이며 표준어 규정에 맞으면, 그 모두를 표준어로 삼음. (제3장 제26항)	• 가엽다 – 가엾다 • 고까 – 꼬까 – 때때 • 송이 – 송이버섯 • 신 – 신발 • 여쭈다 – 여쭙다 • 옥수수 – 강냉이 • 우레 – 천둥

② 제2부 표준 발음법

표준 발음법에 관한 규정	같은 단어를 서로 다르게 발음함으로써 생길 수 있는 의사소통의 혼란을 없애기 위해 발음의 표준을 정하여 놓은 것

제1항 제1장 표준 발음법은 표준어의 실제 발음에 따르고, 국어의 전통성과 합리성을 고려하여 정함을 원칙으로 한다.

⬇

- 표준어의 실제 발음을 따름: 현대 서울말의 실제 발음을 따라야 함.
- 전통성을 고려하여 정함: 옛날부터 해 오던 발음을 존중한다는 의미. 현대에 와서 발음을 다소 다르게 한다고 하더라도 기존에 하던 발음을 어느 정도 따른다는 의미임.
- 합리성을 고려하여 정함: 표준 발음을 정할 때 자의적으로 정하기보다는, 여러 음운 현상을 고려해서 합리적으로 지정한다는 의미임.

모음 발음	• 'ㅢ'의 발음에 관한 규정 – 자음을 첫소리로 가지고 있는 음절의 'ㅢ'는 [ㅣ]로 발음한다. 예 띄어쓰기[띠어쓰기] – 단어의 첫음절 이외의 '의'는 [ㅣ]로, 조사 '의'는 [ㅔ]로 발음함도 허용한다. 예 주의[주의/주이], 우리의[우리의/우리에]
자음 발음	• 겹받침에 관한 규정 – 겹받침 'ㄳ', 'ㄵ', 'ㄼ, ㄽ, ㄾ', 'ㅄ'은 어말 또는 자음 앞에서 각각 [ㄱ, ㄴ, ㄹ, ㅂ]으로 발음함.(제10항) 다만 '밟–'은 자음 앞에서 [밥]으로 발음하고, '넓–'은 다음과 같은 경우에 [넙]으로 발음함. 예 • 밟다[밥:따], 밟소[밥:쏘] • 넓죽하다[넙쭈카다], 넓둥글다[넙뚱글다]

모음의 장단	– 겹받침 'ㄺ, ㄻ, ㄿ'은 어말 또는 자음 앞에서 각각 [ㄱ, ㅁ, ㅂ]으로 발음함.(제11항) 다만, 용언의 어간 발음 'ㄺ'은 'ㄱ' 앞에서 [ㄹ]로 발음함. • 모음의 긴소리와 짧은소리에 관한 규정 예 • 말[말]: 말과의 포유류. • 말[말ː]: 사람의 생각이나 느낌 따위를 표현하고 전달하는 데 쓰는 음성 기호. • 눈[눈]: 빛의 자극을 받아 물체를 볼 수 있는 감각 기관. • 눈[눈ː]: 대기 중의 수증기가 찬 기운을 만나 얼어서 땅 위로 떨어지는 얼음의 결정체. • 발[발ː]: 가늘고 긴 대를 줄로 엮거나, 줄 따위를 여러 개 나란히 늘어뜨려 만든 물건. • 발[발]: 사람이나 동물의 다리 맨 끝부분

확인하기 1

• 다음 문장의 밑줄 친 두 단어의 길이를 다르게 발음해 보고, 자신의 발음이 표준 발음인지 국어사전에서 확인해 보자.

• 훌륭한 조련사는 ㉠말과 ㉡말을 나눌 수 있어.
• ㉢눈에 ㉣눈이 들어가서 눈물이 나.
• 늘어뜨린 ㉤발에 가려서 겨우 ㉥발만 보였다.

2 한글 맞춤법

① 한글 맞춤법 총칙

총칙 제1항 한글 맞춤법은 표준어를 소리 나는 대로 적되, 어법에 맞도록 함을 원칙으로 한다.

⬇

• 표준어: '교양 있는 사람들이 두루 사용하는 현대 서울말'을 규정 대상으로 삼고 있음.
• 소리 나는 대로 적되: 한글 맞춤법의 기본 원칙은 '소리 나는 대로' 적는 것, 즉 표음주의임.
• 어법에 맞도록 함: '소리 나는 대로 적'다 보면 원래의 의미를 파악하기 어려운 경우가 많음. 이러한 문제점을 해소하기 위하여 '어법에 맞도록'이라는 조건을 부연함으로써 원래의 형태를 유지하도록 하고 있음.
• 원칙으로 한다: 예외가 있을 수 있음을 전제하고 있음.

[참고] 형태 음소적 원리

• 기본형을 이루는 음을 흔히 '형태 음소'라고 함. 그래서 기본형을 밝혀 적는 것을 형태 음소주의라고 부름. 즉 기본형을 이루는 음을 표기한다는 의미임.

예 꽃[꼳]/꽃나무[꼰나무]: 소리 나는 대로 적으면 '꼳', '꼰나무'라고 해야 함. 이러한 경우 '꽃', '나무'라는 의미를 파악하기 어렵게 됨. 이러한 문제점을 해결하기 위하여 '꽃, 꽃–나무'처럼 형태소나 단어의 본모습을 밝혀 적어야 함.

② 표기의 일반 원칙

제2항 문장의 각 단어는 띄어 씀을 원칙으로 한다.

• 본뜻이 유지되고 있는 것은 원형을 밝혀 적어야 함.
  예 일찍이, 더욱이
• 본뜻에서 멀어진 것은 원형을 밝혀 적지 않도록 함.
  예 사라진다, 드러나다
• 조사는 단어이지만 예외적으로 앞말에 붙여 쓰도록 규정함.

확인하기 2

• 다음 문장의 의미가 분명해지도록 올바르게 띄어 써 보자.

작은아버지는큰집에사시고큰아버지는작은집에사신다.그런데작은아버지의큰집을작은집이라하고큰아버지의작은집을큰집이라한다.

[참고] 알아두어야 하는 맞춤법 규정

• '–에요'와 '–예요'

• 받침이 없는 체언에 붙을 때 '– 이에요', '–이어요'와 '–예요', '–어요'가 문법적으로 모두 가능함.
• 받침이 있는 체언에 붙을 때 '– 이에요', '–이어요'의 형태만 붙음.
• '아니다' 용언에는 '–이에요', '이어요'가 결합하지 않고, 어간 '아니–' 뒤에 어미인 '–에요', '–어요'만 결합함.
• '–예요'는 '–이에요'가 줄어든 형태로 받침이 없는 체언에 붙을 때 '–예요'와 같이 쓰임.

• '–로서'와 '–로써'

어떤 일의 수단이나 도구의 뜻을 나타내면 '(으)로써'를 쓰고, 지위나 신분, 자격의 뜻을 나타내면 '(으)로서'를 씀.

• '–오'와 '–요'

• '–오'는 어미로서, '이다'의 어간, 용언의 어간, 어미 '–시–' 뒤에 붙음.
• '요'는 청자에게 존대의 뜻을 나타내는 보조사로서, 종결 어미 뒤에 붙어 쓰임.

• '안되다'와 '안 되다'

'안되다'는 '잘되다'의 반의어로, '일, 현상, 물건 따위가 좋게 이루어지지 않다.'의 뜻이고, '안 되다'는 동사 '되다'를 부정하는 표현임.

3 외래어 표기법

① 외래어 표기법의 개념

외래어를 한글로 적는 데 대한 규정으로 일정한 원칙에 따라 한 가지로 표기하도록 한 것

② 외래어 표기의 기본 원칙

제1항	외래어는 국어의 현용 24 자모만으로 적는다. → [f, v, ʃ, tʃ, ɔ, ʌ]처럼 국어에 없는 외래어 소리를 적기 위해 새로운 문자나 부호를 사용하지 않고 오직 현용 한글 자모만으로 적는다는 원칙
제2항	외래어의 1 음운은 원칙적으로 1 기호로 적는다. → 외국어의 한 소리를 늘 일정한 한글에 대응시켜 적는다는 원칙 예 'fighting'을 '화이팅', 'film'을 '필름'이라 하여 'f'를 'ㅎ'과 'ㅍ'으로 다르게 적지 않고 '파이팅' 과 '필름'으로 적어 'f'를 일정하게 'ㅍ'으로 적도록 하는 것
제3항	받침에는 'ㄱ, ㄴ, ㄹ, ㅁ, ㅂ, ㅅ, ㅇ'만을 쓴다. → 국어에서는 음절의 끝소리로 날 수 있는 자음에 'ㄷ'이 포함되어 있지만, 외래어 표기에서 는 'ㄷ' 대신에 'ㅅ'을 씀. 예 chocolate: 초콜릳(×), 초콜릿(○) / biscuit: 비스킫(×), 비스킷(○)
제4항	파열음 표기에는 된소리를 쓰지 않는 것을 원칙으로 한다. → 파열음의 발음이 된소리에 가깝게 들리더라도 된소리로 적지 않음. 예 Paris: 빠리(×), 파리(○) / bus: 뻐스(×), 버스(○)
제5항	이미 굳어진 외래어는 관용을 존중하되, 그 범위와 용례는 따로 정한다. → 외래어 표기법의 원칙에 따른 표기가 관용 발음과 다른 경우에는 관용대로 표기함. 예 camera: 캐머러(×), 카메라(○) / radio: 레이디오(×), 라디오(○)

확인하기 3

• 다음의 잘못된 외래어 표기를 바르게 고쳐 보자.

외국어	잘못된 표기	바른 표기
digital	디지탈	디지털
file	화일	
cafe	까페	

4 로마자 표기법

① 로마자 표기법의 개념

우리말로 표기된 인명이나 지명 등의 고유 명사를 로마자로 어떻게 적을 것인지를 규정한 것

② 로마자 표기의 기본 원칙

제1항	국어의 로마자 표기는 국어의 표준 발음법에 따라 적는 것을 원칙으로 한다. → 외국인이 우리가 발음하는 대로 발음하기 위한 규정
제2항	로마자 이외의 부호는 되도록 사용하지 않는다. → 로마자 이외의 부호가 갖는 의미 파악이 어렵고, 컴퓨터와 같은 도구로 입력하기 어렵기 때문

③ 로마자 표기의 일람

ㄱ	ㄲ	ㅋ	ㄷ	ㄸ	ㅌ	ㅂ	ㅃ	ㅍ	ㅈ
g, k	kk	k	d, t	tt	t	b, p	pp	p	j
ㅉ	ㅊ	ㅅ	ㅆ	ㅎ	ㄴ	ㅁ	ㅇ	ㄹ	
jj	ch	s	ss	h	n	m	ng	r, l	

※ 'ㄱ', 'ㄷ', 'ㅂ'은 모음 앞에서는 'g', 'd', 'b'로, 자음 앞이나 어말에서는 'k', 't', 'p'로 적음.

※ 'ㄹ'은 모음 앞에서는 'r'로, 자음 앞이나 어말에서는 'l'로 적되, 'ㄹㄹ'은 'll'로 적음.

ㅏ	ㅓ	ㅗ	ㅜ	ㅡ	ㅣ	ㅐ	ㅔ	ㅚ	ㅟ	ㅑ
a	eo	o	u	eu	i	ae	e	oe	wi	ya
ㅕ	ㅛ	ㅠ	ㅒ	ㅖ	ㅘ	ㅙ	ㅝ	ㅞ	ㅢ	
yeo	yo	yu	yae	ye	wa	wae	wo	we	ui	

※ 이중 모음 'ㅢ'는 'ㅣ'로 소리 나더라도 항상 'ui'로 적음.

※ 장모음 표기는 따로 하지 않음.

④ 로마자 표기법의 유의점

• 음운 변화가 일어날 때는 변화의 결과에 따라 적음.
• 고유 명사는 첫 글자를 대문자로 적음.
• 인명은 성과 이름의 순서로 띄어 씀.
• 인명, 회사명, 단체명 등은 그동안 써 온 표기로 쓸 수 있음.

확인하기 4

• 다음 표지판에 들어갈 알맞은 로마자 표기를 써 보자.

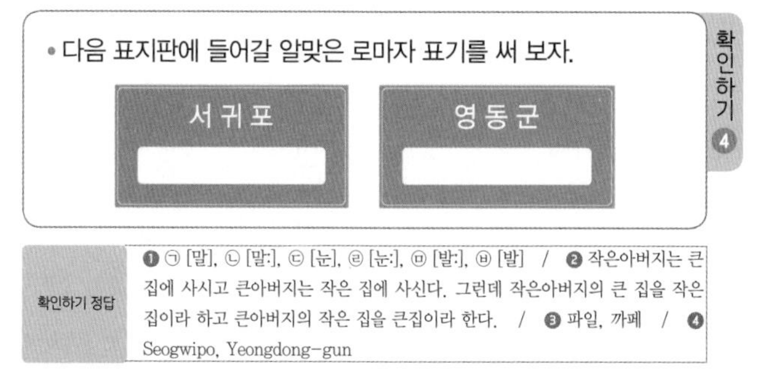

확인하기 정답: ❶ ㉠ [말], ㉡ [말ː], ㉢ [눈], ㉣ [눈ː], ㉤ [발ː], ㉥ [발] / ❷ 작은아버지는 큰 집에 사시고 큰아버지는 작은 집에 사신다. 그런데 작은아버지의 큰 집을 작은집이라 하고 큰아버지의 작은 집을 큰집이라 한다. / ❸ 파일, 카페 / ❹ Seogwipo, Yeongdong-gun

소단원 적중 문제

[01~05] 다음 글을 읽고, 물음에 답하시오.

가 지리적 차이 때문에 다르게 나타나는 말을 지역 방언, 사회적 차이 때문에 다르게 나타나는 말을 사회 방언이라 한다. 이러한 방언 차이는 원활한 의사소통을 방해할 수 있는데, 표준어 규정은 공식적인 국어 생활에서 사용되는 표준어를 사정하고 그 표준 발음을 규정함으로써 이러한 문제를 해소한다. 전자는 표준어 규정의 제1부 표준어 사정 원칙에서, 후자는 제2부 표준 발음법에서 다루고 있다.

나 제1부 표준어 사정 원칙에서는 표준어를 사정하는 기본 원칙을 총칙에서 제시한 다음 이를 바탕으로 ㉠발음에 변화가 생겼거나 ㉡단순히 어떤 단어를 더 선호하게 되어서 어휘 선택에 변화가 생긴 경우 실제 표준어 사정의 예를 제시하고 있다.

다 총칙에 제시된 원칙은 '교양 있는 사람들이 두루 쓰는 현대 서울말'을 표준어로 정한다는 것이다. 이러한 대원칙 아래 모든 우리말 단어를 대상으로 표준어를 사정한다. ㉢일반적으로는 정해진 원칙에 따라 한 단어만을 표준어로 정하지만 더러는 둘 이상의 단어가 두루 쓰이고 있어 모두 표준어로 인정되는 예도 있다. 이를 복수 표준어라 한다.

라 '표준어 규정'에는 표준 발음법에 관한 규정도 포함되어 있는데, 같은 단어를 서로 다르게 발음함으로써 생길 수 있는 의사소통의 혼란을 없애기 위해 발음의 표준을 정하여 놓은 것이다. 표준 발음은 원칙적으로 표준어의 실제 발음을 따른 것이기 때문에 대체로 큰 문제가 없으나, 모음의 경우 'ㅢ'의 발음이나 'ㅐ'와 'ㅔ'의 구별, 자음의 경우 음의 동화나 ㉣겹받침의 발음 등에서 어려움을 겪는 경우가 없지 않다. 또한 젊은 세대들은 '말[馬]'과 '말:[言]'을 구별하여 말하고 듣지 못하는 등 ㉤모음의 장단을 구별하지 못하는 문제도 있다.

마 그런데 어떤 단어가 표준어인지, 그리고 그 표준어의 바른 발음이 무엇인지를 '표준어 규정'에서 일일이 제시하지는 않기 때문에, 실제 국어 생활에서는 국립국어원에서 편찬된 '표준국어대사전'을 활용하여 이를 확인하여야 한다.

수능형

01 **〈보기 1〉은 ㉠과 관련한 표준어 규정 중 하나이다. 이를 바탕으로 〈보기 2〉를 이해한 학생들의 반응으로 적절하지 않은 것은?**

〈 보기 1 〉

제2절 모음

제8항 양성 모음이 음성 모음으로 바뀌어 굳어진 다음 단어는 음성 모음 형태를 표준어로 삼는다.

오똑이(×) → 오뚝이(○), 쌍동이(×) → 쌍둥이(○) 등

다만, 어원 의식이 강하게 작용하는 다음 단어에서는 양성 모음 형태를 그대로 표준어로 삼는다. (ㄱ을 표준어로 삼고, ㄴ을 버림.)

ㄱ	ㄴ	비고
부조(扶助)	부주	~금, ~돈
사돈(査頓)	사둔	안~, 밭~
삼촌(三寸)	삼춘	시~, 외~, 처~

〈 보기 2 〉

- ⓐ삼촌(*삼춘)은 어릴 때부터 나를 귀여워해 주었다.
- 할머니는 나를 항상 ⓑ'막둥이(*막동이)'라고 부르셨다.
- 철수는 대학에 합격한 기쁨에 ⓒ깡충깡충(*깡총깡총) 뛰었다.

※ 비표준어임.

① ⓐ는 '오촌, 육촌' 등에서 볼 수 있듯이 촌수에 의한 호칭이므로 어원 의식이 강하게 작용해 표준어가 된 경우이군.

② ⓑ는 제8항의 '쌍둥이'로 보아, 언중의 언어생활에 의해 모음 조화 현상이 깨어져 굳어진 경우로 볼 수 있겠군.

③ '깡총깡총'을 표준어로 삼지 않고 ⓒ를 표준어로 삼은 것은 제8항 규정에 따른 것이로군.

④ ⓐ과 ⓑ으로 보아 모음 조화를 지키지 않는 사람이 많아졌음을 알 수 있군.

⑤ ⓑ는 예전에 '막동이'로, ⓒ는 '깡총깡총'으로 표기하였다고 추론할 수 있겠군.

02 〈보기〉는 ㉡에 대한 규정 중 하나이다. 다음 단어 중 이에 대한 사례로 적절하지 않은 것은?

보기

제3장 제25항 의미가 똑같은 형태가 몇 가지 있을 경우, 그중 어느 하나가 압도적으로 널리 쓰이면, 그 단어만을 표준어로 삼는다.

① 쪽밤>쌍동밤 ② 새벽별>샛별
③ 우렁쉥이>멍게 ④ 애달프다>애닯다
⑤ 안절부절못하다>안절부절하다.

03 ㉢에 대한 예로 적절하지 않은 것은?

① 우레－천둥 ② 송이－송이버섯 ③ 여쭈다－여쭙다
④ 가엽다－가엾다 ⑤ 알타리무－총각무

학습 활동 적용

04 〈보기〉는 ㉣에 대한 규정이다. 이를 참조할 때, 발음이 적절하지 않은 것은?

보기

제11항 '겹받침 'ㄺ, ㄻ, ㄿ'은 어말 또는 자음 앞에서 각각 [ㄱ, ㅁ, ㅂ]으로 발음한다.
다만, 용언의 어간 말음 'ㄺ'은 'ㄱ' 앞에서 [ㄹ]로 발음한다.
제14항 겹받침이 모음으로 시작된 조사나 어미, 접미사와 결합되는 경우에는, 뒤엣것만을 뒤 음절 첫소리로 옮겨 발음한다.(이 경우, 'ㅅ'은 된소리로 발음함.)

① 맑지[막찌] ② 읽고[일꼬] ③ 훑어[훌티]
④ 값이[갑시] ⑤ 옮겨[옴겨]

05 다음 문장의 밑줄 친 단어 중 ㉤을 고려하여 길게 발음해야 하는 것을 모두 고르시오.

• ⓐ눈에 ⓑ눈이 들어가서 눈물이 나.
• 늘어뜨린 ⓒ발에 가려서 겨우 ⓓ발만 보였다.
• 나는 ⓔ밤에 ⓕ밤을 먹으면 기분이 좋다.

[06~08] 다음 글을 읽고, 물음에 답하시오.

㉮ 한글 맞춤법은 표준어를 한글로 적는 기준을 정하여 놓은 것으로, 크게 6장으로 구성되어 있다. 제1장 '총칙'에서는 한글 맞춤법의 원리와 띄어쓰기의 원칙, 그리고 외래어 표기의 원칙을 제시하였고, 제2장 '자모'에서는 한글 자모의 순서와 이름을 정해 놓았다. 이어지는 제3~6장에는 소리에 관한 것, 형태에 관한 것, 띄어쓰기, 그 밖의 것으로 나누어 구체적인 맞춤법 규정을 설명하고 있다.

㉯ '한글 맞춤법'의 대원칙은 총칙 제1항에 다음과 같이 명시되어 있다.

제1항 한글 맞춤법은 표준어를 ⓐ소리대로 적되, ⓑ어법에 맞도록 함을 원칙으로 한다.

이에 따르면 한글 맞춤법은 표준어의 발음을 그대로 반영하는 표기 방식이 근본 원칙이 되고, 거기에 어법에 맞도록 한다는 원칙이 덧붙어 있는 것이 된다. '구름', '나무', '하늘' 등이 소리대로 적어서 올바른 표기가 되는 예이다.

㉰ 그런데 소리대로 적는다는 원칙을 그대로 적용하기 어려운 때도 있다. 예를 들어, '꽃'이라는 단어를 소리대로 적는다면 쓰이는 환경에 따라 '꼳, 꼰나무, 꼬치'와 같이 다양하게 표기될 것인데, 이럴 때 단어의 의미가 쉽게 파악되지 않아 독서 능률이 현저히 떨어지게 되는 문제가 있다. 이런 문제를 해소하기 위해 소리대로 적는 것을 근본 원칙으로 하되 필요한 경우 어법을 고려하여 형태소나 단어의 본 모습을 찾아서 적도록 규정한 것이다. 이와 같은 맞춤법의 원리를 형태 음소적 원리(形態音素的原理)라 한다. 형태 음소적 원리를 채택함으로써 의미를 쉽게 파악하고 독서의 능률을 높일 수 있는데, 여기에 더하여 끊어적기를 선택하면 더욱 효율적인 표기법이 된다. 즉 '구르미, 머거서'와 같이 이어적기를 했을 때보다 '구름이, 먹어서'와 같이 끊어적기를 했을 때 단어의 형태가 늘 일정하게 고정되는 장점이 있어 독서 능률이 높아진다는 것이다.

소단원 적중 문제

라 ㉠한글 맞춤법에는 띄어쓰기에 대한 기본 원칙으로 총칙 제2항에서 '문장의 각 단어는 띄어 씀을 원칙으로 한다.'고 규정하고 있다. 실제 국어 생활에서의 띄어쓰기는 단어마다 띄어 쓰면 되고, 어떤 단위가 단어인지 아닌지 모를 때에는 표준국어대사전에 단어로 등재되어 있는지를 확인하면 쉽게 해결할 수 있다.

수능형

06 〈보기〉는 한글 맞춤법 총칙 제1항에 대한 선생님의 설명이다. 이를 토대로 ⓐ, ⓑ에 대해 학생들이 이해한 내용으로 적절한 것은?

〈보기〉

선생님: 세계의 문자는 크게 표의 문자와 표음 문자로 나눌 수 있어요. 표의 문자는 '뜻(의미)'을 기호로 나타낸 문자이고, 표음 문자는 '소리'를 기호로 나타낸 문자에요. 한글 맞춤법은 소리대로 표기하는 것이 원칙이에요. 그런데 이 원칙만 따른다면 원래의 형태를 파악하기 어려운 부분이 있어요. 이 때문에 형태를 고정시켜서 어법에 맞도록 한다는 조건을 추가한 것이에요.

① '女子'를 '녀자'로 적지 않고 '여자'로 적는 것은 ⓑ의 규정을 따른 것이군.
② '부딪치다'와 '부딪히다'를 ⓑ의 규정에 따라 표기하면 의미를 파악하기 어렵겠군.
③ '굳이', '같이'는 음운 현상을 반영하지 않은 것으로 볼 때 ⓐ의 규정을 따른 것이군.
④ 어간 '높–'에 접미사 '–다랗다'가 결합하는 경우 '높다랗다'고 표기하는 것은 ⓐ의 규정을 따른 것이군.
⑤ 체언 '구름' 뒤에 어떤 조사가 오느냐에 따라 '구르미(구름+이), 구르믈(구름+을)'로 표기될 수 있기 때문에 ⓑ를 추가한 것이군.

수능형

07 〈보기〉는 ㉠에 대한 보충 설명이다. 이에 대해 이해한 내용으로 적절하지 <u>않은</u> 것은?

〈보기〉

제5장 띄어쓰기
제1절 조사
제41항 조사는 그 앞말에 붙여 쓴다.
제2절 의존 명사, 단위를 나타내는 명사 및 열거하는 말 등
제42항 의존 명사는 띄어 쓴다.
제43항 단위를 나타내는 명사는 띄어 쓴다.
제45항 두 말을 이어 주거나 열거할 적에 쓰이는 말들은 띄어 쓴다.

원칙적으로 각 단어는 띄어 써야 하지만, 그렇지 않은 경우도 있어. 단어임에도 띄어 쓰지 않는 것이 바로 조사야. 조사는 그 앞말에 붙여 써야 해. 그리고 의존 명사는 홀로 쓰일 수 없고, 다른 단어와 함께 쓰는 명사야. 의존 명사는 단어 중 하나니까 띄어 써야 해. 또한 단위 명사나 두 말을 이어 주거나 열거할 적에 쓰이는 말들은 띄어 써야 하는 거야.

① 체언 '가방'에 조사 '이'가 결합하는 경우 '가방이'라고 쓰는 것은 제41항의 규정에 따른 것이군.
② '아는 것이 힘이다.'라는 문장에서 '것'을 앞말과 띄어 쓰는 것은 제42항의 규정에 따른 것이군.
③ '어제 한국 대 일본 축구 경기에서 한국이 승리하였다.'는 문장에서 '대'를 앞말과 띄어 쓰는 것은 제45항의 규정에 따른 것이군.
④ '나는 시장에서 사과, 배, 귤 등을 샀다.'는 문장에서 '등'을 앞말과 띄어 쓰는 것은 제42항의 규정에 따른 것이군.
⑤ '나는 식목일에 나무 한 그루를 심었다.'는 문장에서 '그루'를 앞말과 띄어 쓰는 것은 제43항의 규정에 따른 것이군.

08 다음 중 밑줄 친 단어의 맞춤법이 적절하지 <u>않은</u> 것은?

① 자고로 흥정은 <u>붙이고</u> 싸움은 말리라고 하였다.
② 우리 할머니는 자주 손과 발이 <u>저리다고</u> 하신다.
③ 비록 지금은 추운 겨울이지만 봄은 <u>반드시</u> 온다.
④ 철수는 이번 시험에서 예상과 달리 많은 문제를 <u>마쳤다</u>.
⑤ 그는 열심히 축구를 한다. <u>그러므로</u> 감독님의 은혜에 보답한다.

[09~11] 다음 글을 읽고, 물음에 답하시오.

가 '외래어 표기법'은 외래어를 한글로 적는 데 대한 규정이다. 하나의 단어를 '커피샾, 커피샵, 커피숍, 커피숖' 등으로 다양하게 쓰는 혼란을 피하기 위해 일정한 원칙에 따라 한 가지로 표기하도록 정한 것이다.

나 외래어 표기의 기본 원칙은 다음의 총 다섯 항으로 제시되어 있다.

제1항 외래어는 국어의 현용 24 자모만으로 적는다.
제2항 외래어의 1 음운은 원칙적으로 1 기호로 적는다.
제3항 받침에는 'ㄱ, ㄴ, ㄷ, ㄹ, ㅁ, ㅂ, ㅅ, ㅇ'만을 쓴다.
제4항 파열음 표기에는 된소리를 쓰지 않는 것을 원칙으로 한다.
제5항 이미 굳어진 외래어는 관용을 존중하되, 그 범위와 용례는 따로 정한다.

다 제1항은 외래어 표기를 위해 새로운 문자나 부호를 사용하지 않고 오직 현용 한글 자모만으로 적는다는 원칙이다.

제2항은 외국어의 한 소리를 늘 일정한 한글에 대응시켜 적는다는 원칙이다. 예를 들어, 'fighting'을 '화이팅', 'film'을 '필름'이라 하여 'f'를 'ㅎ'과 'ㅍ'으로 다르게 적지 않고 '파이팅'과 '필름'으로 적어 'f'를 일정하게 'ㅍ'으로 적도록 하는 것이다.

제3항은 외래어 받침의 소리는 실제 소리를 반영하여 일곱 개의 홑받침으로만 적는다는 원칙이다. 다만 'ㄷ' 소리가 나는 경우에는 'ㅅ'으로 적는데, 'chocolate'을 '초콜릳'이 아니라 '초콜릿'으로 적는 것이 그 예이다.

제4항은 파열음의 발음이 된소리에 가깝게 들리더라도 된소리로 적지 않는다는 원칙이다. '빠리' 대신 '파리', '뻐스' 대신 '버스'로 적는 것이 그 예이다.

제5항은 외래어 표기법의 원칙에 따른 표기가 관용 발음과 다른 경우에는 관용을 존중한다는 원칙이다. 'camera'를 '캐머러'로 표기하는 것이 원칙에 맞지만 이미 '카메라'로 굳어진 점을 존중하여 '카메라'로 표기하는 것이 그 예이다.

수능형

09 이 글을 읽은 후, 〈보기〉를 접했다고 할 때 보일 수 있는 반응으로 적절하지 <u>않은</u> 것은?

〈보기〉
나는 테헤란(Teheran)로에 있는 까페(café)에서 친구를 만나 커피(coffee)와 에그 후라이(egg fry)를 먹었다. 그리고 인터넫(internet)을 통해 유명한 밴드(band)의 음악 영상을 보았다.

① '테헤란'의 'ㅔ'는 '국어의 현용 24 자모만으로 적는다'의 24 자모에 포함되지 않으므로 잘못된 표기이다.
② '까페'는 '파열음 표기에는 된소리를 쓰지 않는 것을 원칙으로 한다'는 규범에 위배되므로 '카페'로 고쳐야 한다.
③ '커피'는 '이미 굳어진 외래어는 관용을 존중'한다는 규범에 맞는 표기이다.
④ '에그 후라이'는 '1 음운은 원칙적으로 1 기호로 적는다'는 원칙에 위배되므로 '에그 프라이'로 고쳐야 한다.
⑤ '인터넫'은 "ㄷ' 소리가 나는 경우에는 'ㅅ'으로 적'는다는 원칙에 위배되므로 '인터넷'으로 표기해야 한다.

10 이 글을 바탕으로 외래어 표기를 판단한 것으로 적절하지 <u>않은</u> 것은?

	영어	외래어 표기		근거
		바른 표기	틀린 표기	
①	fantasy	판타지	환타지	제2항
②	racket	라켓	라켇	제3항
③	Mozart	모짜르트	모차르트	제4항
④	gas	가스	까스	제4항
⑤	radio	라디오	레이디오	제5항

학습 활동 적용

11 〈보기〉를 참조하여 ㉠, ㉡을 우리말로 바르게 표기하시오.

〈보기 1〉
외래어 표기를 할 때 파찰음(ㅈ ㅉ ㅊ) 뒤에는 이중 모음을 적지 않는다.

㉠ vision → (　　　)　　㉡ pitcher → (　　　)

소단원 적중 문제

[12~13] 다음 글을 읽고, 물음에 답하시오.

가 우리말로 표기된 인명이나 지명 등의 고유 명사를 로마자로 어떻게 적을 것인지를 규정한 것이 '국어의 로마자 표기법'이다. 국어의 로마자 표기법은 한글 철자를 그대로 로마자로 적는 것이 아니라 표준 발음법에 따라 적는 것을 원칙으로 한다. 그리고 로마자 이외의 부호는 되도록 사용하지 않으며, 같은 소리는 항상 하나의 로마자로 적는 것을 원칙을 따른다.

나 로마자 표기법에서 국어의 자음과 모음은 다음과 같이 로마자로 표기하도록 규정하고 있다.

ㄱ	ㄲ	ㅋ	ㄷ	ㄸ	ㅌ	ㅂ	ㅃ	ㅍ	ㅈ
g, k	kk	k	d, t	tt	t	b, p	pp	p	j
ㅉ	ㅊ	ㅅ	ㅆ	ㅎ	ㄴ	ㅁ	ㅇ	ㄹ	
jj	ch	s	ss	h	n	m	ng	r, l	

ㅏ	ㅓ	ㅗ	ㅜ	ㅡ	ㅣ	ㅐ	ㅔ	ㅚ	ㅟ	ㅑ
a	eo	o	u	eu	i	ae	e	oe	wi	ya
ㅕ	ㅛ	ㅠ	ㅒ	ㅖ	ㅘ	ㅙ	ㅝ	ㅞ	ㅢ	
yeo	yo	yu	yae	ye	wa	wae	wo	we	ui	

그러나 로마자는 우리말의 음운 체계를 고려하여 만들어진 문자가 아니기 때문에 발음과 표기가 일치하는 로마자 표기법은 거의 불가능하다. 예를 들어 자음의 경우 로마자로 'ㄱ-ㄲ-ㅋ'과 같은 대립을 정확히 표기할 수 없는데, 현 규정은 위의 원칙에 따라 'g, k-kk-k'로 적는 방법을 따르기로 하였다. 모음의 경우에도 우리말의 단모음은 10개인데 로마자의 모음은 5개뿐이어서 'ㅓ, ㅡ, ㅐ, ㅚ, ㅟ' 등의 모음은 하나의 로마자로는 대응시킬 수 없으므로 두 개의 로마자를 합쳐서 대응하도록 만들었다. 따라서 국어의 로마자 표기법에서는 표기와 발음의 불일치를 어느 정도 인정하되, 우리 나름의 원칙에 따라 일관되게 표기하는 것이 중요하다.

다 우리나라 사람들의 성과 이름을 적을 때에는 우리식으로 성과 이름의 순서로 적고, 이름은 한 단어처럼 표기하는 것을 원칙으로 한다. 예를 들어 '홍길동'의 경우 'Hong Gildong'으로 적는 것을 원칙으로 하되, 붙임표(-)를 쓴 'Hong Gil-dong'과 같은 표기도 허용한다.

라

로마자 표기법
제2장 표기상의 유의점
[붙임 1] 'ㄱ, ㄷ, ㅂ'은 모음 앞에서는 'g, d, b'로, 자음 앞이나 어말에서는 'k, t, p'로 적는다.
[붙임 2] 'ㄹ'은 모음 앞에서는 'r'로, 자음 앞이나 어말에서는 'l'로 적는다. 단, 'ㄹㄹ'은 'll'로 적는다.
제3장 표기상의 유의점
제1항
음운 변화가 일어날 때에는 변화의 결과에 따라 적는다. (단, 된소리되기는 표기에 반영하지 않는다.)
제2항
발음상 혼동의 우려가 있을 때에는 음절 사이에 붙임표(-)를 쓸 수 있다.
제3항
고유 명사는 첫 글자를 대문자로 적는다.
제4항
인명은 성과 이름의 순서로 띄어 쓴다. 이름은 붙여 쓰는 것을 원칙으로 하되 음절 사이에 붙임표(-)를 쓰는 것을 허용한다. (인명은 음운 변화를 표기에 반영하지 않는다.)

12 이 글을 참고하여 표기한 로마자로 적절하지 않은 것은?

① 월곶: Wolgot
② 좋고: joko
③ 중앙: Jung-ang
④ 학여울: Hangyeoul
⑤ 홍빛나: Hong Bitna

13 이 글을 참고할 때, 로마자 규정에 맞는 표기끼리 묶인 것은?

	김밥	떡볶이	라면	잔치국수
①	gimbap	tteokbokki	ramyeon	janchi-guksu
②	gimbap	tteogpoggi	ramyeon	janchi-guksu
③	gimbab	tteokbokki	lamyeon	janchi-kuksu
④	gimbap	tteokbokki	lamyeon	janchi-guksu
⑤	gimbab	tteokbokki	ramyeon	janchi-kuksu

중단원 실전 문제

정답과 해설 p. 37

[01~03] 다음 글을 읽고, 물음에 답하시오.

(가) 수필은 청자연적이다. 수필은 난이요, 학이요, 청초하고 몸맵시 날렵한 여인이다. 수필은 그 여인이 걸어가는, 숲 속으로 난 평탄하고 고요한 길이다. 수필은 가로수 늘어진 포도가 될 수도 있다. 그러나 그 길은 깨끗하고 사람이 적게 다니는 주택가에 있다.

수필은 청춘 글은 아니요, 서른여섯 살 중년 고개를 넘어선 사람의 글이며, 정열이나 심오한 지성을 내포한 문학이 아니요, 그저 수필 가가 쓴 단순한 글이다.

• 페이브먼트: 포장 도로.　　　　– 피천득, 「수필」에서

(나) 한국어 사용자들은 한 문장을 말할 때마다 그렇게 상대와 자신의 지위를 확인한다. 너는 나에게 반말과 존댓말을 마음대로 쓸 수 있지만 나는 너에게 존댓말밖에 쓰지 못할 때 나는 금방 무력해진다. 순종적인 자세가 되고 만다. 그런 때 존댓말은 어떤 내용을 제대로 실어 나르지 못한다. 세상을 바꿀 수도 있을 도전적인 아이디어들이 그렇게 한 사람의 머리 안에 갇혀 사라진다. [중략]

내가 제안하는 해결책은, 가족이나 친구가 아닌 모든 성인에게 존댓말을 쓰자는 것이다. 점원에게, 후배에게, 부하 직원에게. 언어가 바뀌면 몸가짐도 바뀐다. 우리는 존댓말을 듣는 동안에는 자기 앞에 최소한의 존엄을 지키는 방어선이 있다고 느낀다. 그 선을 넘는 언어를 공적인 장소에서 몰아내자는 것이다. 고객이 반말을 하는 순간 전화 상담실의 상담사들이 바로 전화를 끊을 수 있게 하자는 것이다.

그리고 반말은 가족과 친구끼리, 쌍방향으로 쓰는 언어로 그 영역을 축소하자는 것이다. '직장 후배지만, 정말 가족이나 친구처럼 친한 관계'라면 상대가 나에게 반말을 쓰는 것도 괜찮은지 스스로 물어보자. 상대가 입원했을 때 병원비를 내줄 수 있는지도 따져 보자. 그럴 수 없다면 존댓말을 쓰자.

나는 몇 년 전부터 새로 알게 되는 사람에게는 무조건 존댓말을 쓰려 한다. 그렇지만 반말을 쓰던 지인에게 갑자기 존댓말을 쓰는 것은 영 쑥스러워 실천하지 못한다. 존댓말과 반말이라는 감옥의 죄수라서 그렇다. 그러나 다음 세대를 위해 창살 몇 개 정도는 부러뜨리고 싶다. 다음 세대는 벽을 부수고, 다음다음 세대는 문을 열고……, 그렇게 ⓐ새 시대를 꿈꾸고 싶다.

– 『한국일보』, 2017년 10월 12일

(다) 세종학당재단은 지난 5월 29일부터 누리집을 통해 진행한 '세계 곳곳 엉터리 한국어를 찾습니다!' 기획 행사의 결과를 9일 공개하였다. 모두 70명이 참여했으며 224건이 접수되었다. 54개국, 171곳에서 한국어를 가르치는 세종학당의 현지인 학생들도 한국어 실력을 발휘해 제보에 적극 참여하였다. 엉터리 한국어를 제보한 한 외국인은 "우리 지역의 가게들은 한국인의 관심을 끌기 위해 한국어 안내문을 많이 사용하고 있는데, 한국어를 제대로 아는 직원이 아예 없다."며 "온라인에서 무료로 번역하는 프로그램을 주로 이용하는데 틀리는 경우가 대다수이다."라고 말하였다.　　– 『서울신문』, 2017년 10월 9일

학습 활동 적용

01 (가)~(다)에 대한 설명으로 적절하지 않은 것은?

① (가)는 정서를 표현하려는 목적에서 생산된 국어 자료이다.
② (가)와 (나)는 국어 자료의 생산 목적이라는 측면에서 공통된 부분이 있다.
③ (나)는 신문에 실렸지만 기사문이 아니라 수필에 속하는 시사 평론이다.
④ (나)와 (다)는 실제 사건이나 상황이 전개되는 모습을 인쇄 매체를 통해 전달하는 국어 자료이다.
⑤ (다)는 (가)에 비해 객관적인 태도로 간결하고 명확하게 서술되는 특징이 있다.

02 ⓐ가 의미하는 바로 적절하지 않은 것은?

① 상호 존중하는 시대
② 존댓말로 서로의 지위를 확인하는 시대
③ 자신의 생각을 제대로 말할 수 있는 시대
④ 세상을 바꿀 도전적인 아이디어를 창출하는 시대
⑤ 모든 성인이 서로에게 존댓말을 써서 소통하는 시대

03 **(다)와 같은 국어 자료의 작성과 관련하여 유의할 점으로 적절하지 않은 것은?**

① 특정한 사실을 여러 사람에게 알리는 목적의 국어 자료이므로 정확하고 효율적인 정보 전달이 중요하다.
② 전달의 목적을 달성하기 위하여 단순하고 명료한 문장과 어법에 맞는 정확한 어휘를 사용해야 한다.
③ 독자가 자료에 관심을 가질 수 있도록 표제는 흥미를 끌 수 있는 간결한 문장으로 작성해야 한다.
④ 공정성과 정확성을 확보하기 위해 육하원칙에 입각하여 모든 요소가 들어가도록 자료를 작성해야 한다.
⑤ 대중이 알아야 할 사건에 대한 국어 자료이므로 사건의 전달과 사건에 관심을 가져야 하는 이유가 설명되어야 한다.

학습 활동 적용

04 **다음과 같은 국어 자료에 관한 설명으로 적절하지 않은 것은?**

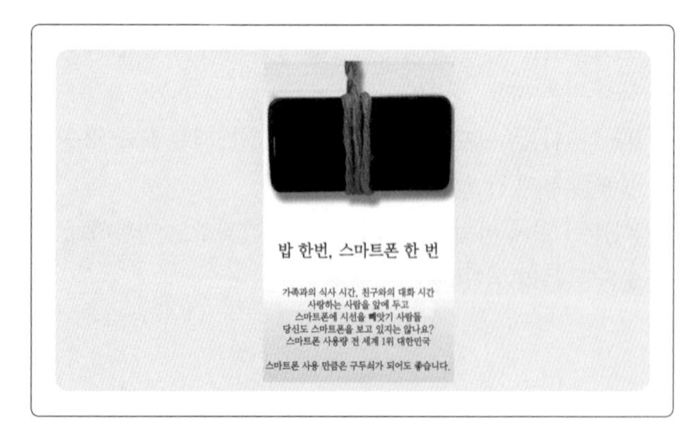

밥 한번, 스마트폰 한 번
가족과의 식사 시간, 친구와의 대화 시간
사랑하는 사람을 앞에 두고
스마트폰에 시선을 빼앗기 사람들
당신도 스마트폰을 보고 있지는 않나요?
스마트폰 사용량 전 세계 1위 대한민국
스마트폰 사용 만큼은 구두쇠가 되어도 좋습니다.

① 정보 전달의 목적이 설득에 있다.
② 효과적인 설득을 위하여 깊은 인상을 주는 것이 중요하다.
③ 전달 내용을 머릿속 깊이 새기게 하기 위해 일반적인 통념을 깨는 방식으로 내용을 전달하기도 한다.
④ 짧은 시간 내에 최대한 효과적으로 주제를 드러내기 위해 내용을 직접 드러내는 게 좋다.
⑤ 전달 효과를 높이기 위해 다른 매체 언어를 활용하는 특징이 있다.

[05~07] 다음 글을 읽고, 물음에 답하시오.

(가) 제1부 표준어 사정 원칙에서는 표준어를 사정하는 기본 원칙을 총칙에서 제시한 다음 이를 바탕으로 발음에 변화가 생겼거나 단순히 어떤 단어를 더 선호하게 되어서 어휘 선택에 변화가 생긴 경우 실제 표준어 사정의 예를 제시하고 있다.

(나) 총칙에 제시된 원칙은 '교양 있는 사람들이 두루 쓰는 현대 서울말'을 표준어로 정한다는 것이다. 이러한 대원칙 아래 모든 우리말 단어를 대상으로 표준어를 사정하게 되는데, [A][발음 변화에 따른 표준어 규정의 예로는 '깡충깡충'과 '으레'를 버리고 '깡충깡충'과 '으레'를 표준어로 삼은 것을 들 수 있고, 어휘 선택의 변화에 따른 표준어 규정의 예로는 '알타리무'와 '안절부절하다'를 버리고 '총각무'와 '안절부절못하다'를 표준어로 삼은 것 등을 들 수 있다. 일반적으로는 정해진 원칙에 따라 한 단어만을 표준어로 정하지만 더러는 둘 이상의 단어가 두루 쓰이고 있어 모두 표준어로 인정되는 예도 있다. 이를 ㉠복수 표준어라 하는데, '가엽다–가엾다, 고까–꼬까–때때, 송이–송이버섯, 신–신발, 여쭈다–여쭙다, 옥수수–강냉이, 우레–천둥' 등이 그 예이다.]

(다) '표준어 규정'에는 표준 발음법에 관한 규정도 포함되어 있는데, 같은 단어를 서로 다르게 발음함으로써 생길 수 있는 의사소통의 혼란을 없애기 위해 발음의 표준을 정하여 놓은 것이다. 표준 발음은 원칙적으로 표준어의 실제 발음을 따른 것이기 때문에 대체로 큰 문제가 없으나, 모음의 경우 'ㅢ'의 발음이나 'ㅐ'와 'ㅔ'의 구별, 자음의 경우 음의 동화나 겹받침의 발음 등에서 어려움을 겪는 경우가 없지 않다. 또한 젊은 세대들은 '말[馬]'과 '말:[言]'을 구별하여 말하고 듣지 못하는 등 ㉡모음의 장단을 구별하지 못하는 문제도 있다.

(마) 그런데 어떤 단어가 표준어인지, 그리고 그 표준어의 바른 발음이 무엇인지를 '표준어 규정'에서 일일이 제시하지는 않기 때문에, 실제 국어 생활에서는 국립국어원에서 편찬된 '표준국어대사전'을 활용하여 이를 확인하여야 한다.

수능형 고난도

05 ㉠과 관련하여 〈보기〉를 읽고 보인 반응으로 적절하지 않은 것은?

〈보기〉

이번에 새로 표준어로 인정한 항목은 크게 세 부류이다.

첫째는 현재 표준어로 규정된 말 이외에 같은 뜻으로 많이 쓰이는 말이 있어 이를 복수 표준어로 인정한 경우이다. '간지럽히다'는 비표준어였지만 '간질이다'와 같은 뜻을 지닌 표준어로 인정되었다.

둘째는 현재 표준어로 규정된 말과는 뜻이나 어감 차이가 있어서 이를 별도의 표준어로 인정한 경우이다. 그동안 '눈꼬리'는 비표준어이고 '눈초리'가 표준어였지만, '귀 쪽으로 가늘게 좁혀진 눈의 가장자리'란 뜻으로 '눈꼬리'도 표준어로 인정받게 되었다.

마지막 셋째는 표기가 다르지만 두 가지 표기를 모두 표준어로 인정된 경우로 '자장면'과 함께 '짜장면'도 표준어로 인정받게 되었다.

① '간질이다'와 '간지럽히다' 모두 표준어로 대우받게 되었군.
② 이제는 '짜장면'이라고 해도 비표준어가 아니겠네.
③ '눈꼬리'와 '눈초리'는 복수 표준어이지만 바꿔 쓸 수는 없겠어.
④ 일상에서는 '짜장면'이라고 쓰면서 '자장면'만 표준어여서 불편했는데 그 점이 해소되었군.
⑤ 〈보기〉의 사례들은 둘 이상의 단어가 같은 뜻으로 두루 쓰여 표준어가 된 경우에 해당하는군.

06 (라)의 ㉡과 관련한 〈보기〉 자료를 참고할 때, 다음 내용 중 적절하지 않은 것은?

〈보기〉

제6항 모음의 장단을 구별하여 발음하되, 단어의 첫음절에서만 긴소리가 나타나는 것을 원칙으로 한다.
제7항 긴소리를 가진 음절이라도, 다음과 같은 경우에는 짧게 발음한다.
1. 단음절인 용언 어간에 모음으로 시작된 어미가 결합되는 경우
2. 용언 어간에 피동, 사동의 접미사가 결합되는 경우

① 제6항의 내용을 적용하여 밤나무[밤:나무]로 발음한다.
② '눈이 오네요 첫눈이 옵니다.'에 첫눈은 제6항에 따라 [천눈:]으로 발음한다.
③ '신을 '신다'에서 '신다'는 [신:따]로 발음하지만 '신을 신어 보렴'에서 '신어'는 제7항 1에 따라 [시너]로 발음한다.
④ 제7항 2에 따라 '꼬이다'는 [꼬이다]로 발음한다.
⑤ '시간이 없다.'에서 '없다'는 [업:따]로 발음하지만 '시간이 없으니'에서 '없으니'는 '[업:쓰니]'로 발음하는 것은 제7항 1의 예외 사례라 볼 수 있다.

수능형

07 〈보기〉의 표준어 규정을 토대로 [A]에 제시된 사례를 바르게 파악한 것은?

〈보기〉

제2장 제8항 양성 모음이 음성 모음으로 바뀌어 굳어진 단어는 음성 모음 형태를 표준어로 삼는다.
제2장 제10항 다음 단어는 모음이 단순화한 형태를 표준어로 삼는다.
제3장 제22항 고유어 계열의 단어가 생명력을 잃고 그에 대응되는 한자어 계열의 단어가 널리 쓰이면, 한자어 계열의 단어를 표준어로 삼는다.
제3장 제25항 의미가 똑같은 형태가 몇 가지 있을 경우, 그중 어느 하나가 압도적으로 널리 쓰이면, 그 단어만을 표준어로 삼는다.
제3장 제26항 한 가지 의미를 나타내는 형태 몇 가지가 널리 쓰이며 표준어 규정에 맞으면 그 모두를 표준어로 삼는다.

① '깡충깡충'을 버리고 '깡총깡총'을 표준어로 삼은 것은 모음 조화를 고려한 결과이군.
② '으레'를 버리고 '으레'를 표준어로 삼은 것은 '제2장 제8항'의 규정과 관련되는군.
③ '알타리무' 대신 '총각무'를 표준어로 삼은 것은 고유어 계통의 단어가 생명력을 잃었기 때문이군.
④ '안절부절하다' 대신 '안절부절못하다'를 표준어로 삼은 것은 '제3장 제26항'의 규정과 관련되는군.
⑤ '신－신발, 여쭈다－여쭙다, 옥수수－강냉이, 우레－천둥, 주책이다－주책없다' 등은 사용 빈도에 따라 표준어를 결정한 것이로군.

중단원 실전 문제

[08~11] 다음 글을 읽고, 물음에 답하시오.

(가) '한글 맞춤법'의 대원칙은 총칙 제1항에 다음과 같이 명시되어 있다.

> 제1항 한글 맞춤법은 표준어를 ㉠소리대로 적되, ㉡어법에 맞도록 함을 원칙으로 한다.

이에 따르면 한글 맞춤법은 표준어의 발음을 그대로 반영하는 표기 방식이 근본 원칙이 되고, 거기에 어법에 맞도록 한다는 원칙이 덧붙어 있는 것이 된다. '구름', '나무', '하늘' 등이 소리대로 적어서 올바른 표기가 되는 예이다.

(나) '외래어 표기법'은 외래어를 한글로 적는 데 대한 규정이다. 하나의 단어를 '커피샵, 커피샾, 커피숍, 커피숖' 등으로 다양하게 쓰는 혼란을 피하기 위해 일정한 원칙에 따라 한 가지로 표기하도록 정한 것이다.

외래어 표기의 기본 원칙은 다음의 총 다섯 항으로 제시되어 있다.

> 제1항 외래어는 국어의 현용 24 자모만으로 적는다.
> 제2항 외래어의 1 음운은 원칙적으로 1 기호로 적는다.
> 제3항 받침에는 'ㄱ, ㄴ, ㄷ, ㄹ, ㅁ, ㅂ, ㅅ, ㅇ'만을 쓴다.
> 제4항 파열음 표기에는 된소리를 쓰지 않는 것을 원칙으로 한다.
> 제5항 이미 굳어진 외래어는 관용을 존중하되, 그 범위와 용례는 따로 정한다.

(다) 우리말로 표기된 인명이나 지명 등의 고유 명사를 로마자로 어떻게 적을 것인지를 규정한 것이 '국어의 로마자 표기법'이다. 국어의 로마자 표기법은 한글 철자를 그대로 로마자로 적는 것이 아니라 표준 발음법에 따라 적는 것을 원칙으로 한다. 그리고 로마자 이외의 부호는 되도록 사용하지 않으며, 같은 소리는 항상 하나의 로마자로 적는 것을 원칙을 따른다.

로마자 표기법에서 국어의 자음과 모음은 다음과 같이 로마자로 표기하도록 규정하고 있다.

ㄱ	ㄲ	ㅋ	ㄷ	ㄸ	ㅌ	ㅂ	ㅃ	ㅍ	ㅈ
g, k	kk	k	d, t	tt	t	b, p	pp	p	j

ㅉ	ㅊ	ㅅ	ㅆ	ㅎ	ㄴ	ㅁ	ㅇ	ㄹ	
jj	ch	s	ss	h	n	m	ng	r, l	

ㅏ	ㅓ	ㅗ	ㅜ	ㅡ	ㅣ	ㅐ	ㅔ	ㅚ	ㅟ	ㅑ
a	eo	o	u	eu	i	ae	e	oe	wi	ya
ㅕ	ㅛ	ㅠ	ㅒ	ㅖ	ㅘ	ㅙ	ㅝ	ㅞ	ㅢ	
yeo	yo	yu	yae	ye	wa	wae	wo	we	ui	

그러나 로마자는 우리말의 음운 체계를 고려하여 만들어진 문자가 아니기 때문에 발음과 표기가 일치하는 로마자 표기법은 거의 불가능하다. 예를 들어 자음의 경우 로마자로 'ㄱ-ㄲ-ㅋ'과 같은 대립을 정확히 표기할 수 없는데, 현 규정은 위의 원칙에 따라 'g, k-kk-k'로 적는 방법을 따르기로 하였다. 모음의 경우에도 우리말의 단모음은 10개인데 로마자의 모음은 5개뿐이어서 'ㅓ, ㅡ, ㅐ, ㅚ, ㅟ' 등의 모음은 하나의 로마자로는 대응시킬 수 없으므로 두 개의 로마자를 합쳐서 대응하도록 만들었다. 따라서 국어의 로마자 표기법에서는 표기와 발음의 불일치를 어느 정도 인정하되, 우리 나름의 원칙에 따라 일관되게 표기하는 것이 중요하다.

수능형

08 〈보기〉는 한글 맞춤법 제1항에 대한 설명이다. ㉠, ㉡에 대해 학생들이 이해한 내용으로 적절한 것은?

〈 보기 〉

한글 맞춤법은 소리대로 표기하는 것이 근본 원칙입니다. '구름, 나라, 하늘' 등은 표준어를 소리 나는 대로 적은 예입니다. 그런데 이 원칙을 따라 '꽃'이라는 단어를 소리대로 적는다면 쓰이는 환경에 따라 '꼳, 꼰나무, 꼬치'와 같이 다양하게 표기될 것인데, 이럴 때 단어의 의미가 쉽게 파악되지 않아 독서 능률이 현저히 떨어지게 되는 문제가 생깁니다. 이 때문에 발음과 상관없이 형태를 고정시키는 방법, 즉 어법에 맞도록 한다는 원칙을 추가한 것입니다.

① '먹어, 먹은'은 어간과 어미를 분리해서 적은 것으로 ㉠의 원칙이 적용된 것이다.
② '미닫이, 굳이'는 발음할 때 [미다지], [구지]로 발음하므로 음운 변동을 반영하지 않고 표기하는 ㉠의 원칙을 적용받았군.
③ '푸다'의 어간에 모음으로 시작하는 어미 '-어서'가 더해지는 경우 원래 형태에서 벗어난 '퍼서'로 적는 것은 ㉠의 원칙이 적용되었기 때문이군.

④ '여자(女子) – 남녀(男女)'의 예로 볼 때, 같은 글자가 위치에 따라 다르게 쓰이는 것은 ㉡의 원칙이 적용된 것이군.
⑤ '미덥다, 우습다'는 어간을 밝혀 적지 않은 것으로 볼 때 ㉡의 원칙이 적용된 것이겠군.

09 (나)와 관련한 학습 활동의 결과이다. 적절하지 않은 것은?

① 제1항은 외래어 표기를 위해 우리말에는 없는 새로운 문자나 부호를 만들지 않고 현용 한글 자모만으로 적는다는 원칙이다.
② 'fighting'을 '화이팅', 'film'을 '필름'이라 하여 'f'를 'ㅎ'과 'ㅍ'으로 다르게 적지 않고 '파이팅'과 '필름'으로 적는 것은 제2항의 규정을 따른 것이다.
③ 'chocolate'을 '초콜릳'이 아니라 '초콜릿'으로 적도록 했는데 이것은 'chocolate'에 모음으로 시작하는 조사가 올 때, [초콜리시], [초콜리슬]으로 발음되기 때문이다.
④ 제 4항은 '빠리' 대신 '파리', '뻐스' 대신 '버스'로 적는 것은 외국어에는 예사소리–된소리–거센소리의 구분이 존재하지 않기 때문이다.
⑤ 제5항은 관용을 존중한다는 원칙으로 'camera'를 '캐머러'로 표기하는 것이 원칙이지만 '카메라'로 표기하는 것이 그 예이다.

10 [보기]는 (다)의 심화 학습으로 로마자 표기를 할 때, 유의해야 할 사항을 정리한 것이다. 밑줄 친 부분의 예로 적절한 것은?

〈보기〉

음운 변화가 일어날 때에는 변화의 결과에 따라 다음 각 호와 같이 적는다.
'ㄱ, ㄷ, ㅂ, ㅈ'이 'ㅎ'과 합하여 거센소리로 소리 나는 경우
· 낳지[나치] nachi · 좋고[조코] joko
다만, 체언에서 'ㄱ, ㄷ, ㅂ' 뒤에 'ㅎ'이 따를 때에는 'ㅎ'을 밝혀 적는다.

① 집현전[지편전] – jiphyeonjeon ② 잡혀[자펴] – japyeo
③ 오죽헌[오주컨] – Ojukeon ④ 낳지[나치] – nachi
⑤ 같히다[가치다] – gachida

서술형 문제

학습 활동 적용

11 이 글을 참고하여 〈보기〉의 우리말을 로마자 표기로 바꾸고 그렇게 표기한 이유를 서술하시오.

〈보기〉
• 백마 • 알약 • 해돋이

12 〈보기〉와 같은 국어 자료의 종결 표현이 갖는 특징을 쓰고 이와 같은 종결 표현을 쓰는 이유를 서술하시오.

〈보기〉

봉사 활동 단원 모집 공고문

△△구 청소년 복지 센터에서 봉사 활동 단원을 모집합니다. 봉사 활동에 관심있는 학생들의 많은 지원 바랍니다.
• 모집 대상: △△구 지역 내 고등학생
• 신청 방법: 자기소개서를 작성하여 △△구 청소년 복지 센터 누리집에 기재된 이메일 주소로 제출
• 선발 방법: 자기소개서 및 면접

(1) 종결 표현이 특징:
(2) 이유:

1등급 완성 문제

정답과 해설 p. 39

[01~06] 다음 글을 읽고, 물음에 답하시오.

(가) 언어는 지역이나 연령, 성별, 사회 집단 등에 따른 사회적 특성이 드러난다. 한국인이 사용하는 한국어라고 해서 모두 똑같은 것이 아니다. 예를 들어, '팽이'는 지역에 따라 '패이(강원)', '핑갱이(경북)', '팽데기(경남)', '도로기(제주도)', '뺑도리(전북)', '팽구래미(충북)', '세루(평안)', '뽀애(함경)' 등으로 불린다. 같은 '팽이'임에도 지역에 따라 그 형태가 조금씩 다르다.

또 지역이 같더라도 연령, 성별, 사회 집단 등의 차이로 인해 같은 뜻을 지닌 언어가 형태를 달리하는 예도 있다. 이는 개인의 언어 속에 그가 속한 공동체의 특성이 담겨 있기 때문이다.

언어는 그 자체로 문화적 산물인 동시에 한 문화를 반영하는 거울이라고 할 수 있다. 언어는 그 사회의 문화를 나타내기 때문이다. 이처럼 어떤 언어든 그 언어를 사용하는 언어 공동체의 고유한 문화와 밀접하게 관련되어 있다. 예를 들어, '간장, 온돌, 부럼' 등의 단어를 외국인에게 알려 줄 때 한 단어로 간단하게 번역하기는 어렵고, 일일이 그 뜻을 풀어서 설명해야 한다. 이 단어들은 우리말에만 있고 다른 나라 말에는 없기 때문이다.

[A] 그런데 어떤 언어에는 있는 단어가 다른 언어에는 없는 현상은 단순히 특정한 단어가 있고 없는 문제가 아니라, 그 언어 공동체가 공유하고 있는 문화와 관련되어 있다. 즉, 다른 나라 언어에 '간장, 온돌, 부럼' 등을 가리키는 단어가 없는 이유는 그 언어 공동체에는 그러한 문화가 없기 때문이다.

(나) 자음과 모음을 가지고 있다든지, 단어가 모여서 문장이 된다든지, 주어와 서술어 같은 문장 성분이 있다든지 하는 것은 언어들의 공통적인 특성이라는 점에서 언어의 일반적 특성이라 할 수 있다. 국어도 언어의 일종이기 때문에 이와 같은 일반적 특성이 있다. 그러나 동시에 국어는 다른 언어와 구별되는 개별 언어이기 때문에 국어만의 고유한 특성도 가지고 있다. 국어의 특성은 음운, 어휘, 문장, 담화 등 다양한 측면에서 나타난다.

국어는 예사소리, 된소리, 거센소리가 대립되는 자음 체계를 가지고 있다. 이는 영어를 포함한 많은 인구어들이 유성음과 무성음이 대립되는 자음 체계를 보이는 것과 구별되는 국어의 음운적 특성이다.

고유어와 외래어의 이분 체계를 가지는 여타 언어와 달리 우리말의 어휘 체계는 고유어, 한자어, 외래어의 삼분 체계를 가진다는 점과 의성어, 의태어와 같은 상징어가 풍부하게 발달하여 있는 점 등은 국어의 어휘적 특성이다. 또한 '노랗다, 노르스름하다, 샛노랗다' 등과 같은 색채와 관련된 표현들이 발달해 있고, 성별, 연령, 상하 관계 등에 따라 친족어와 호칭어들이 섬세하게 분화된 것도 어휘 면에서 주요한 특징 가운데 하나이다.

국어는 높임 표현이 발달한 언어이다. 담화가 이루어지는 상황에서 문장의 주체를 높이거나 말을 듣는 상대에 관해 일정한 문법 요소를 체계적으로 활용하여 높이거나 높이지 않는 문법적 특성을 보인다. 또 기본 어순이 '주어-목적어-서술어'로 이루어진다는 점에서 영어, 중국어 등과 같이 '주어-서술어-목적어'의 기본 어순을 가지는 언어들과 구분되는 문법적 특징을 보인다.

국어는 '주어-목적어-서술어'의 기본 어순을 따르되 담화 상황에 따라 ㉠ <u>어순을 비교적 자유롭게 바꿀 수 있고</u> 주어나 목적어와 같은 ㉡ <u>필수적인 성분을 생략할 수 있는 특성</u>이 있다. 또 말하는 이의 질문이 긍정 질문이냐 부정 질문이냐에 따라 대답을 달리하는 점에서, 항상 일정하게 대답하는 영어와 구별되는 특성이 있는데, 이 또한 국어에서 나타나는 담화적 특성이다.

01 (가)와 (나)에 대한 설명으로 적절한 것은?

① (가)와 달리 (나)는 정보를 전달할 목적으로 서술하고 있다.
② (가)는 (나)와 달리 구체적 예를 제시함으로써 이해를 돕고 있다.
③ (가)와 (나) 모두 공동체 속에서 언어가 가지는 특징을 다루고 있다.
④ (가)와 (나) 모두 세계 속에서 국어가 차지하는 위상을 언급하고 있다.
⑤ (가)와 (나) 모두 음운, 어휘, 문법, 담화 수준에서 언어의 특성을 고찰하고 있다.

02 다음은 [A]를 뒷받침하기 위해 찾아본 자료들이다. 적절하지 않은 것은?

① 한국의 전통 음식인 '고추장', '누룽지', '식혜'
② '부추'를 가리키는 지역 방언인 '솔', '정구지', '푸초'
③ 조선 시대 여성들의 생활 양식에서 유래한 호칭 '안사람'
④ 물때를 가리키는 제주도 해녀들의 말인 '조금', '사리', '줴기', '아끈줴기'
⑤ 농업 사회에서 비의 종류를 가리키는 '가랑비, 궂은비, 눈비, 목비, 여우비'

출제 예감

03 (가)를 읽은 후 〈보기〉에 대해 보일 반응으로 적절한 것은?

〈보기〉
[질문] 장인, 장모를 '아버님, 어머님'이라고 부르고 있습니다. 그런데 부모님께서 잘못된 호칭이라고 지적하십니다. 적절한 호칭어·지칭어는 무엇일까요?
[답변] 아내의 부모를 부르거나 가리키는 말로 '아버님', '어머님'을 쓸 수 있는가 하는 것은 세대에 따라 대답이 다릅니다. 연세 드신 분들은 아내의 부모를 '장인어른', '장모님' 하고 부르고, 젊은 사람 가운데 많은 이들은 '아버님', '어머님'이라고 부릅니다. 연세 드신 분들 중에는 처부모를 '아버님', '어머님'이라고 부르는 것은 언어 현실이 어떠하든 인륜을 무시한, 있을 수 없는 일이라고 강경하게 반대하는 분들도 있습니다. 그에 반해서 여자가 시집을 가서 며느리가 되면 시부모를 '아버님', '어머님'이라고 부르는데 사위도 처부모를 '아버님', '어머님'이라고 못 부를 이유가 없다는 것이 요즘 젊은 세대에 널리 퍼진 생각이기도 합니다. 이렇게 전통과 새로움이 오늘의 현실 속에 공존하고 있고, '아버님', '어머님'이 친부모의 호칭어인 '아버지', '어머니'와는 다르므로 두 가지를 다 인정하여 '장인어른'과 '아버님', 그리고 '장모님'과 '어머님'을 표준 화법으로 정했습니다.

① 언어는 사회적 약속임과 동시에 역사성을 지닌다는 걸 보여 주는군.
② 국어가 다른 언어에 비해 높임 표현이 매우 발달하였음을 보여 주는군.
③ 언어 사용자가 속한 공동체의 특성에 따른 어휘의 차이를 보여 주는군.
④ 특정한 사회 집단에만 있는 문화와 어휘로 인해 의사소통이 되지 않는 현상이군.
⑤ 국어의 어휘 중에서 고유어와 한자어가 공존하면서 경쟁하고 있음을 보여 주는군.

04 (나)를 읽고 국어의 특성을 정리하고 예를 찾아보았다. 적절하지 않은 것은?

①	'예사소리 - 된소리 - 거센소리'의 대립
	예 물 - 뿔 - 풀
②	'고유어 - 한자어 - 외래어'의 삼분 체계
	예 구름 - 기온 - 빵
③	상징어와 색채어의 발달
	예 파르란 구슬빛 바탕에 / 살살이 퍼져 나린 곧은 선이 / 열두 폭 기인 치마가 사르르 물결을 친다
④	친족어와 호칭어의 발달
	예 엄마 - 어머니 - 어머님 - 모친
⑤	높임 표현의 발달
	예 지난 주말에 아버지께서 할머니께 전화를 드렸습니다.

출제 예감

05 다음은 'I love you.'를 국어로 바꾼 표현들이다. ㉠과 ㉡을 동시에 설명할 수 있는 것은?

① 나는 당신을 사랑합니다.
② 사랑해요, 당신을.
③ 그대를 사랑합니다.
④ 널 사랑해, 내가.
⑤ 당신을 사랑해.

서술형

06 〈보기〉를 활용하여 (나)에 국어의 특성 한 가지를 덧붙이려고 한다. 빈칸에 적절한 내용을 서술하시오.

〈보기〉
'차린 건 없지만 많이 드세요.', '아직 부족한 게 많아 부끄럽습니다.' 등에서 보듯 국어에는 ______________

[07~09] 다음 글을 읽고, 물음에 답하시오.

가 무지개의 색깔은 연속적이지만 우리말에서는 이를 일곱 가지 색깔로 끊어서 표현한다. 언어 기호의 이러한 특성을 분절성이라고 한다.

언어 기호의 수는 제한되어 있고 실제 세계에 존재하는 대상은 무한하기 때문에 언어는 대상들 사이의 공통된 속성을 ⓐ뽑아서 말소리와 의미를 연결한다. 예를 들어, '꽃'이라는 말소리의 의미는 우리가 수많은 종류의 꽃들로부터 공통 속성만을 뽑아내는 과정, 즉 추상화를 통해서 형성된 것이다. 언어 기호의 이러한 특성을 추상성이라고 한다.

언어의 구조적 특성에는 창조성, 체계성, 규칙성 등이 있는데, 이 특성들 역시 서로 긴밀하게 연관되어 있다.

인간이 구별해서 사용할 수 있는 기호의 수는 제한되어 있지만 이를 활용하여 무한한 표현을 생산할 수 있다. 이를 창조성이라고 한다. 그리고 언어는 음운, 단어, 문장, 담화 등의 단위마다 일정한 내적 체계를 이루고 있는데, 이를 체계성이라 한다. 또한 이러한 단위들이 아무렇게나 연결되어서 더 큰 단위가 만들어지는 것이 아니라 일정한 구조를 이루도록 규칙이 적용되는데, 이를 규칙성이라 한다. 언어의 규칙성은 언어 단위들이 일정한 체계를 이루고 있는 체계성을 토대로 ⓑ구현되는 것이며, 이러한 체계성과 규칙성을 토대로 할 때 유한한 기호로써 무한한 표현을 생산하고 해석하는 창조성이 이루어진다.

나 언어의 기호적·구조적 특성은 매체 언어에도 거의 적용된다. 다만, 매체 언어는 말과 글뿐 아니라 소리, 이미지, 영상 등도 활용하여 의미를 전달하기 때문에 어떤 특성이 강해지거나 약해지기도 하며 새로운 특성이 더해지기도 한다. 예를 들어, 소리나 이미지에 중점을 두면 분절성은 약해지는 대신 감각에 ⓒ호소하는 경향이 강해진다. 신문 같은 매체는 언어의 선조성에 더해서 편집과 관련한 공간적 특성이 강조되고, 대중 매체 같은 경우에는 대량성이 강조된다. 이처럼 매체가 다양한 만큼 매체 언어도 다양한 특성을 보인다.

모든 인간은 적절한 조건 아래 자연스럽게 언어를 습득한다. 매체 언어도 마찬가지여서, 적절한 환경이 주어지면 모두가 매체 언어를 익힐 수 있는 능력을 갖추고 있다. 이처럼 매체에 익숙해져서 매체로 소통하고 매체를 활용하여 문제를 해결하며 매체 문화를 ⓓ향유하고 창조할 수 있는 능력을 매체 문식성이라고 한다. 매체 언어를 학습한다는 것도 곧 매체 문식성을 ⓔ높여 가는 일이다.

07 이 글의 내용과 일치하지 않는 것은?

① 매체 언어도 언어로서의 기호적 특성을 지니고 있다.
② 이미지를 활용하여 의미를 전달하는 매체 언어는 분절성이 약화된다.
③ 신문은 음성 언어와 차별화된 공간적 특성을 강조하기 위해 편집을 활용한다.
④ 매체 문식성이라는 개념은 매체를 통한 소통과 문제 해결 및 창조 능력을 일컫는다.
⑤ '꽃'의 의미 속에는 세상에 존재하는 꽃들의 구체적인 특성들이 모두 포함되어 있다.

출제 예감

08 〈보기〉의 내용과 가장 관련 깊은 것은?

〈보기〉

"나는 학교에 간다."라는 문장을 배운 아이는 "너는 학교에 간다.", "나는 우체국에 간다."와 같은 새로운 문장을 쉽게 만들어 낼 수 있다.

① 언어의 규칙성
② 언어의 분절성
③ 언어의 창조성
④ 언어의 체계성
⑤ 언어의 추상성

09 ⓐ~ⓔ를 문맥상 의미가 통하는 말로 바꾸어 보았다. 적절하지 않은 것은?

① ⓐ: 골라내서
② ⓑ: 성립되는
③ ⓒ: 의존하는
④ ⓓ: 누리고
⑤ ⓔ: 선양해

[10~12] 다음 글을 읽고, 물음에 답하시오.

가 매체 언어는 의사소통의 목적에 따라 크게 정보 전달, 설득, 친교 및 정서 표현으로 나뉘고, 갈래마다 세분화된다. 매체와 갈래에 따라 자료의 구성 방식과 소통 특성이 달라진다. 예를 들어, 텔레비전이라는 한 매체 안에서도 뉴스, 예능, 드라마 등의 구성 방식이 다르고, 같은 뉴스 범주 안에서도 신문 뉴스인지 텔레비전 뉴스인지 또는 인터넷 뉴스인지에 따라 구성과 소통 방식이 다르다.

나 매체를 바탕으로 한 오늘날의 사회적 공간은 과거보다 이루 말할 수 없이 넓어졌다. 이런 변화에 따라 현대 사회의 소통은 다음과 같은 특징을 지닌다.

첫째는 속도이다. 조선 시대에는 지금의 서울인 한양에서 전라북도의 남원까지 가려면 하루에 백 리씩 쉬지 않고 걸어도 일주일이 걸렸다. 소설 『춘향전』에 남원에서 춘향이 한양의 몽룡에게 편지를 전하는 장면이 있는데, 실제 답장을 받으려면 빨라도 보름이 걸린다. 하지만 현대 사회에서는 전화나 전자 우편 등의 매체를 활용하여 지구 반대편에 있는 친구와도 거의 실시간으로 대화를 나눌 수 있다. 더불어 소통의 속도가 빨라지면 그만큼 발신자와 수신자 사이의 심리적 거리도 줄어든다.

둘째는 범위이다. 인간의 목소리만으로 일정 범위 이상에 있는 청중과 소통하기는 어렵다. 손으로 쓴 문서도 전달 범위에 한계가 있다. 하지만 책, 신문, 방송, 인터넷 등의 매체가 등장하면서 수만, 수억의 사람과 소통이 가능해졌다.

셋째는 개방성이다. 정보 통신 기술에 힘입은 뉴 미디어는 복합적이고 개방적인 소통 현상을 낳았다. 어떠한 정보든 댓글이나 퍼 나르기, 재가공 등을 통해 커다란 소통 생태계를 형성할 수 있고, 그로 인해 현대인은 대상에 관해 더 상세하고 다양하게 표현하고 전달할 수 있게 되었다. 그 결과 인터넷 등을 통한 지식의 공유, 집단 지성의 발휘 등이 가능해졌다. 하지만 표절이라든지 가짜 뉴스, 개인 정보 침해 현상 등 과거에 드물었던 부작용들도 나타났다. 이러한 현상은 앞에서 말한 속도, 범위와 결합하여 새로운 소통 문화를 만들어 가고 있다.

출제 예감

10 의사소통의 목적에 따라 매체 언어들을 네 갈래로 나누었다. 바르게 분류한 것은?

	정보 전달	설득	친교	정서 표현
①	신문 사설	문자 메시지	영화	온라인 채팅
②	공익 광고	신문 기사	일기	웹툰
③	연설문	상업 광고	예술 사진	보고서
④	보도 기사	라디오 광고	누리소통망 메시지	뮤직 비디오
⑤	인터넷 기사	텔레비전 드라마	신문 광고	수필

[11~12] 이 글과 〈보기〉를 보고 물음에 답하시오.

〈보기〉

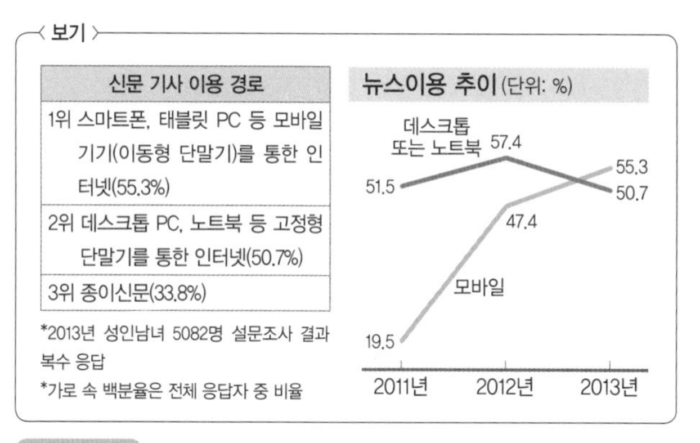

신문 기사 이용 경로
1위 스마트폰, 태블릿 PC 등 모바일 기기(이동형 단말기)를 통한 인터넷(55.3%)
2위 데스크톱 PC, 노트북 등 고정형 단말기를 통한 인터넷(50.7%)
3위 종이신문(33.8%)

*2013년 성인남녀 5082명 설문조사 결과 복수 응답
*가로 속 백분율은 전체 응답자 중 비율

출제 예감

11 이 글을 읽은 후 〈보기〉에 대해 대화를 나누었다. 적절하지 <u>않은</u> 것은?

① 같은 뉴스라고 하더라도 다양한 매체를 통해 수신자에게 전달될 수 있군.
② 지구 반대편의 뉴스도 거의 실시간으로 접할 수 있는 기반이 갖추어졌군.
③ 종이 신문의 기사와 스마트폰 기사의 매체는 달라도 내용의 구성 방식은 동일하군.
④ 정보 통신 기술이 발달하면서 종이 신문을 대체할 뉴 미디어들이 다양하게 생겨났군.
⑤ 뉴 미디어를 통해 기사를 접하는 이들이 점차 늘어나고 있으니 가짜 뉴스에 특히 유의해야겠군.

◎ 서술형

12 〈보기〉와 같은 현상의 원인을 (나)를 참고하여 세 가지로 서술하시오.

1등급 완성 문제

정답과 해설 p. 40

출제 예감

01 〈보기 1〉의 빈칸에 들어갈 말을 〈보기 2〉를 활용하여 제시한 것으로 가장 적절한 것은?

〈보기 1〉

'가다'를 발음한 후 다시 '가자'를 발음해 보았다. 그러자 조음 위치가 (   ) 이동하는 것을 알 수 있었다.

〈보기 2〉

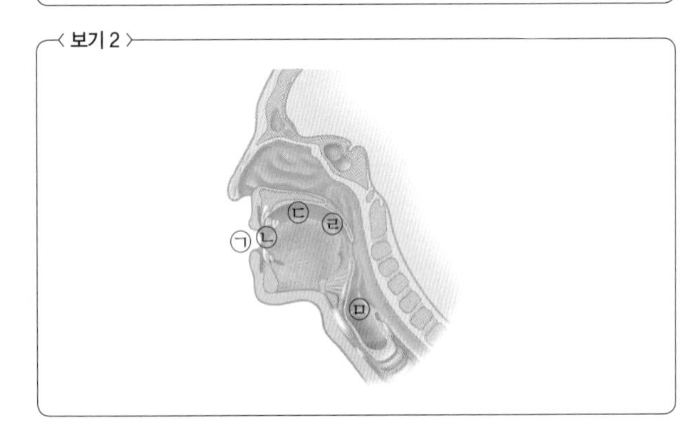

① ㉠에서 ㉡로
② ㉡에서 ㉢으로
③ ㉢에서 ㉣로
④ ㉣에서 ㉤으로
⑤ ㉤에서 ㉣로

02 〈보기 1〉을 참고할 때, 〈보기 2〉에서 적절한 것을 있는 대로 고른 것은?

〈보기 1〉

음절이란 발음할 때 한 번에 낼 수 있는 소리의 단위를 말한다. 음절은 다음과 같은 네 가지 형태로 구성된다.

- 하나의 모음으로 이루어진 것: 예 아, 유
- 자음과 모음으로 이루어진 것: 예 가, 벼
- 모음과 자음으로 이루어진 것: 예 억, 약
- 자음, 모음, 자음으로 이루어진 것: 예 밤, 선

〈보기 2〉

ㄱ. 음절은 음운이 모여 이루어진다.
ㄴ. 음절의 수는 모음의 수와 일치한다.
ㄷ. 자음이 없이는 음절을 이룰 수 없다.
ㄹ. 자음 'ㅇ'은 음절의 첫소리에 올 수 없다.

① ㄱ, ㄴ
② ㄱ, ㄷ
③ ㄷ, ㄹ
④ ㄱ, ㄴ, ㄹ
⑤ ㄴ, ㄷ, ㄹ

출제 예감

03 다음 밑줄 친 설명에 해당하는 어휘의 예에 해당하지 않는 것은?

<u>의성어, 의태어와 일부 형용사에서 모음 교체나 자음 교체를 통해 어감(語感)의 차이를 표현하는 경우</u>가 있다. '갸우뚱-기우뚱', '퐁당-풍덩' 등과 같은 모음 교체의 예나 '바르르-파르르', '감감하다-깜깜하다-캄캄하다' 등과 같은 자음 교체의 예가 바로 그것이다. 한편 어감의 차이를 표현하기 위한 음운 교체는 의성어, 의태어 및 형용사가 아닌 어휘에서 발견되는 경우도 있다.

① 닦다 – 딲다
② 이것 – 요것
③ 악착 – 억척
④ 쌀쌀하다 – 살살하다
⑤ 깜깜하다 – 캄캄하다

04 〈보기〉의 내용에 따를 때 적절하지 않은 것은?

〈보기〉

음운(音韻)은 기본적으로 의미를 분화시키는 기능을 하며, 크게 분절 음운과 비분절 음운으로 나눌 수 있다. 분절 음운에는 자음과 모음이 있으며, 이를 음소라고 한다. 비분절 음운에는 음의 장단, 고저, 강약이 있으며, 이를 운소라고 한다. 국어는 다른 언어와 달리 장단, 고저, 강약 등이 음운으로 작용하는 일이 많지 않다. 중국어는 음의 고저에 따라 그 뜻이 달라지며, 영어는 강약을 주요 음운으로 이용하는 반면, 국어는 장단으로 그 의미가 구별되는 일이 있기는 하지만 극히 일부의 현상에 지나지 않는다. 또 한글은 자모(字母) 문자이면서 알파벳처럼 한 줄로 풀어쓰기보다 음절 단위로 모아쓴다. 이는 국어의 음운 조직이 음절이란 단위를 중심으로 이루어져 있기 때문이다.

① '아랑'은 모두 5개의 음소로 구성되어 있는 단어이다.
② 국어는 운소보다 음소를 중심으로 사용되는 언어이다.
③ '음운'은 기본적으로 말의 뜻을 구별해 주는 기능을 갖고 있다.
④ '밤'은 비분절 음운에 의해 그 의미가 달라질 수 있는 사례에 해당한다.
⑤ 국어의 '음절'은 음소를 하나의 덩어리로 모아씀으로써 이루어지는 단위이다.

05 다음 표준 발음법을 참조하여 〈보기〉의 ㉠~㉣에 들어갈 표준 발음을 쓰시오.

표준 발음법

제10항
겹받침 'ㄳ', 'ㄵ', 'ㄼ, ㄽ, ㄾ', 'ㅄ'은 어말 또는 자음 앞에서 각각 (앞에 있는 자음인) [ㄱ, ㄴ, ㄹ, ㅂ]으로 발음한다. 다만, '밟-'은 자음 앞에서 [밥]으로 발음한다.

제13항
홑받침이나 쌍받침이 모음으로 시작된 조사나 어미, 접미사와 결합되는 경우에는, 제 음가대로 뒤 음절 첫소리로 옮겨 발음한다.

제14항
겹받침이 모음으로 시작된 조사나 어미, 접미사와 결합되는 경우에는, 뒤엣것만을 뒤 음절 첫소리로 옮겨 발음한다.

제29항
합성어 및 파생어에서, 앞 단어나 접두사의 끝이 자음이고 뒤 단어나 접미사의 첫음절이 '이, 야, 여, 요, 유'인 경우에는, 'ㄴ' 음을 첨가하여 [니, 냐, 녀, 뇨, 뉴]로 발음한다.

〈보기〉
- '넓고'는 [㉠]로 발음한다.
- '담요'는 [㉡]로 발음한다.
- '맑은'은 [㉢]으로 발음한다.
- '무릎이'는 [㉣]로 발음한다.

출제 예감

06 다음은 '음운 변동'에 대한 학습 활동지 중 일부이다. ⓐ에 들어갈 내용으로 가장 적절한 것은?

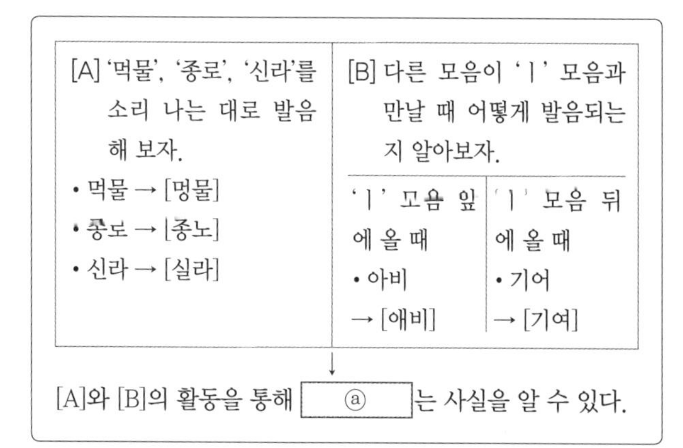

[A] '먹물', '종로', '신라'를 소리 나는 대로 발음해 보자.	[B] 다른 모음이 'ㅣ' 모음과 만날 때 어떻게 발음되는지 알아보자.	
• 먹물 → [멍물] • 종로 → [종노] • 신라 → [실라]	'ㅣ' 모음 앞에 올 때 • 아비 → [애비]	'ㅣ' 모음 뒤에 올 때 • 기어 → [기여]

[A]와 [B]의 활동을 통해 [ⓐ]는 사실을 알 수 있다.

① 음운은 발음할 때 서로 '동화'되는 경우도 있다
② 음운은 다른 음운과 서로 '교체'되는 경우도 있다
③ 음운은 다른 음운과 만날 때 '축약'되는 경우도 있다
④ 음운은 발음할 때 새로운 음운이 '첨가'되는 경우도 있다
⑤ 음운은 다른 음운과 만날 때 서로 '회피'하는 경우도 있다

출제 예감

07 〈보기 1〉의 ⓐ~ⓓ에 해당하는 예를 〈보기 2〉에서 골라 바르게 짝지은 것은?

〈보기 1〉
음운 변동의 결과에 따른 음운 규칙은 크게 교체, 탈락, 첨가, 축약으로 나눌 수 있다. ⓐ교체는 한 음운이 다른 음운으로 바뀌는 현상으로, '앞'을 발음하면 [압]으로 소리가 나는 것이 그 한 예다. ⓑ탈락은 원래 있던 음운이 생략되는 현상으로, '닭'이 [닥]으로 소리 나는 예를 들 수 있다. ⓒ첨가는 원래 없던 음운이 새로 생겨나는 현상으로, 예를 들면 '솜이불'이 [솜:니불]로 발음되면서 'ㄴ'이 첨가되는 것과 같다. ⓓ축약은 두 음운이 합쳐져서 제3의 음운으로 바뀌는 현상으로, '놓다'가 [노타]로 발음되면서 'ㅎ'과 'ㄷ'이 합쳐져 'ㅌ'으로 바뀐 예에서 이를 확인할 수 있다.

〈보기 2〉
㉠ 권력 → [궐력]
㉡ 설익다 → [설릭다]
㉢ 넓히다 → [널피다]
㉣ 편찮으니 → [편차느니]

	ⓐ	ⓑ	ⓒ	ⓓ
①	㉠	㉢	㉡	㉣
②	㉠	㉣	㉡	㉢
③	㉡	㉠	㉢	㉣
④	㉢	㉣	㉡	㉠
⑤	㉣	㉡	㉠	㉢

08 다음의 〈학습 활동〉 과제를 해결한 것으로 적절하지 않은 것은?

〈학습 활동〉
음운 탈락에는 음절 말의 겹받침 가운데 하나가 탈락하고 하나만 발음되는 ㉠'자음군 단순화', 동사나 형용사의 어간 말 자음 'ㄹ'이 몇몇 어미 앞에서 탈락하는 ㉡'ㄹ 탈락', 동사나 형용사의 어간 말 자음 'ㅎ'이 모음으로 시작하는 어미 앞에서 탈락하는 ㉢'ㅎ 탈락', 동사나 형용사의 어간 말 모음 'ㅡ'가 모음으로 시작하는 어미 앞에서 탈락하는 ㉣'ㅡ 탈락', 용언이 활용할 때 연접된 두 동음 중 뒤의 모음이 탈락하는 ㉤'동음 탈락'이 있다. 이들 각각의 예를 탐구해 보자.

① ㉠: '맑-+-지'가 [막찌]로 발음된다.
② ㉡: '놀-+-니'가 [노니]로 발음된다.
③ ㉢: '놓-+-아'가 [노아]로 발음된다.
④ ㉣: '담그-+-아'가 [담가]로 발음된다.
⑤ ㉤: '오-+-아서'가 [와서]로 발음된다.

출제 예감

09 〈보기〉는 '음절 끝소리 규칙'에 관한 학습 활동지의 일부이다. 학습한 결과를 정리한 것으로 적절하지 않은 것은?

〈보기〉

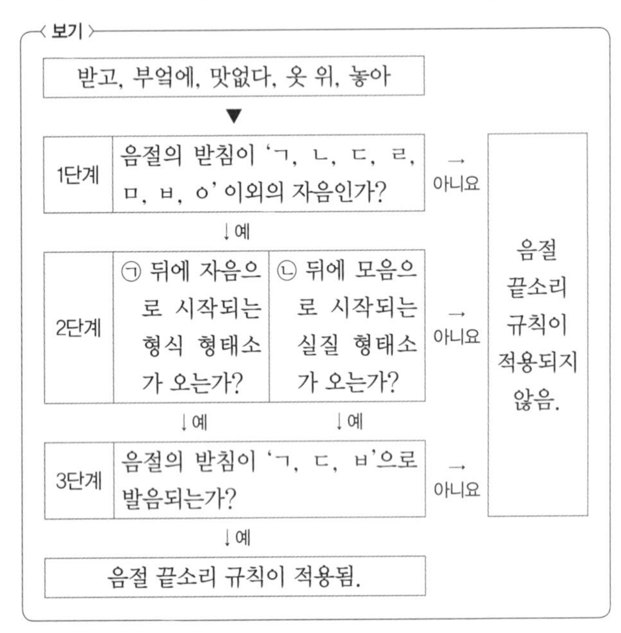

① '받고'는 1단계를 만족시키지 못하므로 [받꼬]로 발음한다.
② '부엌에'는 2-㉠의 단계를 만족시키지 못하므로 [부어케]로 발음한다.
③ '맛없다'는 1, 2-㉠, ㉡, 3의 단계를 만족시키므로 [마덥따]로 발음한다.
④ '옷 위'는 1, 2-㉠, 3의 단계를 만족시키므로 [오뒤]로 발음한다.
⑤ '놓아'는 2, 3의 단계를 만족시키지 못하고 [노아]로 발음된다.

10 〈보기〉를 바탕으로 음운의 동화 현상을 이해한 것으로 적절하지 않은 것은?

〈보기〉

음운의 동화는 한쪽의 음운이 다른 쪽 음운의 성질을 닮아서 일어나는 변동이다. 이는 다음과 같이 네 가지로 나눌 수 있다. ⓐ자음에 의해 자음이 동화되는 경우, ⓑ자음에 의해 모음이 동화되는 경우, ⓒ모음에 의해 모음이 동화되는 경우, ⓓ모음에 의해 자음이 동화되는 경우가 바로 그것이다. 한편 음운의 동화는 앞의 음운이 다음에 오는 음운의 영향을 받아 변화하는 ⓔ역행 동화와 앞의 음운이 뒷소리에 영향을 미치면서 뒤의 음운이 변화하는 ⓕ순행 동화로 나누기도 한다.

① '난로[날로]'에서는 ⓐ와 ⓔ의 음운 동화가 일어난다.
② '피어[피여]'에서는 ⓒ와 ⓕ의 음운 동화가 일어난다.
③ '맏이[마지]'에서는 ⓓ와 ⓕ의 음운 동화가 일어난다.
④ '밀가루[밀가리]'에서는 ⓑ와 ⓕ의 음운 동화가 일어난다.
⑤ '잡히다[재피다]'에서는 ⓒ와 ⓔ의 음운 동화가 일어난다.

11 다음 표준 발음법 규정의 예를 〈보기〉에서 골라 설명한 내용 중 적절하지 않은 것은?

표준 발음법 제28항
표기상으로는 사이시옷이 없더라도, 관형격 기능을 지니는 사이시옷이 있어야 할(휴지가 성립되는) 합성어의 경우에는, 뒤 단어의 첫소리 'ㄱ, ㄷ, ㅂ, ㅅ, ㅈ'을 된소리로 발음한다.

표준 발음법 제30항
사이시옷이 붙은 단어는 다음과 같이 발음한다.

1. 'ㄱ, ㄷ, ㅂ, ㅅ, ㅈ'으로 시작하는 단어 앞에 사이시옷이 올 때는 이들 자음만을 된소리로 발음하는 것을 원칙으로 하되, 사이시옷을 [ㄷ]으로 발음하는 것도 허용한다.
2. 사이시옷 뒤에 'ㄴ, ㅁ'이 결합되는 경우에는 [ㄴ]으로 발음한다.
   'ㄴ, ㅁ' 같은 비음 앞에 사이시옷이 들어간 경우에는 'ㅅ → ㄷ → ㄴ'의 과정에 따라 사이시옷을 [ㄴ]으로 발음한다.

〈보기〉
(ㄱ) 밤길 (ㄴ) 촛불 (ㄷ) 콩밥 (ㄹ) 뱃머리 (ㅁ) 콧날

① (ㄱ): 합성어 '밤길'은 표준 발음법 제28항에 의해 [밤낄]로 발음된다.
② (ㄴ): '초+불'로 합성된 단어는 표준 발음법 제30항-1에 의해 [초뿔] 또는 [촏뿔]로 발음된다.
③ (ㄷ): '콩밥'은 표준 발음법 제28항에 의해 [콩빱]으로 발음한다.
④ (ㄹ): 합성어 '뱃머리'가 [밴머리]로 발음되는 것은 표준 발음법 제30항-2에 해당한다.
⑤ (ㅁ): '콧날'은 합성어 '코날'에 붙인 사이시옷을 [ㄴ]으로 발음한 것이다.

12 〈보기〉의 사례를 바탕으로 '부사어'에 대해 탐구한 것으로 적절하지 않은 것은?

〈 보기 〉

사무실 책상 위에 놓여 있는 자스민 꽃이 ㉠참 아름답다. ㉡겨우 세 송이의 꽃이 피어 있는데도 그 향기가 사무실 전체를 휘감고 있다. 사무실에는 직원들이 ㉢아무 소리 없이 앉아 자신의 업무를 보느라 여념이 없다. ㉣모름지기 인간이란 저 자스민 꽃처럼 향기를 내뿜을 수 있어야 한다는 생각을 해 본다. 나는 지금까지 내 주변에 있는 ㉤사람들에게 사랑을 주며 살아왔던가? ㉥지금 자스민 향기를 맡으며 나는 ㉦진실로 사랑하며 살아야 한다고 생각해 본다.

① ㉠과 ㉦을 보니, 부사어는 부사 단독으로 쓰이거나 '체언+부사격 조사'의 형태로 쓰이는군.

② ㉡과 ㉥을 보니, 부사어는 주로 동사나 형용사를 수식하는 기능을 하고 있군.

③ ㉢을 보니, 한 문장 속에서 부사어가 부사절의 형태로 나타나기도 하는군.

④ ㉣을 보니, 부사어는 특정 성분이 아닌 문장 전체를 꾸며 주기도 하는군.

⑤ ㉤을 보니, 서술어에 따라 부사어가 필수 성분으로 요구되는 경우도 있군.

13 〈보기〉의 설명에 따른 용례를 이해한 것으로 적절하지 않은 것은?

〈 보기 〉

용언이 문장 속에서 서술어로 사용될 때는 한 개의 본용언, 본용언+본용언, 본용언+보조 용언의 형태로 구성되어 나타나는 것이 일반적이다. 이때 본용언은 자립성을 지니고, 실질적인 의미를 나타내며, 단독으로 서술 능력을 가진다. 반면, 보조 용언은 본용언에 의존해 쓰이면서 그것의 의미를 더해 주는 역할에 그치게 된다. 보조 용언은 '-ㄴ(는)다'의 결합 여부에 따라 결합이 가능한 보조 동사와 결합이 불가능한 보조 형용사로 나뉜다.

▼

[용례]
(ㄱ) 영수는 도서관에 간다.
(ㄴ) 설희는 빵을 먹고 갔다.
(ㄷ) 나는 바나나를 먹고 싶다.
(ㄹ) 반드시 내 힘으로 막아 내겠다.
(ㅁ) 저 산 너머에는 비가 오나 보다.

① (ㄱ)의 '간다'는 실질적인 의미를 드러내고 있으므로 한 개의 본용언으로 쓰이는 서술어에 해당하겠군.

② (ㄴ)의 '먹고 갔다'는 두 용언이 모두 자립성을 지니고 있으므로, '본용언+본용언'의 형태로 구성된 서술어에 해당하겠군.

③ (ㄷ)의 '먹고 싶다'에서 '싶다'는 문장 속에서 단독으로 서술 능력을 갖지 못하므로 보조 용언에 해당하겠군.

④ (ㄹ)의 '막아 내겠다'에서 '내겠다'는 본용언인 '막아'의 의미를 더해 주고 있으므로 보조 용언에 해당하겠군.

⑤ (ㅁ)의 '오나 보다'에서 '보다'는 본용언인 '오나'에 의존해 쓰이는 보조 용언으로, 구체적으로는 보조 동사에 해당하겠군.

출제 예감

14 〈보기〉를 바탕으로 (ㄱ)~(ㅁ)에 대해 설명한 내용으로 적절하지 않은 것은?

〈 보기 〉

보조사 '은/는'의 쓰임
받침이 있는 체언 뒤에 붙는 보조사 '은'과 받침이 없는 체언 뒤에 붙는 보조사 '는'은 문장 속에서 주격, 목적격, 부사격으로 쓰이면서 체언을 정의하거나, 다른 것과의 차이(대조)를 나타내는 경우가 많다. 또 어떤 대상이 화제임을 나타내거나, 강조의 뜻을 드러내기도 한다.

(ㄱ) 나한테도 잘못은 있다.
(ㄴ) 인간은 생각하는 동물이다.
(ㄷ) 우리도 그렇게는 할 수 없다.
(ㄹ) 아무리 바빠도 식사는 꼭 해라.
(ㅁ) 날씨는 사람의 기분을 좌지우지한다.

① (ㄱ)에서 '은'은 주격으로 쓰이면서 체언을 정의하고 있다.

② (ㄴ)에서 '은'은 비교되는 다른 대상과의 차이를 나타내고 있다.

③ (ㄷ)에서 '는'은 부사격으로 쓰이면서 강조의 뜻을 나타내고 있다.

④ (ㄹ)에서 '는'은 받침 없는 체언 뒤에 붙어 목적격으로 쓰이고 있다.

⑤ (ㅁ)에서 '는'은 주격 조사를 대체하면서 '날씨'가 화제임을 나타내고 있다.

출제 예감

15 **다음 설명을 바탕으로 〈보기〉에 나타난 문장 구조와 조사 '와/과'의 기능을 설명하였을 때, 적절하지 않은 것은?**

> 문장 구조에 따른 '와/과'의 기능
> 1. 문장 구조상 '와/과'가 결합된 문장 성분이 함께 묶이는 다른 문장 성분의 앞에 오는 경우에는 접속 조사로 기능한다. 이때, '와/과'는 문장 구조상 두 가지 '접속 형태'로 나타난다.
> (1) 문장 접속의 형태를 지닌 문장 구조의 경우, 두 개의 문장으로 나누어질 수 있다.
> 예 철호와 영희는 학생이다. → 철호는 학생이다. + 영희는 학생이다. (○)
> (2) 단어 접속의 형태를 지닌 문장 구조의 경우, 두 개의 문장으로 나누어질 수 없다.
> 예 철호와 영희는 닮았다. → 철호는 닮았다. + 영희는 닮았다. (×)
>
> 2. 문장 구조상 '와/과'가 결합된 문장 성분이 주어나 목적어의 뒤에 오는 경우에는 부사격 조사로 기능한다.
> 예 선생님이 학생들과 운동장을 돌고 있다.

〈보기〉
ⓐ 동양인과 서양인은 많은 차이가 있다.
ⓑ 엄마는 아빠와 고향 산소에 가셨어요.
ⓒ 모범생인 준수와 지수를 좀 본받아라.

① ⓐ의 '과'는 두 개의 단어를 접속하는 역할을 한다.
② ⓑ의 '와'는 ⓒ의 '와'와 달리 부사격 조사의 역할을 한다.
③ ⓒ는 ⓐ와 달리 두 개의 문장으로 나누어질 수 있다.
④ '너와 나는 생각이 달라.'는 ⓒ와 접속 형태가 동일하다.
⑤ '라면을 김치와 함께 먹다.'의 '와'는 ⓑ의 '와'와 같은 역할을 한다.

16 **〈보기〉의 예를 바탕으로 '주어'에 대해 탐구한다고 할 때, 적절하지 않은 것은?**

〈보기〉
㉠ 그 남자는 키가 매우 크다.
㉡ 얼굴이 희기가 백설 같구나!
㉢ "너 지금 뭐 하니?"/"응, 밥 먹어."
㉣ 교육부에서 입시 요강을 발표하였다.
㉤ 학생들이 화단에서 열심히 청소한다.

① ㉠과 ㉡을 보니, 문장 속에서 주어가 절(節)의 형태로 나타나기도 하는군.
② ㉠과 ㉢을 보니, 주격 조사는 생략되거나 보조사로 대체하여 쓰이기도 하는군.
③ ㉠과 ㉤을 보니, 받침이 있는 체언 뒤에선 '이', 받침 없는 체언 뒤에선 '가'가 주격 조사로 쓰이는군.
④ ㉢과 ㉤을 비교해 보니, 인물들 간의 대화가 이루어지는 상황에서는 문장의 주어가 생략될 수도 있군.
⑤ ㉣과 ㉤을 비교해 보니, 단체 유정 명사와 달리 단체 무정 명사 뒤에는 '에서'라는 주격 조사가 쓰이는군.

출제 예감

17 **〈보기 1〉의 ㉠~㉢에 해당하는 사동사의 예를 〈보기 2〉에서 골라 바르게 짝지은 것은?**

〈보기 1〉
사동문이 이루어지기 위해서는 서술어에 사동사가 와야 한다. 사동사는 동사나 형용사의 어근에 사동 접미사(-이-, -히-, -기-, -리-, -우-, -구-, -추-)가 결합되어 형성되기도 하는데, 이를 구체적으로 나누어 보면 다음과 같다.

㉠ 자동사가 사동사가 되는 경우 예 녹다 → 녹이다
㉡ 타동사가 사동사가 되는 경우 예 먹다 → 먹이다
㉢ 형용사가 사동사가 되는 경우 예 넓다 → 넓히다

〈보기 2〉
ⓐ 그녀는 아이를 담요 위에 눕혔다.
ⓑ 타이어의 압력을 지나치게 높이지 마라.
ⓒ 시계의 타종 소리가 새벽 3시를 알렸다.

	㉠	㉡	㉢		㉠	㉡	㉢
①	ⓐ	ⓑ	ⓒ	②	ⓐ	ⓒ	ⓑ
③	ⓑ	ⓐ	ⓒ	④	ⓑ	ⓒ	ⓐ
⑤	ⓒ	ⓐ	ⓑ				

출제 예감

18 다음 〈학습 활동〉에 나타난 과제를 잘못 해결한 학생은?

〈학습 활동〉

접사는 하나의 단어에서 실질적인 의미를 나타내는 형태소인 어근에 붙어 그 뜻을 제한하거나 품사를 변화시키는 역할을 한다. 접사는 어근의 앞에 붙는 접두사와 어근의 뒤에 붙는 접미사로 나눌 수 있다.

다음 예를 바탕으로 접사의 기능에 대해 설명해 보자.

접두사 + 어근
- 군소리, 짓밟다, 새빨갛다, …

어근 + 접미사
- 일꾼, 깨뜨리다, 높다랗다, 더욱이, …
- 먹이, 공부하다, 새롭다, 많이, …
- 먹이다, 막히다, 숨기다, 낮추다, …

① 영신: 접두사는 모두 어근의 뜻을 제한하는 역할을 합니다.
② 수지: 접미사의 일부는 어근의 뜻을 제한하는 역할을 합니다.
③ 미래: 접미사의 일부는 어근의 품사를 변화시키는 역할을 합니다.
④ 유선: 접두사와 접미사는 모두 새로운 단어를 파생시키는 역할을 합니다.
⑤ 민지: 사동 접사와 피동 접사는 모두 어근의 뜻을 제한하는 역할을 합니다.

19 〈보기 1〉의 설명을 바탕으로 〈보기 2〉의 단어를 분석하였을 때, 적절하지 않은 것은?

〈보기 1〉

'어근'은 실질적인 의미를 지닌 형태소로서, 단어의 중심 부분에 해당하며, '어간'은 용언이 활용할 때 변하지 않는 고정된 부분이다. 한 단어에서 '어근'과 '어간'은 일치할 수도 있고, 일치하지 않을 수도 있다.

〈보기 2〉

㉠ 살다 ㉡ 정답다 ㉢ 먹이다 ㉣ 주었다 ㉤ 오가다

① ㉠에서 '살-'은 어근이자 어간이다.
② ㉡에서 '정'은 어근이고, '정답-'은 어간이다.
③ ㉢에서 '먹-'은 어근이고, '먹이-'는 어간이다.
④ ㉣에서 '주-'는 어근이고, '주었-'은 어간이다.
⑤ ㉤에서 '오-'와 '가-'는 어근이고, '오가-'는 어간이다.

20 ⓐ~ⓒ에 들어갈 말을 쓰시오.

동사와 형용사는 문장에서 [ⓐ]로 쓰인다는 점, 문장에서 그 쓰임에 따라 형태가 변한다는 점, 다른 품사 중에서 [ⓑ]의 수식을 받으며, [ⓒ]가 붙을 수 있다는 점에서 공통의 특성을 갖고 있다.

21 〈보기〉의 문장에 나타난 단어와 형태소의 수를 쓰시오.

〈보기〉

사람들은 나에게 코웃음을 쳤다.

(a) 단어의 수는?
(b) 자립 형태소의 수는?
(c) 의존 형태소의 수는?
(d) 실질 형태소의 수는?
(e) 형식 형태소의 수는?

출제 예감

22 〈보기〉에 나타난 설명을 참고할 때, (가)~(다)에 해당하는 예끼리 바르게 짝지어진 것은?

〈보기〉

반의 관계에 있는 두 단어는 공통의 자질을 공유하면서 어느 하나의 자질이 있느냐 없느냐에 따라 대립이 이루어지는 관계를 말한다. 반의 관계에 있는 두 단어의 관계는 다음과 같이 크게 세 가지로 나누어 볼 수 있다.

(가) 두 단어 사이에 중간 상태를 나타내는 단어가 없는 경우
(나) 두 단어 사이에 중간 상태를 나타내는 단어가 존재하는 경우
(다) 두 단어 사이에서 서로 상대적 관계가 성립하는 경우

	(가)	(나)	(다)
①	남자 : 여자	크다 : 작다	부모 : 자식
②	미혼 : 기혼	사다 : 팔다	뜨겁다 : 차갑다
③	주다 : 받다	짧다 : 길다	참 : 거짓
④	많다 : 적다	삶 : 죽음	주다 : 받다
⑤	오른쪽 : 왼쪽	희다 : 검다	있다 : 없다

23 〈보기〉의 ㉠~㉤의 품사 및 문장 성분에 대해 탐구한 내용으로 적절하지 않은 것은?

〈보기〉

전통은 낡으면서도 ㉠항상 ㉡새로운 역사의 본질이다. 전통이 없다면 역사는 맑은 날의 우산처럼 아무 소용이 없을 것㉢이다. 어떤 시대나 사회에서도 역사의 역할이 요구되고 있는 것은 전통을 ㉣유지해야 하기 때문이다. 따라서 전통의 기능을 어떻게 보느냐에 따라 역사의 성격은 여러 가지로 ㉤달라진다.

① ㉠, ㉢과 달리 ㉡, ㉣, ㉤은 모두 활용이 가능한 품사이다.
② ㉢과 달리 ㉠, ㉡, ㉣, ㉤은 명사에 붙여 쓸 수 없는 품사이다.
③ ㉡과 달리 ㉣, ㉤은 명령형이나 청유형으로 쓰일 수 있는 품사이다.
④ ㉠과 달리 ㉣, ㉤은 문장 내에서 서술하는 역할을 하고 있는 문장 성분이다.
⑤ ㉣, ㉤과 달리 ㉠, ㉡은 문장 내에서 수식하는 역할을 하고 있는 문장 성분이다.

24 〈보기〉는 문장 성분 및 서술어의 자릿수를 탐구하기 위한 자료이다. ㉠~㉤에 대한 설명으로 적절하지 않은 것은?

〈보기〉

㉠ 작은 것이 아름답다.
㉡ 얼음이 물로 되었다.
㉢ 그 아이는 매우 예쁘게 생겼다.
㉣ 그 사람은 뜻밖의 장벽과 마주쳤다.
㉤ 아버지는 불쌍한 그녀를 수양딸로 삼으셨다.

① ㉠과 같은 경우에는 관형어가 필수적으로 요구되는군.
② ㉡을 보면 부사어도 필수적인 문장 성분이 될 수 있군.
③ ㉢에서 꼭 필요한 문장 성분은 주어와 서술어이군.
④ ㉣의 '마주치다'는 주어와 부사어를 필요로 하는 두 자리 서술어이군.
⑤ ㉤의 '삼다'는 주어, 목적어, 부사어를 필요로 하는 세 자리 서술어이군.

서술형

25 문장 성분의 측면에서 ㉠과 ㉡의 '차이점'과 '공통점'을 서술하시오.

모든 것이 ㉠재로 되었다.
모든 것이 ㉡재가 되었다.

출제 예감

26 〈보기〉의 조건을 모두 만족시키는 문장으로 적절한 것은?

〈보기〉

1. 홑문장일 것.
2. 객체를 높이는 단어가 들어 있을 것.
3. '관형어'와 '필수 부사어'가 들어 있을 것.

① 나는 색이 고운 옷을 어머니께 드렸다.
② 형은 그 선생님을 뜻밖의 장소에서 뵈었다.
③ 우리는 그 국어 문제를 선생님께 여쭈었다.
④ 할머니께서 어린 손주들에게 용돈을 주셨다.
⑤ 할아버지께서 엄마의 요리를 즐겁게 잡수신다.

27 〈보기〉를 통해 문장 성분 위치의 제약에 대해 탐구하고자 한다. 적절하지 않은 것은?

〈보기〉

• 현아는 밥을 안 먹는다.
• 수민은 매우 빨리 달린다.
• 아버지는 무척 아들을 사랑하신다.
• 그녀의 마당에 핀 진달래꽃이 아름답다.
• 어제 눈이 오자, 성희는 환호성을 질렀다.

① 부사어 '안'의 위치는 반드시 서술어 앞으로 제약되는구나.
② 부사어 '매우'의 위치는 수식하는 부사어 앞으로 제약되는구나.
③ 부사어 '무척'의 위치는 목적어 앞으로 제약되는구나.
④ 관형어 '핀'의 위치는 수식하는 문장 성분 앞으로 제약되는구나.
⑤ 주어 '눈이'의 위치는 그 문장 성분이 속한 절 안으로 제약되는구나.

28 〈보기〉와 문장의 짜임이 동일한 것은?

〈보기〉

금년에도 너의 일이 잘되기를 바란다.

① 저 산이 나무가 많다.
② 길이 나빠서 차가 다니지 못한다.
③ 우리는 남의 도움 없이 그 일을 해냈다.
④ 우리는 그가 성실한 사람임을 이제야 깨달았다.
⑤ 충무공이 만든 거북선은 세계 최초의 철갑선이다.

29 〈보기〉를 바탕으로 문장의 짜임에 대해 발표한다고 할 때, 적절하지 않은 것은?

〈보기〉
ㄱ. 나는 콧등에 흐르는 땀을 씻어 내었다.
ㄴ. 아이들이 눈이 오기를 기다린다.
ㄷ. 바람이 들어오도록 창문을 열어.
ㄹ. 그 학생은 식탐이 많다.

① 밑줄 친 부분은 모두 다른 문장 속에 안긴문장이다.
② ㄱ에서 '콧등에 흐르는'은 '땀'을 수식하고 있는 관형절이다.
③ ㄴ에서 '눈이 오기'는 명사절로, 목적어 기능을 하고 있다.
④ ㄷ에서 '바람이 들어오도록'은 '열다'라는 서술어가 생략된 부사절이다.
⑤ ㄹ에서 '식탐이 많다'는 '그 학생은'의 서술어 기능을 하고 있는 서술절이다.

출제 예감

30 〈보기〉에 대해 설명한 내용으로 적절하지 않은 것은?

〈보기〉
과연 저 아이가 재주가 있게 생겼구나.

① '재주가 있게'는 부사절로 안겨 있는 문장이다.
② '저 아이가'에서 '저'는 지시 대명사로, 관형어의 역할을 한다.
③ '생겼구나'는 주어와 부사어를 필요로 하는 두 자리 서술어이다.
④ '있게'에서 '-게'는 '빠르게 달리다'의 '-게'와 동일한 기능을 한다.
⑤ '과연'은 문장 전체를 꾸며 주는 부사로, 문장 내에서 자리를 옮길 수 있다.

⊙ 서술형

31 〈보기 1〉의 ㉠, ㉡, ㉢에 대해 〈보기 2〉와 같은 반응을 보였다고 할 때, 반응의 적절성 여부를 판단하고 그 이유를 서술하시오.

〈보기 1〉
㉠ 나는 눈이 오기 전에 훌쩍 떠나 버린 그 친구를 그리워했다.
㉡ 형은 우리가 지금 무엇을 하느냐가 문제라고 말했다.
㉢ 학교 가기에 너무 바쁜 동생은 허둥지둥 집을 나섰다

〈보기 2〉
㉢의 명사절과는 달리, ㉠과 ㉡에 안겨 있는 명사절에는 생략된 성분이 없다.

출제 예감

32 〈보기〉를 참고하여 감탄문에 대해 탐구한 내용으로 적절하지 않은 것은?

〈보기〉
화자가 청자를 별로 의식하지 않거나, 거의 독백하는 상태에서 자기의 느낌을 표현하는 문장 종결 양식을 감탄문이라고 한다.

ㄱ. 네가 벌써 군인이 되는구나!
ㄴ. 네 옷의 색깔이 참 (좋구나!/좋구먼!/좋구려!)
ㄷ. 이것은 네가 먹고 싶어 하던 것이로구나!
ㄹ. 아이고! 더워라!
　*아이고! 영희가 더워라!
　*아이고! 네가 벌써 군인이 되어라! (*은 비문 표시)

① 감탄문도 화자와 청자의 관계를 고려하여 상대 높임법을 적용해 쓰는군.
② 감탄형 어미 '-구나'와 달리 '-어라'는 청자를 고려하지 않은 독백에서 나타나는군.
③ 감탄형 어미 '-구나'는 감탄형 어미 '-어라'와 같이 형용사나 동사에 모두 쓰이는군.
④ 감탄형 어미 '-어라'는 느낌의 주체가 말하는 이가 아니면 감탄문으로 성립하지 않는군.
⑤ 감탄형 어미 '-구나'는 동사에서는 현재 시제 선어말 어미 '-는-'과 결합하여 쓰이기도 하는군.

33 수업 시간에 〈보기〉의 자료를 바탕으로 '문장 종결 표현'에 대해 알아보았다. 탐구 결과로 적절하지 않은 것은?

〈보기〉
ㄱ. 혹시 오늘 저녁에 시간 있으세요?
ㄴ. 내가 너를 위해 그 정도 일을 못 해 주겠니?
ㄷ. 날씨가 많이 쌀쌀하니 옷을 여러 겹 입어라.
ㄹ. 정말 딱하고 가엾어라.
ㅁ. 자, 우리 함께 학교에 가자.

① ㄱ은 단순히 긍정이나 부정의 대답을 요구하는 문장이구나.
② ㄴ은 답변을 요구하지 않고 강한 긍정을 내포하고 있는 문장이구나.
③ ㄷ은 말하는 이가 듣는 이에게 어떤 행동을 하도록 강하게 요구하는 문장이구나.
④ ㄹ에 쓰인 종결 어미 '-어라'는 명령의 의미가 아니라 감탄의 의미를 나타내는구나.
⑤ ㅁ에서 문장의 주어는 듣는 이가 되고, 서술어로는 동사만 올 수 있구나.

34 〈보기〉는 격 조사에 대한 심화 학습을 위해 자료를 찾아 정리한 것이다. 이를 바탕으로 다양한 예를 이해한 것으로 적절하지 않은 것은?

〈보기〉

체언에 붙어 문장의 서술어로 쓰이는 서술격 조사는 그 기능에 따라 다음과 같이 분류할 수 있다.
(ㄱ) 문장의 종결형으로 기능하는 서술격 조사
　㉠ 그는 참으로 훌륭한 사람이다.
(ㄴ) 두 문장의 연결형으로 기능하는 서술격 조사
　㉠ 이것은 예쁜 옷이지만 값이 너무 비싸다.
(ㄷ) 문장 속에서 명사형, 관형사형 등으로 기능하는 서술격 조사
　㉠ 나는 네 스승일 뿐 후원자는 아니다.

① '나는 꽃을 사랑하는 사람이에요.'에서 '-이에요'는 (ㄱ)에 해당하겠군.
② '이 음식은 우리 집 강아지들의 먹이다.'에서 '-(이)다'는 (ㄱ)에 해당하겠군.
③ '이것은 파인애플이요, 저것은 바나나이다.'에서 '-이요'는 (ㄴ)에 해당하겠군.
④ '여기가 살기에 정말 좋은 곳임을 이제야 알았다.'에서 '-임'은 (ㄷ)에 해당하겠군.
⑤ '파도가 노래하는 바닷가 마을이 내 고향이라면 참 좋겠다.'에서 '-이라면'은 (ㄷ)에 해당하겠군.

35 〈보기〉의 ㉠, ㉡이 모두 사용된 문장은?

〈보기〉

우리말에서는 일반적으로 선어말 어미나 종결 어미, 조사 등을 통해 높임을 표현하지만, 어휘를 통해 높임을 표현하는 경우도 있다. 높임 표현에 쓰이는 어휘들에는 주체를 높이는 용언, ㉠객체를 높이는 용언, 높여야 할 인물을 직접 높이는 명사, ㉡높여야 할 인물과 관련된 것을 높이는 명사가 있다.

① 그분의 성함이 무엇인지 알고 있니?
② 언니는 삼촌께 드릴 것이 있다며 집을 나섰다.
③ 선생님께서 교실에 들어오면서 활짝 웃으셨다.
④ 우리는 연세가 많으신 부모님을 모시고 여행을 떠났다.
⑤ 거실에서 주무시는 어머니의 모습이 안쓰럽게 여겨졌다.

출제 예감

36 화자와 주체, 화자와 청자의 상하 관계에 따른 높임 표현의 사례를 〈보기〉와 같이 분석하였다. 바르게 분석한 것을 모두 골라 묶은 것은?

〈보기〉

문장 표현의 사례		화자와 주체의 관계	화자와 청자의 관계	
아버지께서 축구를 하셨습니다.	⇨	화자<주체	화자<청자	ⓐ
아버지께서 축구를 하셨다.	⇨	화자>주체	화자≧청자	ⓑ
영호가 축구를 했습니다.	⇨	화자≧주체	화자<청자	ⓒ
영호가 축구를 했다.	⇨	화자<주체	화자≧청자	ⓓ

• '<', '>', '≧': 화자와 주체, 화자와 청자의 상하 관계 표시.

① ⓐ, ⓒ　② ⓐ, ⓓ　③ ⓑ, ⓒ　④ ⓑ, ⓓ　⑤ ⓒ, ⓓ

37 〈보기 1〉을 참고하여 〈보기 2〉를 탐구한 결과로 적절하지 않은 것은?

〈보기 1〉

시제(時制)는 자연계에 존재하는 현상인 시간을 인위적으로 구분한 언어 표현이다. 시제는 대개 과거 시제, 현재 시제, 미래 시제로 나뉘며, 해당 시제와 관련된 선어말 어미나 관형사형 어미, 시간 부사어 등의 표지를 통해 실현된다.

〈보기 2〉

ㄱ. 학생이던 영수가 벌써 졸업을 했습니다.
ㄴ. 나는 어제 학교에서 친구들과 농구를 했다.
ㄷ. 이제는 봄이라 날씨가 제법 포근하다.
ㄹ. 학생들이 체육관에서 준비 운동을 한다.
ㅁ. 이번 주에는 일을 마무리하도록 하겠습니다.

① ㄱ을 보니, 서술격 조사에 관형사형 어미 '-(으)ㄴ'이 붙으면 과거 시제가 되는군.
② ㄴ을 보니, 문장에서 시간 부사어를 사용하면 시제가 좀 더 분명하게 드러나는군.
③ ㄷ을 보니, 형용사는 선어말 어미가 결합되지 않더라도 현재의 의미를 나타내는군.
④ ㄹ을 보니, 동사의 어간에 선어말 어미 '-ㄴ-'이 결합되면 현재 시제가 실현되는군.
⑤ ㅁ을 보니, 선어말 어미 '-겠-'은 미래 시제뿐만 아니라 의지를 함께 표현하기도 하는군.

38 〈보기〉의 설명 내용과 같은 잘못을 범하고 있는 것은?

〈 보기 〉

ㄱ. 인공 지능에 대한 관심이 점점 높아지고 있다.
ㄴ. 인공 지능 기술이 빠르게 개발될 것으로 보여진다.

ㄱ의 '높아지고'는 올바른 표현인데 비해, ㄴ의 '보여진다.'는 잘못된 표현이다. 이미 피동 접사가 쓰이고 있는데 또 다른 피동 표현인 '-어지다'를 덧붙였기 때문이다.

① 이 연필은 글씨가 매우 잘 써져.
② 배가 우리에게서 점점 더 멀어지고 있어.
③ 나에게 이런 일이 생기다니 믿겨지지 않아.
④ 자세히 살펴보니 케이블선이 끊어져 있었어.
⑤ 너의 소원이 이루어지기를 진심으로 바랄게.

39 〈보기〉를 참고하여 학습 자료를 분석한 결과로 적절하지 않은 것은?

〈 보기 〉

주어가 남에게 동작을 하도록 시키는 것을 사동이라 하는데, 사동문은 어근에 접미사가 결합한 사동사나 어간에 '-게 하다'가 결합한 구성에 의해 만들어진다.

〈 학습 자료 〉

	A: 주동문	B: 사동사에 의한 사동문	C: '-게 하다'에 의한 사동문
㉠	철수가 숨는다.	형이 철수를 숨긴다.	형이 철수를 숨게 한다.
㉡	철수가 책을 읽는다.	형이 철수에게 책을 읽힌다.	형이 철수에게 책을 읽게 한다.
㉢	온도가 높다.	형이 온도를 높인다.	형이 온도를 높게 한다.
㉣	철수가 탁구를 친다.	해당 사례 없음	형이 철수에게 탁구를 치게 한다.

① ㉠, ㉡을 보니, A의 주어는 C에서 서로 다른 문장 성분으로 나타나는군.
② ㉠, ㉢을 보니, A가 B로 바뀌면 서술어의 자릿수가 늘어나는군.
③ ㉡, ㉢을 보니, A가 B로 바뀌더라도 겹문장이 되지는 않는군.
④ ㉡, ㉣을 보니, A의 서술어가 타동사이면 대응하는 사동사가 없군.
⑤ ㉢, ㉣을 보니, A의 서술어가 동사이든 형용사이든 사동문을 만들 수 있군. .

40 〈보기 1〉을 참고할 때, 〈보기 2〉의 ⓐ와 표현이 동일한 단어는?

〈 보기 1 〉

사동 표현은 동작을 하도록 시키는 것으로, 사동 접미사(-이-, -히-, -리-, -기-, -우-, -구-, -추-)를 붙여 만드는 방법이 있다. 피동 표현은 주어가 남의 행동에 의해 동작을 당하는 것으로, 피동 접미사(-이-, -히-, -리-, -기-)를 붙여 만드는 방법이 있다.

〈 보기 2 〉

10km 위 부분의 대기는 성층권이라고 ⓐ불린다.

① 운동장을 한 바퀴 달리다 보면 기분이 상쾌해진다.
② 그곳을 통과할 때에는 최대한 몸을 낮추어야 합니다.
③ 아침에 살펴 본 계약서에 찍힌 도장은 제 것입니다.
④ 이번 경기에서는 우리 편이 꼭 이겼으면 하는 바람이야.
⑤ 그 회사에서는 이틀에 걸쳐 고객들에게 신제품을 보였다.

출제 예감

41 〈보기〉의 ㉠~㉤에 대해 이해한 내용으로 적절한 것은?

〈 보기 〉

㉠ 그 환자의 경우는, 도로를 걷다 차에 친 것으로 생각되어집니다.
㉡ (손자가 할머니에게) 할머니, 고모가 모시러 온다고 했습니다.
㉢ 맹세하건대, 교실에서는 떡볶이를 정말 먹지 않았다.
㉣ 바닷가에서 배가 암초에 부딪히는 소리가 들려왔다.
㉤ 우리 집이 마당이 좁다.

① ㉠: 피동사가 남용된 문장이기도 하고, 피동사를 써야 할 자리에 쓰지 않은 문장이기도 하군.
② ㉡: 주체와 청자를 모두 높인 표현으로, 이 문장에서는 청자와 객체가 동일하군.
③ ㉢: 부사를 통해 실현된 부정 표현으로, 보조사를 사용하여 중의성을 해소하고 있군.
④ ㉣: '부딪히는'에 쓰인 '-히-'는 '거리를 좁히다.'의 '좁히다'에 쓰인 '-히-'와 동일한 기능을 하는군.
⑤ ㉤: 2개의 문장으로 이루어진 겹문장으로, 안긴문장이 주어의 역할과 서술어의 역할을 모두 하고 있군.

42 **<보기 1>을 읽은 후, <보기 2>의 ㉮~㉲에 대해 보인 반응으로 적절하지 않은 것은?**

< 보기 1 >

부정의 뜻을 나타내는 문장을 부정문이라고 한다. 국어의 부정 표현은 부정 부사 '안', '못'과 부정 용언 '아니하다', '못하다'를 통하여 이루어진다. 부정 부사를 통한 부정문을 짧은 부정문, 부정 용언을 통한 부정문을 긴 부정문이라고 한다. '안, 아니하다'의 부정은 어떠한 상태를 단순하게 부정하는 상태 부정을 나타내거나, 어떤 동작이 주어의 의지에 의해 일어나지 않은 의지 부정을 나타낸다. '못, 못하다'의 부정은 일반적으로 주어의 능력이나 다른 원인 때문에 그 행위가 일어나지 못함을 나타낸다.

그런데 국어의 부정 표현에는 몇 가지 예외적인 현상이 보인다. 우선 형용사가 서술어로 쓰인 문장이나 서술격 조사문에서는 의지 부정 표현, 능력 부정 표현이 사용되지 않음을 (1)과 (2)를 통해 알 수 있다. (1)의 ㄴ, ㄷ에서 '안, 않다'가 사용되는 것처럼 보이는데, 이들 표현은 의지 부정 표현이 아니라 상태 부정 표현으로 사용된 것이다.

(1) ㄱ. 영수는 멋있다.
ㄴ. 영수는 안 / *못 멋있다.
ㄷ. 영수는 멋있지 않다. / *못하다.

(2) ㄱ. 영수는 미남이다.
ㄴ. 영수는 *안 / *못 미남이다.
ㄷ. 영수는 미남이지 *않다. / *못하다.

국어의 부정 표현 논의에 있어서 또 한 가지 주목할 것은 부정의 범위에 대한 것이다. 이는 부정 표현을 통해서 부정하고 있는 내용이 무엇이냐 하는 문제이다. 짧은 부정문이든 긴 부정문이든 의지 부정이든 능력 부정이든 간에 부정 표현에 있어서 부정의 범위는 모두 중의성을 가진다.

이와 같은 부정 범위의 중의성을 해소하는 방안에는 '철수, 그 책, 읽다'의 어느 하나에 강세를 주어 읽거나, 문맥을 통해서 중의성을 해소하거나, '철수가 그 책은 안 읽었다.'처럼 부정하고자 하는 단어에 보조사 '은/는, 만, 도' 등을 덧붙이는 방법이 있다.

< 보기 2 >

㉮ 회원이 다 오지 않았다.
㉯ 미정은 학생회장이다.
㉰ 그는 넘어져서 다시 일어나지 못했다.
㉱ 지난주에 비해 이번주엔 날씨가 안 춥다.
㉲ 집 안으로 못 들어간 채 발만 동동 구르고 있다.

① ㉮의 중의성을 해소하기 위해, '회원이 다 오지는 않았다.'로 쓰면 되겠군.
② ㉯를 의지 부정으로 표현하면 '미정은 안 학생회장이다.'가 되어 문장이 성립하지 않는군.
③ ㉰를 짧은 부정문으로 고치면 문장은 성립하나, 그 의미가 달라지는군.
④ ㉱는 형용사가 쓰인 문장의 안 부정문은 의지 부정이 아니라 상태 부정임을 보여 주는군.
⑤ 이 글의 '(1)-ㄴ'과 ㉲를 비교해 보니, 서술어가 형용사인 경우 '못'은 쓰일 수가 없군.

43 **<보기 1>을 바탕으로 할 때, <보기 2>에 대한 반응으로 가장 적절한 것은?**

< 보기 1 >

담화의 성립 요건

• 내용적 요건: 통일성
담화를 구성하는 발화들이 하나의 주제 아래 유기적으로 조직되어 의미의 일관성을 유지해야 한다.

• 형식적 요건: 응집성
연속적으로 이루어지는 발화들이 적절한 문법적 방식을 통해 긴밀하게 구성되어 있어야 한다.

< 보기 2 >

나는 점심 무렵 집 주변의 호수에 갔다. 그곳에는 산책로가 조성되어 있고, 그 길의 양편으로는 가로수들이 늘어서 있어 뜨거운 햇빛을 잘 가려 준다. 나 같은 노인에게는 이만한 휴식 장소가 더 없을 정도이다. 그러나 우리나라는 아직도 노인 복지가 많이 부족하다는 생각이 든다. 노인 복지를 위한 투자가 서구의 선진국들에 비해 형편없이 낮다는 신문 기사를 읽은 적이 있다.

① 발화들이 내용상 통일성을 갖추고 있으며, 형식적 측면에서도 응집성을 갖추고 있군.
② 발화들이 내용상 통일성을 갖추고 있지만, 형식적 측면에서 응집성을 갖추고 있지 않군.
③ 발화들이 형식상 응집성을 갖추고 있지만, 내용적 측면에서 통일성을 갖추고 있지 않군.
④ 발화들이 내용상 통일성을 갖추고 있지 않으며, 형식적 측면에서도 응집성을 갖추고 있지 않군.
⑤ 발화들이 형식상 응집성을 갖추고 있지 않기 때문에 내용적 측면의 통일성이 잘 드러나지 않고 있군.

정답과 해설 p. 45

[01~05] 다음 매체 자료를 보고, 물음에 답하시오..

가 인터넷 매체–블로그

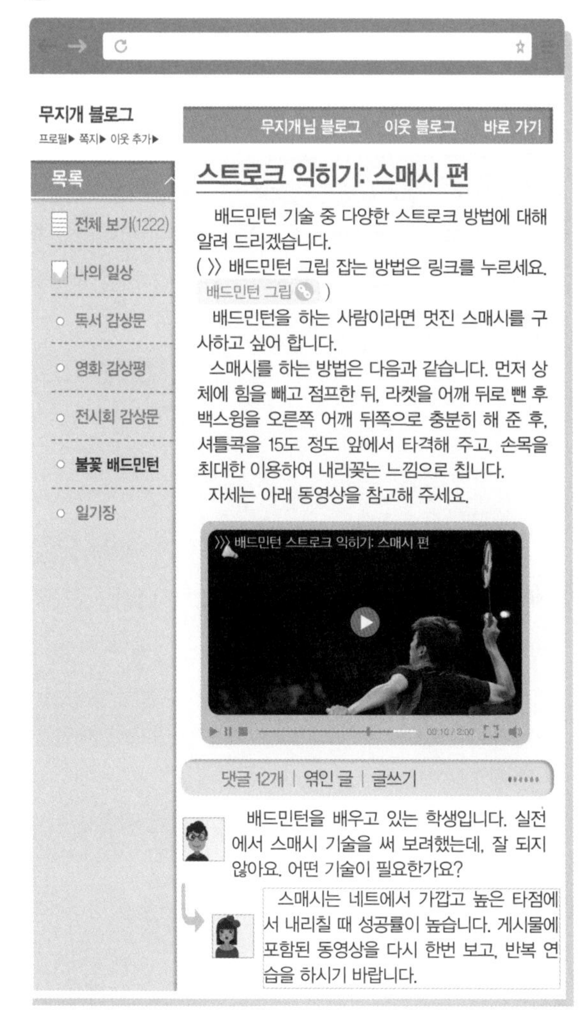

무지개 블로그
프로필▶ 쪽지▶ 이웃 추가▶

무지개님 블로그 | 이웃 블로그 | 바로 가기

목록
- 전체 보기(1222)
- 나의 일상
- 독서 감상문
- 영화 감상평
- 전시회 감상문
- 불꽃 배드민턴
- 일기장

스트로크 익히기: 스매시 편

배드민턴 기술 중 다양한 스트로크 방법에 대해 알려 드리겠습니다.
(》 배드민턴 그립 잡는 방법은 링크를 누르세요.
배드민턴 그립)
배드민턴을 하는 사람이라면 멋진 스매시를 구사하고 싶어 합니다.
스매시를 하는 방법은 다음과 같습니다. 먼저 상체에 힘을 빼고 점프한 뒤, 라켓을 어깨 뒤로 뺀 후 백스윙을 오른쪽 어깨 뒤쪽으로 충분히 해 준 후, 셔틀콕을 15도 정도 앞에서 타격해 주고, 손목을 최대한 이용하여 내리꽂는 느낌으로 칩니다.
자세는 아래 동영상을 참고해 주세요.

》 배드민턴 스트로크 익히기: 스매시 편

댓글 12개 | 엮인 글 | 글쓰기

배드민턴을 배우고 있는 학생입니다. 실전에서 스매시 기술을 써 보려했는데, 잘 되지 않아요. 어떤 기술이 필요한가요?

스매시는 네트에서 가깝고 높은 타점에서 내리칠 때 성공률이 높습니다. 게시물에 포함된 동영상을 다시 한번 보고, 반복 연습을 하시기 바랍니다.

나 방송 뉴스

아름다운 댓글, '선플'로 사랑을

아나운서 인터넷 문화가 확산하면서 악성 댓글이 사회에 악영향을 끼치고 있습니다. 악성 댓글이 아닌 아름다운 댓글, '선플'로 사랑을 전하자는 시민운동이 펼쳐지고 있습니다. ○○○ 기자가 보도합니다.

기자 선플 자원 봉사단 발대식이 열렸습니다. 학생과 학부모 할 것 없이 착한 댓글로 언어 정화 운동에 나설 것을 다짐했습니다.

고등학생: 아름다운 말과 아름다운 글과 아름다운 행동으로…….

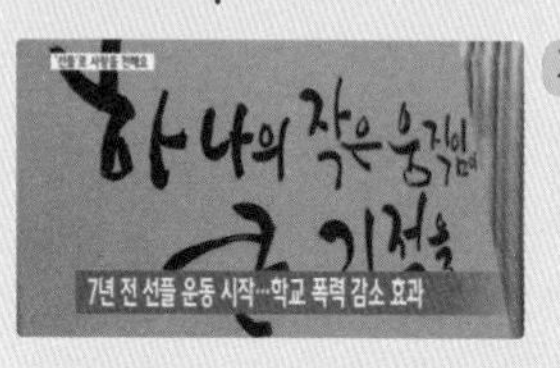

기자 선플 운동은 앞서 서로 격려하자는 의미에서 시작된 추임새 운동에 뿌리를 두고 있습니다. 교육부 조사 결과, 울산의 경우 지난 2012년 선플 운동을 벌인 뒤 1년 만에 학교 폭력이 60 % 가까이 줄었다는 통계도 나왔습니다.

– 와이티엔(YTN), 2014년 9월 8일 방송

다 신문 기사

동아일보 2017년 9월 1일

그 많던 모기, 다 어디로 갔을까

8월 감시 지점 10곳서 1,541마리 잡혀
5년간 평균 대비 절반으로 뚝
"중부 폭우 – 남부 가뭄, 서식지 줄어"

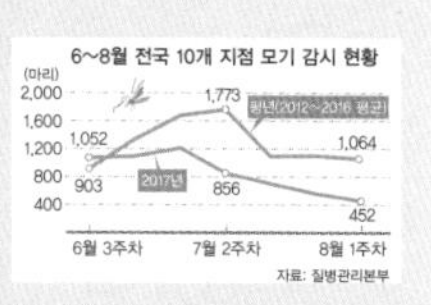

장마가 끝난 뒤 모기 기피제를 잔뜩 구매한 홍○○ 씨(33)는 지난 몇 주간 포장도 뜯지 않았다. 홍○○ 씨는 "비가 그치면 모기가 크게 늘 줄 알았는데 몇 주간 거의 보이지 않았다."라고 말했다.

31일 질병관리본부가 전국 10개 감시 지점의 모기 수를 집계한 결과 모기 수가 급감한 것으로 나타났다. 8월 3주간 채집된 모기 수는 1,541마리로 최근 5년간(2012~2016년) 평균(3,075마리)의 절반에 불과했다. 지난해 8월 3주간 모기 수는 2,615마리로 올해보다 70 % 가량 많았다.

'여름의 불청객' 모기가 급감한 것은 '너무 많이 오기도 하고, 너무 적게 오기도 한' 비 때문이다. 중부 지방에는 이번 장마 기간(6월 29일~7월 14일) 지엽적이고 강한 폭우가 쏟아졌다. 장마가 끝난 8월 중순에도 서울에 시간당 30밀리미터(mm)의 강한 비가 내리는 등 이례적인 강우가 이어졌다.

반면 남부 지방에는 비가 오지 않았다. 장마 기간 남부 지방의 강수량은 평년의 53% 수준을 기록해 중부 지방과의 강우량 차이가 254.9밀리미터(mm)나 됐다. 장마 기간 강원 홍천에는 432.5밀리미터(mm)의 비가 내렸지만, 대구의 강우량은 13.1밀리미디(mm)에 그쳐 지역별 강우량 차이가 33배나 나기도 했다. 8월 중순에도 중부 지방에는 비가 많이 왔지만, 남부 지방에는 폭염 주의보가 내려졌다.

질병관리본부 매개체 감시과에서는 "보통 장마가 끝나고 모기가 늘어나는 게 일반적인데 올해는 지엽적 집중 호우와 고온이 이어지면서 모기의 서식 환경이 악화된 것으로 보인다."라고 했다.

01 **(가)~(다)의 매체에 대한 설명한 것으로 적절한 것은?**

① (가)는 (나), (다)에 비해 전문적이고 깊이 있는 내용을 다룰 수 있다.
② (다)는 (가), (나)에 비해 제시되는 정보에 대한 실재감이 높은 편에 속한다.
③ (가)와 (나)는 소리와 문자, 동영상 등을 복합적으로 사용하여 정보를 구성할 수 있다.
④ (가)와 (다)는 누구나 정보 생산의 주체가 될 수 있어 정보의 신뢰성이 다소 떨어진다.
⑤ (나)와 (다)는 정보 전달을 하는 데 있어 다른 매체 언어에 비해 문자 언어의 역할이 가장 크다.

02 **(가)의 정보 구성 방식에 대한 설명으로 적절하지 않은 것은?**

① 스매시 기술과 관련된 기본적인 설명은 문자 언어로 기술하고 있다.
② 댓글 기능을 통해 스매시 기술에 대한 수용자의 궁금증을 해소해 주고 있다.
③ 스매시 기술과 관련하여 알아두면 좋은 정보를 하이퍼링크로 연결하고 있다.
④ 사진 자료를 보조적으로 활용하여 스매시 기술을 이해하는 데 도움을 주고 있다.
⑤ 스매시 기술을 이해하기 쉽도록 동영상 자료를 통해 자세를 익히도록 하고 있다.

출제 예감

03 **(나) 보도를 바탕으로 〈보기〉에 나타난 매체 언어생활을 평가한 것으로 적절하지 않은 것은?**

〈보기〉

[묻고 답하기] **제목:** 허리케인이랑 태풍은 다른 건가요?

외국에서 발생한 태풍을 뉴스에서 보도하였는데요. 방송 중에 아나운서는 '태풍'이라 표현하였고, 현지 인터뷰에서 나온 자막은 '허리케인'이라고 표기하였습니다. '태풍'과 '허리케인'은 다른 건가요?

답변왕 '태풍'과 '허리케인'은 모두 열대성 저기압에 속하는데, 이 저기압 중 강한 폭풍을 말합니다. 명칭이 다른 이유는 각 지역 원주민들이 예전부터 부르던 말이 달랐기 때문입니다.

동글이 질문을 보니 학생인 것 같은데요. 궁금하면 백과사전을 찾아보는 습관을 들이세요. 배우는 자세가 틀렸네요.

나그네 궁금한 것을 물어본다는 것 자체가 기특한 것 아닌가요? 백과사전이든 인터넷에 묻든 탐구하는 자세가 중요하다고 생각됩니다.

무지개 그럼 '토네이도'는요? 답변들도 허술~ 댓글로 싸우는 것도 추태각!

① '추태각'과 같은 신조어의 남용은 선플 운동을 통한 언어 정화의 대상이 된다고 볼 수 있다.
② 질문을 한 사람을 격려하고 옹호하고 있다는 점에서 '나그네'의 댓글은 선플이라 할 수 있다.
③ 비속어를 사용해서 다른 사람을 비난하고 있다는 점에서 '동글이'의 댓글은 '악성 댓글'이라 할 수 있다.
④ 답변을 단 사람과 댓글을 단 사람을 모두 비난하는 언어 태도로 볼 때, '무지개'의 댓글은 선플 운동을 통해 정화해야 할 대상이 된다고 볼 수 있다.
⑤ 질문에 대해 자신이 아는 내용을 친절하게 설명하고 있다는 점에서 '답변왕'의 댓글은 선플 운동이 지향해야 하는 매체 언어생활 태도를 보여 주고 있다고 볼 수 있다.

04 **(다)를 작성하기 위한 계획으로 적절하지 않은 것은?**

① 시민의 체험 내용을 바탕으로 모기가 급감한 현상을 제시해야겠어.
② 시각 자료를 활용하여 모기의 개체수가 감소한 사실을 보여 주어야겠어.
③ 서로 다른 상황을 제시하여, 모기가 급감한 이유를 다각적으로 분석해야겠어.
④ 모기의 감소 현상과 그 원인을 요약한 내용을 한 눈에 볼 수 있도록 색을 달리해 제시해야겠어.
⑤ 모기가 감소한 사실에 대한 정보를 바탕으로 '표제와 부제, 전문, 본문'의 구성으로 기사를 작성해야겠어.

서술형

05 **(가)~(다) 매체의 유통 방식의 차이를 〈보기〉의 항목을 중심으로 서술하시오.**

〈보기〉

정보 제공의 속도, 정보 제공자의 범위

[06~10] 다음 매체 자료를 보고, 물음에 답하시오..

가 영상 매체

버스 정류장.
한쪽 창에 다급하게 뛰어오는 남자가 보인다.

창에 보이던 남자가 버스 정류장으로 뛰어온다.

이어서 어떤 동물이 버스 정류장으로 다가오는 모습이 보인다.

다가오던 동물은 이제 곧 창 옆으로 모습을 드러낼 참이다.

먼저 뛰어왔던 남자가 장난기 어린 표정으로 웃음을 터트린다. 다른 사람에게 증강 현실을 생생하게 보여 준 것이다.

이는 도심 한복판에 호랑이가 등장하는 가상의 영상 장치였음이 밝혀진다. 늘 반복되는 일상에 신선한 충격을 선사하려는 광고였다.

나 단편 애니메이션

• **작품 소개:** 인물의 대사가 없이 배경 음악과 인물의 행동만으로 서사가 진행되며 인물의 정서와 주제를 전달함.

다 마블링 아트 비디오

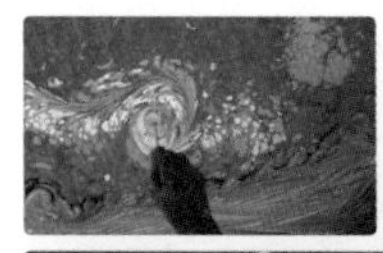

– 가립 아이, 「별이 빛나는 밤」(2016년)

06 **(가)~(다)에 대해 설명한 것으로 가장 적절한 것은?**

① 인터넷을 기반으로 한 전자 매체로 유통되는 자료이다.
② 다른 사람을 설득하고자 하는 목적으로 생산된 자료이다.
③ 생산자와 수용자가 친밀한 정서를 공유하게 하는 자료이다.
④ 창의적 측면이나 심미적인 측면에서 가치가 있는 자료이다.
⑤ 전문적이고 유용한 정보를 다룬다는 측면에서 가치가 있는 자료이다.

출제 예감

07 **〈보기〉와 (가)의 표현 전략상의 공통점으로 적절한 것은?**

〈 보기 〉

① 사람들의 착각을 불러일으켜 재미를 선사하고 있다.
② 가상과 현실을 결합하여 사람들에게 신선한 충격을 선사하고 있다.
③ 현실에서 일어날 수 없는 일을 증강 현실을 통해 경험하게 하고 있다.
④ 설정된 상황에 대처하는 일반인들의 반응을 가감 없이 전달하고 있다.
⑤ 사람들의 예상에 어긋나는 인물의 행동을 통해 웃음을 유발하고 있다.

08 〈보기〉를 토대로 (나)를 감상한 것으로 적절하지 않은 것은?

〈 보기 〉
대중문화는 대중 매체에 의해 대량으로 생산된 문화 혹은 다수의 사람이 누리는 문화로, 때때로 수준이 낮거나 수용자에게 악영향을 끼칠 수 있는 것으로 평가 절하되는 경우도 있다. 하지만 대중문화 가운데에서도 삶에 대해 돌아보게 하거나 즐거운 웃음을 선사하는 훌륭한 작품들도 많다. 또한 미학적으로 뛰어난 작품들도 많다. 따라서 우리는 대중문화 가운데에서도 문화적 성취가 높은 것과 그렇지 않은 것을 가려낼 수 있는 안목을 기를 필요가 있다.

① (나)는 자연을 파괴하는 인간의 이기심 비판이라는 메시지를 통해 우리의 삶을 돌아보게 하는군.
② (나)는 애니메이션이라는 대중 매체로 만들어졌으므로, 대중문화의 한 양식이라 할 수 있겠군.
③ (나)는 딸을 구하기 위해 헌신하는 아버지의 사랑이라는 뻔한 주제를 다룬다는 점에서 수준 낮은 작품이라 할 만하군.
④ (나)는 주인공이 처한 상황 변화를 색감의 변화를 통해 보여 주고 있다는 점에서 미학적으로 훌륭한 작품이라 할 만하군.
⑤ (나)는 대사 없이 인물의 행동과 배경 음악만으로 가치 있는 주제를 관객에게 충분히 전달한다는 점에서 문화적 성취가 높은 작품이라 할 수 있겠군.

출제 예감

09 심미적 관점에서 (다)를 감상한 것으로 가장 적절한 것은?

① 빈센트 반 고흐의 「별이 빛나는 밤에」라는 작품을 재해석한 작품이로군.
② 터키의 전통적인 기법인 에브루 기법을 사용한 창작 방법이 참신하게 느껴지는군.
③ 기름 위에 떠 있는 물감의 화려한 색감이 별이 빛나는 밤의 몽환적인 분위기를 잘 드러내고 있군.
④ 창작 과정을 누리 소통망(SNS)을 통해 공유하는 모습에서 수용자와 소통하고자 하는 작가의 노력이 느껴지는군.
⑤ 마블링 아트 비디오라는 새로운 장르를 대중적으로 알림으로써 예술의 확대를 가져왔다는 점에서 높이 살만한 작품이군.

서술형

10 소통의 관점에서 볼 때, (가)~(다)의 창의적 표현이 갖는 기능은 무엇인지 서술하시오.

[11~14] 다음 매체 자료를 보고, 물음에 답하시오..

(가) 시사 평론

중앙일보 2016년 8월 27일

예습이 중요한가, 복습이 중요한가?

아이가 뒤처질까 선행 학습시키는 불안 내려놓고
스스로 싸울 수 있는 면역력을 키워 주자.

어린 시절에는 복습보다 예습이 효과적이라고 배웠다. 수업 시간에 뭘 배울지 미리 알아 두면 훨씬 빠르게 학습 내용을 흡수할 수 있다고들 했다. 정말 그런 줄 알고 열심히 예습을 했다. 하지만 막상 공들여 예습을 하니, 수업에서 느끼는 생생한 현장성과 흥미가 떨어져 버렸다. '오늘은 과연 뭘 배울까.' 하고 나도 모르게 설레는 느낌이 없어져 버렸다. 어른이 되고 나서야 깨달았다. 나에게는 예습보다 복습이 훨씬 효과적이라는 것을. [중략]

나는 복습 예찬론자다. 복습을 하면서 비로소 내가 오늘 배운 것이 무엇인지를 더 잘 이해할 수 있고, 읽고 느낀 것을 자꾸만 되새김질하면서 불현듯 새로운 아이디어를 얻기도 한다. 그런데 우리 사회는 정반대로 가고 있다. 요새는 내일 공부할 것을 오늘 미리 들춰 보는 조금 부지런한 학생의 개인적인 예습을 뛰어넘어 아예 집단적인 '선행 학습'이라는 것이 사회적 문제가 되고 있다. '예습의 중요성'이 눈덩이처럼 불어나 아예 '선행 학습을 하지 않으면 입시에 성공하기 어렵다.'는 식의 집단적인 불안으로 변질되어 버린 것이다. 주변의 학부모들에게 물어보니 '선행 학습이 옳다고 생각하지는 않지만 남들이 다 하니 어쩔 수 없이 학원에 보낸다.'는 분들이 대다수이다. 선행 학습에 진심으로 찬성해서가 아니라 '아이가 뒤처지는 것이 싫어' 학원에 보낸다는 것이다. 하지만 다음 학기는 물론 내년에 배울 내용까지 완벽하게 통달하는 정도의 과도한 선행 학습이 교사의 '가르칠 권리'를 빼앗는 것은 아닐까? 과도한 선행 학습이 학생들에게 '오늘 무엇을 배울지 설렘 기회'마저 빼앗는 것은 아닐까?

(나) 지역 축제 라디오 광고(20초)

(신나는 행진곡이 배경 음악으로 나오며)

온 가족이 함께하는 신나는 건강 여행!
가자, 청양으로!

제00회 청양 고추·구기자 축제.
8월 26일부터 28일까지!

화려하고 신나는 공연,
청양고추 할인 경품 행사 등 특별한 이벤트!
먹거리, 즐길 거리 풍성한 청양 장날.
손자, 손녀와 함께 하는 놀이마당이 마련됩니다!

제00회 청양 고추·구기자 축제.
가자, 청양으로!

다 '1인 방송' 관련 방송 뉴스

기자: 인기 연예인이 미용과 최신 유행을 주제로 1인 방송을 하고 있습니다. 비교적 가벼운 주제를 가지고 사적인 모습과 생각들을 자연스럽게 보여 주는 이 영상은 조회 수가 2만 건을 넘을 정도로 인기가 높습니다. 이처럼 특정 1인이 주체가 돼 다양한 주제를 갖고 자유로운 형식으로 제작되는 개인 방송이 하나의 방송 콘텐츠 분야로 자리 잡았습니다. 선정적인 내용 등으로 사회적 지탄을 받기도 하지만 앞으로도 1인 방송은 더욱 다양하게 나타날 것으로 예상됩니다.

[인터뷰] 한국콘텐츠진흥원 책임 연구원: 젊은 세대는 이미 인터넷이나 이동 통신 기기를 통한 동영상 이용에 익숙해져 있습니다. 이러한 인터넷 개인 방송은 국경에 제한 없이 세계로 확산할 수 있기에 재미있고 창의력을 갖춘 개인 방송 콘텐츠는 한류 콘텐츠의 새로운 원천이 될 가능성이 큽니다.

– 에스비에스(SBS), 2015년 7월 2일 방송

출제 예감

11 (가)의 내용을 반박하기 위한 근거로 적절한 것을 모두 고른 것은?

〈보기〉

ⓐ 사회적 문제가 되고 있는 것은 예습이 아니라 과도한 선행 학습이다.
ⓑ 준비 없이 본 수업에 임하면 수업 내용을 충분히 이해하기 어렵다.
ⓒ 선행 학습이 안 된 아이가 뒤처지는 것은 바로 예습이 부족하다는 뜻이다.
ⓓ 복습을 통해 배운 것을 잘 이해하는 것보다 예습을 통해 배울 것을 미리 공부하는 것이 효율적이다.

① ⓐ, ⓑ ② ⓐ, ⓒ ③ ⓑ, ⓒ
④ ⓑ, ⓓ ⑤ ⓒ, ⓓ

출제 예감

12 (나)를 〈보기〉의 계획에 따라 매체를 바꾸어 제시하고자 한다. 계획에 따라 매체 자료를 구성한 것으로 적절하지 않은 것은?

〈보기〉

◆ 매체 변용 계획
1. 활용할 매체: 인터넷 블로그
2. 전달 내용: (나)의 전달 목적을 최대한 반영할 것
3. 기타: 변용한 매체의 특성을 최대한 활용할 것

① 각종 공연과 이벤트는 현장감을 느낄 수 있도록 사진 자료로 보여 주면 좋겠어.
② 축제와 관련된 궁금한 내용을 물어 볼 수 있도록 Q&A 게시판을 만들면 좋겠어.
③ 장소와 기간은 사람들이 기억하기 좋도록 문자 언어를 활용하여 제시하면 좋겠어.
④ 다른 축제에 관심이 있는 사람들을 위해 다른 축제 블로그를 링크로 연결하면 좋겠어.
⑤ 축제의 흥겨움을 느끼게 하기 위해 신나는 행진곡을 블로그의 배경 음악으로 사용하면 좋겠어.

13 (다)에 대한 이해로 적절하지 않은 것은?

① 최근 개인 방송이 하나의 방송 콘텐츠로 자리 잡았다.
② 1인 방송은 사람들의 관심을 사기 위해 선정적인 내용을 다루기도 한다.
③ 인터넷 개인 방송은 국경의 제한 없이 세계로 확산할 수 있다는 특징이 있다.
④ 1인 방송은 인터넷이나 이동 통신 기기를 통해 젊은 세대들에게 전파되고 있다.
⑤ 1인 방송을 통해 방송된 미용이나 최신 유행과 같은 주제는 한류의 원천으로 자리를 잡고 있다.

서술형

14 (다)에서 1인 방송의 인기를 알 수 있는 척도가 되는 것은 무엇인지 찾아 쓰고, 그것의 부작용은 무엇인지 서술하시오.

[15~18] 다음 매체 자료를 보고, 물음에 답하시오.

가 인터넷 카페

나 동영상 공유 사이트

다 신문 기사

"예의를 갖추고 스스로 닦으세요"

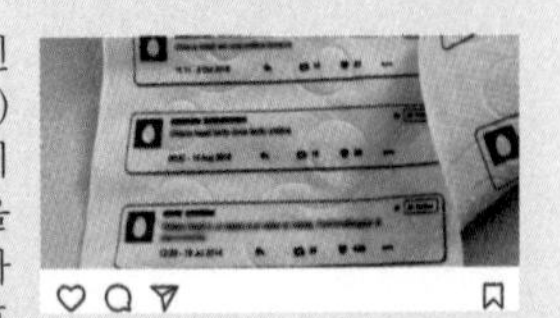

이탈리아의 한 모델은 개인이 사용하는 누리 소통망(SNS)을 통해 "옷 스타일이 교양이 없다." 등의 많은 악성 댓글을 받았습니다. 그는 이 글을 모아 두루마리 휴지에 인쇄한 후 ㉠'예의를 갖추고 스스로 닦으세요.'라는 메시지와 함께 자신의 누리 소통망(SNS) 계정에 사진을 올렸습니다. 창의적인 방법으로 일침을 가한 겁니다.

이 사례처럼 최근 '사이버 불링(cyber bullying)'이 문제가 되고 있습니다. 사이버 불링은 온라인 공간에서 특정인을 괴롭히는 행위인데요. 경찰청 통계에 따르면 2016년 발생한 사이버 명예 훼손 및 모욕 범죄는 1만 4천 건에 달합니다.

15 (가)~(다)에 대한 설명한 것으로 가장 적절한 것은?

① (가)와 (나)는 창의적 표현 전략을 사용하고 있으며, (다)는 창의성이 갖는 표현의 효과를 설명하고 있다.
② (가)와 (나)는 정보 전달의 기능을 가지고 있으며, (다)는 그 정보를 선별하는 방법에 대해 설명하고 있다.
③ (가)와 (나)는 심미적 가치를 드러내고 있으며, (다)는 심미적 가치를 수용하는 바람직한 태도를 설명하고 있다.
④ (가)와 (나)는 설득의 기능을 가지고 있으며, (다)는 그와 같은 성격의 매체를 수용할 때의 유의점을 다루고 있다.
⑤ (가)와 (나)는 친교의 기능을 가지고 있으며, (다)는 그 기능의 사용에서 나타날 수 있는 문제를 다루고 있다.

16 (가)와 같은 인터넷 카페를 이용하는 예절로 적절하지 <u>않은</u> 것은?

① 문법과 맞춤법에 맞는 표현을 사용한다.
② 타인을 비방하거나 욕설을 하지 않는다.
③ 게시판의 글은 명확하고 간결하게 쓴다.
④ 개인 정보를 공개하거나 다른 곳에 퍼뜨리지 않는다.
⑤ 게시판에 글을 쓰거나 댓글을 달 때는 항상 실명을 사용한다.

17 (나)의 매체에 대한 설명으로 적절하지 <u>않은</u> 것은?

① 공연에 대한 감상을 여러 사람과 공유할 수 있다.
② 공연자와 관객 간의 직접적 소통이 비교적 자유롭다.
③ 동시에 여러 사람에게 공연 장면을 대량으로 전파할 수 있다.
④ 공연 장면을 공유하는 데 있어 상업적 이익이 발생할 수 있다.
⑤ 공연자와 공연 장면 게시자 사이의 저작권 분쟁이 나타날 수 있다.

18 ㉠의 의미로 가장 적절한 것은?

① 남의 잘못을 지적하지 말자.
② 교양 있는 스타일로 옷을 입자.
③ 예의 바른 태도로 매체 언어생활을 하자.
④ 진정한 예의를 갖추기 위해 자신을 수양하자.
⑤ 상대에 대한 예의를 갖추기 위해 깨끗한 몸가짐을 갖자.

1등급 완성 문제

정답과 해설 p. 47

01 **〈보기〉의 자료에 대한 설명으로 적절하지 않은 것은?**

〈보기〉

永同郡 本吉同郡 景德王改名 今因之 (본문)

영동군(永同郡)은 본래 길동군(吉同郡)인데 경덕왕이 이름을 고쳤으며, 지금 이를 그대로 쓰고 있다. (현대어 역)

① 〈보기〉의 자료는 우리말을 표기할 수단이 없던 시기에 한자의 음과 뜻을 사용해 지명을 표기한 사례이다.

② ‘길동군(吉同郡)’의 ‘길(吉)’은 한자의 소리를 버리고 뜻을 취하여 우리말의 ‘길다’를 표기한 것이다.

③ ‘영동군(永同郡)’의 ‘영(永)’은 한자의 뜻을 빌려 표기하는 차자 표기 유형이다.

④ 경덕왕 이전에는 지명을 한자로 적되, 우리말을 표기하려고 하였을 것이다.

⑤ 경덕왕 이후에는 우리말 지명이 한자식으로 바뀌어 사용되었을 것이다.

02 **〈보기〉의 자료에서 알 수 있는 근대 국어의 특징으로 적절하지 않은 것은?**

〈보기〉

우리신문이 한문은 아니쓰고 다만 국문으로만 쓰ᄂᆞᆫ거ᄉᆞᆫ 상하귀쳔이 다보게 홈이라 ᄯᅩ 국문을 이러케 귀졀을 ᄯᅦ여 쓴즉 아모라도 이신문 보기가 쉽고 신문속에 잇ᄂᆞᆫ 말을 자세이 알어 보게 홈이라 각국에셔ᄂᆞᆫ 사ᄅᆞᆷ들이 남녀 무론ᄒᆞ고 본국 국문을 몬저 ᄇᆡ화 능통ᄒᆞᆫ 후에야 외국 글을 ᄇᆡ오ᄂᆞᆫ 법인ᄃᆡ 죠션셔ᄂᆞᆫ 죠션 국문은 아니 ᄇᆡ오드ᄅᆡ도 한문만 공부 ᄒᆞᄂᆞᆫ ᄭᆞᄃᆞᆰ에 국문을 잘아ᄂᆞᆫ 사ᄅᆞᆷ이 드물미라 죠션 국문ᄒᆞ고 한문ᄒᆞ고 비교ᄒᆞ여 보면 죠션국문이 한문 보다 얼마가 나흔거시 무어신고ᄒᆞ니 첫ᄌᆡᄂᆞᆫ ᄇᆡ호기가 쉬흔이 됴흔 글이요 둘ᄌᆡᄂᆞᆫ 이글이 죠션글이니 죠션 인민 들이 알어셔 ᄇᆡᆨᄉᆞ을 한문ᄃᆡ신 국문으로 써야 샹하귀쳔이 모도보고 알어 보기가 쉬흘터이라 한문만 늘써 버릇ᄒᆞ고 국문은 폐ᄒᆞᆫ ᄭᆞᄃᆞᆰ에 국문만쓴 글을 죠선 인민이 도로혀 잘 아러보지 못ᄒᆞ고 한문을 잘알아보니 그게 엇지 한심치 아니ᄒᆞ리요

① 어두에서 현대 국어에서는 쓰이지 않는 ‘ㅅ’계 합용 병서가 사용되었다.

② 같은 단어를 이어적기, 끊어적기를 동시에 사용하여 표기하는 모습을 보인다.

③ 현대 국어와는 다른 의문형 종결 어미로 ‘-니’가 사용되었다.

④ 중세 국어에서 정교하게 지켜지던 모음 조화가 파괴되는 현상이 나타난다.

⑤ 현대 국어에서와 마찬가지로 명사형 어미 ‘-기’가 사용되고 있다.

03 **〈보기 2〉를 참고하여 〈보기 1〉에 나타난 내용을 이해하였을 때, 적절하지 않은 것은?**

〈보기 1〉

우리 셔울 가면 어ᄃᆡ 머므러야 됴ᄒᆞ료 우리 順城門(순성문) 官店(관점)에 가셔 머므쟈 져긔셔 ᄆᆞᆯ 져제 가기 ᄯᅩ 져기 갓가오니라 네 니ᄅᆞ미 올타 나도 ᄆᆞ음애 이리 ᄉᆡᆼ각ᄒᆞ엿더니 네 니ᄅᆞ미 맛치 내 ᄠᅳᆺ과 ᄀᆞᆺ다 -『중간노걸대언해』 상권, 10장	우리 서울 가면 어디에 머물러야 좋을까? 우리 순성문 관점에 가서 머물자. 저기서 말 시장에 가기가 또 적이 가깝다. 네 말이 옳다. 나도 마음에 이리 생각하였는데 네 말이 마침 내 뜻과 같다.

〈보기 2〉

중세 국어	근대 국어	현대 국어
셔ᄫᅳᆯ	셔울	서울
둏-	죻-	좋-
ᄆᆞᅀᆞᆷ	ᄆᆞ옴	마음

① ‘ㅸ’은 양성 모음 앞에서는 ‘ㅗ’, 음성 모음 앞에서는 ‘ㅜ’로 변하였다.

② ‘ㅿ’은 중세 국어 시기 말부터 근대 국어 시기 초에 소멸되었다.

③ ‘ㆍ’는 첫째 음절에서는 ‘ㅏ’로, 둘째 음절 이하에서는 ‘ㅡ’로 변화하였다.

④ 모음 ‘ㅣ, ㅑ, ㅕ, ㅛ, ㅠ’ 앞의 ‘ㄷ, ㅌ’은 ‘ㅈ, ㅊ’으로 변화하였다.

⑤ 이중 모음이 단모음으로 변하는 단모음화 현상이 중세 국어에서부터 점차적으로 진행되었다.

[04~06] 다음 글을 읽고, 물음에 답하시오.

가 중세 국어의 음운적 특징으로는, 된소리 계열이 생겨난 점, 유성 마찰음 'ㅸ, ㅿ'이 쓰이는 점, 'ㆍ'가 소멸되기 시작하고 모음 조화가 잘 지켜진 점 등을 들 수 있다.

나 먼저 된소리의 발달은 현대 국어에서 '예사소리–거센소리–된소리'의 대립 체계가 성립되는 변화라는 의미가 있다. 또한, 현대 국어에서는 볼 수 없는 'ㅸ, ㅿ' 소리가 이 시기에 사용되고 있었는데, 이 소리들은 근대 국어 시기까지 이어지지 않고 그 전에 소멸의 길을 걸었다. 예를 들어, '셔ᄫᅳᆯ>서울', '처ᅀᅥᆷ>처음' 등에서 그 변화를 볼 수 있다.

다 중세 국어에는 현대 국어에 없는 'ㆍ'가 있었다. 모음 'ㆍ'는 후기 중세 국어 때부터 변화되었는데 16세기에는 둘째 음절 이하의 'ㆍ'가 주로 'ㅡ'로 변하고, 이후 근대 국어 시기에 이르러 첫째 음절의 'ㆍ'가 주로 'ㅏ'로 변하면서, 모음 'ㆍ'는 완전히 소멸되었다. 'ᄆᆞᅀᆞᆷ>마음'은 그러한 변화 양상을 잘 보여 주는 예이다.

라 현대 국어와 달리 중세 국어에서는 모음 조화가 엄격하게 지켜졌다. 예를 들어, 조사나 어미에는 모음 조화에 의한 교체 형태를 갖추고 있어서, 1인칭 대명사 '나'와 2인칭 대명사 '너'는 모음 조화에 따라 '나ᄂᆞᆫ, 나ᄅᆞᆯ'과 '너는, 너를' 등으로 나타났고, 동사 '막–'과 '먹–'은 '마가, 마ᄀᆞᆫ, 마ᄀᆞᆯ'과 '머거, 머근, 머글' 등으로 나타났다.

마 중세 국어 시기에는 ㉠주격 조사에 '가'는 없고 '이'만 있어서 앞말의 받침 유무에 상관없이 '이'가 쓰였다. 예를 들어, 'ᄉᆡ미 기픈 므른', '부톄 니ᄅᆞ샤ᄃᆡ', '불휘 기픈 남ᄀᆞᆫ' 등에서 주격 조사 '이'가 쓰인 양상을 볼 수 있다.

바 높임 표현은 선어말 어미에 의해 실현되었는데, '–(으)시–'에 의한 주체 높임법, ㉡'–ᅀᆞᆸ–'에 의한 객체 높임법, '–(으)이–'에 의한 상대 높임법의 정연한 체계를 이루고 있었다. 대체로 주체 높임법의 경우는 현대 국어와 비슷하지만, 객체 높임법의 '–ᅀᆞᆸ–'은 현대에 와서 거의 흔적을 남기지 않고 사라졌고, 상대 높임법 또한 선어말 어미에 의해 표현되던 체계는 사라지고 현대에 와서는 어말 어미에 의해 표현된다.

시간 표현의 경우, 현재 시제를 표현할 때 동사 어간에는 '–ᄂᆞ–'가 연결되는 반면 형용사 어간에는 특별한 형태소가 연결되지 않았다. '가ᄂᆞ다'와 '어엿브다'가 그 예인데, 현대 국어의 '간다'와 '불쌍하다'의 활용과 비슷한 면이 있다. 동사의 과거 시제는 현대 국어의 '–았–/–었–'에 해당하는 선어말 어미가 아직 발달되지 않아서 아무런 형태소의 결합도 없이 표현되었다. 예를 들어, '가ᄂᆞ다'가 현재 시제인 것과 달리 '가다'는 과거 시제였기 때문에 '갔다' 정도의 의미로 이해된다. 회상의 의미를 표현하는 '–더–'는 중세 국어에도 쓰였으며, 추측의 의미를 표현하는 '–겠–'은 아직 발달되지 않았지만 '–(으)리–'가 그 기능을 충분히 하고 있었다.

04 이 글을 바탕으로 〈보기〉의 문장에 대해 이해한 내용으로 적절하지 않은 것은?

〈보기〉

ⓐ 沙門은 ᄂᆞᄆᆡ 지순 녀르믈 먹ᄂᆞ니이다.
(사문은 남의 지은 열매를 먹습니다.)

ⓑ 迦葉의 能히 信受[1]호ᄆᆞᆯ 讚歎[2]ᄒᆞ시니라.
(가섭의 능히 신수함을 찬탄하셨다.)

ⓒ 됴ᄒᆞᆫ 소리ᄅᆞᆯ 다ᄆᆞᆺ 머리 펴듀믈 期望[3]ᄒᆞ노니
(좋은 소리를 더불어 멀리 퍼지기를 기망하니)

ⓓ 懷州縣에 가셔 이 官人의 오ᄆᆞᆯ 기드리더니
(회주현에 가서 이 관인의 오기를 기다리더니)

ⓔ 수를 하 잇ᄂᆞᆫ 酒泉郡ᄋᆞᆯ 가디 몯호ᄆᆞᆯ 恨ᄒᆞᄂᆞ다.
(술을 많이 있는 주천군으로 가지 못함을 한탄한다.)

[어휘 풀이] 1) 신수(信受): 믿고 받아들임. 2) 찬탄(讚歎): 칭찬하며 감탄함. 3) 기망(期望): 어떠한 일이 이루어지기를 바람.

① ⓐ, ⓑ, ⓓ, ⓔ는 시간 표현 선어말 어미가 사용된 문장이군.
② ⓐ의 '지순'은 현대 국어에 없는 음운이 사용되었음을 보여 주는군.
③ ⓐ의 '沙門은'으로 보아 주격 조사 자리에 다른 조사가 사용되기도 하였음을 알 수 있군.
④ ⓑ의 '讚歎ᄒᆞ시니라'로 보아 주체 높임 선어말 어미는 현대 국어와 같다는 것을 알 수 있군.
⑤ ⓐ의 '녀르믈', ⓑ의 '信受호ᄆᆞᆯ', ⓒ의 '펴듀믈', ⓓ의 '오ᄆᆞᆯ', ⓔ의 '몯호ᄆᆞᆯ'은 모음 조화에 따라 서로 다른 목적격 조사가 사용되었군.

05 다음은 ㉠에 대한 설명이다. ㉮~㉰에 알맞은 것은?

중세 국어의 주격 조사에는 '이', 'ㅣ', 'ø'이 있는데, 이들은 선행하는 체언의 끝소리의 종류에 따라 형태를 달리한다.

형태	환경
ㅣ	'ㅣ' 모음 이외의 모음으로 끝난 체언 뒤에 쓰임.
이	자음으로 끝난 체언 뒤에 쓰임.
ø	'ㅣ' 모음으로 끝난 체언 뒤에 쓰임.

중세 국어: 믈읫 字 + [㉮] 모로매
현대 국어: 모든 글자가 모름지기

중세 국어: 불휘 + [㉯] 기픈 남ᄀᆞᆫ
현대 국어: 뿌리가 깊은 나무는

중세 국어: 큰 나라ㅎ + [㉰] ᄃᆞ외어늘
현대 국어: 큰 나라가 되거늘

	㉮	㉯	㉰
①	ㅣ	이	ø
②	이	ø	ㅣ
③	ø	이	ㅣ
④	ㅣ	ø	이
⑤	이	ㅣ	ø

06 〈보기 1〉은 ㉡에 대한 설명이다. 〈보기 1〉을 고려할 때 〈보기 2〉의 ⓐ~ⓔ에 대한 설명으로 적절하지 <u>않은</u> 것은?

〈 보기 1 〉

현대 국어에서는 문장의 객체를 높이기 위해 조사 '께'를 사용하는 방법과 '아버님', '진지', '여쭙다'와 같은 높임말을 사용하는 방법이 쓰이고 있다. 한편, 중세 국어에서는 문장의 객체를 높이기 위해 조사 'ᄭᅴ'나 높임말을 사용하는 방법도 쓰였으며, 객체 높임 선어말 어미 '-ᄉᆞᆸ-, -ᄌᆞᆸ-, -ᅀᆞᆸ-'이 사용되었다.

〈 보기 2 〉

	중세 국어 표현	현대 국어 표현
ⓐ	태자ᄭᅴ 보ᄇᆡ롤 드리며	태자께 보배를 드리며
ⓑ	님굼 은혜롤 갑ᄉᆞᆸ고져	임금님의 은혜를 갚고자
ⓒ	내 ᄯᆞᆯ…부텨옷 보ᅀᆞᄫᆞ면	내 딸이…부처만 뵈면
ⓓ	보살ᄃᆞᆯ히 광명이 너비 비취시논 고ᄃᆞᆯ 보ᅀᆞᆸ고	보살들이 광명이 널리 비추는 것을 보고
ⓔ	善女人이…無量壽佛ᄭᅴ 나 正法 듣ᄌᆞᆸ고져 發願ᄒᆞ되	선여인이 무량수불께 나아가 정법을 듣고자 발원하되

① ⓐ와 ⓔ는 조사를 사용하여 객체를 높이고 있다.
② ⓑ는 '-ᄉᆞᆸ-'을 사용하여 '님굼 은혜'를 높이고 있다.
③ ⓒ와 ⓓ로 보아 앞말이 모음으로 끝난 경우 '-ᅀᆞᆸ-'을 사용하고 있다.
④ ⓓ는 '-ᅀᆞᆸ-'을 사용하여 '보살'을 높이고 있다.
⑤ ⓔ는 '-ᄌᆞᆸ-'을 사용하여 높임의 대상을 직접 높이고 있다.

[07~10] 다음 글을 읽고, 물음에 답하시오.

가 설득의 기능을 담고 있는 국어 자료는 글쓴이가 자신의 주장이나 의견을 독자에게 이해시키고, 나아가 그 주장대로 믿고 따르게 할 목적으로 만든 자료이다. 따라서 글쓴이는 자신의 주장과 함께 주장을 뒷받침할 근거를 제시해야 한다.

[예제] 다음 글을 읽고, 설득이 목적인 국어 자료의 특성을 말해 보자.

[A]

> 갈등은 분열과 폭력의 도화선일 수도 있고, 발전과 통합의 씨앗일 수도 있다. 이 때문에 합의의 기술이 무엇보다 중요하다. 갈등으로 인해 낭비되는 비용을 줄이고, 분열된 사회를 합의의 기술로 잘 봉합해야 우리 경제도 다시 살아날 수 있다. 그렇다고 '합의'라는 결과만 강조하고 그 절차를 무시한다면 또 다른 억압을 동반할 수밖에 없다. 이제 과거에 우리가 머릿속에 갖고 있던 '합의'의 개념을 바꾸어야 한다. 합의의 문화, 갈등의 관리는 모든 이해 당사자들이 공평하게 자기 권리를 주장하는 것에서부터 시작되어야 한다.
>
> – 케이비에스(KBS) 명견만리 제작팀, 「1장 당신은 합의의 기술을 가졌는가」에서

위 글은 우리 사회에서 발생하는 갈등을 새로운 개념의 합의를 통해서 관리하고 해결해야 한다고 주장하고 있다. 설득을 위한 국어 자료는 정보를 전달하는 국어 자료와 마찬가지로, 문장이 간결하고 명료하다는 공통적인 특성이 있다. 그러나 설득을 위한 국어 자료는 반드시 글쓴이의 주장과 의견이 제시되기 때문에 자료의 구조나 표현이 일관적이고 논리적이라는 특성이 있다.

나 광고문은 제품을 판매하거나 각종 정보나 자료를 널리 알리기 위하여 활용하는 국어 자료로, 표면적으로는 정보를 전달하는 것이지만 그 이면에는 독자를 설득하려는 의도가 담겨 있다. 또한 문자 언어에 국한하지 않고, 설득이나 홍보 등 광고 효과를 높이기 위해 다른 매체 언어를 이용하는 특성이 있다.

[예제] 다음 광고에 나타나는 국어 자료의 언어적 특성을 파악해 보자.

[B]

위 광고는 '스마트폰 사용 절제'에 대한 공익 광고이다. 위 광고에서 볼 수 있듯이 다양한 매체 언어와 함께 광고를 끌고 가는 문자 언어는, 짧은 시간 내에 최대한 효과적으로 주제를 보는 이에게 전달해야 하므로 표현이 간결하고 압축적인 특성을 보이고 있다.

다 기사문이나 보도문은 실제 사건이나 상황이 전개되는 모습을 신문이나 방송과 같은 매체를 통해 독자에게 알려 주는 글로, 육하원칙에 의해 작성된다.

[예제] 다음 기사문에 나타나는 국어 자료의 언어적 특성을 파악해 보자.

[C]

> 사진 보고 따라 그렸을 뿐인데, 저작권법 위반이라고요?
>
> 웹툰이나 디자인 업계에 '트레이싱' 주의보가 발효됐다. '흔적을 따라가다'는 뜻의 트레이싱은 그림이나 디자인을 할 때 사진이나 다른 그림의 윤곽선을 따라 그리는 걸 의미하기도 한다. 사실상 베껴 그리는 것이나 마찬가지라 본인이 직접 찍은 사진이 아닌 다른 사람 사진이나 그림을 트레이싱하는 것 자체가 원저작자의 저작권을 침해한다고 볼 수 있기 때문이다.
>
> 디지털콘텐츠창작학과 교수는 "아무리 좋은 아이디어라고 해도 출처를 밝히지 않고 남의 저작물을 복제한다면 저작권법 위반."이라면서 "법적 처벌도 필요하지만 저작권법에 대한 느슨한 인식도 단단히 할 필요가 있다."라고 지적했다.
>
> – 『한국일보』, 2017년 9월 19일

위 기사문은 일상생활에서 저작권법을 위반한 사례를 가지고, 전문가의 의견과 함께 정보를 전달하고 있다. 기사문은 공정성과 정확성이 중요하기 때문에 기자 개인의 주관적 의견이나 추측을 포함하지 않아야 한다. 또한 대부분의 사건이나 상황은 기자가 직접 겪는 것이 아니므로 취재를 통해 다른 사람의 말을 인용하는 표현이나 피동 표현이 많은 것이 기사문의 특성이다.

07 **(가)의 [예제]에 담긴 생각을 (나)에서 설명하는 국어 자료로 생산하는 활동을 한다고 할 때, 다음의 ㉠~㉤ 중 적절하지 않은 것은?**

〈글쓰기 활동과 계획〉
㉠ 주제는 '새로운 합의의 기술을 통해 갈등을 관리하고 해결하자'로 하는 것이 좋겠군.
㉡ 대중의 관심을 끌 수 있어야 하므로 전달 방식은 통념을 깨는 방식이 필요할 것 같아.
㉢ 사람들은 갈등을 부정적인 것으로만 보려고 하니까 갈등이 선도 악도 아니고 분열과 폭력의 도화선도 될 수 있지만, 발전과 통합의 씨앗일 수도 있다는 생각을 표현하면 좋을 것 같아.
㉣ 그럼 그런 생각을 담을 수 있는 흥미로운 형식이 필요할 것 같아. 폭탄과 도화선을 먼저 보여 주고 종이를 접으면 통합의 씨앗으로 변하는 방식을 생각해 보자.
㉤ (가)의 [예제] 내용이 공익 정보의 성격을 띠므로 (나)에서 설명하는 국어 자료로 생산할 때는 글쓴이의 주장이나 의견은 배제하고 작성하는 것이 좋겠어.

① ㉠ ② ㉡ ③ ㉢
④ ㉣ ⑤ ㉤

08 **매체의 종류에 따라 (나)에서 설명하는 국어 자료의 설득 방법이 달라진다고 할 때, 이에 대한 설명으로 적절하지 않은 것은?**

① 인쇄 매체를 선택하는 경우 문자 언어, 사진, 그림 등 시각 자료를 주된 매체로 사용하면서 설득의 효과를 높이게 된다.
② 라디오 매체의 경우 시각적 자료를 사용할 수 없으므로 음성 언어, 음향을 주된 표현 수단으로 사용하여 설득의 효과를 높이게 된다.
③ 라디오 매체를 사용하는 경우 반복해서 들을 수 없으므로 기억하기 쉽고 재미있게 전달하기 위해 짧은 문장이나 어구로 직접 말하면서 배경 음악 등을 사용하여 설득의 효과를 높이게 된다.
④ 텔레비전 매체의 경우 영상을 주된 표현 수단으로 사용하여 광고의 내용을 이야기 형태로 만들어 보여 주는 경우가 많으며 배경 음악, 특수 효과 등을 사용하여 깊은 인상을 남기게 된다.
⑤ 각 매체에 따라 표현 수단과 그것이 지니는 특성과 효과가 다르기 때문에 광고를 할 때에는 사람들이 가장 선호하는 매체를 골라 전달 방식으로 삼는 것이 좋다.

09 **[A]~[C]의 공통점으로 적절한 것은?**

① 글을 생산하는 목적의 층위에서 독자를 설득하려는 의도를 지녔다.
② 독자에게 자신의 주장이나 의견을 이해시키고 주장을 믿고 따르게 하려 한다.
③ 글의 목적에 맞게 자료의 구조나 표현이 일관되고 논리적이다.
④ 글쓴이 자신의 주관적인 의견이나 추측을 배제하고 쓰인 글이다.
⑤ 내용을 잘 전달하기 위해 문장과 표현이 간결하고 명료하다.

10 **〈보기〉는 (다)와 관련한 자료이다. 〈보기〉를 참고할 때 (다)의 [예제]에 사용된 국어 자료에 대한 설명으로 적절하지 않은 것은?**

〈보기〉
기사문의 구성 형식
• 표제: 한눈에 들어오도록 구체적이고 생략적으로 작성해야 하고 흥미를 끌 수 있어야 한다.
• 부제: 큰 기사일 경우 표제 다음에 달기도 한다.
• 전문: 전체 기사 내용을 요약적으로 제시한다.
• 본문: 육하원칙에 의해 사건의 형편, 내용, 성질, 특성 등을 자세히 쓴다.
• 해설: 사건이 생소할 때 본문 뒤에 덧붙이는 형식으로 기사문 중에서 가장 객관성이 떨어지는 부분이다.

① 기사문의 구성 형식을 따르고 있다.
② 부제는 빠져 있고 표제만으로 기사의 내용을 요약적으로 전달하고 있다.
③ 전문은 따로 없으며 표제를 '질문형'으로 구성하여 독자의 관심을 유도하고 있다.
④ 본문을 육하원칙에 따라 구성하여 국어 자료의 신뢰성을 확보하려고 하였다.
⑤ 관련 전문가의 의견을 인용하여 전달하려는 내용의 객관성을 높이고 있다.

11 〈보기〉는 [표준 발음법]과 관련한 자료이다. 〈보기〉의 자료를 탐구한 내용으로 적절하지 않은 것은?

〈보기〉

[표준 발음법 규정]

제9항 받침 'ㄲ, ㅋ', 'ㅅ, ㅆ, ㅈ, ㅊ, ㅌ', 'ㅍ'은 어말 또는 자음 앞에서 각각 대표음 [ㄱ, ㄷ, ㅂ]으로 발음한다.

제10항 겹받침 'ㄳ', 'ㄵ', 'ㄼ, ㄽ, ㄾ', 'ㅄ'은 어말 또는 자음 앞에서 각각 [ㄱ, ㄴ, ㄹ, ㅂ]으로 발음한다.
다만, '밟-'은 자음 앞에서 [밥]으로 발음하고, '넓-'은 다음과 같은 경우에 [넙]으로 발음한다.

제18항 받침 'ㄱ(ㄲ, ㅋ, ㄳ, ㄺ), ㄷ(ㅅ, ㅆ, ㅈ, ㅊ, ㅌ, ㅎ), ㅂ(ㅍ, ㄼ, ㄿ, ㅄ)'은 'ㄴ, ㅁ' 앞에서 [ㅇ, ㄴ, ㅁ]으로 발음한다.

제23항 받침 'ㄱ(ㄲ, ㅋ, ㄳ, ㄺ), ㄷ(ㅅ, ㅆ, ㅈ, ㅊ, ㅌ), ㅂ(ㅍ, ㄼ, ㄿ,ㅄ)' 뒤에 연결되는 'ㄱ, ㄷ, ㅂ, ㅅ, ㅈ'은 된소리로 발음한다.

제29항 합성어 및 파생어에서, 앞 단어나 접두사의 끝이 자음이고 뒤 단어나 접미사의 첫 음절이 '이, 야, 여, 요, 유'인 경우에는, 'ㄴ'소리를 첨가하여 [니, 냐, 녀, 뇨, 뉴]로 발음한다.

① '국물'은 제18항이 적용되어 [궁물]로 발음된다.
② '밟다'는 제10항과 제23항이 적용되어 [밥:따]로 발음된다.
③ '꽃망울'은 제9항과 제18항이 적용되어 [꼰망울]로 발음된다.
④ '맞먹다'는 제9항과 제23항이 적용되어 [만먹따]로 발음된다.
⑤ '홑이불'은 제9항, 제18항과 제29항이 적용되어 [혼니불]로 발음된다.

12 〈보기〉를 바탕으로 한글 맞춤법을 이해한 내용으로 적절하지 않은 것은?

〈보기〉

제1항 한글 맞춤법은 표준어를 소리대로 적되, 어법에 맞도록 함을 원칙으로 한다.

① '빛이 예쁘다.'에서 '빛이'는 '비치'로 적는 것이 근본 원칙이군.
② '먹어'에서 '먹-'은 뜻을 쉽게 파악하기 위한 표기에 해당하는군.
③ '자동차 소리가 시끄럽다.'에서 '소리가'는 소리 나는 대로 적은 경우에 해당하는군.
④ '나무 밑에서 잠을 자다.'에서 '밑에서'를 소리 나는 대로 적으면 독서의 효율이 떨어지겠군.
⑤ '나는 친구와 갈등을 일으켰다.'에서 '갈등'은 소리 나는 대로 적은 것과 어법에 맞도록 적은 것, 두 개의 형태가 같겠군.

13 〈보기〉를 고려하여 외래어를 표기할 때 가장 적절한 것은?

〈보기〉

[외래어 표기법의 원칙]

제1항 외래어는 국어의 현용 24 자모만으로 적는다.
제2항 외래어의 1 음운은 원칙적으로 1 기호로 적는다.
제3항 받침에는 'ㄱ, ㄴ, ㄹ, ㅁ, ㅂ, ㅅ, ㅇ'만을 쓴다.
제4항 파열음 표기에는 된소리를 쓰지 않는 것을 원칙으로 한다.
제5항 이미 굳어진 외래어는 관용을 존중하되, 그 범위와 용례는 따로 정한다.

[외래어 표기법 표기 세칙]

제3항 마찰음([s], [z], [f], [v], [θ], [ð], [ʃ], [ʒ])
1. 어말 또는 자음 앞의 [s], [z], [f], [v], [θ], [ə]는 '으'를 붙여 적는다. 예 jazz [dʒæz]: 재즈
2. 어말의 [ʃ]는 '시'로 적고, 자음 앞의 [ʃ]는 '슈'로, 모음 앞의 [ʃ]는 뒤따르는 모음에 따라 '샤', '섀', '셔', '셰', '쇼', '슈', '시'로 적는다. 예 flash[flæʃ]: 플래시
3. 어말 또는 자음 앞의 [ʒ]는 '지'로 적고, 모음 앞의 [ʒ]는 'ㅈ'으로 적는다. 예 vision[viʒən]: 비전

① shark's fin: 샥스핀 ② graph: 그랩
③ mask: 마스크 ④ mirage: 미라제
⑤ shopping: 샤핑

14 〈보기〉를 고려하여 로마자 표기를 할 때, 적절하지 않은 것은?

〈보기〉

• 표기상의 유의점

제1항: 음운 변화가 일어날 때에는 변화의 결과에 따라 적는다.
제2항: 발음상 혼동의 우려가 있을 때에는 음절 사이에 붙임표(-)를 쓸 수 있다.
제3항: 고유 명사는 첫 글자를 대문자로 적는다.
제5항: '도, 시, 군, 구, 읍, 면, 리, 동'의 행정 구역 단위와 '가'는 각각 'do, si, gun, gu, eup, myeon, ri, dong, ga'로 적고, 그 앞에는 붙임표(-)를 넣는다. 붙임표(-) 앞뒤에서 일어나는 음운 변화는 표기에 반영하지 않는다.
제6항: 자연 지물명, 문화재명, 인공 축조물명은 붙임표(-) 없이 붙여 쓴다.

① 독도: Dok-do ② 부산: Busan
③ 경복궁: Gyeongbokgung ④ 해운대: Hae-undae
⑤ 충청북도: Chungcheongbuk-do

정답과 해설

고등학교 언어와 매체 평가문제집

I 언어, 매체, 삶

1. 언어와 국어의 이해

(1) 언어의 본질

소단원 적중 문제 pp. 10~11

01 ④ **02** ① **03** ⑤ **04** 해설 참조 **05** ③ **06** ①
07 ③ **08** 해설 참조

01. '팽이'를 부르는 형태가 지역에 따라 조금씩 다른 것을 보면, 의미와 형태가 일대일로 대응한다고 할 수 없다.

02. 실제 강아지나 수탉이 우는 소리는 차이가 없지만, 소리를 나타내는 음성 상징어로 무엇을 사용하느냐에 따라 동물들의 울음소리를 듣는 방식이 달라진다. 언어가 사고를 지배한다는 주장을 뒷받침할 수 있는 내용이다.

03. '빨주노초파남보'의 일곱 가지 색으로 무지개가 이루어졌다고 여기는 것은 언어가 사고를 지배한다는 주장이나 언어의 분절성을 뒷받침할 수 있을 뿐, 공동체의 특성에 따라 언어가 달리 표현되는 사례로 볼 수는 없다.

04. **예시 답** 영어권에는 없는 발달된 벼농사 문화를 한국어 공동체가 공유하고 있기 때문이다.

평가 기준	배점
예시 답에 가깝게 설명한 경우	5점
예시 답에 가까우나 설명이 미흡한 경우	3점
문장이 어색하거나 맞춤법에 어긋난 표기가 있는 경우	−1점

05. 해당 부분에서는 언어를 구성하는 의미와 말소리의 관계, 즉 기호로서의 언어가 지니는 특성인 자의성, 사회성, 역사성, 분절성, 추상성을 차례로 설명하고 있다.
오답 풀이 ㉣에서 언어의 구조적 특성을 다루고 있다.

06. 지시 대상(사과)과 말소리(한국어의 '사과', 영어의 'apple', 중국어의 '苹果') 사이에는 필연적인 관계가 없음, 즉 언어의 자의성을 보여 주는 예이다.
오답 풀이 ② 언어의 창조성에 대한 설명이다.
③ 언어의 추상성에 대한 설명이다.
④ 언어의 역사성에 대한 설명이다.
⑤ 언어의 체계성에 대한 설명이다.

07. 인간이 제한된 수의 기호를 활용하여 무한한 표현을 생산할 수 있다는 내용, 즉 언어의 창조성을 설명하기에 적절한 내용이다.

08. **예시 답** 동물들의 울음소리를 나타낸 의성어들은 실제 소리를 흉내 내어 만든 것이므로 의미와 말소리 사이의 관계가 비교적 가깝지만, 언어마다 조금씩 말소리에 차이가 있는 점을 통해 언어의 의미와 말소리의 자의적인 관계를 알 수 있다.

평가 기준	배점
예시 답에 가깝게 설명한 경우	5점
설명이 미흡하거나 '자의성(자의적인 관계)'이라는 핵심어가 누락된 경우	3점
문장이 어색하거나 맞춤법에 어긋난 표기가 있는 경우	−1점

(2) 국어의 특성과 위상

소단원 적중 문제 pp. 13~14

01 ③ **02** ④ **03** ④ **04** 해설 참조 **05** ① **06** ⑤
07 해설 참조 **08** ②

01. 국어는 색채와 관련된 표현 및 친족어와 호칭어가 섬세하게 분화되어 있다.
오답 풀이 ① 국어는 문장의 필수적인 성분을 생략하는 것이 다른 언어에 비해 용이하다.
② 국어의 어휘는 고유어, 외래어, 한자어의 삼분 체계를 지닌다.
④ 음운, 단어, 문장, 담화의 체계를 지니는 것은 언어의 일반적인 특성이다.
⑤ 국어는 '주어-목적어-서술어'를 기본 어순으로 한다.

02. 국어의 어휘는 고유어, 한자어, 외래어로 삼분되어 있다. '눈높이', '오솔길'은 고유어, '가정'과 '역사'는 한자어, '아파트'와 '인터넷'은 외래어이다.

03. 예문에서는 주어가 생략된 상태에서 목적어의 뒤에 서술어가 위치하는 우리말의 기본 어순을 따르고 있다.
오답 풀이 ① 주어인 '나는'이 생략되었다.
② 상대방인 '그대'를 높여 '-ㅂ니다'라는 종결 어미를 사용하였다.
③ '그대', '를', '사랑합니다'의 세 단어로 문장이 이루어져 있다.
⑤ 목적어인 '그대를'이 서술어인 '사랑합니다'의 앞에 위치하였다.

04. 외국인에게 한국어의 자음 중 'ㅂ'과 'ㅃ'의 구별이 되지 않는 이유를 탐구하는 문제이다.
예시 답 영어는 한국어와 달리, 예사소리와 된소리의 대립 체계가 없으므로 'ㅂ'과 'ㅃ'을 구별할 수 없기 때문이다.

평가 기준	배점
예시 답에 가깝게 설명한 경우	5점
문장이 어색하거나 맞춤법에 어긋난 표기가 있는 경우	−1점

05. 이 글은 사용 인구가 세계 13위에 해당할 정도로 위상이 높아지고 있는 한국어와 한국어 교육의 중요성을 설명하고 있다.

06. (가)와 (나) 모두 사용자 수를 기준으로 언어의 순위를 정하여 이를 기반으로 한국어의 위상을 서술하고 있다.

07. 글쓴이는 전 세계 6천여 개의 언어 중 대부분의 언어가 사용자 수가 매우 적어 영세하다는 자료를 바탕으로, 한국어의 사용자 수는 세계 12~13위에 이를 정도로 많다는 것을 ㉠과 같은 한국어 멸종 위기설에 대한 반박의 근거로 내세우고 있다.
예시 답 영세한 대부분의 언어와 달리 한국어는 사용자 수가 많다.

평가 기준	배점
예시 답에 가깝게 설명한 경우	5점
'한 문장'으로 서술하지 못한 경우	3점
문장이 어색하거나 맞춤법에 어긋난 표기가 있는 경우	–1점

08. (가)의 글쓴이는 한국의 경제 규모, 한국어에 대한 세계의 관심과 필요, 세종학당 등을 통한 한국어 교육 시스템 등을 언급하고 있는데 이는 한국어의 위상이 더욱 높아질 것임을 예측하는 근거가 될 수 있다.
오답 풀이 ⓑ (가)에 한글 학습의 용이성에 대한 언급은 없다.
ⓔ 영세한 언어들에 대해서는 (나)에서 언급하고 있다.

중단원 실전 문제 pp. 15~17

01 ① **02** ② **03** ④ **04** ② **05** ⑤ **06** ② **07** 해설 참조 **08** 해설 참조

01. 이 글은 언어를 의사소통의 수단으로서만 바라보는 것이 아니라, 인간의 사고, 사회, 문화와 언어가 어떠한 상호 영향 관계에 놓여 있는지를 설명하고 있다. 인간의 사고와 사회, 문화는 인간의 삶의 다양한 측면이므로 '인간의 삶과 언어'라는 제목이 가장 적절하다.

02. 이 글에서는 어린아이의 언어 능력 발달 과정을 통해 언어와 사고의 관계를 살펴보고(①), 언어와 사회(③), 언어와 문화(④, ⑤)가 밀접한 관계에 있음을 예를 들어 가며 설명하였다. (나)에서는 한국어라 할지라도 지역과 연령, 성별, 사회 집단에 따라 형태가 조금씩 다르다는 내용을 확인할 수 있다.

03. 동일한 지시 대상에 대해 영어와 한국어의 표현 방식이 다른 것은 언어 공동체의 고유한 문화가 다르기 때문이다. 공동체를 개인보다 우선하는 한국의 문화가 '나'보다 '우리'라는 표현을 많이 사용하도록 한 것이라 볼 수 있다.

04. 고유어 외에 외래어로 어휘 체계가 구성되어 있는 것은 국어를 비롯한 여타 언어의 공통된 특성이다. 다만 국어는 다른 외래어들과 구별되는 한자어 비중이 높다는 특성을 더 가지고 있다.

05. ㉢에는 말을 듣는 상대인 '시부모'를 높이기 위해 '–습니다'라는 종결 어미를 사용하였다. 문장의 주체인 남편을 '그이, 아비, 아범' 등으로 지칭한 것을 높임 표현으로 볼 수는 없으며 용언에서 주체를 높이는 선어말 어미 '–시–'도 나타나지 않았다.

06. ②는 '주어–목적어–서술어'의 기본 어순을 지킨 문장 두 개가 종속적으로 이어진 문장이다.
오답 풀이 ① '너' 뒤에 주격 조사가 생략되었으나 이를 필수 성분의 생략으로 볼 수는 없다.
③ '주어–목적어–서술어'의 기본 어순에 변동이 있는 문장은 아니다.
④ "응, 이번 주말에 시간 있어." 또는 "아니, 이번 주말엔 시골에 가야 해."로 대답해야 한다.
⑤ "아뇨, 저는 문 잠갔어요." 또는 "예, 저는 안 잠갔어요."로 대답해야 한다.

서술형 문제

07. 예시 답 꿀벌의 8자 춤의 방향과 중력을 나타내는 수직선과의 각도, 속도와 활발성(표현의 형식)은 꿀의 발견 장소의 방향, 거리, 및 품질(전달하고자 하는 의미)과는 필연적인 연관성이 없다. 꿀벌의 춤도 자의성을 지닌 언어라고 할 수 있다. 꿀이 발견된 장소의 방향과 거리가 어느 정도 바뀌어도 표현할 수 있으므로 꿀벌의 춤은 창조성을 지닌 언어라고 할 수 있다.

평가 기준	배점
자의성과 창조성의 개념을 정확하게 알고 꿀벌의 춤에 적용하여 근거를 제시한 경우	5점
자의성과 창조성 둘 중 하나만 맞게 제시한 경우	3점
맞춤법에 어긋나거나 호응이 되지 않는 경우	–1점

08. 예시 답 • 음운: '좋아라'–'골짜기'–'청산'에서 'ㅈ–ㅊ–ㅉ'의 자음 대립 체계를 확인할 수 있다.
• 단어: '이글이글', '훨훨훨'과 같은 상징어가 나타난다.
• 문장: '주어–목적어–서술어'의 기본 어순이 '(해가) 어둠을 살라 먹다.'와 같이 나타난다.
• 담화: '달빛이 싫여'에서는 필수 성분인 주어 '나는'이 생략되었으며, '나는 달밤이 싫여'의 기본 어순이 '달밤이 나는 싫여'로 바뀌어서 표현되었다.

평가 기준	배점
네 가지 항목 모두 적절히 서술한 경우	5점
항목이 부족한 경우	3점
맞춤법에 어긋나거나 호응이 되지 않는 경우	–1점

2. 매체와 매체 언어의 이해

(1) 매체의 본질

소단원 적중 문제 p. 20

01 ③ **02** ④ **03** ②

01. 소통의 양상에 따른 분류는 수신자로부터 발신자에게 정보가 일방적으로 전달되는지, 양방향으로 소통이 이루어지는지에 따라 이루어진다. 책이나 텔레비전은 단방향, 전화나 이동 통신 기기는 양방향 소통 매체로 분류된다.

02. 뉴 미디어는 인터넷이나 이동 통신과 연결되어 개방적이고 상호적인 특징을 가진 매체이다.

03. 제시된 공익 광고는 '온라인 댓글 예절'의 필요성이라는 메시지를 대중에게 전달하기 위해 제작된 대중 매체이다.

(2) 매체 언어의 특성과 위상

소단원 적중 문제 pp. 22~23

01 ② **02** ④ **03** 해설 참조 **04** ③ **05** ② **06** ⑤

01. 이 글에서는 매체 언어가 언어로서 가지는 일반적 특징과 더불어 매체 언어만의 특성을 서술하였다. 이를 바탕으로 매체 언어가 기존 음성 언어와 문자 언어의 한계를 넘어 어떤 발전 가능성을 지니는지도 다루었으나 매체 언어의 한계를 다루지는 않았다.

02. 전파의 속도와 범위가 넓은 대중 매체인 텔레비전의 특성상 ㉮와 ㉯는 대량성이 강조된 매체 언어라고 할 수 있다.
오답 풀이 ①, ② ㉮와 ㉯ 모두 음성 언어가 지니는 선조성이나 분절성을 지니고 있다. 다만 영상이나 이미지를 함께 활용하여 일반적인 음성 언어에 비해 이러한 특성은 약화되었다고 볼 수 있다.
③ ㉮와 ㉯는 문자 언어와 달리 준언어적, 비언어적 표현을 자유롭게 활용할 수 있다.
⑤ ㉮는 정보 전달을, ㉯는 설득을 목적으로 한 매체 언어로 분류할 수 있다.

03. 예시 답 ① 정서 표현 갈래 ② 음성뿐만 아니라 문자, 소리와 이미지, 동영상을 복합적으로 활용할 수 있으며, 여러 번 반복해서 들을 수 있다.

평가 기준	배점
①, ②를 모두 예시 답에 가깝게 설명한 경우	5점
①을 맞게 쓰지 못한 경우	3점
②를 맞게 쓰지 못한 경우	2점
문장이 어색하거나 맞춤법에 어긋난 표기가 있는 경우	-1점

04. 뉴 미디어로 소통 현상이 복합적, 개방적으로 바뀌면서 표절, 가짜 뉴스, 개인 정보 침해 등 과거에 드물었던 부작용도 늘어나고 있다.

05. 블로그는 개인적인 공간이지만 다양한 사람들과 서로 댓글을 달고 지식을 공유하는 양방향적 성격을 지닌 뉴 미디어이다.

06. 소수의 편집자들이 아니라 불특정 다수의 편집자들이 개방된 상태에서 참여하여 협력 또는 경쟁을 통해 얻게 된 지식 정보의 결과물인 온라인 백과사전(예 위키백과) 이 집단 지성의 예로 가장 적절하다.
오답 풀이 ① 뉴 미디어의 부작용 가운데 하나인 표절의 사례이다.
② 수많은 정보 속에서 가치 있는 정보를 변별해 내기 어려워 가짜 뉴스가 양산되는 뉴 미디어의 특징이다.
③ 무분별한 퍼 나르기나 재가공 등을 통해 매체에 대한 저작권을 침해하는 사례이다.
④ 수많은 정보들 가운데 의미 있는 것을 개인이나 특정 단체가 선별, 재가공하는 사례이다.

중단원 실전 문제 pp. 24~25

01 ② **02** ① **03** ② **04** 면대면 대화, 종이 신문, 라디오
05 해설 참조 **06** 해설 참조

01. (가)에서는 인쇄술의 발달이 매체 발전에 미친 영향, 전자 매체, 매체의 융합을, (나)에서는 매체 언어의 다양한 특성을, (다)에서는 매체 언어의 분류 기준과 갈래를 서술하고 있다.

02. 매체 언어 또한 일반적인 음성 언어나 문자 언어와 마찬가지로 기호적이고 구조적인 특성을 대부분 공유하고 있다. 다만 소리나 이미지, 영상 등을 활용하면서 공간성이나 대량성이 강조되는 것이다.

03. 연속적인 자연의 세계를 불연속적으로 끊어서 표현하는 성질인 분절성은 ⓐ에, 음성 언어가 1차원적으로 배열되는 성질인 선조성은 ⓓ에서 발견할 수 있다.
오답 풀이 ⓑ 사회적 약속으로서의 언어의 특성을 보여 주는 사례이다.(언어의 사회성)
ⓒ 제한된 수의 기호로 무한한 의미를 창조해 낼 수 있음을 보여 주는 사례이다.(언어의 창조성)

04. 개인 차원의 소통 수단인 대화는 소통의 범위가 제한적이지만, 인쇄술의 발명이 소통의 범위를 비약적으로 넓힌 후에 전기, 전자, 통신 기술이 발달하면서 더욱 소통 범위가 넓어졌다.

서술형 문제

05. 예시 답 • 문자나 사진 이외에 동영상까지 활용하여 정보를 전달할 수 있다.
• 정보를 신속하게 전달하고 쉽게 수정할 수 있다.
• 수신자가 댓글을 달 수 있어 양방향성이 있다.
• 정보를 다른 사람과 쉽게 공유할 수 있다.

평가 기준	배점
세 가지 이상의 특성을 적절히 서술한 경우	5점
두 가지 특성만 서술한 경우	4점
한 가지 특성만 서술한 경우	2점
맞춤법에 어긋나거나 문장의 호응이 되지 않는 경우	−1점

06. 예시 답 ① 많은 사람들과 더 빨리 정보를 공유할 수 있기 때문이다.
② 도표나 소리, 이미지, 영상 자료 등을 활용한다.
③ 반드시 출처를 밝힌다.

평가 기준	배점
세 가지 이상을 적절히 서술한 경우	5점
두 가지만 서술한 경우	4점
한 가지만 서술한 경우	2점
맞춤법에 어긋나거나 문장의 호응이 되지 않는 경우	−1점

Ⅱ 국어의 탐구와 활용

1. 음운

(1) 음운의 개념과 체계

소단원 적중 문제 pp. 38~39

01 ② **02** ② **03** 싹, 썰, 말, 발, 알 **04** ③ **05** ④ **06** ③

01. (가)를 보면, 허파에서 나오는 것은 소리가 아니라 공기이며, 그 공기의 흐름이 구강을 포함하여 여러 발음 기관을 통과하는 과정에서 다양한 말소리가 만들어진다.
오답 풀이 ①은 (라)에서, ③은 (나)에서, ④는 (나)의 '고기'의 예에서, ⑤는 (가)에서 각각 확인할 수 있다.

02. (나)를 보면, 사람의 발음 기관에서 나오는 물리적이고 경험적인 소리를 음성이라 하며, 인간의 머릿속에서 인식하는 추상적이고 관념적인 소리를 음운이라고 하였다. 음성과 음운은 그것을 인간이 감지하는지의 여부로 구분되는 것은 아니다.
오답 풀이 ①은 (가)에서, ③은 (나)의 마지막 문장에서, ④는 (다)에서, ⑤는 (라)의 첫 번째 문장에서 각각 확인할 수 있다.

03. (다)를 보면, 최소 대립쌍이란 단어를 구성하고 있는 요소 중에서 오직 한 가지 요소에 의해서만 의미가 구별되는 단어의 짝을 말한다고 하였다.

04. <보기>의 첫 번째 조건을 만족시키는 자음으로는 잇몸소리 중 거센소리(ㅌ)를, 두 번째 조건을 만족시키는 모음으로는 원순 모음(ㅟ, ㅚ, ㅗ, ㅜ)을, 세 번째 조건을 만족시키는 자음으로는 여린입천장소리 중 비음(ㅇ)을 들 수 있다. 이와 일치하는 단어는 '통'이다.

05. ⓒ에서 만들어지는 소리는 센입천장소리로, 'ㅈ, ㅉ, ㅊ'이 있으며, 이는 안울림소리이기 때문에 목청의 떨림이 이루어지지 않는다.
오답 풀이 ① (가)의 1, 2문단을 통해 ⓐ~ⓔ는 공기의 흐름에 장애가 일어나면서 소리가 만들어지는 자리임을 알 수 있다. ⓐ는 입술소리, ⓑ는 잇몸소리, ⓒ는 센입천장소리, ⓓ는 여린입천장소리, ⓔ는 목청소리가 만들어지는 위치이다.
② (가)의 2문단의 파열음 설명과 끝에 제시된 자음 체계표를 통해 ⓐ, ⓑ, ⓓ에서는 공기의 흐름이 완전히 막혔다가 터뜨려지면

서 파열음이 만들어짐을 알 수 있다.
③ (가)의 자음 체계표를 통해 ⓑ에서 만들어지는 마찰음 'ㅅ' 계열은 같은 위치에서 만들어진 파열음 'ㄷ' 계열과 달리 거센소리가 나지 않음을 알 수 있다.
⑤ (가)의 자음 체계표를 통해 ⓔ에서 만들어지는 소리는 마찰음 'ㅎ'임을 알 수 있다. ⓑ에서도 이와 동일한 조음 방법(마찰음)에 의해 예사소리 'ㅅ'과 된소리 'ㅆ'이 만들어지는데 이들은 소리의 세기에 차등이 있어 소리의 세기에 차등이 없는 ⓔ에서의 마찰음과 대비된다.

06. '졸랑졸랑'은 물 따위가 자꾸 잔물결을 이루며 흔들리는 소리나 모양, 또는 자꾸 가볍고 경망스럽게 까부는 모양을 표현하는 말이다. '촐랑촐랑'은 '졸랑졸랑'과 의미는 같되 그보다 거센 느낌을 주는 말이다.
오답 풀이 ① '단단하다'와 '든든하다'는 양성 모음과 음성 모음이라는 차이가 있으며, 그로 인해 표현 효과가 달라진다기보다 서로 의미가 다르게 쓰이는 말이다.
②, ⑤ '알록달록–얼룩덜룩', '반짝반짝–번쩍번쩍'은 양성 모음과 음성 모음의 차이에 따라 '작고 밝은 느낌 – 크고 어두운 느낌'으로 표현 효과가 달라진다.
④ '울렁울렁'과 '헐렁헐렁'은 둘 다 '렁'이라는 말이 반복되지만, 의미상 서로 연관성이 없다.

(2) 음운의 변동

소단원 적중 문제 pp. 42~45

01 ④ **02** ③ **03** ② **04** (1) ㉮ ㄱ ㉯ ㄷ ㉰ ㅂ (2) ㄸ, ㅉ, ㅃ
05 ㉠ 혀의 앞뒤 위치 ㉡ 조음 위치 **06** ② **07** ③ **08** ④
09 (ㄱ) 운다, 'ㄹ' 탈락 (ㄴ) 샀다, 'ㅏ' 탈락 (ㄷ) 담갔다, 'ㅡ' 탈락
10 ③ **11** ⑤ **12** ③ **13** 입학식[이팍씩], 많고[만코], 봤다[봗따] **14** ③ **15** ③

01. 이 글에 음운 변동의 과정은 나타나 있지 않다.
오답 풀이 ① (가)의 1문단에 음운 변동의 개념이 제시되어 있다.
② (나)에서 음운 변동 현상의 예로 음절의 끝소리 규칙을 제시하고 있다.
③ (가)에 교체, 탈락, 첨가, 축약 등 음운 변동의 유형이 제시되어 있다.
⑤ 음운 변동의 규칙으로서 음절의 끝소리 규칙을 구체적으로 제시하고 있다.

02. '설날'은 '날'의 'ㄴ'이 'ㄹ'로 바뀌는 '교체'가 일어나 [설랄]로 발음된다.

03. 음절의 끝소리는 자음으로 시작되는 형태소를 만날 때와 모음으로 시작되는 실질 형태소를 만날 때 대표음으로 발음된다. 모음으로 시작되는 형식 형태소를 만날 때는 연음된다. 'ㅎ'은 자음이나 모음으로 시작되는 형태소와 만날 때 음절의 끝소리 규칙이 적용되지 않았다.

04. (1) 'ㄱ, ㄲ, ㅋ'의 대표음은 'ㄱ'이며, 'ㄷ, ㄸ, ㅌ, ㅅ, ㅆ, ㅈ, ㅉ, ㅊ, (ㅎ)'의 대표음은 'ㄷ'이다. 그리고 'ㅂ, ㅃ, ㅍ'의 대표음은 'ㅂ'이다. (2) 'ㄸ, ㅉ, ㅃ'은 실제로는 받침으로 사용되지 않는다. 'ㅎ'은 '히읗'에서 유일하게 음절의 끝소리 규칙이 적용되어 [히읃]으로 발음된다.

05. ㉠은 후설 모음 'ㅏ, ㅓ, ㅗ, ㅜ'가 전설 모음 'ㅐ, ㅔ, ㅚ, ㅟ'로 바뀔 때 혀의 앞뒤 위치가 바뀌게 되며, ㉡은 잇몸소리 'ㄷ, ㅌ'이 센입천장소리 'ㅈ, ㅊ'으로 바뀌므로 조음 위치가 바뀌게 된다.

06. (가)의 자음 동화, (나)의 모음 동화, (다)의 구개음화의 공통점은 한 음운이 다른 음운으로 바뀌는 '교체' 현상이라는 것이다.
오답 풀이 ①은 '탈락', ③은 '첨가', ④는 '음절의 끝소리 규칙', ⑤는 '축약'을 가리킨다.

07. '밭이랑'은 받침의 'ㅌ'이 음절의 끝소리 규칙에 의해 대표음 'ㄷ'으로 바뀌어 [받이랑]으로 발음된다. [받이랑]은 'ㅣ' 모음 앞에서 'ㄴ'이 첨가되어 [받니랑]으로 발음된 후, 다시 받침 'ㄷ'이 뒤에 오는 비음 'ㄴ'의 영향을 받아 비음 'ㄴ'으로 바뀌는 비음화 현상이 일어난다.

08. '홑이불'은 'ㅌ'의 뒤에 오는 말이 조사나 접미사가 아니므로 표준 발음법 제17항에 규정된 구개음화 현상을 적용하여 발음할 수 없다. 이는 음절의 끝소리 규칙과 'ㄴ' 첨가를 순서대로 적용해 [혼니불]로 발음해야 한다.

09. (ㄱ)은 '울–+–ㄴ다'에서 'ㄹ'이 탈락되었으며, (ㄴ)은 '사–+–았–+–다'에서 반복되는 모음, 즉 동음 'ㅏ'가 탈락되었다. 그리고 (ㄷ)은 '담그–+–았–+–다'에서 'ㅡ'가 탈락되었다.

10. ⓑ는 '쓰–+–어야'에서 'ㅡ'가 탈락한 형태로, ⓒ는 '건너–+–어서'에서 반복되는 'ㅓ'가 탈락한 형태로, ⓓ는 '버들+나무'에서 'ㄹ'이 탈락한 형태로 발음되며, 발음이 그대로 표기에 반영되었다. 반면, ⓐ는 [안찌], ⓔ는 [시러도]로 발음되나 두 경우 모두 발음이 표기에 반영되지 않았다.

11. 〈보기〉의 표준 발음법 제11항에 의하면, 겹받침 'ㄺ'은 어말 또는 자음 앞에서 [ㄱ]으로 발음한다고 하였다. 따라서 '맑다'는 [막따]로 발음해야 한다.
오답 풀이 ①의 '읽다'는 표준 발음법 제11항의 규정에 의해 [익따]

로, ②의 '젊어'는 표준 발음법 제14항의 규정에 의해 [절머]로, ③의 '묽고'는 표준 발음법 제11항의 '다만' 규정에 의해 [물꼬]로, ④의 '없어'는 표준 발음법 제14항의 규정에 의해 [업:써]로 발음해야 하므로 적절하다.

12. '늑막염'은 'ㄴ' 첨가 현상에 의해 [능망념]으로 발음된다.

13. '입학식'과 '많고'를 발음하면 각각 'ㅂ+ㅎ → ㅍ', 'ㅎ+ㄱ → ㅋ'으로 자음 축약이 이루어지며, '봤다'는 'ㅗ+ㅏ → ㅘ'로 모음이 축약된 것이다.

14. '첫인사'는 'ㄴ' 첨가가 일어날 만한 음운 환경을 갖고 있지만, 음절의 끝소리 규칙만 적용되어 [첟인사>처딘사]로 발음되는 합성어로, 'ㄴ' 첨가 현상이 일어나지 않는다. 'ㄴ'이 첨가된다면 '첫인사'는 [천닌사]로 발음해야 한다.

15. 자음과 모음 사이에 일어나는 동화는 구개음화로서, 구개음이 아닌 자음 'ㄷ, ㅌ'이 모음 'ㅣ'와 만나 경구개음인 'ㅈ, ㅊ'으로 동화된다. '겹겹이'는 [겹껴비]로 발음되며 구개음화 현상이 일어나지 않는다.

중단원 실전 문제 pp. 46~49

01 ③ **02** ① **03** ㅚ, ㅟ **04** ③ **05** ② **06** ㉠ ㄹ, ㉡ ㅇ, ㉢ ㅎ **07** 해설 참조 **08** 해설 참조 **09** ① **10** ⑤ **11** ④ **12** ② **13** ② **14** (자음) 축약 **15** (1) 해설 참조 (2) 해설 참조 **16** 해설 참조

01. (나)를 보면, 단모음은 이중 모음과 달리 발음할 때 입술의 모양과 혀의 위치가 변화하지 않고 일정하다.
오답 풀이 ① (가)의 첫 번째 문장에서 입안에서 공명, 즉 울림을 일으키면서 모음이 만들어짐을 확인할 수 있다.
② (가)의 마지막 문단을 통해 확인할 수 있다.
④ (가)의 첫 문단 두 번째 문장에서 단모음과 반대로 입술의 모양이나 혀의 위치가 달라지는 것이 이중 모음임을 알 수 있다.
⑤ 반모음은 음성의 성질이 모음과 비슷하지만 홀로 음절을 이루지 못한다는 점에서는 자음과 유사함을 (가)의 마지막 문단을 통해 확인할 수 있다.

02. (가)의 마지막 문장에 의하면, 우리 국어에서 반모음을 반자음이라고도 하는 이유는 반모음이 홀로 음절을 형성하지 못하고 모음과 어울려야만 음절을 형성할 수 있다는 점이 자음과 유사하기 때문이다.

03. [we], [wi]로 발음된다는 것은 이중 모음처럼 입술의 모양이 변화하면서 발음됨을 의미한다.

04. '왠'의 모음 'ㅙ'는 'ㅗ'에서 시작하여 'ㅐ'로, '웬'의 모음 'ㅞ'는 'ㅜ'에서 시작하여 'ㅔ'로 변하는 이중 모음으로, 발음할 때 혀의 위치나 입술 모양이 변하게 된다. (가)의 단모음 체계를 보면, 'ㅗ'는 'ㅜ'보다, 'ㅐ'는 'ㅔ'보다 발음할 때 혀의 위치가 낮고, 입은 크게 벌어진다. 따라서 발음할 때 '왠'은 '웬'보다 혀의 위치가 더 낮고 입이 더 크게 벌어진다고 할 수 있다.
오답 풀이 ① 'ㅐ'와 'ㅔ'는 모두 전설 모음, 평순 모음이다.
② 'ㅐ'는 'ㅔ'보다 발음할 때 혀의 높이가 더 낮은 저모음이고, 저모음은 중모음이나 고모음보다 입이 더 크게 벌어지는 특성이 있다.
④ '왠'의 모음 'ㅙ'는 'ㅗ'로 발음이 시작되는데 'ㅗ'는 원순 모음이면서 후설 모음이므로 입술 모양이 둥글게 모이며, 혀는 입안의 뒤쪽에 위치한다. '웬'의 모음 'ㅞ'는 'ㅜ'로 발음이 시작되는데 'ㅜ' 역시 원순 모음이면서 후설 모음이므로 입술 모양이 둥글게 모이며, 혀는 입안의 뒤쪽에 위치한다.
⑤ '개', '게'의 모음 'ㅐ', 'ㅔ'가 단모음인 데 비해 '왠'의 모음 'ㅙ'는 'ㅗ'에서 시작하여 'ㅐ'로, '웬'의 모음 'ㅞ'는 'ㅜ'에서 시작하여 'ㅔ'로 변하는 이중 모음으로, 발음할 때 입술 모양이나 혀의 위치가 변하게 된다.

05. (가)의 단모음 체계를 보면, 'ㅐ'와 'ㅔ'는 혀의 높낮이만 차이가 날 뿐, 혀의 앞뒤 위치나 입술의 모양은 일치한다. 또 'ㅓ'와 'ㅗ'는 입술의 모양만 차이가 날 뿐, 혀의 앞뒤 위치나 높낮이는 일치한다. 마지막으로 'ㅣ'와 'ㅡ'는 혀의 앞뒤 위치만 차이가 날 뿐, 혀의 높낮이나 입술 모양은 일치한다.

06. ㉠에는 자음 중 유일한 유음인 'ㄹ'이 들어가야 하며, ㉡에는 비음 중 여린입천장소리인 'ㅇ'이 들어가야 한다. 그리고 ㉢에는 국어에서 유일한 목청소리인 'ㅎ'이 들어가야 한다.

서술형 문제

07. 제시된 글에서 '우리말에서는 자음의 예사소리, 된소리, 거센소리가 모두 음운으로 의미를 변별하는 기능이 있다. 그러나 이에 대응되는 영어의 음운은 /b, p/밖에 없다.', '영어의 음운 /b, p/는 우리말의 /ㅂ, ㅍ, ㅃ/과 달리 '울림'의 유무에 따라 구별되는 것'이라는 언급을 통해 우리말의 파열음은 /ㅂ, ㅍ, ㅃ/처럼 '예사소리, 된소리, 거센소리'로 나누어져 음절을 구성하지만, 영어의 파열음은 /b, p/처럼 울림소리와 안울림소리로 나누어져 음절을 구성함을 알 수 있다.
예시 답 국어의 파열음은 '예사소리-된소리-거센소리'로 나뉘지만 영어의 파열음은 '울림소리-안울림소리'로 나뉜다.

평가 기준	배점
예시 답에 가깝게 설명한 경우	5점
예시 답에 가까우나 설명이 미흡한 경우	3점
문장이 어색하거나 맞춤법에 어긋난 표기가 있는 경우	-1점

08. 제시된 글에서 확인할 때, 국어는 'ㅃ'과 같은 된소리가

존재하나, 영어에는 /b, p/만 존재할 뿐 된소리는 존재하지 않는다.
예시 답 국어에는 된소리가 존재하나, 영어에는 된소리가 존재하지 않는다.

평가 기준	배점
예시 답에 가깝게 설명한 경우	5점
예시 답에 가까우나 설명이 미흡한 경우	3점
문장이 어색하거나 맞춤법에 어긋난 표기가 있는 경우	−1점

09. ⓐ는 교체, ⓑ는 탈락, ⓒ는 첨가, ⓓ는 축약을 나타내고 있다. '굳이[구지]'는 'ㄷ'이 'ㅈ'으로 '교체'된 예이며, '말소[마소]'는 'ㄹ'이 '탈락'된 예이다. '맨입[맨닙]'은 'ㄴ'이 첨가된 예이며, '낳고[나코]'는 'ㅎ + ㄱ'이 'ㅋ'으로 '축약'된 예이다.
오답 풀이 ② '꽃 이름[꼬디름]'은 '교체', '법학[버팍]'은 '축약', '좋아[조아]'는 '탈락', '웃어른[우더른]'은 '교체'에 해당한다.
③ '닭 울음[다구름]'은 '탈락', '맨입[맨닙]'은 '첨가', '아기[애기]'는 비표준 발음으로서 '교체', '값어치[가버치]'는 '탈락'에 해당한다.
④ '신라[실라]'는 '교체', '많아[마나]'는 '탈락', '않던[안턴]'은 '축약', '한 일[한닐]'은 '첨가'에 해당한다.
⑤ '한 일[한닐]'은 '첨가', '부엌[부억]'은 '교체', '국민[궁민]'은 '교체', '축하[추카]'는 '축약'에 해당한다.

10. '맑은'은 [말근]으로 발음되므로 자음군 단순화에 의한 음운 탈락으로 볼 수 없다. 자음군 단순화는 '맑다[막따]'처럼 뒤에 자음이 올 때나 실질 형태소가 올 때, 또는 어말에서 일어난다.
오답 풀이 ① '따라'는 '따르-+-아'에서 'ㅡ'가 탈락되었다.
② '서'는 '서-+-어'에서 반복되는 모음, 즉 동음 'ㅓ'가 탈락되었다.
③ '나는'은 '날-+-는'에서 어간 말 자음 'ㄹ'이 탈락되었다.
④ '좋은'은 [조은]으로 발음되면서 'ㅎ'이 탈락되었다.

11. ⓐ는 [설랄]로 발음되는 유음화, ⓑ는 [음내]로 발음되는 비음화, ⓒ는 [멈니다]로 발음되는 비음화, ⓓ는 [알략]으로 발음되는 유음화, ⓔ는 [콘물]로 발음되는 비음화의 예이다.

12. '금요일'은 'ㄴ' 첨가 없이 [그묘일]로 발음한다.

13. ㉮는 [달림]으로 발음되는 순행 동화, ㉯는 [궐력]으로 발음되는 역행 동화, ㉰는 [심니]로 발음되는 상호 동화, ㉱는 [멍는다]로 발음되는 역행 동화에 해당하며, ㉲는 'ㅣ' 모음 역행 동화, ㉳는 'ㅣ' 모음 순행 동화에 해당한다.

14. (라)를 보면, 'ㄱ, ㄷ, ㅂ, ㅈ'과 'ㅎ'이 서로 만나면 'ㅋ, ㅌ, ㅍ, ㅊ'이 되는 현상을 축약이라고 하였는데, 이는 다른 말로 '거센소리되기'에 해당한다.

서술형 문제

15. (1) 〈보기〉의 '늦여름, 솜이불, 한여름'은 'ㄴ'이 첨가된 발음만이 표준 발음으로 인정되는 예이며, '금융'은 'ㄴ'이 첨가된 발음과 첨가되지 않은 발음 모두가 표준 발음으로 인정되는 예이다. '월요일'은 'ㄴ'이 첨가되지 않은 발음만이 표준 발음으로 인정되는 예이다.
예시 답 'ㄴ'이 첨가된 발음만이 항상 표준 발음으로 인정되는 것은 아니며, 'ㄴ'이 첨가된 발음과 첨가되지 않은 발음 모두가 표준 발음인 경우도 있고, 'ㄴ'이 첨가되지 않은 발음만이 표준 발음으로 인정된 경우도 있다.

평가 기준	배점
예시 답에 가깝게 설명한 경우	5점
예시 답에 가까우나 조건을 지키지 못한 경우	3점
문장이 어색하거나 맞춤법에 어긋난 표기가 있는 경우	−1점

(2) 〈보기〉의 예를 보면, 'ㄴ' 첨가 현상은 '발음'에만 반영될 뿐, '표기'에는 반영되지 않음을 알 수 있다.
예시 답 'ㄴ' 첨가 현상에 의한 발음은 표기에는 반영되지 않는다.

평가 기준	배점
예시 답에 가깝게 설명한 경우	5점
예시 답에 가까우나 한 문장으로 서술하지 않은 경우	3점
문장이 어색하거나 맞춤법에 어긋난 표기가 있는 경우	−1점

16. 우리말에서 겹받침을 이루는 두 자음은 동시에 발음될 수 없다. 그래서 어말이 겹받침으로 끝나는 단어의 경우 겹받침 중 하나가 탈락한다. 그런데 그 겹받침 뒤에 모음으로 시작하는 형식 형태소가 오면 겹받침 중 뒤의 자음이 연음되어 발음된다. 따라서 '닭'은 앞 자음이 탈락하여 [닥]으로 발음되고, '닭이'는 'ㄱ'이 연음되어 [달기]로 발음된다.
예시 답 [닥], [달기]. '닭'이 단독으로 발음되거나 뒤에 자음이 오는 경우에는 자음군 단순화 현상에 의해 겹받침 중 앞에 있는 자음이 탈락하여 [닥]으로 발음되고, '닭' 뒤에 모음이 오는 경우에는 겹받침 중 뒤엣것이 뒤 음절의 첫소리가 되므로 '닭이'는 [달기]로 발음된다.

평가 기준	배점
표준 발음을 둘 다 정확히 표기하고, 그렇게 발음되는 이유를 알맞게 서술한 경우	5점
'닭'의 표준 발음과 그 이유, '닭이'의 표준 발음과 그 이유 둘 중 한 가지만 정확하게 서술한 경우	3점
문장이 어색하거나 맞춤법에 어긋난 표기가 있는 경우	−1점

2. 단어와 품사

(1) 단어의 품사와 특성

소단원 적중 문제 pp. 55~59

01 ② **02** ① **03** ⑤ **04** ③ **05** ③ **06** 해설 참조 **07** ④ **08** ③ **09** 해설 참조 **10** ④ **11** ⑤ **12** ㉮: ⓐ, ㉯: ⓑ, ㉰: ⓒ **13** ③ **14** ④ **15** ⑤

01. 단어는 기능에 따라 체언, 용언, 수식언, 관계언, 독립언으로 나뉜다.

02. 〈보기 1〉의 두 번째 문장의 '십'은 의존 명사인 '분'을 수식해 주는 관형사(수 관형사)이다.

03. ㅁ의 '에'는 조사이므로 문장 속에서 형태가 변화하지 않는 불변어이다.
오답 풀이 ① '매우'은 용언을 수식하고 있다.
② 이 글의 품사 분류 표를 보면, ㄴ의 '파도'는 명사, ㄱ의 '그분'은 대명사로, 이는 모두 체언으로 분류된다. 그리고 3문단을 보면, ㄱ, ㄴ처럼 체언은 문장에서 주어로 쓰일 수 있다고 하였다.
③ 3문단을 보면, 용언은 서술어로 쓰인다고 하였다. 따라서 ㄷ의 '춥구나'와 같은 용언은 주어인 '날씨'를 서술하는 기능을 한다.
④ 이 글의 품사 분류 표를 보면, ㄹ의 '어머!'와 같은 감탄사는 그 형태가 변하지 않는 불변어에 속한다.

04. (다)에서 '자기'는 '영희'를 가리키는 인칭 대명사이다. 인칭 대명사인 '자기'는 3인칭 주어로 쓰인 명사나 명사구를 다시 가리키는 데에 주로 쓰인다.
① '세종대왕'은 고유 명사로, 복수형으로 쓸 수 없다. 따라서 복수형인 '세종대왕들'은 '세종대왕과 같은 훌륭한 언어학자' 정도의 뜻을 지닌 보통 명사의 개념으로 볼 수 있다.
② '거제도'와 같은 고유 명사는 문장 속에서 '두'와 같은 수 관형사의 수식을 받을 수 없다.
④ 대명사인 '너희'와 달리, 수사인 '셋'은 '저'와 같은 관형사(지시 관형사)의 꾸밈을 받을 수 있다.
⑤ 서수사인 '첫째', '둘째'는 '가'라는 주격 조사와 결합하여 문장 속에서 '주격'이라는 문법적 의미를 이루고 있다.

05. ㉢의 '누구'는 정해지지 않은 사람을 가리키는 부정칭 대명사이다.

06. 예시 답 ⓐ는 조사가 붙어 있으므로 수사(수를 나타내는 명사)이며, ⓑ는 조사가 붙지 않고 뒤에 오는 명사를 수식하고 있으므로 관형사(수 관형사)이다.

평가 기준	배점
ⓐ와 ⓑ의 품사를 모두 바르게 파악한 경우	5점
둘의 차이를 모두 바르게 서술한 경우	3점

07. ⓐ, ⓔ는 주체가 유정 명사인 동작 동사이므로 명령형 어미나 청유형 어미를 사용할 수 있다. 그러나 주체가 자연인 작용 동사 ⓑ나 ⓒ, ⓓ, ⓕ와 같은 형용사는 명령형 어미나 청유형 어미를 사용할 수 없다.
오답 풀이 ① '공부하다'는 주체인 아이들의 동작을 나타내는 동작 동사이고, '날이 밝았다.'에서의 서술어 '밝다'는 주체인 '날'의 작용(자연 현상)을 나타내는 작용 동사이다.
② '곱다'는 형용사로, 대상, 즉 여학생의 마음 씀씀이가 지닌 성질을 나타내고, '행복하다'는 형용사로, 대상, 즉 나의 심리 상태를 나타낸다.
③ ⓐ(동사)는 현재 시제 관형사형 어미 '-는'을 사용하여 '공부하는'으로 활용할 수 있고, ⓓ(형용사)는 현재 시제 관형사형 어미 '-(으)ㄴ'을 사용하여 '행복한'으로 활용할 수 있다.
⑤ ⓔ는 존재와 진행의 의미를 지닌 동사로, 명령형 '있어라', 청유형 '있자'로 활용할 수 있으며, ⓕ는 소유와 상태의 의미를 지닌 형용사로, 명령형이나 청유형으로 활용할 수 없다.

08. ⓐ, ⓓ는 남에게 동작을 하게 하는 사동사이고 ⓑ, ⓒ는 남에 의해 동작이 이루어지는 피동사이다.

09. 예시 답 '늙는'은 시간의 흐름과 형상의 변화를 뜻하므로 동사이다.

평가 기준	배점
'동사'라는 품사를 바르게 파악한 경우	2점
그 이유를 의미적 측면에서 바르게 서술한 경우	3점

10. ⓓ는 '어려우(어간)+었(선어말 어미)'로 구성되어 있다.

11. 제시된 글에서 전성 어미는 용언의 서술성을 잃지 않으면서 본래 품사를 그대로 유지한다고 하였다. ⓑ는 문장에서 명사의 기능을 하고 있지만 품사는 그대로 동사이며, ⓓ는 문장에서 관형사형의 기능을 하고 있지만 품사는 그대로 형용사이다. 또 ⓕ는 문장에서 부사의 기능을 하고 있지만 품사는 그대로 형용사이다.
오답 풀이 ⓐ는 '달리다'라는 동사에 파생 접미사가 결합하여 명사로 품사가 바뀐 단어이며, ⓒ는 본래 관형사로 쓰이는 단어로, 문장 속에서 서술성이 있는 ⓓ와 구별된다. 또 ⓔ는 '빠르다'라는 형용사에 파생 접미사가 결합하여 부사로 품사가 바뀐 단어이다.

12. ⓐ는 앞 문장과 뒷 문장을 대등하게 연결해 주는 대등적 연결 어미이고, ⓑ는 앞 문장을 뒷 문장에 종속시키는 종속적 연결 어미이다. 그리고 ⓒ는 '잃다'라는 본용언과 '버리다'라는 보조 용언을 연결해 주는 보조적 연결 어미이다.

13. ⓒ의 '지적'은 '으로'라는 부사격 조사와 결합하였으므로 명사로 볼 수 있다.

14. ④ '바로'는 체언(명사)인 '눈앞'을 수식하고 있다.
오답 풀이 ①의 부사 '안'은 '들어오다'라는 동사를, ②의 부사 '매우'는 '빨리'라는 부사를, ③의 '너무'는 '외딴'이라는 관형사를, ⑤의 부사 '부디'는 문장 전체를 수식하고 있다.

15. ⑤에 쓰인 '은'은 '대조'의 뜻을 나타내는 보조사인 반면 나머지는 모두 격 조사이다.

(2) 단어의 짜임과 새말 형성

소단원 적중 문제 pp. 62~63

01 ① **02** ① **03** ① **04** 해설 참조 **05** ⑤ **06** ①
07 ④ **08** ⑤

01. 형식 형태소에는 조사, 어미, 접사가 포함되는데, 이 중 조사는 단어로 분류된다.

02. '쌍둥이'는 명사 '쌍(雙)'에 접미사 '-둥이'가 결합되어 형성된 파생어이다.
오답 풀이 ② '웃-(어간)+-기(사동 접미사)+-다(어미)'의 형태로 결합된 말이다.
③ '공부(어근)+-하다(접미사)'의 형태로 결합된 말이다.
④ '[구두(어근)+닦-(용언의 어간)]+-이(접미사)'의 형태로 결합된 말이다.
⑤ '[사랑(어근)+스럽(접미사)]+은(어미)'의 형태로 결합된 말이다.

03. ⓐ의 '걸음'은 '걷-/-음'으로 분석되며, '걷-'은 의존 형태소이자 실질 형태소이다. ⓑ의 '안개'는 자립 형태소이며, 실질 형태소이다.
오답 풀이 ② ⓐ의 '빠르-'와 ⓑ의 '피-'는 반드시 어미가 연결되어야만 쓰일 수 있으므로 의존 형태소이며, 실질적인 의미를 지니고 있으므로 실질 형태소이다.
③ ⓐ의 '이'는 조사, ⓑ의 '-어'는 어미로 의존 형태소이자 형식 형태소이다.
④ ⓐ에 나타난 형태소는 '성우/는/걷-/-음/이/매우/빠르-/다'로 모두 8개이다.
⑤ ⓑ에 나타난 형태소는 '안개/가/잣/나무/에서/피-/-어/오르-/ㄴ/다'로 모두 10개이다.

04. 예시 답 실질 형태소는 실질적인 의미를, 형식 형태소는 문법적인 의미를 표시한다.

평가 기준	배점
차이를 모두 바르게 서술한 경우	3점
둘 중 한 개만 파악한 경우	1점

05. 접두사는 일반적으로 어근의 뜻을 제한하는 기능을 할 뿐 어근의 뜻을 확장시키지는 않는다.
오답 풀이 ①, ②, ④는 4문단에서, ③은 1문단에서 각각 확인할 수 있다.

06. '부슬비'는 '부슬(부사)+비(명사)'로 합성된 말로, 문장에서 주로 용언을 수식하는 부사어의 기능과 배치되므로 비통사적 합성어에 해당한다.
오답 풀이 ② ⓑ는 '부사+부사'의 형태로 형성된 합성어로, 이는 어근과 어근의 결합이 문장에서와 같은 방식으로 이루어지고 있는 것으로, 통사적 합성어에 해당한다.(문장에서의 예: 그는 영어를 매우 잘 한다.)
③ ⓒ는 '본용언+본용언'(용언의 어간+연결 어미+용언)의 형태로 형성된 합성어로, 이는 어근과 어근의 결합이 문장에서와 같은 방식으로 이루어지고 있는 것으로, 통사적 합성어에 해당한다. (문장에서의 예: 새가 하늘을 날아 간다.)
④ ⓓ는 '부사어+서술어'(앞에 서다)의 형태로 형성된 합성어로, 이는 어근과 어근의 결합이 문장에서와 같은 방식으로 이루어지고 있는 것으로, 통사적 합성어에 해당한다. (문장에서의 예: 그는 아들의 앞에 섰다.)
⑤ ⓔ는 '목적어+서술어'(본을 받다)의 형태로 형성된 합성어로, 이는 어근과 어근의 결합이 문장에서와 같은 방식으로 이루어지고 있는 것으로, 통사적 합성어에 해당한다. (문장에서의 예: 그는 모범생 친구의 본을 받았다.)

07. '많이'는 '많-(형용사)+-이(부사화 파생 접미사)'로 결합된 파생 부사로, 〈보기〉의 사례에 해당하지 않는다.
오답 풀이 ① '덮-(동사의 어간)+-개(접미사)'의 형태로 품사가 동사에서 명사로 바뀌는 문법적 변화를 보이고 있다.
② '믿-(동사의 어간)+-음(접미사)'의 형태로 품사가 동사에서 명사로 바뀌는 문법적 변화를 보이고 있다.
③ '탐(어근)+-스럽(접미사)+-다(어미)'의 형태로 품사가 명사에서 형용사로 바뀌는 문법적 변화를 보이고 있다.
⑤'출렁(의태 부사)+-거리다(접미사)'의 형태로 품사가 부사에서 동사로 바뀌는 문법적 변화를 보이고 있다.

08. 〈보기〉의 내용을 참조할 때, ⓐ의 '-기'와 ⓓ의 '-ㅁ'은 명사형 어미로, ⓐ와 ⓓ의 품사는 동사이다. 반면, ⓑ의 '-기'와 ⓒ의 '-ㅁ'은 명사화 파생 접미사로, ⓑ와 ⓒ의 품사는 명사이다.
오답 풀이 ① ⓐ는 서술성이 있으며, 품사는 동사이다. 문장 속에서 '자-(동사의 어간)+-기(명사형 전성 어미)'로 활용되고 있다.
② ⓑ는 서술성이 없으며, 품사는 명사이다. '크-(형용사의 어간+-기(명사화 파생 접미사)'로 형성된 단어로, 여기서 접미사 '-기'는 형용사를 명사로 바꾸는 문법적 변화를 일으키고 있다.
③ ⓒ는 서술성이 없으며, 품사는 명사이다. '자-(동사의 어간+-ㅁ(명사화 파생 접미사)'로 형성된 단어로, 여기서 접미사 '-ㅁ'

은 동사를 명사로 바꾸는 문법적 변화를 일으키고 있다.
④ ⓓ는 서술성이 있으며, 품사는 동사이다. 문장 속에서 '만나-(동사의 어간)+-ㅁ(명사형 전성 어미)'로 활용되고 있다.

(3) 단어의 의미 관계와 어휘 사용

소단원 적중 문제 pp. 65~66

01 ⑤ **02** ① **03** [상황 1] 반사적 의미, [상황 2] 주제적 의미 **04** ⑤ **05** ⑤ **06** ④

01. 감다^{3}의 ㉡은 '(낮잡는 뜻으로) 옷을 입다.'라는 의미를 지니고 있으므로 '비싼 옷을 몸에 감았다고 다 멋쟁이가 되는 것은 아니다.'의 용례와 같이 문장 속에서 옷을 입은 사람을 만만히 여기고 함부로 낮추어 대한다는 의미로 사용되어야 한다.
오답 풀이 ① 별개의 표제어로 기술되어 있는 '감다^{1}', '감다^{2}', '감다^{3}'은 단어의 형태는 같으나 의미가 전혀 다르므로 동음이의어에 해당한다.
② '감다^{3}'은 하나의 표제어가 ㉠~㉣의 네 가지 의미를 지니고 있는데, 이때 ㉠이 중심적 의미이고 나머지는 ㉠에서 확장된 주변적 의미이다. 따라서 '감다^{3}'은 다의어에 해당한다.
③ '감다^{1}'의 중심적 의미는 '(주로 '눈'과 함께 쓰여) 눈꺼풀을 내려 눈동자를 덮다.'이다. 이러한 의미가 여기서 '현실의 모순에 눈을 감다.'의 용례와 같이 '못 본 체하다.'라는 주변적 의미로 확장되어 사용될 수 있다.
⑤ '감다^{3}'의 ㉠은 【…을 …에】, 【…을 …으로】로 보아 세 가지 문장 성분이 필요함을 알 수 있다. 주어와 목적어, 부사어의 세 가지 성분이 필수적으로 함께 쓰여야만 그 문장 전체의 의미가 제대로 전달될 수 있는 것이다.

02. 〈보기〉의 문장에 쓰인 '손'은 '어떤 일을 하는 데 드는 사람의 힘이나 노력, 기술'의 의미로 쓰였으므로, 이와 문맥적 의미가 가장 유사하게 쓰인 것은 ①이다.

03. [상황 1]에서 '한송이'라는 단어는 본래 뜻과 관계없이 '꽃'이라는 긍정적 의미를 불러일으키고 있으므로 반사적 의미에 해당한다. [상황 2]에서는 '좋~은'을 강조하거나, 도치를 통해 '참 좋은'의 의미를 강조하고 있으므로 주제적 의미에 해당한다.

04. 상위어는 일반적이고 포괄적인 의미를 지니고, 하위어는 개별적이고 한정적인 의미를 지닌다고 하였으므로, 상위어는 하위어에 비해 단어를 이루는 의미 요소가 적다. 예를 들면, '남자 – 총각'의 상하 관계에서 상위어인 '남자'를 이루는 의미 요소는 '[+사람], [+남성]'이지만, 하위어인 '총각'을 이루는 의미 요소는 '[+사람], [+남성], [+성인], [+미혼]'이다.

05. ㉡은 두 단어 사이에 중간 개념이 존재하지 않으므로 반의 관계 중 모순 관계로 볼 수 있다. 그러나 '크다 : 작다'는 두 단어 사이에 중간 개념이 존재하므로 반의 관계 중 반대 관계에 해당한다고 할 수 있다.
오답 풀이 ① (나)의 '반의 관계에 있는 두 단어는 오직 한 개의 의미 요소만 다르고 나머지 요소들은 모두 공통된다.'라는 언급으로 보아 올바른 이해이다.
② '기혼 : 미혼'에는 중간 개념이 존재하지 않으므로 올바른 이해이다.
③ '뜨겁다 : 차갑다'에는 '미지근하다'와 같은 중간 개념이 존재하므로 올바른 이해이다.
④ ㉣에서 '뛰다'가 '(물가가) 뛰다'의 의미일 때는 이에 대한 반의어가 '(물가가) 내리다'이므로 올바른 이해이다.

06. 상하 관계에서 하위어는 상위어를 함의(含意)한다고 했다. 그런데 상하 관계에 해당하는 것은 ⓐ이며, 여기서 하위어인 ⓑ가 상위어인 ⓐ를 함의(상의어가 가지고 있는 의미 특성을 자동적으로 가짐.)한다고 할 수 있다. 그러나 상하 관계가 아닌 ⓑ에서는 ⓐ와 ⓑ가 함의 관계에 있다고 볼 수 없다.
오답 풀이 ① Ⓐ에서 ⓐ는 ⓑ를 포함하고 있으므로 상하 관계에 해당한다.
② Ⓐ에서 ⓐ는 ⓑ의 상위어이므로 일반적인 의미 영역을 지니고 있다.
③ Ⓑ에서 ⓐ와 ⓑ는 전체와 부분의 관계이므로 적절한 이해이다.
⑤ 〈보기〉에 의하면 상하 관계와 전체와 부분의 관계는 모두 계층적 관계에 해당한다.

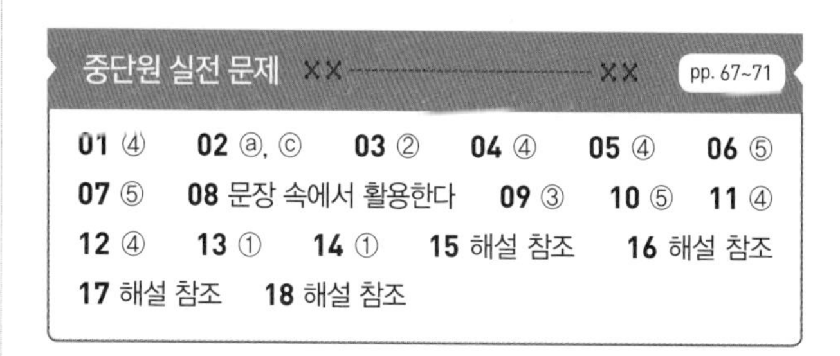
중단원 실전 문제 pp. 67~71

01 ④ **02** ⓐ, ⓒ **03** ② **04** ④ **05** ④ **06** ⑤ **07** ⑤ **08** 문장 속에서 활용한다 **09** ③ **10** ⑤ **11** ④ **12** ④ **13** ① **14** ① **15** 해설 참조 **16** 해설 참조 **17** 해설 참조 **18** 해설 참조

01. ⓓ는 특정한 사람이 아니라 누군지 잘 모르는 사람을 가리키는 미지칭 대명사로서, 복수형은 없다.
오답 풀이 ① '우리 같이 갈래?'의 경우는 청자를 포함하는 경우이고, '넌 우리보다 더 예쁘잖아.'는 청자를 배제하는 경우이다.
② '당신은 누구세요?'는 ⓑ의 경우이고, '할머니께서는 당신의 전 생애를 바쳐 자식을 뒷바라지했어요.'는 3인칭의 높임말로 쓰이는 ⓕ의 경우에 해당한다.

③ ⓒ와 같은 대명사는 화자와 청자 두 사람에게서 먼 사람을 가리키는 원칭 대명사이다.
⑤ ⓔ는 부정칭, 즉 정해지지 않은 사람을 지칭하는 대명사로, 이미 정해진 특정한 사람과 구별된다.

02. ⓐ와 ⓒ에 쓰인 '크다'는 '자라다.'라는 의미를 지닌 동사이고, ⓑ와 ⓓ에 쓰인 '크다'는 '길이나 넓이가 보통 정도를 넘다.'라는 의미를 지닌 형용사이다.

03. '별별'은 '고생'을, '아무'는 '말'을 수식하는 관형사이다. 반면, '나의'는 '체언'에 '조사'가 붙어 '고향'을 수식하는 형태며 '사랑하는'은 용언의 어간에 관형사형 어미가 붙어 여인을 수식하는 형태이다.
<u>오답 풀이</u> ⓑ의 '나의'는 '체언'에 '조사'가 붙어 '고향'을 수식하고 있으며, ⓓ의 '사랑하는'은 용언의 어간에 관형사형 어미가 붙은 '관형사형'으로, 품사는 동사이다.

04. ⓐ는 '누구'라는 대상을 가리키는 지시 관형사이며, ⓑ는 '꽃'의 수량을 가리키는 수 관형사이다. 그리고 ⓒ는 '책'의 상태를 나타내는 성상 관형사이다.

05. 문장 부사어는 뒤에 이어지는 특정 성분과 호응 관계를 이루는 경우가 많다. '만일~ㄴ다면', '모름지기~어야 한다.'와 같은 예에서 이를 확인할 수 있다. 그러나 '물론'의 경우는 뒤에 이어지는 특정 성분과 호응 관계를 이루고 있지 않다.
<u>오답 풀이</u> ① ㉮의 부사어 '매우'는 '푸르다'를, ㉯의 부사어 '아주'는 '헌'을, ㉰의 부사어 '너무'는 '빨리'를 수식하므로 문장의 특정 성분을 수식하는 성분 부사어에 해당한다.
② ㉮~㉰의 부사어는 특정 성분을, ㉱의 부사어는 문장 전체를 수식하고 있지만, ㉲의 부사어는 두 문장을, ㉳의 부사어는 두 단어를 이어 주는 역할을 하고 있다.
③ ㉱의 부사어는 문장 전체를 수식하는 문장 부사어이며, 이는 ㉰의 부사어에 나타나 있는 것처럼 말하는 이의 태도를 나타내는 양태 부사에 해당한다.
⑤ ㉲, ㉳의 부사어는 모두 접속 부사어로, ㉲의 부사어는 문장과 문장을, ㉳의 부사어는 단어와 단어를 연결한다.

06. '에게, 보다'는 보조사가 아니라 격 조사(부사격 조사)이다.
<u>오답 풀이</u> ① (가)의 '앞에 오는 체언이 문장 안에서 일정한 자격을 가지도록 해 주는 조사를 격조사(格助詞)라고 한다.'에서 확인할 수 있다.
② (가)의 '격 조사에는 '이/가'와 같이 주어가 되게 하는 주격 조사, ~ 호격 조사 등도 격 조사에 속한다.'에서 확인할 수 있다.
③ (가)의 '두 단어를 같은 자격으로 이어 주는 구실을 하는 조사를 접속 조사(接續助詞)라고 한다.'에서 확인할 수 있다.
④ (가)의 "요"는 '상대 높임'을 나타내며, 어절이나 문장의 끝에 결합하는 독특한 성격을 가진다.'에서 확인할 수 있다.

07. 〈보기〉를 보면, 감탄사는 조사가 붙을 수 없으며, 상대방 이름을 부르는 경우는 감탄사로 인정하지 않는다고 하였으므로 '영희야!'는 부르는 말임에도 불구하고 감탄사로 볼 수 없다.
<u>오답 풀이</u> ①과 ④는 '느낌'을 나타내는 감탄사이며, ②는 대답하는 말로 쓰이는 감탄사이다. 그리고 ③은 부르는 말로 쓰이는 감탄사이다.

08. 이 글을 보면, 서술격 조사는 다른 격조사와 달리 문장 안에서 활용됨으로써 체언을 서술어로 기능하게 한다고 하였다.

09. '구두닦이'의 직접 구성 성분은 '구두'와 '닦이'이며, 이 중 '닦이'는 다시 '닦-+-이'로 분석할 수 있다.
<u>오답 풀이</u> ① '잠꾸러기'의 직접 구성 성분은 어근 '잠'과 접미사 '-꾸러기'로 분석된다. 즉, 직접 구성 성분에는 접사도 포함될 수 있다.
② 품사 결정 요소에 접미사인 '-꾸러기'도 포함되어 있다.
④ 단어의 종류를 결정하는 것은 직접 구성 성분이다.
⑤ 품사 결정 요소는 단어의 끝에 위치한다.

10. 접미사는 어근의 의미를 제한하거나 문법적인 변화를 일으키는데 ⑤만 어근의 의미를 제한하는 접미사가 사용되었다.

11. ⓑ는 어근과 어근이 '부사+명사'의 형태로 결합되어 국어의 일반적인 문장 구조와 일치하지 않으므로 비통사적 합성어이다.
ⓓ 어근과 어근이 두 어근을 이어 주는 관형사형 전성 어미가 없이 결합되어 국어의 일반적인 문장 구조와 일치하지 않으므로 비통사적 합성어이다.
ⓔ 어미의 연결없이 두 용언이 연결되어 있으므로 비통사적 합성어이다.

12. "그녀는 가난한 집 딸이었다."에서 '집'은 '가정을 이루고 생활하는 집안'의 뜻으로,'집'의 주변적 의미로 쓰였다.

13. ⓐ는 ⓑ를 포함하고 있으므로 두 단어는 상하 관계에 있다. '판소리'는 '전통 예술'에 포함되므로 두 단어는 상하 관계에 있다.
<u>오답 풀이</u> ② '낯설다'와 '생소하다'는 유의 관계에 있다.
③ '태어나다'와 '자라다'는 유의 관계나 반의 관계에 속하지 않는다.
④ '기쁨'과 '슬픔'은 반의 관계에 있다.
⑤ '번잡하다'와 '한적하다'는 반의 관계에 있다.

14. '벌써'와 '이미'는 유의 관계에 있는 단어로서 두 단어 모두 '다 끝나거나 지난 일'을 가리키는 의미가 있다. 그러나 '벌써'는 '예상보다 빠르게 어느새'라는 의미로 '다 끝나거나 지난 일'이 아닌 경우에도 쓰이는 반면, '이미'는 그렇지 않다.

서술형 문제

15. (1) 관형사는 뒤에 오는 체언을 수식하는 역할을 하고 있으므로, 조사가 붙어 문장 속에서 격을 나타내는 체언과 달리 조사가 붙을 수 없는 특성을 갖고 있다.
(2) ⓐ의 '다른'은 관형사로, 서술성이 없으므로 형태가 변화할 수 없다. 반면, ⓑ의 '다른'은 용언 '다르다'의 관형사형으로, 서술성이 있으므로 '다르-(어간)+-ㄴ(어미)'와 같이 어간에 어미가 붙는 방법으로 문장 속에서 형태를 바꾸어 가면서 다양하게 활용된다.
예시 답 (1) 관형사에는 조사가 붙을 수 없다.
(2) 관형사는 형태가 변하지 않는다.(혹은 어미가 붙어 활용하지 않는다.)

평가 기준	배점
활동을 통해 관형사의 특징 (1), (2)를 모두 바르게 파악한 경우	5점
둘 중 하나만 파악한 경우	3점
국어의 정서법에 어긋난 경우	–1점

16. (1) '아마'는 문장 전체를 수식하는 문장 부사이다. 문장 부사인 '아마'는 문장 속에서 '쉽게'의 앞부분으로 자리 옮김이 가능하다.
(2) '확실히'는 문장 전체를 수식하는 문장 부사이므로 서술어로 고쳐 쓸 수 있다.
예시 답 (1) 이번 시험은 아마 쉽게 출제될 거야.
(2) 한국인이 은근과 끈기가 있는 것은 확실하다.

평가 기준	배점
문장 부사를 찾아 위치를 옮겨 적절히 쓰고 문장 부사를 서술어로 바르게 고쳐 쓴 경우	5점
(1), (2) 중 하나만 맞은 경우	3점
국어의 정서법에 어긋난 경우	–1점

17. '지난밤'이 만약 구(句)라면 그 의미는 구성 요소인 '지난'과 '밤'의 의미를 단순히 합성시킨 것으로 볼 수 있다. 그러나 '지난밤'은 단순히 '지나간 밤'이 아니라 바로 '어젯밤'의 뜻이므로 구성 요소의 의미를 단순히 합성하여 의미를 추론할 수 없다. 그러므로 이는 사전에 수록해서 의미를 밝혀 주어야 하는 '새말'이라 할 수 있다.

평가 기준	배전
합성어와 구의 개념을 활용하여 이유를 적절하게 밝힌 경우	5점
합성어와 구의 개념을 활용하였으나 내용이 미흡한 경우	3점
국어의 정서법에 어긋난 경우	–1점

18. **예시 답** ㄱ. '견디다'와 '참다'는 문맥상 상호 교체가 가능하므로 유의 관계가 성립된다.
ㄴ. '참가하다'와 '참석하다'는 문맥상 상호 교체가 불가능하므로 유의 관계가 성립되지 않는다.

평가 기준	배점
ㄱ, ㄴ의 유의 관계 성립 여부를 〈보기 1〉을 참조하여 적절하게 설명한 경우	5점
ㄱ, ㄴ 중 하나만 맞은 경우	3점
국어의 정서법에 어긋난 경우	–1점

3. 문장과 문법 요소

(1) 문장의 성분

소단원 적중 문제

pp. 75~76

01 ③ **02** ③ **03** ⑤ **04** 해설 참조 **05** ③ **06** ② **07** ⑤ **08** 해설 참조

01. 2문단에서 알 수 있듯이, 국어의 문장은 서술어의 종류에 따라 '무엇이 어찌한다.', '무엇이 어떠하다.', '무엇이 무엇이다.'의 유형으로 나뉜다.

02. '좋아하다'는 동사이므로 '어찌한다'에 해당하는 서술어이다. '어떠하다'는 '예쁘다'와 같은 형용사에 해당하고, '무엇이다'는 '학생이다'와 같은 '체언+서술격 조사'에 해당한다.

03. 5문단에서 알 수 있듯이, 서술어 '되다, 아니다'가 필수적으로 요구하는 문장 성분 가운데 주어가 아닌 것을 보어라고 한다. 보어에는 보격 조사 '이/가'가 붙지만, 보조사가 붙을 수도 있다.
오답 풀이 ①은 목적어, ②는 관형어, 부사어, ③은 서술어, ④는 주어에 대한 설명이다.

04. 이 문장에서 '여기'는 '조용하다'의 주체를 나타내므로 주어에 해당한다. 이때 주격 조사나 보조사는 생략될 수 있다.
예시 답 '여기'는 서술어 '조용하지'의 주어로, 주격 조사 '가' 또는 보조사 '는'이 생략된 형태이다.

평가 기준	배점
문장 성분을 바르게 쓴 경우	2점
형태를 바르게 파악한 경우	3점

05. 관형어가 꼭 필요한 문장에 대해서는 언급되어 있지 않다.
오답 풀이 ① 6문단에서 확인할 수 있다.
② 7문단에서 확인할 수 있다.
④ 4문단에서 확인할 수 있다.
⑤ 2문단에서 확인할 수 있다.

06. '아름답다'는 형용사이다. '아름다운'은 용언의 관형사형이 관형어로 쓰이는 경우이다.
오답 풀이 ① '새'는 관형사가 그대로 관형어가 된 경우이다.
⑤ '은수 책'은 '은수의 책'에서 관형격 조사 '의'가 생략된 형태이다.

07. '학교에'는 체언 '학교'와 부사격 조사 '에'가 결합된 부사어이다.
오답 풀이 ① '빠르게'는 '갈(가다)'을 수식하고 있다.
② '더'는 부사가 부사어로 된 것이고, '빠르게'는 용언 '빠르다'의 부사형이 부사어로 된 것이다.

③ '더'는 '빠르게'를 수식하고 있는 성분 부사어이다.
④ '타면'은 서술어이다.

08. 예시 답 ⓐ와 ⓑ의 문장 성분은 모두 부사어로, 부사가 부사어로 된 것이다. 하지만 ⓐ는 동사인 '가거라'를 수식하고 있고, ⓑ는 체언인 '당신'을 수식하고 있다.

평가 기준	배점
'부사어'라는 공통점을 파악한 경우	2점
수식하는 대상의 품사를 파악하여 차이점을 바르게 쓴 경우	3점

(2) 문장의 짜임

소단원 적중 문제 pp. 79~80

01 ③ **02** ④ **03** ⑤ **04** ② **05** ② **06** ③ **07** ② **08** ② **09** 해설 참조 **10** 해설 참조

01. 주어와 서술어의 관계가 한 번 나타나면 홑문장, 두 번 이상 나타나면 겹문장이 된다.

02. ㉡은 주어 '옷장이'와 서술어 '생기다(생겼다)'의 관계가 한 번 나타나는 홑문장이다. ㉢ 또한 주어 '그는'과 서술어 '살다(산다)'의 관계가 한 번 나타나는 홑문장이다.
오답 풀이 ① ㉠은 '소리도 없이'가 '가을비가 내린다'라는 전체 문장에 부사절로 안겨 있는 겹문장이다. ㉡은 주어 '옷장이'와 서술어 '생기다(생겼다)'의 관계가 한 번 나타나는 홑문장이다.
② ㉠에서 주어는 '가을비'와 '소리도'이고, 이에 대응되는 서술어는 각각 '내리다(내린다)'와 '없다(없이)'이다. ㉣에서 주어는 '여름이'와 '바람이'이고, 이에 대응되는 서술어는 각각 '지나다(지나자)'와 '서늘하다'이다. 이처럼 ㉠과 ㉣ 모두 주어와 서술어의 관계가 두 번 나타나 있는 겹문장이다.
③ ㉠의 '소리도 없이'는 부사절로, ㉤의 '거북선을 만든'은 관형절로 안겨 있다.
⑤ ㉣은 '여름이 지나다'와 '아침저녁으로 바람이 서늘하다'가 이어진 문장이다. ㉤은 '거북선을 만들다'라는 문장이 관형절로 안겨 있는 겹문장이다.

03. 5문단에서 알 수 있듯이, 서술절을 가진 안은문장은 한 문장에 주어가 두 개 있는 것처럼 보인다.

04. '엄마도 모르게'는 '자고'를 꾸미고 있는 부사절에 해당한다.

05. '나들이 가기' 뒤에 '에'와 같은 부사격 조사가 붙어 있으므로, 이 문장에서 명사절 '나들이 가기'는 부사어의 기능을 한다.

06. ㉮에는 '선생님께서 우리 모임에 참석하신다.'는 문장이 관형절로, ㉯에는 '각양각색의 꽃들이 예쁘다'는 문장이 부사절로 안겨 있다.

07. '내 친구는'의 서술어 역할을 하는 것은 '성격이 정말 좋다'라는 서술절이다. '좋다'의 주어는 '내 친구는'이 아니라 '성격이'이다.

08. 간접 인용절에는 조사 '고'가 종결어미 '-다, -냐, -라, -자, -마' 따위 뒤에 붙는다. 그러므로 '영수는 민서에 빨리 점심이나 먹자고 말했다.'로 써야 한다.

09. '내가 했던'은 체언 '행동'을, '공부하는'은 체언 '학생들'을, '먹을'은 체언 '음식'을 수식하고 있는 관형절이다. '-던', '-는', '-을'은 모두 관형사절을 만드는 관형사형 어미이지만, 각각 표현하는 시제가 서로 다르다.
예시 답 '-던', '-는', '-을' 모두 관형절을 만드는 관형사형 어미이지만, 각각 표현하는 시제가 서로 다르다. '-던'은 과거를, '-는'은 현재를, '-을'은 미래를 나타낸다.

평가 기준	배점
공통점인 관형절을 만드는 '관형사형 어미'를 바르게 파악한 경우	3점
시제에 있어 차이점을 바르게 파악한 경우	2점

10. 예시 답 명사절은 명사형 어미가 붙어서 만들어진다. 하지만 이 문장에서 '달리기'는 어근 '달리-'에 접사 '-기'가 붙은 명사이다. 그러므로 이 문장은 주어와 서술어의 관계가 한 번 나타난 홑문장으로, 명사절을 가진 안은문장이 아니다.

평가 기준	배점
'달리기'의 품사를 바르게 파악한 경우	2점
'홑문장'인 이유를 바르게 파악한 경우	3점

(3) 문법 요소

소단원 적중 문제 pp. 86~91

01 ② **02** ㉠: ⓑ, ㉡: ⓒ, ㉢: ⓐ **03** 해설 참조 **04** ② **05** ① **06** ④ **07** ④ **08** ② **09** '청자'와 '객체'가 높임의 대상이다. **10** 해설 참조 **11** ② **12** ⑤ **13** 해설 참조 **14** ④ **15** ⑤ **16** 해설 참조 **17** ② **18** ⑤ **19** ④ **20** ① **21** ⑤ **22** 해설 참조 **23** ③ **24** 해설 참조 **25** 해설 참조

01. 감탄문은 화자가 청자를 별로 의식하지 않거나 거의 독백하는 어조로 자기의 느낌을 표현하는 문장이다.

02. ⓐ는 대답을 요구하지 않고 '조용해라'라는 명령의 효과를 내고 있고, ⓑ는 '고민거리'에 대한 일정한 설명을 요구하고 있고, ⓒ는 저녁 식사 여부에 대한 대답을 요구하고 있다.

03. 예시 답 억양에 따라 다양한 문장 유형이 된다. 문장의 끝을 내리면 평서문이 되고, 문장의 끝을 올리면 의문문이 되며, 평탄한 억양으로 발음하면 명령문이 된다.

평가 기준	배점
'억양'에 따라 문장 유형이 달라짐을 밝힌 경우	2점
억양과 관련하여 평서문, 의문문, 명령문을 바르게 파악한 경우	3점

04. 4문단에서 알 수 있듯이, 간접 높임은 주체와 밀접하게 관련된 대상을 높임으로써 주체를 간접적으로 높이는 것을 말한다.

05. '대답해'는 비격식체 중 '해체'에 해당한다. 이는 격식을 덜 차리는 표현이다.
오답 풀이 ② 격식체 중 '하십시오체'에 해당한다.
④ 격식체 중 '해라체'에 해당하는 데 격식체는 비격식체보다 심리적 거리감이 느껴진다고 있다.
⑤ 격식체 중 '하게체'에 해당한다.

06. (가)의 '아프시다'는 용언 '아프다'의 어간에 선어말 어미 '-시-'가 붙어 표현된 것이지만, (나)의 '계시다'는 선어말 어미가 붙은 것이 아니라 그 자체가 하나의 특수 어휘이다.
오답 풀이 ① (가)의 '아프시다'는 '허리'를 높임으로써 '어머니'를 간접적으로 높이고 있다. 한편 (나)의 '계시다'는 '선생님'을 직접 높이고 있다.
② (나)의 '선생님'은 명사 '선생'에 접사 '-님'을 붙여 대상을 높인 표현이다.
③ (가)에서는 문장의 주체인 '어머니'가, (나)에서는 문장의 주체인 '선생님'이 높임의 대상이다.
⑤ 주격 조사 '께서'는 대상을 높이는 역할을 한다.

07. 객체 높임법은 문장에서 서술의 객체를 높이는 방법인데, 이때 객체는 목적어나 부사어가 지시하는 대상이다. '뵙다'라는 특수한 어휘를 사용해서 목적어인 '선생님'을 높이고 있다.
오답 풀이 ① 상대 높임법으로, 화자가 청자에 대하여 낮추어 말하고 있다.
② 상대 높임법으로, 화자가 청자에 대하여 높여 말하고 있다.
③ '아버지께서 정이 많으시다'는 의미이므로, 주체 높임법이 쓰이고 있다. 또한 상대 높임법으로, 화자가 청자에 대하여 높여 말하고 있다.
⑤ '할아버지'를 높이고 있으므로 주체 높임법이 쓰이고 있다고 할 수 있다. 또한 상대 높임법으로, 화자가 청자에 대하여 높여 말하고 있다.

08. (ㄱ) 주격 조사 '께서'와 선어말 어미 '-시-'를 통해 주체인 '삼촌'을 높이고 있다.
(ㄴ) 종결 표현 '해요체'를 통해 상대를 높이고 있다.
(ㄷ) 주격 조사 '께서'와 선어말 어미 '-시-'를 통해 주체인 '회장님'을 높이고 있다. 또한 종결 표현 '하십시오체'를 통해 상대를 높이고 있다.
(ㄹ) 부사격 조사 '께'와 특수 어휘 '드리다'를 통해 객체인 '할머니'를 높이고 있다.

09. 이 문장에서는 '할머니'가 청자이면서 객체이다. '했습니다'와 같은 종결 표현을 통해 청자인 '할머니'를 높이고, '모시러'와 같은 특수 어휘를 통해 객체인 '할머니'를 높이고 있다.

10. '계시다'는 주체를 직접적으로 높일 때 쓰인다.
예시 답 '있으시면'이 적절하다. 주체인 '할아버지'와 밀접하게 관련된 대상인 '물건'을 높임으로써 주체인 '할아버지'를 간접적으로 높이는 것이기 때문이다.

평가 기준	배점
높임 표현을 바르게 고른 경우	2점
'간접 높임'이기 때문임을 파악한 경우	3점

11. ⓑ에서 '-었-'은 관형사형 어미가 아니라 선어말 어미이다.

12. ⓜ에서 '느낀다'의 '-ㄴ-'은 관형사형 어미가 아니라 선어말 어미이다.
오답 풀이 ① 관형사형 어미 '-(으)ㄹ-'과 의존 명사 '것'이 결합하여 미래 시제 외에 의지를 드러내고 있다.
② '예쁘다'와 같은 형용사는 선어말 어미를 쓰지 않고 현재 시제를 표현한다.
③ 관형사형 어미 '-을-'을 사용하여 미래 시제를 표현하고 있다.
④ 선어말 어미 '-겠-'을 사용하여 추측의 의미를 나타내고 있다.

13. 동작상은 발화시를 기준으로 동작이 일어나는 모습을 표현하는 것으로, 주로 보조 용언을 사용하여 동작상을 표현한다.
예시 답 ⓐ와 ⓑ 모두 '-고 있다', '-어 버리다'와 같은 보조 용언을 사용하여 동작상을 표현하고 있다. 이때 ⓐ는 진행상을, ⓑ는 완료상을 나타낸다.

평가 기준	배점
공통점이 '동작상'임을 파악한 경우	2점
진행상과 완료상을 바르게 구분하여 차이점을 서술한 경우	3점

14. ⓑ의 부사어 '아이에게'에 사용된 조사는 '에게'이고, ⓓ의 부사어 '바람에'에 사용된 조사는 '에'이다. 조사 '에게'와 '에'는 서술어에 따라 구분되는 것이 아니고, 앞 체언이 유정 명사인지 무정 명사인지에 따라 구분된다.
오답 풀이 ① 능동문이 피동문으로 바뀔 때 능동문의 주어는 피동문의 부사어가 된다.
② '밀렸다'를 분석하면, '밀-(어근)+-리-(피동 접미사)+-었-(선어말 어미)+-다(어말 어미)'이다.
⑤ 능동문이 피동문으로 바뀔 때 능동문의 목적어는 피동문의

주어가 된다.

15. '감추다'는 사동 접미사가 붙은 것이 아니라, 그 자체가 하나의 어휘이다.

오답 풀이 ① 앉히다: 앉-+-히-(사동 접미사)+-다
② 먹이다: 먹-+-이-(사동 접미사)+-다
③ 깨우다: 깨-+-우-(사동 접미사)+-다
④ 날리다: 날-+-리-(사동 접미사)+-다

16. '사용되다'는 어근 '사용'에 피동 접미사 '-되다'가 붙은 것이고, '그려지다'는 어근 '그리-'에 '-어지다'가 결합한 것이다.

예시 답 'ⓐ와 ⓑ는 모두 피동문이다. ⓐ는 피동 접미사 '-되다'에 의해 만들어진 파생적 피동문인 반면, ⓑ는 '-어지다'에 의해 만들어진 통사적 피동문이다.

평가 기준	배점
공통점이 '피동문'임을 파악한 경우	2점
파생적 피동문과 통사적 피동문을 바르게 구분한 경우	3점

17. ⓑ에서 주동문의 목적어인 '책을'은 사동문에서도 그대로 목적어이다.

오답 풀이 ① 주동문의 주어 '온도가'는 사동문에서는 목적어 '온도를'이 된다.
③ 사동문의 부사어 '수호에게'는 '수호로 하여금'으로 대체하여 쓸 수 있다.
④ ⓐ의 주동사 '높다'는 형용사이고, ⓑ의 주동사 '읽다'는 목적어를 필요로 하는 타동사이다.
⑤ 주동문이 사동문으로 바뀔 때, 사동문의 주어는 새로 도입된다.

18. '교육하다' 자체가 사동의 의미를 갖고 있으므로 사동문의 형태로 바꾸어 쓰는 것이 어색하다. 다만 '교육하게 하다'는 '교관에게 학생들을 교육하게 하다.'와 같이 쓰일 수는 있다.

19. '공부시키다'는 사동 접미사 '-시키다'에 의해 만들어진 파생적 사동문이다.

오답 풀이 ① '걸리다'는 능동사의 어근 '걸-'에 피동 접미사 '-리-'가 붙어서 만들어진 피동사이다.
② 능동문에 해당한다.
③ '보이다'는 주동사의 어근 '보-'에 사동 접미사 '-이-'가 붙어서 만들어진 사동사이므로 사동문에 해당한다.
⑤ '-어지다'에 의한 것은 통사적 피동문에 해당한다.

20. 주체의 능력 부족 때문이 아니고, '눈'이라는 외부적 상황이 원인일 때 쓰이는 '못' 부정문이다.

21. '연락이 안 와서'는 객관적 사실에 대한 단순 부정으로 짧은 부정문에 해당한다. '믿지 못하다'는 주체의 능력 부정으로 긴 부정문에 해당한다. '싸우지 말자'는 청유문의 부정문에 해당한다.

22. ㉮는 부정하는 내용이 '철수'일 수도 있고, '책'일 수도 있고, '읽다'일 수도 있다. 이러한 중의성을 해소하기 위해 보조사 '은/는'을 사용한다.

예시 답 ㉮는 부정의 범위가 어디까지인지 쉽게 확정하기 어렵기 때문에 중의성을 갖게 된다. 하지만 〈보기〉는 보조사 '은'을 사용하여 부정하는 내용이 '책'이라는 것을 나타냄으로써 중의성을 해소하고 있다.

평가 기준	배점
'보조사', '중의성 해소' 등을 담아 답을 바르게 서술한 경우	5점
'중의성 해소'만을 서술한 경우	3점

23. 직접 인용 표현에는 조사 '라고'를, 간접 인용 표현에는 조사 '고'를 쓴다.

오답 풀이 ① 원래의 말이나 글을 그대로 가져오면 되는 것은 직접 인용 표현에 해당한다.
② 상황에 맞게 문장 종결 표현 등을 바꾸어야 하는 것은 간접 인용 표현에 해당한다.
④ 간접 인용 표현은 다른 사람의 말이나 글을 인용할 때 그 형식을 그대로 유지하지 않고 여러 가지 문법 요소를 고려하여 고쳐 쓴다.
⑤ 직접 인용 표현은 인용절에 큰따옴표를 붙이고, 간접 인용 표현에는 붙이지 않는다.

24. 직접 인용을 간접 인용으로 바꿀 때에는 지시 표현, 높임 표현, 시간 표현, 문장 종결 표현 등을 상황에 맞게 바꾸어야 한다.

예시 답 ㉠ 철수는 단체 여행 중에 빨리 출발하자고 소리쳤다. → '출발합시다'가 '출발하자'로 되는 것과 같이 높임 표현이 변화한다.
㉡ 그 사람은 어제 떠나고 싶다고 말했다. → '오늘'이 '어제'로 되는 것과 같이 시간 표현이 변화한다.
㉢ 시골에 간 연희는 그곳이 정말 좋다고 말했다. → '이곳'이 '그곳'으로 되는 것과 같이 지시 표현이 변화한다. 또한 '좋아'가 '좋다'로 되는 것과 같이 종결 표현이 변화한다.

평가 기준	배점
간접 인용을 모두 바르게 고친 경우	5점
두 개만 바르게 고친 경우	3점
한 개만 바르게 고친 경우	1점

25. 예시 답 • 바꾼 표현: 머그잔을 쓰시오.
• 표현 효과: 명령문으로 바꾼 문구는 원래의 광고 문구보다 내용적인 측면에서 보다 직접적인 면이 있다. 하지만 광고라는 매체 특성을 고려할 때 내용을 직접적으로 명확히 전달한다고 해서 그 표현 효과가 더 좋다고 말할 수는 없다.

평가 기준	배점
표현을 바르게 고친 경우	2점
효과를 바르게 쓴 경우	3점

중단원 실전 문제 pp. 92~97

01 ④ **02** ① **03** ④ **04** ④ **05** ③ **06** ⑤ **07** ④ **08** ③ **09** 꽃이 어제 피었다. **10** ④ **11** ② **12** ⓐ 의문문, ⓑ 의문문 **13** ① **14** ④ **15** ② **16** ⑤ **17** 해설 참조 **18** 해설 참조 **19** 해설 참조

01. ㄹ에서 주성분은 세 개로, 주어 '학생들이', 목적어 '점심을', 서술어 '먹는다'이다. 필수적인 문장 성분 또한 세 개로, 주어 '학생들이', 목적어 '점심을', 서술어 '먹는다'가 필수적인 문장 성분에 해당한다.
오답 풀이 ① 주성분은 세 개로, 주어 '물이', 보어 '얼음이', 서술어 '되었다'이다. 필수적인 문장 성분 또한 세 개로, 주어 '물이', 보어 '얼음이', 서술어 '되었다'이다.
② 부사어는 부속 성분으로, 대개 문장을 구성하는 데에 꼭 필요하지는 않다. 하지만 '생기다'라는 서술어는 부사어를 반드시 요구하는데, 이때 '멋있게'와 같은 부사어를 필수 부사어라고 한다.
③ 주어는 필수적인 문장 성분으로, 이 문장에서는 '시작되다'의 주어가 빠져 있다.
⑤ 이 문장에는 주어 '아이가', 관형어 '작은', 부사어 '침대에서', 부사어 '편안히', 서술어 '잔다' 등 여러 문장 성분이 있다. 하지만 이 문장에서 필수적인 것은 주어 '아이가'와 서술어 '잔다'이다.

02. '새로운'은 관형사가 아니라 형용사로, 용언 '새롭다'의 관형사형이 관형어로 쓰인 것이다.
오답 풀이 ② '영수'는 관형격 조사 '의'가 생략된 채 체언인 '장난감'을 수식하고 있다.
③ 용언의 관형사형 '먹을'은 미래 시제를 나타낸다.
④ 체언에 관형격 조사 '의'를 결합하면 관형어를 만들 수 있다.
⑤ 용언의 명사형 '나눔'에 관형격 조사 '의'가 결합되어 '즐거움'을 수식하는 관형어가 되었다.

03. '다르다'는 '나와'와 같은 부사어를, '넣었다'는 '주머니에'와 같은 부사어를 반드시 필요로 한다.
오답 풀이 ① '부다'는 '누나와'와 같은 부사어를 필요로 하지 않는다. '삼다'는 '수양딸로'와 같은 부사어를 반드시 필요로 한다.
② '주다'는 '넉넉히'와 같은 부사어를 필요로 하는 것이 아니라, '나에게'와 같은 부사어를 반드시 필요로 한다. '적합하다'는 '벼농사에'와 같은 부사어를 반드시 필요로 한다.
③ '방문하다'는 '저녁에'와 같은 부사어를 필요로 하지 않는다. '만나다' 역시 '공원에서'와 같은 부사어를 필요로 하지 않는다.
⑤ '빌리다'는 '친구에게'와 같은 부사어를 반드시 필요로 한다. 그러나 '잡다'는 '몽둥이로'와 같은 부사어를 필요로 하지 않는다.

04. (ㄷ)은 '나는 학교에 간다.'라는 완결된 형식에서 일부 문장 성분이 생략된 것이지만 (ㄴ)은 문장 성분이 생략된 형식이 아니다. (ㄴ)은 주어와 서술어를 갖추고 있지 않지만 의미상으로 완결된 내용을 갖추고 문장이 끝났음을 알리는 표지, 즉 느낌표와 물음표가 있기 때문에 문장으로 볼 수 있는 것이다.

05. 서술절 '자립심이 매우 강하다'를 안고 있는 겹문장이다. 이 서술절은 주어 '나의 동생은'의 서술어 역할을 한다.
오답 풀이 ① 관형어(우리, 집), 부사어(마당에, 가득), 주어(개나리꽃이), 서술어(피었다)가 있지만, 주어와 서술어의 관계가 한 번만 나타나므로 홑문장에 해당한다.
② 안긴문장 '(그 선수가) 빠르다'가 부사어의 역할을 한다.
④ '누나가 최신 휴대폰을 산다.'와 '(누나가) 돈을 모은다.'가 이어진 문장으로, 뒷문장에서 주어 '누나가'가 생략되어 있다.
⑤ 대등하게 이어진 문장으로, 문장의 순서를 바꾸어 '엄마는 밥을 좋아하고, 그는 빵을 좋아한다.'라고 써도 그 의미가 통한다.

06. ㉡, ㉢, ㉣에는 '내가 좋아하는', '바쁜', '성능이 좋은' 등 체언을 수식하는 안긴문장인 관형절이 있다. 하지만 ㉠에는 체언을 수식하는 안긴문장인 관형절이 없다.
오답 풀이 ① ㉠에는 '자기가 직접 확인하겠다.'라는 인용절이 안겨 있다.
② ㉡에서 서술어의 기능을 하는 안긴문장, 즉 서술절은 '마음이 정말 착하다'인데, 이때 '정말'은 부사어이다.
③ ㉢에서 명사절은 '학교 가기'인데, 여기에는 주어인 '동생이'가 생략되어 있다.
④ ㉣에서 '날이 덥다'와 '나는 성능이 좋은 선풍기를 샀다.'는 이어진 문장이다. 여기에서 '성능이 좋은'은 '나는 성능이 좋은 선풍기를 샀다.'라는 문장의 안긴문장에 해당한다.

07. 명사절 '사람들이 도착하기'가 '전'을 수식하고 있으므로, 명사절이 조사와 결합하지 않고 관형어로 쓰인 경우에 해당한다고 볼 수 있다.

08. ③은 대등하게 연결된 이어진문장으로, 앞 절과 뒤 절이 대조의 의미 관계를 이룬다.
오답 풀이 ① 종속적 연결 어미 '-(으)면-'은 조건의 의미를 나타낸다.
② 종속적 연결 어미 '-는데'는 상황의 의미를 나타낸다.
④ 종속적 연결 어미 '-(아)서-'는 원인의 의미를 나타낸다.
⑤ 종속적 연결 어미 '-(으)ㄹ지라도-'는 양보의 의미를 나타낸다.

10. ㉠에서는 종결 표현 '해요체'를 사용하여 청자인 '할아버지'를 높이고 있다.
㉡에서는 조사 '께서', '말씀', 선어말 어미 '-시-'를 통해 주체인 '선생님'을 높이고 있다.
㉢에서는 조사 '께'와 특수한 어휘 '드리다'를 통해 객체인 '부장님'을 높이고 있다.

11. ㉠의 '아프시다'에서 선어말 어미 '-시-'가 사용되었다. 하지만 ㉢에는 선어말 어미가 사용되지 않고, 특수한 어휘 '드리다, 모시다'를 통해 객체인 '아버지'와 '할머니'를 높이고 있다.
오답 풀이 ① ㉠과 ㉡ 모두 주격 조사 '께서'를 사용하여 주체에 대한 높임의 태도를 드러내고 있다.
③ ㉡에서는 '눈'을, ㉣에서는 '말씀'을 높임으로써 '할머니'와 '할아버지'를 각각 간접적으로 높이고 있다.
④ ㉢과 ㉣ 모두 부사격 조사 '께'를 통해 객체인 '아버지'와 '그분들'을 높이고 있다.
⑤ ㉢은 '드리다, 모시다'를, ㉣은 '여쭙다'를 사용하여 '아버지, 할머니'와 '그분들'을 높이고 있다.

12. 문장의 종류는 의미나 기능이 아니라 형식에 의해 결정되므로 ⓐ와 ⓑ는 모두 의문문이다.

13. '떨리다'는 능동사 어근 '떨-'에 피동 접미사 '-리-'가 붙어서 만들어진 피동사이다. '놀리다'는 주동사 어근 '놀-'에 사동 접미사 '-리-'가 붙어서 만들어진 사동사이다.
오답 풀이 ② '날리다'는 능동사 어근 '날-'에 피동 접미사 '-리-'가 붙어서 만들어진 피동사이다. '감추다'는 피동 접미사나 사동 접미사가 붙은 동사가 아니다.
③ '좁히다'는 주동사 어근 '좁-'에 사동 접미사 '-히-'가 붙어서 만들어진 사동사이다. '감기다'는 능동사 어근 '감-'에 피동 접미사 '-기-'가 붙어서 만들어진 피동사이다.
④ '놓이다'는 능동사 어근 '놓-'에 피동 접미사 '-이-'가 붙어서 만들어진 피동사이다. '몰리다'는 능동사 어근 '몰-'에 피동 접미사 '-리-'가 붙어서 만들어진 피동사이다.
⑤ '피우다'는 주동사 어근 '피-'에 사동 접미사 '-우-'가 붙어서 만들어진 사동사이다. '높이다'는 주동사 어근 '높-'에 사동 접미사 '-이-'가 붙어서 만들어진 사동사이다.

14. 〈보기〉의 ㉮는 긴 부정문으로 능력 부정(능력 부족)이고, ㉯는 짧은 부정문으로 단순 부정이다. 음정과 가사를 제대로 외우지 못한 것은 외우는 능력이 부족했기 때문이라고 볼 수 있다. 자료집이 안 나온 것은 의지나 능력이랑 관계없는 단순한 상태의 부정이라 볼 수 있다.
마찬가지로 ④번의 ㉮는 긴 부정문으로 능력 부정(능력 부족)이고, ㉯는 짧은 부정으로 단순 부정이다. 문제가 어려워서 못 푼 것은 문제를 풀 능력이 없기 때문이고, 날씨가 안 추운 것은 의지나 능력과는 관계없는 것이라 볼 수 있기 때문이다.
오답 풀이 ① ㉮는 긴 부정문으로 능력 부정(능력 부족)이다.
㉯는 긴 부정문으로 의지 부정이다.
② ㉮는 긴 부정문으로 능력 부정(외부 상황)이다.
㉯는 짧은 부정문으로 의지 부정이다.
③ ㉮는 짧은 부정문으로 능력 부정(외부 상황)이다.
㉯는 짧은 부정문으로 단순 부정이다.
⑤ ㉮는 짧은 부정문으로 능력 부정(능력 부족)이다.
㉯는 긴 부정문으로 의지 부정이다.

15. 주체의 의지가 있는 것은 '안' 부정문에 없는 것은 '못' 부정문에 해당한다.
ⓐ '나는 탁구를 못 친다.' 또는 '나는 탁구를 치지 못한다.'
ⓑ 나는 탁구를 안 친다.
ⓒ 나는 탁구를 치지 않는다.

16. 직접 인용 표현을 간접 인용 표현으로 바꾸면서 인용절 이외의 다른 절이 나타날 수 있다는 것은 〈보기〉의 ㄱ~ㄹ에서 확인할 수 없는 내용이다.
오답 풀이 ① ㄴ에서 '제'가 '자기'로 바뀌었다.
② ㄹ에서 '주시오'가 '달라'로 바뀌었다.
③ ㄴ에서 '가겠습니다'가 '가겠다'로, ㄷ에서 '떠납시다'가 '떠나자'로 바뀌었다.
④ ㄱ에서 '내일'이 '오늘'로 바뀌었다.

서술형 문제

17. 예시 답 ㉠ 한 자리 서술어이다. 주어인 '꽃이'를 필수적으로 요구한다.
㉡ 두 자리 서술어이다. 주어인 '그분은'과 목적어인 '손을'을 필수적으로 요구한다.
㉢ 세 자리 서술어이다. 주어인 '내가'와 목적어인 '선물을'과 부사어인 '언니에게'를 필수적으로 요구한다.

평가 기준	배점
㉠, ㉡, ㉢의 서술어의 자릿수를 모두 파악하고 그 이유를 정확히 서술한 경우	5점
㉠,㉡,㉢의 서술어의 자릿수를 모두 파악하였으나 그 이유를 미흡하게 서술한 경우	4점
㉠,㉡,㉢의 서술어의 자릿수를 모두 파악하였으나 그 이유를 하나도 서술하지 못한 경우	3점

18. 예시 답 • ㉠은 겹문장이다. 전체 문장에서 주어 '나는'과 서술어 '싫어하다'의 관계가 한 번 나타난다. 또한, '추운'은 관형절에 해당되는데, 여기서 생략된 주어 '겨울이'와 서술어 '춥다'의 관계가 또 다시 나타난다. 주어와 서술어의 관계가 두 번 나타났으므로, 겹문장에 해당된다.
• ㉡은 홑문장이다. 주어 '나는'과 서술어 '싫어하다'의 관계가 한 번 나타나기 때문이다.

평가 기준	배점
㉠, ㉡의 문장 종류를 제대로 판단하고 그 이유를 명확히 제시한 경우	5점
㉠, ㉡의 문장 종류를 제대로 판단하였으나 그 이유를 미흡하게 제시한 경우	3점
㉠, ㉡의 문장 종류만 맞힌 경우	2점

19. 사동사에 의한 사동문을 파생적 사동문이라고 하고, '-게 하다'에 의한 사동문을 통사적 사동문이라고 한다. ㉮의 '신기다'는 주동사의 어근 '신-'에 사동 접미사 '-기-'가 붙

어 만들어진 사동사로 파생적 사동문이다. ㉯의 '신게 하다'는 어근 '신-'에 '-게 하다'가 붙어 만들어진 통사적 사동문이다.

예시 답 파생적 사동문은 통사적 사동문에 비해서 더 직접적인 의미를 지닌다. ㉮는 파생적 사동문으로 엄마가 아이의 양말을 직접 신겨 주는 행위를 뜻하는 경우가 많은 반면, ㉯는 통사적 사동문으로 직접 양말을 신겨 주지는 않고 단지 양말을 신으라고 말만 하거나 양말을 준비해 주거나 하는 것을 뜻하는 경우가 많다.

평가 기준	배점
파생적 사동문과 통사적 사동문을 구분하고 그 의미 차이를 명확히 제시한 경우	5점
파생적 사동문과 통사적 사동문을 구분하였으나 그 의미 차이를 미흡하게 제시한 경우	4점
파생적 사동문과 통사적 사동문만을 구분한 경우	3점

4 담화

(1) 담화의 개념과 특성

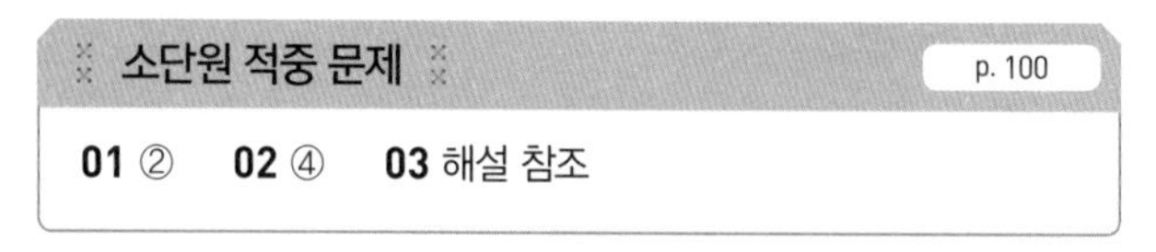
소단원 적중 문제 p. 100

01 ② 02 ④ 03 해설 참조

01. (나)에서 알 수 있듯이, 둘 이상의 발화가 모였다고 해서 항상 적절한 담화가 이루어지는 것은 아니다. 담화를 이루기 위해서는 일정한 조건, 즉 통일성과 응집성이 갖추어져야 한다.

02. 〈보기〉의 글은 '탄수화물', '섬유소', '비섬유소' 등 동일한 표현을 반복하여 사용하고 있다. 또한 '비섬유소를 포도당으로 분해하고 이를 소장에서 흡수하여'에서 '이'라는 대용 표현을 사용하고 있다. 그리고 '반면'이라는 접속 표현을 사용하고 있다.

03. 대용 표현은 앞선 발화에서 언급된 것을 다시 가리킬 때 쓰인다는 점에서 화자와 청자로부터의 멀고 가까움에 따라 구별하여 특정한 대상을 가리키는 지시 표현과 구별된다.

예시 답 ⓐ와 ⓑ는 민희가 들고 있는 책을 가리키므로 지시 표현이다. ⓒ는 '언니가 생일 때마다 사주는 책들'이라는 앞선 발화의 내용을 가리키고 있으므로 대용 표현이다.

평가 기준	배점
예시 답에 가깝게 설명한 경우	5점
지시 표현과 대용 표현의 구분이 잘못되었거나 그 이유가 잘못되었을 경우마다	-1점
문장이 어색하거나 맞춤법에 어긋난 표기가 있는 경우	-1점

(2) 담화의 맥락과 효과적인 국어 생활

소단원 적중 문제 p. 102

01 ③ 02 ①

01. (다)에서 알 수 있듯이, 화자의 심리적 태도를 파악하기 위해서는 담화의 맥락과 상황을 고려해야 한다.

오답 풀이 ① (다)에서 확인할 수 있다.

② (라)에서 확인할 수 있다.

④ (가)에서 확인할 수 있다.

⑤ (나)에서 확인할 수 있다.

02. 발화의 의미를 정확하게 이해하기 위해서는 상황 맥락을 고려해야 한다. 상황 맥락을 고려했을 때 [A]와 같은 영호의 발화는, 밥 먹으러 같이 가자는 선생님의 제안을 완곡하게 거절하는 의미라고 할 수 있다.

중단원 실전 문제

pp. 103~105

01 ③ **02** 해설 참조 **03** ⑤ **04** ⑤ **05** ① **06** 해설 참조 **07** 해설 참조

01. 접속 표현의 다양한 유형은 이 글에서 확인할 수 없는 내용이다.

02. 적절하고 자연스러운 담화가 되기 위해서는 담화 내의 발화들이 하나의 주제 아래 유기적으로 모여 있어야 한다. 담화 내의 발화들이 하나의 주제를 향해 긴밀하게 연결되어 있는 성질을 담화의 '통일성'이라고 한다.

예시 답 〈보기〉에 제시된 담화의 주제는 '도서관 이름이 '슬기ㄱ룸'인 이유'이다. 이를 고려했을 때 여섯 번째 발화(문장)인 '강은 인간에게 혜택도 주지만 피해도 줍니다.'는 담화의 통일성을 해치고 있다. 그러므로 담화의 통일성을 위해서는 이 발화(문장)를 삭제해야 한다.

평가 기준	배점
예시 답에 가깝게 설명한 경우	5점
설명이 미흡한 경우	3점
문장이 어색하거나 맞춤법에 어긋난 표기가 있는 경우	−1점

03. (마)의 B의 밑줄 친 '이건'은 뒤의 발화 내용인 '동아리 활동 사진전을 열어 보는 것'을 가리키는 것으로, 지시 표현이 아니라 대용 표현에 해당한다. 대용 표현은 보통 앞선 발화 중의 내용을 가리키나 경우에 따라서는 이처럼 이후 나타나는 발화 중의 내용을 가리키기도 한다.

04. ⑤는 학급회의가 끝났음을 알리는 단순 진술에 해당한다. 나머지는 상황에 의해 달리 이해되는 발화들이다.

오답 풀이 ① 상황을 고려할 때, '조용히 해 달라'는 요청이다.
② 상황을 고려할 때, '흡연을 삼가 달라'는 요청이다.
③ 상황을 고려할 때, '약을 먹으라'는 요청이다.
④ 상황을 고려할 때, '비켜 달라'는 요청이다.

05. 이 과장은 15%의 할인 혜택을 요구하고 있다. 하지만 이에 대해 매장 주인은 할인 행사를 하지 않는다고 하면서 ㉠과 같은 발화로 응대하였다. 이는 상황 맥락을 고려해 볼 때, 매장 주인이 이 과장의 요구 사항을 수용할 수 없음을 나타내는 발화라고 할 수 있다.

서술형 문제

06. 담화 내에서 어떤 발화를 둘러싼 앞뒤의 발화를 언어적 맥락이라고 한다.

예시 답 B의 발화에서 '거기'는 '축구를 하기로 한 장소'를 의미한다. 이는 B의 발화 이전의 A의 발화를 통해 알 수 있다. 즉 B의 발화에서 '거기'는 언어적 맥락을 통해 정확하게 파악할 수 있다.

평가 기준	배점
'축구를 하기로 한 장소', '언어적 맥락' 등의 용어를 포함하여 예시 답에 가깝게 설명한 경우	5점
예시 답의 중요한 요소들 중 하나가 누락된 경우	3점
문장이 어색하거나 맞춤법에 어긋난 표기가 있는 경우	−1점

07. 통일성이란 담화를 구성하는 하위 요소들이 내용상 하나의 주제 아래 유기적인 관계를 맺고 있는 것을 말한다. 응집성이란 담화를 이루는 발화나 문장들이 특정한 형식 요소에 의해 연결되는 것을 말한다.

예시 답 학생의 발표 주제는 걱정 인형에 관한 것인데, 두 번째 문장에서 걱정 인형 외에 과테말라의 다양한 민간 풍습을 언급하고 있기 때문에 통일성을 갖추지 못하였다고 볼 수 있다. 통일성을 위해서는 두 번째 문장을 삭제해야 한다. 학생의 발표 내용에서는 '이', '이러한' 등의 지시 및 대용 표현과 '그래서', '하지만' 등의 접속 표현을 적절하게 사용하고 있기 때문에 응집성을 갖추었다고 볼 수 있다.

평가 기준	배점
예시 답에 가깝게 설명한 경우	5점
통일성과 응집성 중 하나에 대해서만 서술한 경우	3점
문장이 어색하거나 맞춤법에 어긋난 표기가 있는 경우	−1점

1. 매체 언어의 특성

(1) 정보의 구성과 유통 방식

소단원 적중 문제 pp. 110~111

01 ④ **02** ④ **03** 해설 참조 **04** ② **05** ⑤

01. (가)는 책과 같은 인쇄물의 형태로 유통되지만 (나)는 서버 등의 디지털 정보의 형태로 유통된다.

오답 풀이 ①, ②, ③ 정보 제공의 속도나 정보 제공자의 범위, 정보의 복제와 대량 유통의 용이성의 측면에서 인터넷 매체인 (나)가 인쇄 매체인 (가)보다 더 빠르고 넓고, 용이하다.
⑤ (가)는 정보의 보존과 유통이 제한적이고, (나)는 (가)에 비해 정보의 보존과 유통이 자유롭지만 간혹 디지털 정보의 오류로 보존에 문제가 생길 수 있다.

02. 정보를 인용할 때는 출처를 밝히는 것이 정당한 것이나, (나)에서는 (가)에 사용된 정보를 직접 인용한 부분이 없고, 따라서 출처를 밝힌 부분도 없다.

오답 풀이 ① (가)에서 다룬 스매시와 관련된 정보 중 스매시를 효과적으로 하는 방법에 집중해서 내용을 구성하고 있다.
② 스매시 자세를 동영상을 첨부하여 제시하고 있다.
③ 스매시를 익히기 전에 배드민턴의 기본 자세인 배드민턴 그립 잡는 방법을 하이퍼링크로 연결하여 알려 주고 있다.
⑤ 댓글 기능을 통해 독자들의 궁금증을 해소할 수 있도록 하고 있다.

03. 댓글은 인터넷에 올라온 정보에 대해 짤막하게 의견을 덧붙이는 기능으로, 이를 바탕으로 정보의 생산자와 소비자가 소통을 할 수 있다.

예시 답 '댓글'은 정보의 생산자와 소비자가 양방향적으로 소통할 수 있게 함으로써 정보를 쉽게 공유하고, 정보와 관련된 이해를 높여 주는 기능이 있다.

평가 기준	배점
댓글의 기능을 소통 측면에서 바르게 서술한 경우	5점
댓글의 기능만을 서술한 경우	3점
국어의 정서법에 어긋난 경우	−1점

04. (가)는 문자 언어와 시각적 이미지 정도만 사용할 수 있는데 비해, (나)는 동영상을 사용할 수 있으므로 정보의 실재감이 (가)에 비해 더 높다.

오답 풀이 ① 정보 전달 속도는 인쇄 매체인 (가)가 방송 매체인 (나)보다 느리다.
③ 인쇄 매체인 (가)는 정보 수용을 선택적으로 할 수 있지만 방송 매체인 (나)는 정보의 선택적 수용이 상대적으로 어렵다.
④ 정보의 구성과 유통에 상대적으로 시간적 제약이 따르는 것은 (나)이다.
⑤ (가)에 비해 (나)가 더 다양한 매체 언어를 사용할 수 있다.

05. 신문은 인쇄 매체를 통해 정보를 구성하여 전달하기 때문에 주로 문자나 이미지 같은 시각적 이미지를 통해 내용을 구성하고, 청각이나 동영상 이미지 등은 사용할 수 없다.

오답 풀이 ① 기사의 표제에 대한 설명이다.
② 기사의 전문에 대한 설명이다.
③ 인쇄 매체이므로 문자 언어를 기본으로 하지만 사진이나 그림, 통계 자료와 같은 시각 자료를 보조적으로 활용할 수 있다.
④ 중요한 기사에 대해서는 글자의 크기를 키우거나 굵게 하여 그 중요성을 표현할 수 있다.

(2) 표현의 창의성과 심미적 가치

소단원 적중 문제 pp. 113~114

01 ③ **02** ③ **03** ④ **04** 해설 참조 **05** 해설 참조 **06** ① **07** ⑤

01. (가)는 증강 현실을 구현함으로써, (나)는 찢어진 종이의 이미지와 배기가스의 이미지를 연결함으로써 전달하고자 하는 내용을 창의적으로 표현하고 있는데 이를 통해 의사소통의 효율성을 높이는 효과를 주고 있다.

오답 풀이 ① (가)는 영상 매체이다.
② (나)는 인쇄 매체이므로 청각 매체를 사용할 수 없다.
④ 표현에 있어 심미적 가치가 나타날 수는 있으나 심미적 목적으로 창작된 것은 아니다.
⑤ (가)와 (나)는 관습적이기보다는 창의적으로 표현된 매체 자료들이다.

02. 시민들을 인터뷰하는 장면은 제시되어 있지 않다.

오답 풀이 ① 그래픽을 통해 가상의 호랑이 이미지를 실제 촬영 화면에 덧붙여 보여 주고 있다.
② 호랑이가 도심에 나타나는 놀라운 사건을 연출하고 있다.
④ 호랑이가 도심에 나타난다는 실험에 대한 시민들의 반응을 보여 주고 있다.
⑤ 영상 매체를 통해 사람들의 움직임이나 표정을 보여 주고 있다.

03. 글자의 진하기를 다르게 하여 생산자가 주장하는 바를 강조

하고 있지 글자의 크기를 조절하여 이를 전달하고 있지는 않다.
오답 풀이 ① 목재를 실은 트럭의 사진과 문자 언어를 조합하여 구성하였다.
② 트럭의 배기가스 이미지를 마치 찢어진 종이처럼 보이게 하고 있다.
③ '1톤의 폐지 재활용은 1.07379톤의 CO_2를 저감합니다.'의 구절을 통해 알 수 있다.
⑤ '~을 함부로 사용하는 건, ~을 함부로 배출하는 것'에서 유사한 통사 구조를 반복하고 있다.

04. 광고의 목적은 기본적으로 생산자의 의도를 바탕으로 수용자를 설득하는 데 있고, 이 광고의 경우 수용자로 하여금 폐지 재활용의 중요성을 알리고, 이를 통해 환경을 보호하자는 것을 설득하는 데 그 핵심 내용이 있다.
예시 답 매체를 접하는 사람들에게 자신의 주장을 설득하고자 하는 목적으로 만들어진 광고이며, 그 핵심 내용은 폐지 재활용을 통해 환경을 보호하자는 것이다.

평가 기준	배점
목적과 핵심 내용을 바르게 서술한 경우	5점
목적과 핵심 내용 중 하나만을 서술한 경우	3점
국어의 정서법에 어긋난 경우	-1점

05. 소금의 색깔이 눈처럼 하얗다는 점과 그 맛이 눈물처럼 짜다는 점을 통해 다른 대상을 연상할 수 있도록 표현하고 있다.
예시 답 색깔과 맛이 갖는 유사성을 바탕으로 다른 대상을 소금을 연상하도록 표현하고 있다.

평가 기준	배점
'유사성'과 '연상'이라는 단어를 포함하여 표현상의 특징을 서술한 경우	5점
'유사성'과 '연상' 중 하나만의 단어를 포함하여 표현상의 특징을 서술한 경우	3점
국어의 정서법에 어긋난 경우	-1점

06. (가)는 소금을 연상할 수 있는 이미지를 통해, (나)는 애니메이션의 매체적 표현 방식을 통해 수용자들의 정서를 자극하는 심미적 표현이 나타나 있다.
오답 풀이 ② (가)는 소금의 사용을 설명하기 위해 재치 있는 표현을 사용한 것이지, 생산자의 심미적 체험을 표현하기 위한 목적으로 만든 것은 아니다.
③ (가), (나)는 모두 즉각적 소통이 이루어지기 어렵다.
④ (가)에는 영상이 사용되지 않았다.
⑤ (가), (나) 모두 창의적 발상으로 미적 아름다움을 배가시키고 있지 않다.

07. 별에 새싹이 나고 비가 내린 장면에서 아버지와 딸이 함께 서 있는 장면이 새로운 생명을 기대하게 하는 것은 사실이지만, 딸이 아픈 와중에도 아버지가 별에 구멍을 뚫는 것을 방해하러 나온 장면을 보면 딸이 걷지도 못했었다는 진술은 애니메이션의 내용과 부합하지 않음을 알 수 있다.
오답 풀이 ① 별에 구멍을 뚫는 것은 딸을 살리기 위한 행위지만 결과적으로 별을 파괴하는 행위이다.
③, ④ 이 애니메이션은 전반부의 어둡고 날카로운 이미지로 현실의 위기를 나타내고, 후반부의 따뜻한 색감을 통해 희망의 메시지를 전달하고 있다.

중단원 실전 문제 ×× ×× pp. 115~117

01 ① **02** ④ **03** ④ **04** 정서, 창의 **05** ④ **06** ①
07 해설 참조 **08** 해설 참조

01. 신문은 기사를 어느 면에다가 싣느냐, 혹은 전체 면 중 해당 기사의 분량이 어느 정도냐에 따라서 기사의 중요성이 드러나고, 방송 뉴스는 보도 순서를 얼마나 앞에 두느냐와 얼마나 많은 시간을 보도에 할애하고 있느냐에 따라 정보의 중요성이 결정된다.

02. 신문과 방송 뉴스에서 제공되는 정보는 생산자에서 수용자로 일방향적 소통을 통해 전달된다.
오답 풀이 ① 신문의 표제는 기사 내용 전체를 개관하는 기능을 한다.
② 동영상을 통한 인터뷰는 정보의 실재감을 높이는 데 기여한다.
③ 신문이 방송 뉴스에 비해 상대적으로 정보를 선택적으로 취할 수 있다.
⑤ 인쇄 매체인 (가)는 문자와 도표만 사용하고 있지만 방송 매체인 (나)는 문자를 사용한 자막, 아나운서와 기자 등의 음성, 그리고 방송 영상 등 많은 매체 언어를 사용하고 있다.

03. (가)와 (나)는 창의적 표현 방식이 사용된 광고 자료인 반면, (다)는 단편 애니메이션으로 심미적 가치를 추구하는 순수한 목적으로 창작된 작품이다.
오답 풀이 ① (다)는 애니메이션으로 영상 매체이다.
② (나)에도 사진, 문자, 이미지 등 매체 언어의 복합 양식성이 활용되고 있다.
③ (가)에는 영상 매체이므로 시각뿐만 아니라 청각적 이미지도 사용되고 있다.
⑤ (나), (다)는 제품 판매를 목적으로 하고 있지 않다.

05. (가)는 증강 현실 기술을 사용하여 가상의 장면이 마치 현실에서 일어난 것처럼 연출한 것이므로 ④는 계획 회의 내용으로 적절하지 않다.
오답 풀이 ①, ②, ③ 현실에서 일어나지 않을 것 같은 호랑이의 이미지를 증강 현실을 사용하여 도심에 나타나게 함으로써 신선한 충격을 선사하고 있다.
⑤ (가)는 일종의 실험처럼 설정된 상황에서 일반 시민들의 반응을 관찰하여 보여 주고 있다.

06. 〈보기〉는 자동차 매연으로 인한 폐해를 경고하고 있는 공익 광고이고, (나)는 종이를 함부로 사용하는 것의 문제점을 경고하고 있는 공익 광고이다.

오답 풀이 ② (나)는 '1톤의 폐지 재활용은 1.07379톤의 CO_2를 저감합니다.'에서 진한 글씨로 내용을 강조하고 있고, 〈보기〉는 '숲'의 글자 크기를 통해 내용을 강조하고 있다.

③ 〈보기〉와 (나) 모두 '자연을 보호하자'는 내용을 담은 공익 광고이다.

④ (나)는 배기가스와 찢겨진 종이, 〈보기〉는 자동차의 매연과 사라지는 숲의 이미지를 연결하여 주제를 창의적으로 드러내었다.

⑤ 〈보기〉와 (나) 모두 사진, 혹은 그림과 같은 이미지와 문자 언어를 사용하고 있다.

서술형 문제

07. (1) 예시 답 대학교 인터넷 홈페이지

(2) 예시 답 정보에 관심을 가진 사람들이 쉽게 접근하여 정보를 얻을 수 있는 매체이기 때문이다.

평가 기준	배점
매체와 이유를 모두 적절하게 서술한 경우	5점
(1)과 (2) 중 하나만 서술한 경우	3점
국어의 정서법에 어긋난 경우	−1점

08. (1) 예시 답 숫자를 통해 역사적 사건을 표현하였다.

(2) 예시 답 학생들이 역사의 중요성을 알고 역사를 공부해야 함을 촉구하고 있다.

평가 기준	배점
창의적 표현을 파악하고 전달 목적을 바르게 서술한 경우	5점
(1)과 (2) 중 하나만 서술한 경우	3점
국어의 정서법에 어긋난 경우	−1점

2 매체 자료의 수용과 생산

(1) 매체로 만나는 너와 나

소단원 적중 문제

pp. 121~123

01 ① **02** ④ **03** 해설 참조 **04** ② **05** ④ **06** ③
07 ③ **08** ② **09** ② **10** ⑤

01. (나)는 사진이나 그림, 문자 언어 등 다양한 매체 언어가 사용되고 있지만 (가)는 문자 언어만 사용되고 있다.

오답 풀이 ② (나)는 누리 소통망(SNS)이고, (다)는 인터넷 카페로 모두 전자 매체를 통해서 소통된다.

③ 인쇄 매체인 (가)는 전자 매체인 (나)에 비해 신속성과 편의성이 떨어진다.

④ (다)는 인터넷 카페로 소통의 범위가 가입한 사람에 국한되지만 소통의 범위가 일대일인 (가)에 비해서는 상대적으로 개방적이다.

⑤ (가)~(다)는 모두 소통의 대상과 친밀한 교류를 나누고자 하는 목적을 가지고 있다.

02. 2문단의 세 번째 줄을 보면 엄마가 힘들고 지칠 때마다 수민이에게 고민을 털어놓기도 했음을 알 수 있다.

오답 풀이 ① 마지막 문단에서 수민이가 엄마가 다시 공부하는 것을 응원하고 있음을 알 수 있다.

② 첫 문장에서 수민이가 고등학교 생활을 마쳤지만 아직 대학에 입학한 것은 아님을 알 수 있다.

③,⑤ (가)를 통해서는 확인할 수 없는 내용이다.

03. (다)의 카테고리에 고양이를 알리기와, 고양이 일기, 그리고 고양이 용품 공유 등이 있으므로, 이 카페에 모인 회원들은 고양이를 자랑하고, 관련 정보를 공유하기 위해 가입했음을 알 수 있다.

예시 답 고양이를 사랑하는 사람들에게 자신의 고양이를 자랑하고, 고양이와 관련된 정보를 공유하기 위한 목적으로 가입했을 것이다.

평가 기준	배점
자랑과 정보 공유 등의 내용을 담아 서술한 경우	5점
예시답과 유사한 내용을 담았으나 서술한 내용이 미흡한 경우	2점
국어의 정서법에 어긋난 경우	−1점

04. 〈보기〉는 게시자가 올린 사진과 글에 대해 비하하는 글을 쓴 사람들로 인해 상처를 받았음을 이야기하면서 상대방의 입장을 헤아려 글을 써 주기를 부탁하고 있으므로 토의 내용으로 가장 적절한 것은 ②이다.

오답 풀이 ① 카페가 소통을 위한 것이므로 남의 글에 의견 자체를 달지 않는 것은 적절하지 않다.

③ 고양이를 좋아하는 사람들의 모임이므로 이와 같은 진술은 적절하지 않다.

④ 게시판은 글이나 사진, 동영상 등을 모두 올릴 수 있다.

⑤ 도배성 글을 올리는 것은 바람직하지 않지만 〈보기〉에 그런 내용이 없으므로, 이와 같은 진술은 적절하지 않다.

05. ㉠은 이모티콘, 혹은 감정 스티커라고 하는 것으로, 컴퓨터 자판의 특수 문자나 이미지, 애니메이션 등을 활용하여 문자 언어를 보조하여 발화자의 감정을 표현하는 기능을 한다.

오답 풀이 ① '친구 추가'와 같은 기능이 이에 해당한다.

② '닉네임'이 이에 해당한다.

③ '해시 태그'에 대한 설명이다.

⑤ '하이퍼링크'에 대한 설명이다.

06. 화상 채팅 등의 방법을 사용하면 상대의 모습을 확인할 수 있으므로, ③은 적절하지 않다.
오답 풀이 ①, ⑤ 익명성에 기댄 폭력이나 불확실하거나 거짓된 정보의 확산 등은 누리 소통망(SNS)의 단점에 해당한다.
②, ④ 소통의 범위를 확장하고, 멀리 있는 사람과도 소통할 수 있는 것은 누리 소통망(SNS)의 장점에 해당한다.

07. 사만다와 아나이스는 화상 채팅이나 이메일과 같은 전자 매체를 통해서 서로 소통하였다.
오답 풀이 ① 사만다와 아나이스는 25년 만에 처음으로 서로의 존재를 알게 되었다.
② 미국과 프랑스는 서로가 입양을 간 곳이지 태어난 곳은 아니다.
④ 동영상 공유 사이트를 통해 상대를 발견한 것은 사만다가 아니라 아나이스이다.
⑤ 사만다는 아나이스의 동의하에 다큐멘터리를 만들었다.

08. 화연이와 친구들이 천지가 대화방에 있음에도 불구하고 천지의 험담을 했으므로, 이는 의도적으로 천지를 괴롭힌 것에 해당하므로 이를 '별 뜻 없'는 행위로 보는 것은 적절하지 않다.
오답 풀이 ① 화연이와 친구들이 온라인 대화방에서 천지를 따돌리는 행위를 했으므로 천지는 사이버 불링의 피해자라 할 수 있다.
③ 친구들도 화연이와 함께 천지를 따돌리는 행위에 동참했으므로 가해자로 볼 수 있다.
④ 사이버 불링은 누리 소통망 문화의 확산에서 비롯되었다.
⑤ 사이버 불링은 '집단 괴롭힘'을 지칭하는 것이므로 단 둘이 다투는 것은 사이버 불링으로 보기 어렵다.

09. 〈보기〉를 보면 영상으로 제작하여 누리 소통망에 올린다고 했으므로, 영상 편지의 발신자와 수신자 외에 다른 친구들도 볼 수 있다. 따라서, 영상 편지에 둘 만이 알 수 있는 은밀한 내용이 들어가는 것은 적절하지 않다.
오답 풀이 ①, ③, ⑤ 영상 편지는 다양한 매체 언어를 사용하여 재미있고 창의적으로 내용을 구성하되, 친교의 목적을 고려하여 상대자와의 정서적 교감이 이루어질 수 있도록 하는 것이 좋다.
④ 제작 시 기존의 영상물을 참고할 수는 있으나 단순히 모방하는 것은 윤리적으로 옳지 않으므로 삼가야 한다.

10. 좋은 장비를 사용하여 고급스러운 영상을 얻는 것도 좋지만 학생 수준에서 전문가용 촬영 장비를 준비하는 것은 어려운 일이므로 반드시 전문가용 촬영 장비를 준비할 필요는 없다.
오답 풀이 ① 영상 편지는 그 속성상 수신자가 있어야 한다.
②, ③ 영상 편지는 기본적으로 대본을 바탕으로 하는데, 이 때 편지 작성의 목적과 주제가 무엇인지 결정할 필요가 있다.
④ 영상 매체의 특성상 음악이나 자막 등을 활용할 수 있다.

(2) 매체로 주고받는 정보

소단원 적중 문제 pp. 126~128

01 ① **02** ⑤ **03** ③ **04** ⑤ **05** ② **06** ④ **07** 해설 참조 **08** ④ **09** ⑤ **10** ④

01. (가)는 모기가 급감한 이유에 대한 정보를, (나)는 승선교의 구조적 아름다움에 대한 정보를, (다)는 감자조림 요리법에 대한 정보를 전달할 목적으로 생산된 매체 자료이다.
오답 풀이 ② 정보 전달 매체일지라도 생산자의 의견이 완전히 배제될 수는 없지만 의견 전달 자체가 목적은 아니다.
③ 심미성을 다소 포함할 수는 있으나 그 자체가 목적은 아니다.
④ 정보를 주고받다가 친밀한 교분이 만들어질 수는 있지만 그 자체가 목적은 아니다.
⑤ 즉각적이고 쌍방향적인 소통이 가능한 것은 (다)뿐이고, (다)도 그 자체가 목적은 아니다.

02. [E]에서 모기 수 급감의 원인으로 '지엽적 집중 호우'와 '고온으로 인한 모기의 서식 환경 악화'를 제시하고 있긴 하지만 [A]에는 그런 언급이 없으며, 문답의 형식 또한 나타나 있지 않다.
오답 풀이 ① 표제는 글 전체의 내용을 간단하게 나타낸다.
② 전문은 기사의 내용을 한두 문장으로 요약한 것이다.
③ 시각 자료는 [B]에서 설명하고 있는 기간 별 모기 감시 현황을 담고 있다.
④ 집중 호우나 가뭄, 즉 비가 너무 많이 오거나 너무 오지 않는 것이 모기 수 급감의 원인으로 제시되어 있다.

03. (나)는 광주 방송에서 제작하여 방송한 다큐멘터리이고, (다)는 인터넷 블로그에 올라와 있는 감자조림 조리법 설명이다.
오답 풀이 ① (나)는 (다)에 비해 전문가에 의해 정보가 생산된다.
② 방송 매체는 인터넷 매체에 비해 정보를 선별하여 보기 어렵다.
④ (나)는 문자 언어보다는 음성이나 영상에 의해 내용이 전달되고, (다)는 문자 언어가 정보 전달의 주가 되고 있다.
⑤ (나)는 동영상이, (나)는 문자 언어와 사진 자료가 정보 전달의 중심이 된다.

04. (다)에 제시된 블로그 화면에는 감자조림과 관련된 내용만 있을 뿐 감자와 관련된 다른 요리법을 연결시키는 하이퍼링크는 나와 있지 않다.
오답 풀이 ① 블로그에 담긴 주된 정보가 감자조림을 만드는 법이다.
② 1), 2)의 항목에서 요리 재료와 기본 정보를 문자 언어로 제시하고 있다.
③ 2)에서 사진 자료를 함께 제시하고 있다.
④ (다)의 가장 아래에 댓글을 달 수 있는 부분이 있다.

05. 방송 뉴스는 두 가지 이유를 들어 버섯의 무단 채취가 위험함을 알리고 있다. 첫 번째는 일반인이 독버섯과 식용 버섯을 구

분하기 어렵기 때문이며, 두 번째는 무단으로 채취하다 적발되면 벌금을 물 수 있기 때문이다.
오답 풀이 ①, ④ 독버섯을 잘못 먹으면 위험하다는 것이나 독버섯과 식용 버섯을 구분하는 것이 어렵다는 정보는 ②의 정보를 주기 위한 부수적인 것이다.
③, ⑤ 이 방송에서 다루고 있는 내용이 아니다.

06. ㉣의 취재 대상자는 버섯에 대한 전문가가 아니라 버섯을 무단으로 채취해 온 탐방객으로 독버섯과 식용 버섯을 구분하지 못한 채 버섯을 채취하는 문제 상황을 부각시키는 역할을 한다.
오답 풀이 ① '가을 산행 독버섯 주의'는 이 기사의 제목과 같은 것으로, 이를 자막으로 제시하여 뉴스의 주요 내용을 간략하게 요약하여 보여 준 것이다.
② 아나운서의 첫 대사에서 뉴스의 화제를 소개하고 있다.
③ 기자는 현장에서 정보를 구체적으로 제시하고 있다.
⑤ 독버섯과 식용 버섯이 비슷하여 구분하기 어렵다는 것을 시각 자료를 통해서 확인해 주고 있다.

07. 뉴스가 정보를 제공하는 것이고, 그 정보가 우리에게 가치가 있는 것이려면, 그 정보가 정확하고 공정한 것이어야 한다.
예시 답 뉴스는 정보를 전달하는 매체 자료이고, 정보를 제공하는 매체 자료는 공정성과 정확성 등을 갖추어야 한다. 공정성은 논쟁 중인 쟁점이나 갈등 상황을 다룰 때는 양적·질적으로 균형 있는 정보를 제공해야 함을 의미하고, 정확성은 과장이나 허위 없이 정확한 정보와 사실을 보도해야 함을 의미하는 것이다.

평가 기준	배점
요건으로 '공정성'과 '정확성'을 밝히고 그 의미를 바르게 서술한 경우	5점
둘 중 하나만 서술한 경우	3점
국어의 정서법에 어긋난 경우	−1점

08. 기자의 마지막 대사에서 허가받지 않고 버섯을 채취했을 때에는 3천만 원 이하의 벌금을 물 수 있다고 언급했으므로, ④는 적절하지 않다.
오답 풀이 ①, ②, ③, ⑤ 뉴스에서는 다루지 않았지만 뉴스와 관련이 있는 독벗서과 식용 버섯을 구별하는 방법이나 국립 공원에서 버섯 채취를 허가받는 방법, 우리가 조심해야 하는 독버섯의 종류, 독버섯의 해독 방법 등은 후속 보도로 다룰 만한 소재가 된다.

09. 대학생을 대상으로 한 아르바이트 정보는 고등학생들의 학급 신문 정보로는 유용하지 않다.
오답 풀이 ①, ②, ③, ④ 고등학교 학생이 관심을 가질만한 적성과 진로와 관련된 정보, 그리고 학급이나 과제, 평가와 같은 학교 생활 관련 정보는 학급 신문에서 다룰 수 있는 내용이다.

10. 신문을 만들 때, 독자의 흥미를 고려할 수는 있지만 신문 제작의 목적이 재미에 있는 것은 아니기 때문에 재미 위주로 기사를 구성하였는지 묻는 것은 적절한 평가 항목이 될 수 없다.
오답 풀이 ① 정보 전달 매체이기 때문에서 제공되는 정보의 객관성은 중요한 평가 항목이 된다.
② 자료를 무단으로 사용하는 것은 보도 윤리에 어긋나므로, 이를 엄격하게 평가할 필요가 있다.
③ 기사를 잘 전달하기 위해서는 신문의 기사 배치나 효율적인 자료 제공이 필요하다.
⑤ 무엇보다 신문의 기사 내용과 구성은 신문 제작의 목적에 부합해야 한다.

(3) 매체로 설득하다

소단원 적중 문제 pp. 131~133

01 ① **02** ③ **03** ② **04** 해설 참조 **05** ③ **06** ⑤
07 ④ **08** ③ **09** 해설 참조

01. (가)는 인쇄 매체인 신문에 실린 글로, 예습과 복습 중 무엇이 중요한지에 대한 글쓴이의 주장, 혹은 의견을 담고 있고, (나)는 동영상 매체로서 '모금'을 권장하는 공익적 목적을 가지고 있다.
오답 풀이 ②, ③, ④, ⑤ (가)는 인쇄 매체의 시사 평론, (나)는 영상 매체의 공익 광고, (다)는 라디오 매체의 축제 광고이다.

02. 글쓴이는 복습을 통해 새로운 아이디어를 얻기도 한다고 말하고 있지만 예습이 그것을 방해한다고 언급하고 있지는 않다.
오답 풀이 ① 1문단에서 확인할 수 있다.
②, ④, ⑤ 2문단에서 확인할 수 있다.

03. (나)는 모금의 중요성과 가치를 전달하고는 있지만 모금에 참여하는 방법을 소개하고 있지는 않다.
오답 풀이 ①, ④, ⑤ 처음 세 컷에서 어린아이와 성인이 화면 앞에 다가와 반복적으로 고마움을 표시하는 모습에 반영되었다.
③ '취약 계층 맞춤형 지원', '의료 소외 계층 지원', '긴급 재난 구호' 등이 이에 해당한다.

04. 설득적 매체 자료를 수용할 때는 그 내용이 자신에게 유용하고 타당성을 가진 설득인지를 점검하는 일이 필요하다.
예시 답 매체 자료가 전달하고자 하는 내용이 자신에게 유용한 것인지와 전달 내용이 타당한지에 대해 판단해 보아야 하며 무조건 수용하는 태도는 지양해야 한다.

평가 기준	배점
'유용성'과 '타당성'과 같은 단어를 포함하여 수용할 때의 유의점을 바르게 서술한 경우	5점
둘 중 하나만 서술한 경우	3점
국어의 정서법에 어긋난 경우	−1점

05. (다)는 라디오 광고로, 매체의 특성상 시각적 이미지를 사용

할 수 없으므로 자막을 사용하여 행사의 주요 일정을 안내하고 있다고 볼 수 없다.
오답 풀이 ① 축제명과 장소가 반복적으로 제시되어 있다.
② '청양으로 가자'를 '가자, 청양으로!'로 도치하여 표현하고 있다.
④ 신나는 행진곡이 배경 음악으로 쓰였다.
⑤ 공연, 경품 행사, 먹거리 등이 나열되었다.

06. 학교 홍보를 위한 것이므로 ⑤와 같은 부정적인 내용을 담는 것은 적절하지 않다.
오답 풀이 ①, ②, ④, ⑤ 교내 학생들을 대상으로 하는 홍보이므로, 학교 신문이나 인쇄 포스터, 학교 라디오 방송이나 학교 누리 소통망(SNS)에 그 내용을 게시할 수 있다.

07. 이 광고는 우유팩과 화장지의 관계를 아버지와 아들의 관계로 설정하여, 마치 사람처럼 아버지가 아들을 보호하는 모습으로 그려냄으로써 재활용의 가치를 부각하고 있는데, 사물을 사람으로 설정하여 사건을 그려내는 기발한 발상으로 인해 시청자의 흥미를 유발하고 있다고 볼 수 있다.
오답 풀이 ① 유명 연예인이 광고에 나오지 않는다.
② 광고에서 청소기와 화장지의 특성이 비교되지 않았다.
③ 화장지의 장점이나 우수성이 제시되지 않았다.
⑤ 질문이 제시되지 않았다.

08. 이 광고는 다른 광고에서는 볼 수 없는 독창적인 설정과 표현으로 시청자의 흥미를 자극하고 있는 작품으로, 재활용 광고에서 흔히 제시하는 방식을 그대로 모방했다는 평가는 적절하지 않다.
오답 풀이 ① 사물인 우유팩과 화장지를 사람처럼 설정하여 위기에 빠진 화장지를 우유팩이 구해 준다는 내용이 재미있고 흥미롭다.
② '그들은 서로 바라본다', '오늘도 열심히~ 청소~ 청소~' 등의 자막이 사용되었다.
④ 이 광고가 재활용과 관련된 것임은 알 수 있지만 '재활용 독려'라는 주제가 광고에 강조되어 나타나지는 않는다.
⑤ 'father'인 우유팩이 재활용 마크를 사이로 'son'인 화장지와 수직으로 배치되어 둘 사이의 관계를 명확하게 드러내고 있다.

09. 이 광고는 우유팩이 재활용되어 만들어진 화장지를 보호하는 모습을 통해 재활용의 가치와 재활용을 독려하는 내용을 담고 있다.
예시 답 재활용의 가치를 부각하고, 재활용을 독려하는 내용을 담고 있다.

평가 기준	배점
'재활용의 가치'와 '재활용의 독려'와 같은 핵심적인 내용을 담아 서술한 경우	5점
'재활용'이란 내용은 담았으나 내용이 미흡한 경우	3점
국어의 정서법에 어긋난 경우	−1점

(4) 매체로 빚은 예술

소단원 적중 문제 pp. 136~138

01 ⑤ **02** 해설 참조 **03** ③ **04** ④ **05** ⑤ **06** ③
07 ③ **08** ④ **09** 해설 참조

01. 심미적 매체는 기본적으로 정서적 공감을 바탕으로 감상해야 하는데, 심미적 매체에 정서적으로 공감하기 위해서는 심미적 매체가 지닌 언어적 기능, 즉 매체의 표현 방식을 먼저 이해해야 한다.
오답 풀이 ① 심미적 매체 자료를 이성적으로 수집하고 사실성을 검증하는 것은 바람직한 태도가 아니다
② 심미적 매체 자료의 표현 기법을 아는 것은 감상의 폭을 넓혀 준다는 점에서 긍정적이지만, 그 기능을 익히고 재현하려고 노력하는 태도는 적절하지 않다.
③ 매체 자료의 의미는 매체의 특성을 통해서 드러나는 것이므로, 매체적 특징을 배제하는 것은 바람직하지 않다.
④ 생산자의 의도는 심미적 매체 감상에서 중요하지만, 그것이 전부는 아니기에 그것만을 충실하게 이해하는 것은 적절하지 않다.

02. 심미적 매체 자료는 기본적으로 아름다움을 추구하는 것이 창작 목적이다.
예시 답 (가)~(다)는 모두 '아름다움'을 통해 '정서적 고양'이나 '공감'을 일으키고자 하는 심미적 목적을 가지고 있다.

평가 기준	배점
'정서적 고양', '공감'과 같은 단어를 포함하여 '심미적 목적'이란 내용을 담아 서술한 경우	5점
'심미적 목적'은 밝혔으나 내용이 미흡한 경우	3점
국어의 정서법에 어긋난 경우	−1점

03. 독자는 댓글을 통해 문제 제기, 의견 표현, 작가 응원 등을 할 수 있으나, 독자 스스로 그림을 그려 넣지는 못하므로 만화가의 역할을 대체하기도 한다는 것은 적절하지 않다.
오답 풀이 ① 웹툰은 인터넷을 매개로 배포하는 만화이다.
②, ⑤ 만화에 대한 의견 등은 댓글 등의 기능을 통해 즉각적으로 소통할 수 있다.
④ 〈보기〉의 마지막 문장을 통해 확인이 가능하다.

04. 시 낭송 동영상과 듣기 자료는 시가 지닌 정서를 이미지와 음악, 그리고 음성 등을 통해 복합적이고 입체적으로 감상할 수 있도록 해 준다.
오답 풀이 ① (나)는 즉각적인 소통을 위한 도구가 나타나 있지 않다.
②, ③ 시를 멀티미디어를 통해 감상하는 것일 뿐, 서사적 장면이나 이야기가 개입되어 있지는 않다.
⑤ 시와 관련된 정보가 따로 제공되지는 않고 있다.

05. 완성된 작품은 종이나 천에 전사한 것이므로 시간이 흘러도 이미지가 달라지지 않는다.
<u>오답 풀이</u> ①, ② 〈보기〉의 정보를 통해 반 고흐의 작품을 터키의 전통적 예술 기법인 에브루 기법으로 재해석한 작품임을 알 수 있다.
③ (다)의 그림과 〈보기〉의 설명을 통해 알 수 있다.
④ (다)에 연속으로 제시된 그림과 〈보기〉의 설명을 통해 알 수 있다.

06. 〈보기〉는 눈이 떠지지 않는 아침 일곱 시에 기상을 해서 수업 시간에 졸음을 참지 못하는 고단한 학생들의 일상을 소재로 하고 있다.
<u>오답 풀이</u> ① 아침에 힘겹게 일어나 학교에서 졸다 선생님께 혼나는 내용이므로, 학교생활의 즐거움을 표현한 것은 아니다.② 수업의 문제점이 지적되어 있지는 않다. ④ 수업 시간에 존 것이 일탈행위는 아니므로, 이와 같은 진술은 적절하지 않다. ⑤ 이상적인 학교 환경에 대해서는 언급되어 있지 않다.

07. 아름은 병을 이기기 위해 노력하지만 끝내 건강이 나빠져 죽음을 맞이하게 되므로, 아름이가 병을 이겨냈다는 진술은 적절하지 않다.
<u>오답 풀이</u> ①, ④, ⑤ 아름이의 가족이 서로에게 책임감을 느끼고 서로를 배려하고 사랑하는 모습이 감동적으로 나타나 있다.
② 아름이 간절하게 바라는 것은 대단하고 특별한 것이 아니라 소소한 일상이었다.

08. 아름이가 '살고 싶어지는 때'는 아름이가 일상에서 소소하게 경험한 것들이므로 아름이가 아직 경험하지 못한 상황들을 제시하는 것은 적절하지 않다.
<u>오답 풀이</u> ① 아름이가 살고 싶어지는 때를 영상으로 표현한 것이므로, 아름답게 표현하는 것이 적절하다.
② 아름이가 살고 싶어지는 때는 소소한 일상의 모습에서 찾아지는 것이므로, 관객이 그것에 공감할 수 있도록 보편적인 경험을 담는 것이 좋다.
③ 아름이 살고 싶어지는 때를 소개하는 것이므로, 아름이의 내레이션을 사용하는 것이 적절하다.
⑤ 영상 매체의 특성에 따라 시청각적 효과를 복합적으로 사용하면 좋다.

09. '두근두근 내 인생'은 아름이가 그토록 누리고 싶어 하는 소소한 일상을 두근거림을 느낄 만큼 소중하게 생각해야 한다는 의미를 내포하고 있다.
<u>예시 답</u> 아무리 작고 짧은 순간일지라도 사랑하는 사람들과 함께하는 인생의 한 순간 한 순간은 두근거림을 느낄 수 있는 소중한 것이다.

평가 기준	배점
예시 답과 흡사하게 제목의 의미를 서술한 경우	5점
제목의 의미는 서술했으나 내용이 미흡한 경우	3점
국어의 정서법에 어긋난 경우	−1점

중단원 실전 문제

pp. 139~143

01 ④ **02** ② **03** ③ **04** ⓐ 문자 언어, ⓑ 동영상 **05** ② **06** ① **07** ⑤ **08** ④ **09** ① **10** ⑤ **11** (1) 해설 참조 (2) 해설 참조 **12** (1) 해설 참조 (2) 해설 참조 **13** (1) 해설 참조 (2) 해설 참조 **14** (1) 해설 참조 (2) 해설 참조 **15** 해설 참조

01. (가)는 이미지나 동영상 등을 중심으로 자신과 유사한 감성을 지닌 사람들과 친밀한 교감을 나누려 하고 있고, (나)는 '고양이'라는 공통의 관심사를 바탕으로 다른 사람들과 정보를 공유하면서 친교를 맺으려 하고 있다.
<u>오답 풀이</u> ① 접근의 가능성이 가장 좋은 것은 (가)이다.
② 신문인 (다)가 문자 언어를 가장 중요한 매체 언어로 쓰고 있다.
③ (다)는 (가), (나) 매체가 가질 수 있는 부정적인 면만 소개하고 있다.
⑤ (나)는 친교가 주된 목적이고, (다)는 정보 전달이 주된 목적이다.

02. 자신이 소속된 기관에서 벌어지는 부조리한 일에 대해 민원을 제기하는 것은 정당한 비판이자 시정 요구이므로, 이를 사이버 불링으로 보는 것은 적절하지 않다.
<u>오답 풀이</u> ①, ③, ④, ⑤ 사이버 불링은 온라인 상에서 특정인을 비방하거나 근거 없는 소문이나 특정인의 개인 정보를 유포하는 일 등이 포함된다.

03. ㉠은 해당 게시물이 좋다고 생각하는 사람들이 몇 명인지 알 수 있게 하고, ㉡은 해당 게시물을 조회한 건수나 그 게시물에 대한 의견이 몇 개 달려 있는지를 보여 주는 기능을 한다. 이를 볼 때, ㉠과 ㉡을 보면 해당 게시물에 대한 다른 사람들의 관심이 어느 정도인지 알 수 있다고 할 수 있다.
<u>오답 풀이</u> ① ㉡은 문자 언어만 사용하여 의사를 전달한다.
② 게시자의 관심을 드러내는 것은 해시 태그이다.
④ ㉡에만 해당한다.
⑤ 이모티콘에 대한 설명이다.

05. (가)는 인쇄 매체인 신문으로, 이 형식으로 〈보기〉의 내용을 생산한다고 했으므로, 인터넷 매체에서 사용할 수 있는 하이퍼링크는 사용할 수 없다.
<u>오답 풀이</u> ①, ④ 학사 일정과 진학 관련 정보는 학급 구성원들에

게 유용한 자료이므로 이를 학급 신문에 싣는 것은 적절하다.
③ 다른 자료에 실린 내용을 인용할 때는 반드시 출처를 표시해야 한다.
⑤ 학급 구성원들의 관심사는 곧 기사의 중요도이므로, 그에 따라 기사를 배치하는 것이 좋다.

06. (가)는 신문에 실린 시사 평론이고 (나)는 공익 광고로, 두 자료 모두 생산자의 주관적 의사나 주장을 바탕으로 수용자를 설득하고자 하는 목적을 가지고 있다.
오답 풀이 ②, ③, ④, ⑤ (가)와 (나)는 모두 설득을 주된 목적으로 하고 있으므로, 정보 전달이나 심미, 친교 등의 성격을 다소 내포하고 있더라도 이를 목적으로 하는 매체 자료는 아니다.

07. (나)는 기부를 하는 대상과 기부를 받는 대상이 모두 등장하고, 〈보기〉 역시 나눔을 주는 대상과 나눔을 받는 대상이 모두 등장하고 있다.
오답 풀이 ①, ② (나)는 나눔을 위한 모금, 〈보기〉는 재능 나눔과 같은 공공의 이익을 위한 광고이다.
③, ④ (나)는 영상 광고로 음성과 영상 등 시청각적 이미지를 사용하고 있고, 〈보기〉는 인쇄 광고로 문자 언어와 이미지와 같은 시각적 이미지를 사용하고 있다.

08. (가)와 (나)는 아름다움을 추구하는 심미적 매체 자료로, 심미적 매체 자료를 감상할 때는 작품이 지닌 심미성에 정서적으로 공감하고, 이를 공유하는 태도를 가져야 한다.
오답 풀이 ①, ②, ③, ⑤ 심미적 매체 자료를 감상하는 데 있어, 자료 내용의 사실 여부나 공익적 기여, 실제적 효용성, 친교적 기능 등을 고려하는 것은 적절하지 않다.

09. (가)는 완성된 작품 외에도 작품이 완성되는 과정을 촬영하여, 그 과정 자체가 하나의 작품이 되도록 하고 있으며, 〈보기〉의 샌드 아트 역시 모래에 그림을 그리고, 지우고 다시 그리는 과정을 영상으로 찍어 한 편의 이야기가 담긴 작품을 만들고 있다.

10. 아름이가 소소한 일상의 소중함을 알고 그것에 가치를 둔 것은 사실이지만, 자신의 목숨을 버리고 그것을 지키려했다는 것은 영화의 내용과 관련이 없으므로 이와 같은 감상은 적절하지 않다.

서술형 문제

11. (1) 예시 답 블로그나 페이스북, 이메일, 손편지 등
(2) 예시 답 친교는 상대방과의 친밀함을 형성하는 것이 중요하므로 친교적 매체 자료를 생산하고 수용하는 데 있어 상대를 배려하고 존중하는 태도가 중요하다.

평가 기준	배점
친교 매체의 예를 들고 유의점을 모두 서술한 경우	5점
(1)과 (2) 중 하나만 쓴 경우	3점
국어의 정서법에 어긋난 경우 등	−1점

12. (1) 예시 답 동물 학대 방지, 혹은 학대나 방치로 구조된 동물 입양하기 등
(2) 예시 답 상반된 사진을 대조함으로써 수용자로 하여금 바람직하게 행동하는 방향을 찾을 수 있도록 유도하고 있다.

평가 기준	배점
전달하려는 메시지와 핵심적인 표현 전략인 대조의 기법을 언급하여 서술한 경우	5점
(1)과 (2) 중 하나만 쓴 경우	3점
국어의 정서법에 어긋난 경우 등	−1점

13. (1) 예시 답 가짜 뉴스(fake news)
(2) 예시 답 뉴스나 기사에 담긴 정보가 사실에 부합하는 것인지, 그 근거를 논리적으로 판단할 수 있어야 한다.

평가 기준	배점
'가짜 뉴스'임을 파악하고, 현혹되지 않기 위해 필요한 것을 모두 밝힌 경우	5점
(1)과 (2) 중 하나만 서술한 경우	3점
국어의 정서법에 어긋난 경우 등	−1점

14. (1) 예시 답 〈보기〉의 매체 자료는 정서적 고양이나 공감을 일으키기 위한 심미적 목적으로 창착되었다.
(2) 예시 답 심미적 매체 자료들이 향유되는 이유는 인간에게 기본적으로 내재한 심미적 욕구 때문이라 할 수 있다.

평가 기준	배점
매체 자료의 창작 목적인 심미적 목적을 바르게 서술한 경우	3점
심미적 욕구라는 단어를 포함하여 향유되는 이유를 서술한 경우	2점
국어의 정서법에 어긋난 경우	−1점

15. 예시 답 〈보기〉에서는 문자, 음성, 음악, 이미지 등을 조합하여, 문자로만 이루어진 시의 정서를 입체적으로 표현하고 있다.

평가 기준	배점
〈보기〉에서 사용하고 있는 매체 언어를 모두 언급하여 서술한 경우	2점
〈보기〉에서 사용한 매체 언어 중 일부만을 언급하여 서술한 경우	3점
국어의 정서법에 어긋난 경우	−1점

3. 생활 속의 매체

(1) 매체와 사회·문화

소단원 적중 문제 p. 146

01 ④ **02** ③ **03** ③

01. ㄴ: 기술의 발달로 인해, 같은 거실에 있어도 부모 세대는 텔레비전을 켜고, 자녀들은 스마트폰을 본다.

ㄹ: 이전에는 시청자들이 방송을 수동적으로 시청했지만, 요즘에는 실시간 투표에 참여하는 등 적극적으로 참여한다. 즉 콘텐츠를 소비하는 방식이 달라진 것이다.

02. 시청자들은 선발 과정에서 팬들이 실시간 투표에 참여하며, 자신이 지지하는 후보가 최종 구성원으로 선발되도록 지원한다.

03. 1인 방송은 비교적 가벼운 주제를 가지고 사적인 모습과 생각들을 자연스럽게 보여 준다.

(2) 매체 생활의 성찰

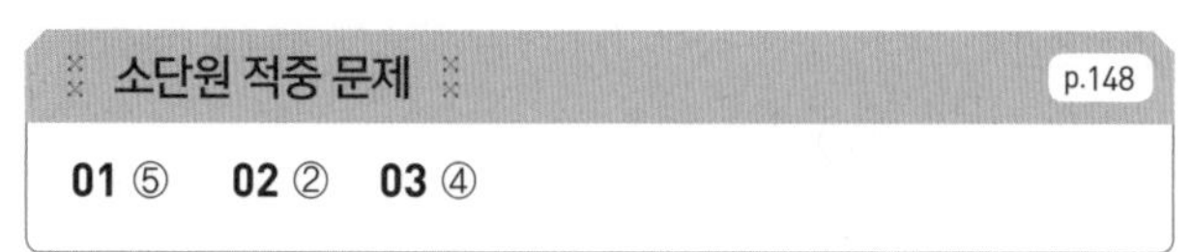

소단원 적중 문제 p.148

01 ⑤ **02** ② **03** ④

01. 진행자가 간접 광고에 대한 문화 평론가의 견해를 묻고 있다. 진행자가 "과연 이 간접 광고가 어디까지 와 있으며 어떤 영향을 미치는지 문화 평론가와 전화로 연결하여 알아보겠습니다."라고 말하고 있고, "정확하게 간접 광고란 무엇인가요?"라고 묻고 있다.

02. 문화 평론가는 간접 광고는 광고 효과는 좋지만 시장을 어지럽히는 형태가 생겨나는 문제점이 발생했다고 말하고 있다. 또한 그런 이유에서 관련 법안을 정비해서 지정된 범위 안에서 간접 광고를 허용하게 했다고 말하고 있다.

03. '간접 광고'란 상품을 따로 떨어진 광고 시간대에 홍보하는 형태가 아니라, 콘텐츠 안에서 상품들을 소비하는 모습을 자연스럽게 보여 줌으로써 광고가 되게끔 하는 형태의 광고를 말한다. 이를 통해 대중문화의 상업적 속성을 알 수 있다.

중단원 실전 문제 pp. 149~151

01 ③ **02** ① **03** ② **04** ② **05** ④ **06** ④ **07** ⑤ **08** ③ **09** 해설 참조

01. 대중문화가 수용자들과 직접적으로 실시간 소통한다는 것은 이 글에서 찾아볼 수 없는 내용이다.

02. 글쓴이는 마지막 문장에서, 대중문화 가운데에서도 문화적 성취가 높은 것과 그렇지 않은 것을 가려낼 수 있는 안목을 길러 줄 필요가 있다고 말하고 있다.

03. 〈보기〉에서는 댓글을 통해 '정말 한심한 사람이군.', '까불지 마.', '생각이 없는 사람이군요.' 등의 근거 없는 비난을 하고 있다. 이는 온라인 예절에서 벗어난 것이다. 이와 같은 상황에서는 바람직한 매체 언어생활을 통해 상대방을 존중하고 배려해야 한다는 주제의 글을 쓰는 것이 적절하다.

04. 대학원생 한○○ 씨(25)는 자신의 행동이 저작권법에 위반된다는 사실을 몰랐다. 이 사례를 참고할 때, 바람직한 매체 생활을 위해서는 저작권법에 대해 정확히 알고, 타인의 저작권을 침해하는 일이 없어야 한다는 취지로 발표를 할 수 있을 것이다.

05. 마지막 문장에서 알 수 있듯이, 전문가들은 변화하는 기술 환경에 발맞춰 복제를 못하도록 제도적, 기술적 보완이 필요하다고 강조한 것이다. 불법 콘텐츠를 제공하는 관련 업체에 대한 제도적 조치가 필요하다고 말하고 있는 것은 아니다.

06. 외국인들은 누리 소통망(SNS), 인터넷 등 온라인 매체(46.6%), 방송(33.4%), 신문·잡지(9.5%) 등의 매체를 통해 우리나라에 대한 정보를 습득하고 있음을 알 수 있다.

07. 누리 소통망(SNS)이 특정 상품을 효율적으로 판매하기 위한 수단이 되는지는 (가)와 (나)에서 찾을 수 없는 내용이다.
오답 풀이 ①, ④ (나)에서 확인할 수 있는 내용이다.
② (가)에서 알 수 있듯이, 한국관광공사에서는 한국관광 100선을 홍보하기 위하여 누리 소통망(SNS) 홍보단을 모집한다.
③ (가)에서 알 수 있듯이, 관광지 선정을 위한 정량평가에서 누리 소통망(SNS) 등을 이용한다.

08. ㉠은 자신이 알고 있던 사람들을 기반으로 연계망을 형성하고, ㉡은 자신의 관심사를 기반으로 새로운 연계망을 형성한다.

서술형 문제

09. (가)에서 가해 학생들은 범죄 의식 없이, 온라인 공간에서의 욕설이나 괴롭힘을 하나의 놀이나 오락쯤으로 생각하고 있음을 알 수 있다. (나)에서 이탈리아의 한 모델은 '악성 댓글'에 대해 예의를 갖추라는 메시지를 보내고 있다.
예시 답 온라인 공간에서 이루어지는 욕설이나 집단 괴롭힘은 심각한 폭력임을 인지하고, 상대방을 존중하고 배려하는 태도를 지녀야 한다.

평가 기준	배점
'온라인상의 욕설', '따돌림'이 폭력임을 파악하고 온라인상에서 상대를 배려해야 한다는 취지의 내용을 담은 경우	5점
온라인상에서 상대를 배려해야 한다는 취지의 내용을 담았으나 그 내용이 미흡한 경우	3점
국어의 정서법에 어긋난 경우	−1점

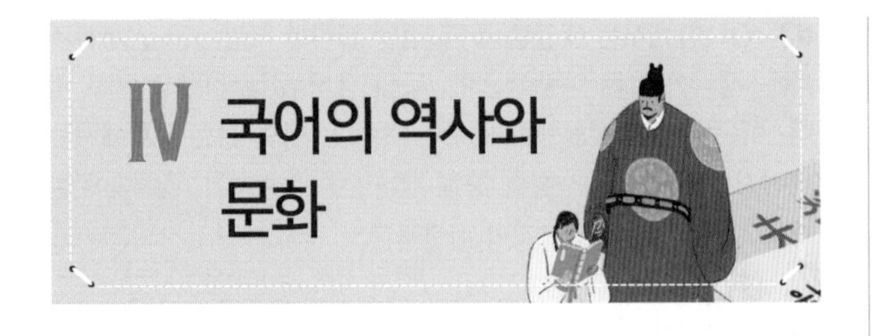

1. 국어의 역사

(1) 고대 국어

소단원 적중 문제 pp. 156~157

01 ④ **02** ④ **03** ① **04** 해설 참조 **05** ④ **06** ⑤

01. (나)에서는 고대 국어 시기에 된소리 계열 자음이 없었던 것으로 추정된다고 하였다. 그 근거는 우리나라 한자음에 된소리 계열이 거의 없기 때문이다. 중국 한자음에 된소리가 있음에도 우리나라 한자음에 된소리가 드문 것으로 보아 고대 국어 시기에 된소리 계열 자음이 없었던 것으로 추정된다는 것이다. 하지만 이는 추정일 뿐 고대 국어 시기에 된소리가 없었다고 확인한 것은 아니다. 왜냐하면 당시의 우리말에 대한 기록은 남아 있지 않기 때문이다.

02. ⓑ의 내용에 따르면 본래 우리말로 '吉同郡(길동군)'이라 했던 지명을 '永同郡(영동군)'으로 바꾸었음을 알 수 있다. '永'을 석독하면 '길'이 되어 '吉'의 한자음과 같아지게 된다. 즉, '永'을 석독하면 '吉'을 음독했을 때와 동일하게 읽게 되는 것이다.

03. ㉠ '구결'은 한문 문장의 문맥을 파악하기 쉽도록 우리말 조사나 어미를 한자로 표기하는 방법, ㉡ '이두'는 단어를 우리말 어순에 맞게 바꾸고 조사나 어미도 한자로 표기하는 방법이라고 제시되어 있다. 또 구결은 한문에 조사나 어미와 같은 형식 형태소만 더 표기한 것이기 때문에 이 형식 형태소들을 빼면 그대로 한문이 되는 데 비해 이두는 어순까지 우리말에 맞도록 재배열하였기 때문에 형식 형태소를 빼도 온전한 한문이 되지 않는다고 했다. 따라서 ①의 언급은 적절하다.
오답 풀이 ② ㉠ 구결, 즉 한자로 표기한 우리말 조사나 어미를 빼면 그대로 한문이 된다.
③ 구결이나 이두로는 우리말 전체를 표기할 수 없었다.
④ ㉠, ㉡ 모두 형식 형태소는 물론 단어 전체를 한자로 표기하였다.
⑤ ㉠은 한문 어순에 따라, ㉡은 우리말 어순에 따라서 표기하였다.

04. 향찰은 우리말의 많은 요소들을 한자를 빌려 표기하다 보니 그만큼 읽고 쓸 때 혼동이 일어나 표기 방식으로서의 한계를 보이고 소멸하게 된다.
예시 답 향찰은 형식 형태소, 실질 형태소, 단어 등 여러 가지를 한자 차용 표기법에 따라 표기하다 보니 읽고 쓰기의 방식이 복잡해지는 문제가 발생하였다.

평가 기준	배점
글에 제시된 표현을 사용하여 예시 답에 가깝게 설명한 경우	5점
예시 답에 가까우나 설명이 부족한 경우	3점
문장이 어색하거나 맞춤법에 어긋난 표기가 있는 경우	−1점

05. 서기체 표기는 이두의 초기 형태로, 다만 한문의 어순을 우리말식으로 바꾼 표기법이다. ④는 구결에 해당하는 설명이다.

06. 고대 국어 시기에는 한반도의 언어가 통일되는 큰 사건이 있었다.
오답 풀이 ① 후기 중세 국어 시기에는 한글의 창제로 우리말을 온전히 기록할 수 있게 되었다.
② 전기 중세 국어 시기에는 고려의 건국으로 언어의 중심이 국토의 중심으로 옮겨지게 되었다.
③ 근대 국어 시기에는 국어의 모습이 크게 변모하며 서양과의 직간접적 접촉을 통해 서구의 문물과 함께 서구어들이 유입되었다.
④ 된소리가 발달하면서 음운에서 '예사소리-거센소리-된소리'의 대립 체계가 완성된 것은 중세 국어의 특징이다.

(2) 중세 국어

소단원 적중 문제 pp. 160~161

01 ⑤ **02** ④ **03** ③ **04** 해설 참조 **05** ② **06** ②
07 해설 참조

01. 'ㅸ, ㅿ'은 유성 마찰음으로 '예사소리-거센소리-된소리'의 대립 체계와 관련이 없다. 현대 국어와 같은 대립 체계가 성립한 것은 '된소리의 발달'로 인한 것이다.
오답 풀이 ① 고대 국어에서 사용된 한자음을 통해 찾아볼 수 없었던 된소리 계열의 음운들이 중세 국어에 나타나기 시작한다.
② 'ㆍ'가 소멸되기 이전에는 모음 조화가 잘 지켜졌으나, 둘째 음절 이하의 'ㆍ'는 주로 'ㅡ'로, 첫째 음절의 'ㆍ'는 주로 'ㅏ'로 변하면서 모음 조화가 깨지는 계기가 되었음을 알 수 있다.
③ (마)를 통해 확인할 수 있다.
④ 중세 국어에는 지금은 사용되지 않는 자음 'ㅸ, ㅿ'이 사용되었다.

02. 성조는 의미 구별의 기능을 하던 소리의 높낮이를 의미한다.
오답 풀이 ①, ②, ③ 낮은 소리인 평성은 점이 없으며, 높은 소리인 거성은 한 점, 처음에는 낮다가 나중에는 높아지는 상성은 두 점을 찍었다.
⑤ 상성은 현대 국어에 긴 소리로 그 흔적이 남아 있으며, 거성과 평성은 짧은 소리로 변하였다.

03. (라)에서 '조사나 어미에는 모음 조화에 의한 교체 형태를 갖추고 있어' 인칭 대명사 '나'와 '너'는 모음 조화에 따라 '나ᄅᆞᆯ'과 '너를'로 표기되었다고 언급하고 있다. 〈보기〉의 '이ᄅᆞᆯ'의 경우 'ᄅᆞᆯ'이라는 조사가 사용된 점으로 유추할 수 있는 것은 앞의 음절 'ㅣ'가 양성 모음으로 취급되었거나 아니면 '이ᄅᆞᆯ'에 모음 조화가 지켜지지 않았다는 것이다. 그러므로 ③은 적절하지 않은 이해이다.

<u>오답 풀이</u> ① (나)의 '된소리의 발달은 현대 국어에서 '예사소리–거센소리–된소리'의 대립 체계가 성립되는 변화'를 주었다는 내용과, '나·랏:말ᄊᆞ·미'에서 된소리 'ㅆ'이 사용된 점으로 보아 적절한 이해이다.
② (마)의 '낮은 소리인 평성은 점이 없으며, 높은 소리인 거성은 한 점, 처음에는 낮다가 나중에는 높아지는 상성은 두 점을 찍었다.'라는 내용과 '평성과 거성은 짧은 소리로, 상성은 긴 소리로 바뀌어 현대 국어의 장단 체계를 가지게 된'다는 내용을 근거로 할 때, '젼·ᄎᆞ·로'는 '평성–거성–거성'에 해당하므로 적절한 설명이다.
④ ':어엿·비'는 '상성–평성–거성'의 성조를 가지므로 적절한 이해이다.
⑤ ':수·ᄫᅵ'에는 유성 마찰음 'ㅸ'이 사용되었다.

04. 자음의 변화가 모음의 변화보다 선행한다는 조건과 (다)의 '모음 'ㆍ'는 후기 중세 국어 때부터 변화되었는데 16세기에는 둘째 음절 이하의 'ㆍ'가 주로 'ㅡ'로 변하고, 이후 근대 국어 시기에 이르러 첫째 음절의 'ㆍ'가 주로 'ㅏ'로 변하면서, 모음 'ㆍ'는 완전히 소멸'하였다는 내용을 고려할 때, 'ᄆᆞᅀᆞᆷ > ᄆᆞ음'의 단계를 거쳤을 것이다.

<u>예시 답</u> ᄆᆞᅀᆞᆷ, ᄆᆞ음. 자음의 변화가 모음의 변화보다 선행하며, 16세기 둘째 음절 이하의 'ㆍ'가 주로 'ㅡ'로 변하고, 근대 국어 시기에 이르러 첫째 음절의 'ㆍ'가 'ㅏ'로 변하였으므로 'ᄆᆞᅀᆞᆷ > ᄆᆞᅀᆞᆷ > ᄆᆞ음 > 마음'의 과정으로 변화하게 된다.

평가 기준	배점
예시 답에 가깝게 설명한 경우	5점
'ᄆᆞᅀᆞᆷ > ᄆᆞ음'의 어형 제시나 과정에 대한 설명 중 하나가 잘못된 경우	3점
문장이 어색하거나 맞춤법에 어긋난 표기가 있는 경우	–1점

05. ㉠은 의미의 축소를 설명하고 있는데, 원래 여자를 의미하다 이제는 여자를 낮잡아 이를 때만 사용하게 된 '겨집(계집)'이 이에 해당한다.

<u>오답 풀이</u> ① '즈믄'은 '천(千)'의 의미로, 경쟁에서 밀려 소멸된 우리말이다.
③ '수라'는 '왕의 식사'를 의미하는 몽골어로, 현대 국어까지 남게 되었다.
④ 'ᄀᆞᄅᆞᆷ'은 '강(江)'을 의미하던 우리말로 한자어와의 경쟁에서 밀려 소멸되었다.
⑤ '어리다'는 '어리석다(愚)'를 의미하던 말이었으나 의미의 이동을 거쳐 '어리다(幼)'를 의미하게 되었다.

06. '부톄'는 '부텨 + ㅣ'로 분석할 수 있다. '불휘 기픈 남ᄀᆞᆫ'의 '불휘'는 '불휘가(뿌리가)'라는 의미로 앞말이 'ㅣ' 모음으로 끝날 때 주격 조사가 형태를 나타내지 않고 사용됨을 보여 준다. 그러므로 주격 조사 'ㅣ'는 앞말이 'ㅣ' 이외의 모음으로 끝난 경우에만 사용함을 알 수 있다. 따라서 '앞말이 모음으로 끝나는 경우'라는 표현은 적절하지 않다.

<u>오답 풀이</u> ① '식미'는 '심 + 이'로 분석할 수 있다. 그러므로 적절한 설명이다.
③ 앞말이 자음으로 끝나는가, 'ㅣ' 모음 혹은 'ㅣ' 모음 이외의 모음으로 끝나는가의 여부에 따라 주격 조사 '이'의 사용 양상이 다르다. 그러므로 적절한 설명이다.
④ '식미'는 '심 + 이'로, '부톄'는 '부텨 + ㅣ'로 분석된다. 그러므로 적절한 설명이다.
⑤ '불휘'는 '불휘(뿌리) + ø'의 양상을 보이고 있다. 그러므로 적절한 설명이다.

07. ⓐ는 선어말 어미를 통해 행위의 대상인 객체를 높이는 표현이다. '부텨옷'의 '옷'은 앞말을 강조하는 보조사이며 ⓐ의 '보다'가 타동사이므로 '부텨'는 문장의 목적어, 즉 객체임을 알 수 있다.

<u>예시 답</u> '보ᅀᆞᄫᆞ면'에서 선어말 어미 'ᅀᆞᇦ'을 통해 객체 높임을 실현하며 '부텨'를 높였다.

평가 기준	배점
예시 답에 가깝게 설명한 경우	5점
높임의 종류, 대상, 실현 방법 중 누락된 것이 있거나, 한 문장으로 서술하지 못한 경우에 각각에 대하여	–1점
문장이 어색하거나 맞춤법에 어긋난 표기가 있는 경우	–1점

(3) 근대 국어

소단원 적중 문제 pp. 163~165

01 ③ **02** ᄆᆞ을 **03** ④ **04** ② **05** ④ **06** ④ **07** ⑤ **08** (1) ㅜ (2) ㅈ, ㅊ

01. 양성 모음이었던 'ㆍ'가 소멸하며 양성 모음인 'ㅏ'는 물론 음성 모음인 'ㅡ'로 대체되면서 그 동안 국어에서 잘 지켜져 왔던 모음 조화가 흔들리게 되었다.

<u>오답 풀이</u> ① (가)의 첫 문장에 나와 있다.
② (가)의 두 번째 문단에 언급되고 있다.
④ (나)의 세 번째 문단에 언급되었다.

⑤ (가)의 첫 번째 문단에서 근대 국어 시기에 안으로는 근대 의식이 싹트고 밖으로는 중국을 통해 서양 문물과 과학 지식 및 기독교 문화가 유입되었다고 하였다.

02. 16세기 말 'ㆍ'음이 둘째 음절 이하에서 'ㅡ'로 변하였다고 했다. 따라서 빈칸에는 'ᄆᆞ을'이 와야 적절하다. 이후 18세기에 와서는 첫째 음절에서 'ㆍ'가 'ㅏ'로 변하게 된다.

03. ⓑ에서 '니ᄅᆞ미', '올타'는 이어적기, 'ᄆᆞᄋᆞᆷ애'는 끊어적기에 해당하나 거듭적기는 나타나지 않았다.
<u>오답 풀이</u> ① 'ᄆᆞᅀᆞ매'가 'ᄆᆞᄋᆞᆷ애'로 바뀌면서 'ㅿ'이 소멸하였다.
② 'ᄆᆞᅀᆞ매'에는 이어적기가, 'ᄆᆞᄋᆞᆷ애'에는 끊어적기가 적용된 것이다.
③ ⓐ에는 방점이 나타나고 있으나 ⓑ에는 방점이 사라졌다.
⑤ ⓐ의 'ᄆᆞᅀᆞᆷ'이 ⓒ의 '마음'이 되기까지 첫음절의 'ㆍ'가 'ㅏ', 둘째 음절의 'ㆍ'가 'ㅡ'가 된 변화를 찾아볼 수 있다.

04. 중세 국어 시기에 모음 조화가 더 엄격히 지켜진 점, 근대 국어 시기에 구개음화가 일어난 점을 참고할 때, '죠흐료'의 중세 국어 시기 형태는 모음 조화를 적용시키고, 구개음화를 제거함으로써 알 수 있다. 이와 같이 하여 추론되는 형태는 '됴ᄒᆞ(하)료'이다.
<u>오답 풀이</u> ① '셔울'의 'ㅇ'은 음가를 지니지 않는다. '셔ᄫᅳᆯ'이 '셔울'로 바뀐 것은 'ㅸ > ㅜ'의 과정에 의한 것이다. 즉 'ㅸ'은 'ㅜ'로 바뀐 것이다.
③ 'ᄆᆞᄋᆞᆷ애'는 '거듭적기'가 아니라 '끊어적기'가 적용된 것이다.
④ '엿'은 '–앗– / –엇–'이 'ᄒᆞ'와 함께 쓰일 때의 형태이다.
⑤ '니ᄅᆞ미'는 이어적기, 'ᄆᆞᄋᆞᆷ애'는 끊어적기를 한 것이다. 근대 국어 시기에는 표기법이 단일하게 적용되지 않고 이어적기, 끊어적기, 거듭적기 등이 혼용되며 과도기적인 모습을 보였다.

05. (나)에서 '–숩–'이 상대 높임법을 나타내는 선어말 어미로 변하였다고 언급되어 있다.
<u>오답 풀이</u> ① (가)에서 어휘가 중국을 통해 유입되는 경우가 많았지만 일본이나 서양과의 직접 접촉을 통해서도 유입되었다고 하였다.
② (가)에서 우리말의 어휘 체계는 근대 국어 시기에 '고유어 – 한자어 – 외래어'의 삼중 체계를 이뤄 현재까지 그러한 경향이 지속됨을 알 수 있다.
③ (나)를 보면 주격 조사 '가'가 근대 국어 시기에 등장한 것은 사실이나 등장하자마자 전면적으로 사용된 것은 아니라고 하였다.
⑤ (다)에서 표기법은 기준이 될 만한 규범이 따로 없어서 근대 국어 시기에 이어적기, 거듭적기, 끊어적기가 혼재되어 나타나는 과도기적 현상을 보였다고 하였다.

06. '알아(∨)보다'라는 표현은 '알어 보게'처럼 띄어쓰기를 하며 끊어적기를 했다가, '알어보기', '알아보니'에서는 띄어쓰기를 하지 않고, '아러보지'에서는 이어적기를 하는 등 띄어쓰기와 표기법의 혼란을 보이고 있다.
<u>오답 풀이</u> ① ㉠~㉣의 차이는 주로 띄어쓰기나 표기법의 차이, 어미 활용의 차이일 뿐, 모두 '알아(∨)보다'라는 동일한 단어를 표기한 것이다.
② ㉠만 띄어쓰기를 하고 나머지는 띄어쓰기를 하지 않았다.
③ ㉠, ㉡, ㉣은 끊어적기, ㉢만 이어적기를 하고 있다.
⑤ ㉠~㉣의 차이는 음운의 소멸과 무관하다.

07. 『독립신문』 창간사에서 밝히고 있듯이 『독립신문』은 '구절 단위' 띄어쓰기를 하고 있다. 어절이란 '체언에 조사가 붙거나 용언에 어미가 붙은 말을 가리키는 문법 단위'이다.

08. (1) 'ㅸ'이 소멸하면서 'ㅗ / ㅜ'가 그 자리를 대체할 때도 모음 조화가 적용되었다.
(2) 구개음화를 설명하고 있다.

중단원 실전 문제 pp. 166~171

01 ③ **02** ⓐ 석독 ⓑ 음독 **03** ④ **04** ⑤ **05** ⑤ **06** ⓐ 자분(반), ⓑ 아라 **07** ④ **08** ⓐ ᄋᆞᆯ ⓑ 을 ⓒ ᄅᆞᆯ ⓓ ᄅᆞᆯ ⓔ 를 **09** ② **10** ② **11** ⑤ **12** ㉠ 뻐러디다 ㉡ ᄒᆞ시ᄂᆞ다 ㉢ 져그녀 **13** ④ **14** ① **15** 해설 참조 **16** 해설 참조 **17** 해설 참조 **18** 해설 참조

01. 신라의 수도가 지금의 경주에 있었기 때문에 오늘날의 동남 방언을 기반으로 현대 우리말의 기초가 형성되었다고 할 수 있다. 신라의 삼국 통일은 현대에 들어 서울말이 표준어가 된 것과 연관을 지을 수 없다.
<u>오답 풀이</u> ① (다)에서 고대 국어 시기는 그 자료가 일부만 전하므로 우리말의 모습을 온전하게 고찰하기에는 한계가 있음을 알 수 있다. 또한 향찰은 가장 발달한 형태의 한자 차용 표기법으로 한자 차용에 의한 표기 요소가 많다 보니 읽고 쓰기의 방식이 복잡해졌다고 했다. 이를 통해 해석자의 관점에 따라 동일한 향가 작품을 다르게 해석할 여지가 충분함을 알 수 있다.
② (다)의 첫 문장에서 '고대 국어 시기에는 우리말을 표기할 수 있는 우리 글자가 없던 때여서 일부 전하는 자료도 우리말의 모습을 온전하고 정확하게 보여 주지는 못한다.'라는 구절을 통해 알 수 있다.
④ (가)의 '알타이 어족에 속하는 우리말이 다른 언어들과 분리된 이후'라는 내용은 언어가 같은 조어에서 기원한 다른 언어들과 서로 친족 관계를 형성하며 발달함을 알 수 있게 한다.
⑤ (가)에서 '신라가 삼국 통일을 통해 언어적 통일을 이룬' 점을 볼 때, 삼국 통일 이전에 살았던 우리 민족은 언어적으로 통일되

어 있지 않은 만큼 서로 의사소통의 어려움을 겪었을 것임을 추론할 수 있다.

02. '主'는 '임'이라는 의미의 소리로 읽히므로 '석독'하여 '님'이라고 읽으며, '隱'은 주격 조사 '은'을 표기하였므로 '음독'을 한다.

03. 〈보기〉는 우리말을 표기할 수 있는 우리 글자가 없던 시기에 한자로 기록한 방식을 보여 주는 자료이다. 이 자료는 당시 사람들이 '거칠부'라는 대상을 '荒宗'으로도 표기하였음을 보여 준다. 이를 통해 당시 사람들은 '荒宗'이라고 쓰고 '거칠부'라고 읽었을 것이라고 추측할 수 있다.

오답 풀이 ① '居柒夫'와 '荒宗'은 동일한 대상(인물)에 대한 두 가지 표기이기 때문에 표기가 달라도 똑같이 읽어야 한다.
② 우리말이 한자로 전환하는 시기이기 때문에, 한자의 영향력이 점점 커지고 있다고 추론할 수 있다.
③ '荒'의 뜻을 이용하여 '居柒'의 소리를 읽을 때와 같은 소리로 읽는 것이다.
⑤ 우리말을 표기하는 데 한자의 소리와 뜻을 모두 이용하는 모습을 보여 준다.

04. 우리말에는 문법적 관계를 표시하는 조사와 어미들이 발달해 있어 이를 통해 문장을 이해하는 경우가 많다. 그러나 한문은 그렇지 않아서 한자의 뜻을 알아도 전체 문장의 의미를 이해하기가 어렵다. 이를 해소하기 위해 한문의 원래 문장에 문법적 관계를 표시하는 조사나 어미를 달았는데 이때의 조사나 어미는 유사한 음으로 소리나는 한자로 표기하였으니 한자의 소리를 이용하여 표기한 것이다. 그러므로 ⑤는 적절하지 않은 설명이다.

오답 풀이 ①, ③ 이두는 어순을 우리말에 맞게 배열한 반면, 구결은 어순을 바꾸지 않고 형식 형태소만 더한 형식이다. 그리고 '구결 글자를 빼면 그대로 한문이 되'는 점을 볼 때 중국인이 이두로 표기된 글과 구결로 표기된 글을 접한다면, 구결로 표기된 글을 훨씬 더 쉽게 이해했을 것이다.
④ (다)의 4문단에서 '구결은 한문 문장의 문맥을 파악하기 쉽도록 우리말 조사나 어미를 한자로 표기하는 방법'이라는 구절을 통해 확인할 수 있다.

05. (나)의 '된소리의 발달은 현대 국어에서 '예사소리-거센소리-된소리'의 대립 체계가 성립되는 변화라는 의미가 있다.'라는 내용으로 보아, 고대 국어와 달리 중세 국어에서는 현대 국어와 같은 음운의 대립 체계가 존재하였음을 알 수 있다. 그러므로 ⑤는 적절하지 않은 설명이다.

오답 풀이 ① (라)에서 소리의 높낮이를 나타내는 성조를 통해 단어의 뜻을 구별하였다는 내용을 확인할 수 있다.
② 고대 국어 시기에는 사용되지 않았던 된소리가 중세 국어 시기에 발달한 것으로 보아 고대 국어에 비해 다양한 자음이 사용되었다고 할 수 있다.
③ (다)에서 중세 국어에서는 모음 조화가 엄격하게 지켜졌음을 알 수 있다. 그러나 'ㆍ'의 소멸 과정에서, '16세기에는 둘째 음절 이하의 'ㆍ'가 주로 'ㅡ로 변하'면서 양성 모음은 양성 모음끼리, 음성 모음은 음성 모음끼리 어울려 쓰는 모음 조화에 영향을 미쳤을 것임을 알 수 있다.
④ (가)로 보아 유성 마찰음 'ㅸ, ㅿ'이 사용되었음을 알 수 있다.

06. [A]는 모음 조화, 〈보기〉는 이어적기의 원리를 제시하였다. ⓐ 현대 국어 '잡은'에 모음 조화와 이어적기를 적용시키면 중세 국어에서 '자븐' 또는 '자반'의 형태였음을 알 수 있다. ⓑ '알다'가 활용한 현대 국어 '알아'에서 모음 조화가 지켜진 점은 중세 국어와 동일할 것이다. 단, 이어적기를 적용하면 중세 국어에서는 '아라'의 형태가 쓰였을 것임을 유추할 수 있다.

07. 'ㅸ'의 경우, '글발>글왈', '도바>도와', '주버>주워'에서 알 수 있듯이 소멸되면서 '-오/우-'로 그 흔적을 남기고 있다. 그러나 'ㅿ'의 경우 소멸되면서 흔적을 남기지 않고 있다.

오답 풀이 ① '아ᅀᆞ', 'ᄆᆞᅀᆞᆷ', '글발'과 같이 체언에, '나ᅀᅡ, 지ᅀᅥ, 니ᅀᅥ', '도바, 고바, 주버'와 같이 용언에 모두 사용되었다.
② 'ㅿ'과 'ㅸ'은 각각 'ㅅ', 'ㅂ'과 유사한 음가를 지닌 울림소리였을 것으로 추정되며 글자가 소멸되면서 그 음가 역시 소멸되었다.
③ 모든 모음은 소리 날 때 성대가 울리는 울림소리이다. 〈보기〉를 통해 볼 때 'ㅿ'과 'ㅸ'이 모두 모음 또는 유성 자음 사이에서 사용되었으므로 적절한 설명이다.
⑤ 'ㅿ'이 사용된 용언은 'ㅅ' 불규칙 활용을, 'ㅸ'이 사용된 용언은 'ㅂ' 불규칙 활용을 한 것이다.

08. 체언의 마지막 음절에 받침이 있으며, 양성 모음이 사용된 경우에는 조사 'ᄋᆞᆯ'을, 음성 모음이 사용된 경우에는 조사 '을'을 사용한다. 그리고 체언의 마지막 음절에 받침이 없으며 양성 모음이 사용된 경우에는 조사 'ᄅᆞᆯ'을, 음성 모음이 사용된 경우에는 '를'을 사용한다.
ⓐ 받침과 양성 모음 'ㆍ'가 사용되었기 때문에 'ᄋᆞᆯ'을 쓴다.
ⓑ 받침과 음성 모음 'ㅡ'가 사용되었기 때문에 '을'을 쓴다.
ⓒ 받침이 없고 양성 모음 'ㆎ'가 사용되었기 때문에 'ᄅᆞᆯ'을 사용한다.
ⓓ 받침이 없고 양성 모음 'ㅏ'가 사용되었기 때뮤에 'ᄅᆞᆯ'을 쓴다.
ⓔ 받침이 없고 음성 모음 'ㅓ'가 사용되었기 때문에 '를'을 쓴다.

09. (마)에서 '현재 시제를 표현할 때 동사 어간에는 '-ᄂᆞ-'가 연결되는 반면' '과거 시제는 현대 국어의 '-았-/-었-'에 해당하는 선어말 어미가 아직 발달되지 않아서 아무런 형태소의 결합도 없이 표현되었다.'라고 하였다. 그러므로 중세 국어의 현재 시제와 과거 시제는 다른 형태였음을 알 수 있다.

오답 풀이 ① (가)의 '삼국 시대에 한자가 들어오면서 자연스럽게 우리말의 어휘 체계는 고유어와 한자어의 이원 체계를 기본으로 하게 되었다. 시간이 흐르면서 어휘 체계 안에서 차지하는 고유어의 비중은 작아지고 한자어의 비중은 높아지는 변화가 지속적으로 진행되었다.'라는 내용을 통해 확인할 수 있다.
③ (라)의 '객체 높임법의 '-ᅀᆞᆸ-'은 현대에 와서 거의 흔적을 남

기지 않고 사라졌'다는 내용을 통해 확인할 수 있다.
④ (가)의 '고려 광종 때 시행한 과거 시험에 한자가 포함되면서 한자어의 침투와 확산이 급격하게 진행되었다.'라는 내용을 통해 확인할 수 있다.
⑤ (마)의 '현재 시제를 표현할 때 ~ 형용사 어간에는 특별한 형태소가 연결되지 않았다.'라고 설명되어 있다. 현대 국어에서도 형용사는 특별한 형태소의 연결 없이 기본형을 그대로 씀으로써 현재 시제를 표현한다.

10. (라)에서 '높임 표현은 선어말 어미에 의해 실현되었는데, '-(으)시-'에 의한 주체 높임법, '-숩-'에 의한 객체 높임법, '-(으)이-'에 의한 상대 높임법의 정연한 체계를 이루고 있었다.' 라고 하였다. 이런 점으로 볼 때 ⓐ, ⓑ는 주체 높임을, ⓒ, ⓓ는 객체 높임을, ⓔ는 주체 높임, 상대 높임을 사용하고 있음을 알 수 있다. 또한 ⓐ, ⓒ는 높임의 대상을 직접 높이는 반면, ⓑ, ⓓ는 높임의 대상의 신체 일부나 행위를 높임으로써 대상을 높이는 효과를 가져오고 있다. 이런 점에서 볼 때, ⓑ는 '-시-'를 통해 '부처'의 신체 일부인 '눈'을 높임으로써 '부처'를 높이는 효과를 주고 있는 표현이다. 그러므로 ②는 적절하지 않은 설명이다.

11. ㉠ '십'은 자음으로 끝난 체언이므로 주격 조사로 '이'가 쓰여야 한다. ㉡ '불휘'는 'ㅣ' 모음으로 끝난 체언이므로 'Ø'이 사용되어야 한다. ㉢ '부텨'는 'ㅣ' 모음 이외의 모음으로 끝난 체언이므로 주격 조사 'ㅣ'가 사용되어야 한다.

12. ㉠의 '떨어졌다'는 동사이며, 과거 시제로 쓰이고 있다. (마)의 '동사의 과거 시제는 현대 국어의 '-았-/-었-'에 해당하는 선어말 어미가 아직 발달되지 않아서 아무런 형태소의 결합도 없이 표현되었다.'라는 내용으로 볼 때 '뻐러디다'로 쓰는 것이 적절하다.
㉡은 현재형 동사이다. (마)의 '현재 시제를 표현할 때 동사 어간에는 '-ᄂᆞ-'가 연결'된다는 내용을 근거로 할 때 'ᄒᆞ시ᄂᆞ다'로 표기하는 것이 적절하다.
㉢은 형용사이며, 현재 시제로 쓰이고 있다. (마)의 현재 시제를 표현할 때 '형용사 어간에는 특별한 형태소가 연결되지 않았다.' 라는 내용과 모음 조화, 이어적기를 고려할 때 '져그녀'로 표기하는 것이 적절하다.

13. (다)에서 '모음 아래에서는 '가', 자음 아래에서는 '이'가 나타나는 양상을 보'였다고 하였다. 즉 '가'는 중세 시기의 'ㅣ'나 Ø을 대체한 것이며 '이'가 쓰이던 자리에는 그대로 '이'가 사용되었다.
오답 풀이 ① (다)에서 '앞 시기에 객체 높임법에 사용되던 선어말 어미 '-숩-'은 상대 높임법을 나타내는 선어말 어미로의 변화를 보인다.'를 통해 확인할 수 있다.
② (라)의 끝부분에서 '16세기부터 부분적으로 나타난 표기법 혼란이 근대 국어 시기에 와서 더욱 심해졌음을 보이는 것이다. 이 시기에는 표기법의 기준이 될 만한 규범이 따로 없었기 때문에 이러한 양상이 나타났던 것으로 보인다.'를 통해 확인할 수 있다.
③ (다)의 '과거 시제를 표현하는 선어말 어미 '-았-/-었-'이 이 시기에 확립되었'다는 내용을 통해 중세 국어에서 사용되지 않던 과거 시제 선어말 어미가 사용되기 시작하였음을 알 수 있다.
⑤ (가)의 '이전 시기까지 'ㄷ, ㅌ'이 'ㅣ' 앞에서 그대로 소리 나던 것이 이 시기에 와서 'ㅈ, ㅊ'으로 음운 변화를 일으키게 되었고, 그 결과가 현대 국어까지 이어지게 되었다.'라는 내용을 통해 근대 국어 시기에 구개음화가 나타나며, 현대 국어로의 과도기적 양상을 보였음을 알 수 있다.

14. 〈보기〉의 A는 중세 국어, B는 근대 국어의 모습을 볼 수 있는 자료이다. (가)에 '중세 국어 시기를 거치면서 자음 'ㅸ, ㅿ'은 소멸되었'다는 내용이 언급되고 있으며, A의 'ᄆᆞᅀᆞᆯ'이 B에서 'ᄆᆞ을'로 변화한 것으로 보아 'ㅿ'이 사라졌음을 알 수 있다. 그러므로 ①은 적절한 설명이다.
오답 풀이 ② (나)에서는 '서양의 새로운 지식이 중국을 통해 유입되는 과정에서 번역 한자어가 새로 유입되는 경우가 많았다.'라고 언급하고 있다. A와 B 모두 한자어('江村', '幽深', '親')와 국어를 함께 사용하고 있는데 특별히 B에 쓰인 번역 한자어를 찾아볼 수는 없다.
③ (가)에서 근대 국어 시기에는 'ㆍ'의 소멸로 모음 조화에 변화가 나타났다고 하였으나 〈보기〉의 A와 B 사이에서는 이러한 변화가 나타나지 않는다. 그러므로 적절하지 않은 설명이다.
④ 방점은 성조를 나타내는 기호이다. 그러므로 방점이 사용되지 않았다는 것은 성조가 사용되지 않았음을 의미한다. 하지만 방점이 없어져서 성조가 사용되지 않은 것이 아니라 성조가 사용되지 않으니 성조를 표시할 필요가 없어 방점이 사라진 것이다.
⑤ '아나', '오ᄂᆞ닌', '갓갑ᄂᆞ닌' 등에서 A, B 모두에 이어적기가 사용된 것을 확인할 수 있다.

15. (가)의 '모음 ㆍ는 16세기 말에 둘째 음절 이하에서 'ㅡ'로 변하였고 근대 국어 시기인 18세기에 와서 첫째 음절에서 대체로 'ㅏ'로 변하였다.'라는 내용을 통해 확인할 수 있다.
예시 답 첫째 음절의 'ㆍ'가 소멸되면서 'ㅏ'로 바뀌었다.

평가 기준	배점
예시 답에 가깝게 설명한 경우	5점
'돌팡이>달팽이'에만 나타난 'ㅣ' 모음 역행 동화까지 언급한 경우	3점
문장이 어색하거나 맞춤법에 어긋난 표기가 있는 경우	−1점

서술형 문제

16. 예시 답 이두와 구결은 우리말 조사나 어미를 한자로 표기한 점은 공통적이나 구결은 단어의 어순을 한문 그대로 한 데 비해, 이두는 단어를 우리말 어순에 맞게 바꾼 점이 서로 다르다.

평가 기준	배점
예시 답에 가깝게 설명한 경우	5점
공통점과 차이점 중 하나만 제시하였거나 한 문장으로 서술하라는 조건을 어긴 경우	3점
문장이 어색하거나 맞춤법에 어긋난 표기가 있는 경우	-1점

17. **예시 답** ㉠은 과거 시제, ㉡은 현재 시제, ㉢은 미래 시제를 나타낸다. 중세 국어에서는 동사의 기본형을 그대로 써서 과거 시제를 표현했으며, 현재 시제는 선어말 어미 '-ᄂ-'를 연결하여, 미래 시제는 선어말 어미 '-(으)리-'를 연결하여 표현했다.

평가 기준	배점
예시 답에 가깝게 설명한 경우	5점
시제나 시제 표현의 원칙 중 틀리게 제시한 경우 각각에 대하여	3점
문장이 어색하거나 맞춤법에 어긋난 표기가 있는 경우	-1점

18. '국문, 샹하귀쳔, 귀졀' 등의 근대 국어 어휘 표현을 적절한 현대어 어휘로 바꾸어 쓰도록 한다.
예시 답 모든 사람이 다 보게 하기 위해서 한글로 표기한다. 누구나 쉽게 읽고 잘 알아보게 하기 위해서 구절 단위로 띄어쓰기를 한다.

평가 기준	배점
예시 답에 가깝게 설명한 경우	5점
두 가지 표기 원칙 중 하나만 제시하였을 때	3점
조건을 모두 지키지 못한 경우	-1점
문장이 어색하거나 맞춤법에 어긋난 표기가 있는 경우	-1점

2. 국어 생활과 문화

(1) 국어 자료의 다양성과 국어 문화

소단원 적중 문제 pp. 175~176

01 ② **02** 해설 참조 **03** ⑤ **04** ② **05** 비공식적인, 공적인, 친교 **06** ④

01. (가)는 정보를 전달하기 위한 국어 자료이고, (나)는 독자를 설득하기 위한 국어 자료이다. 따라서 두 국어 자료는 모두 간결하고 명료한 문장으로 쓰는 것이 좋다.
오답 풀이 ① (가)는 정보 전달을, (나)는 설득을 목적으로 하는 국어 자료이다.
③ (가)와 (나)의 내용이 뒤바뀌었다.
④ (가)와 (나)의 목적이 뒤바뀌었다. 지시적 언어를 사용한다는 내용은 적절하다.
⑤ 독자의 신뢰가 중요하지만 글쓴이의 주관이 뚜렷하게 드러나야 하는 것은 (나) 국어 자료에만 해당한다.

02. **예시 답** 갈등을 새로운 개념의 합의를 통해서 관리하고 해결해야 한다.

평가 기준	
'갈등'과 '새로운 개념의 합의' 등의 단어를 넣어 예시 답과 유사하게 서술한 경우	5점
'갈등'과 '새로운 개념의 합의' 등의 단어를 사용하지 않았으나 비슷한 의미로 서술한 경우	3점
제대로 된 문장으로 서술하지 못한 경우	-1점

03. (다)는 수필로 친교나 정서 표현의 목적을 가진 국어 자료이다. 간결하고 명료한 언어로 내용을 사실적으로 전달하는 국어 자료는 정보를 전달하는 종류의 글이다.

04. (나)에 제시된 [예제]에 나오는 방언은 사회 방언의 일종으로 아버지와 아들 사이의 의사소통의 어려움을 드러내고 있다. 이러한 어려움은 세대 차이에 의한 것으로 매체의 발달에 따라 세대별로 사용하는 언어가 달라져서 일어나는 것이다.

06. 아버지와 철수 사이에는 세대 간의 언어 차이가 나타난다. 이를 극복하고 대화를 나누기 위해서는 아버지와 자신의 언어 사용에 차이가 있음을 인식하고, 아버지께서 알아들으실 수 있도록 말하는 태도가 필요하다. 철수가 쓰고 있는 말은 젊은 세대가 주로 쓰는 줄임말이므로 ④는 적절하지 않다.

(2) 국어 규범과 국어 생활의 성찰

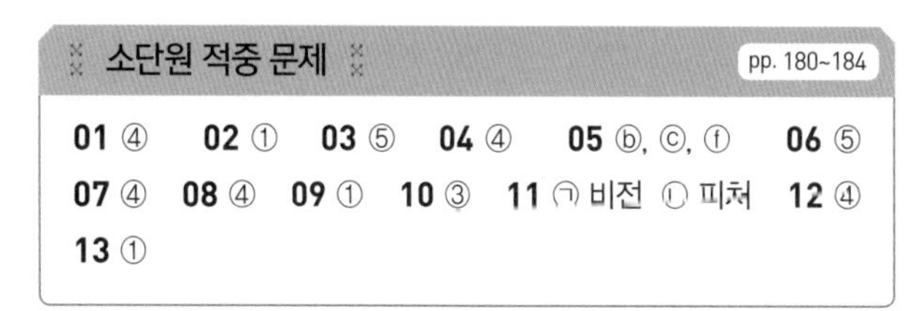
소단원 적중 문제 pp. 180~184

01 ④ **02** ① **03** ⑤ **04** ④ **05** ⓑ, ⓒ, ⓕ **06** ⑤ **07** ④ **08** ④ **09** ① **10** ③ **11** ㉠ 비전 ㉡ 피처 **12** ④ **13** ①

01. ⓐ는 모음 조화를 지킨 경우에 해당하지만, ⓑ는 모음 조화를 지키지 않은 경우에 해당하므로 ④는 적절하지 않은 설명이다.
오답 풀이 ① 언중들이 '삼촌(三寸)'을 '삼춘'이라고 부르는 경우가 많음에도 불구하고, 촌수에 의한 호칭으로 어원에 대한 인식이 뚜렷하기 때문에 '삼춘'을 표준어로 인정하지 않고 있으므로 적절한 설명이다.
② 제8항에서 '쌍동이'를 비표준어로 삼고, '쌍둥이'를 표준어로 삼은 것은 모음 조화 현상이 깨진 상태로 굳어졌기 때문이라고 언급하고 있다. 이런 점으로 볼 때 '막동이'를 비표준어로 삼고, '막둥이'를 표준어로 삼은 것은 이와 같은 이유라 볼 수 있다.

③ '깡충깡충'은 모음 조화 현상이 깨진 경우에 해당하며, 이는 제8항의 규정에 따른 것으로 파악할 수 있다.
⑤ ⓑ와 ⓒ는 언어 현실을 반영하여 모음 조화가 깨진 경우를 표준어로 규정한 경우이다. 그러므로 모음 조화가 지켜지던 시기에는 '막동이', '깡총깡총'으로 표기하였을 것이라고 추론할 수 있다.

02. 〈보기〉의 규정에 따라 '쪽밤'이 아닌 '쌍동밤'만 표준어로 삼고 있으므로 ①은 적절하지 않다.

03. 고유어 계열의 단어가 생명력을 잃고 그에 대응되는 한자어 계열의 단어가 널리 쓰이면, 한자어 계열의 단어를 표준어로 삼는다는 표준어 규정 제3장 22항의 규정에 따라 알타리무 대신 총각무가 표준어로 인정되므로 ⑤는 ㉢의 사례로 적절하지 않다.

04. 제14항을 참고할 때 겹받침이 모음으로 시작된 조사와 결합할 때 뒤엣것만을 뒤 음절 소리로 옮겨 발음해야 한다고 하였다. 이 경우, 'ㅅ'은 된소리로 발음한다고 하였으므로 '값이'는 [갑씨]로 발음해야 한다.

05. ⓑ, ⓒ, ⓕ를 길게 발음해야 한다.
ⓐ 눈[눈]: 빛의 자극을 받아 물체를 볼 수 있는 감각 기관.
ⓑ 눈[눈:]: 대기 중의 수증기가 찬 기운을 만나 얼어서 땅 위로 떨어지는 얼음의 결정체.
ⓒ 발[발:]: 가늘고 긴 대를 줄로 엮거나, 줄 따위를 여러 개 나란히 늘어뜨려 만든 물건.
ⓓ 발[발]: 사람이나 동물의 다리 맨 끝부분.
ⓔ 밤[밤]: 해가 진 뒤부터 날이 새기 전까지의 동안.
ⓕ 밤[밤:]: 밤나무의 열매.

06. 체언 '구름'은 뒤의 환경에 따라 다르게 발음되기 때문에 ⓐ의 규정에 따라 표기하면 의미를 파악하기 어렵게 된다. 그러므로 '구름'이라는 의미를 규정하기 위하여 ⓑ의 규정을 추가한 것이라 볼 수 있으므로 ⑤는 적절한 설명이다.
<u>오답 풀이</u> ① '女子'를 '녀자'로 적지 않고 '여자'로 적는 것은 두음 법칙에 의한 실제 발음을 표기에 반영한 것이다. 그러므로 ⓐ의 규정을 따른 것이라 볼 수 있다.
② '부딪치다'와 '부딪히다'를 발음하면 [부딛치다]와 [부디치다]로 발음된다. 그러므로 ⓐ의 규정에 따라 표기하면 의미를 파악하기 어렵게 된다. 그러므로 의미를 밝혀 적기 위하여 ⓑ의 규정을 추가한 것이므로 설명으로 적절하지 않다.
③ '굳이', '같이'는 [구지], [가치]와 같이 발음됨에도 불구하고, 실제 음운 현상을 표기에 반영하지 않고 있으므로 ⓑ의 규정을 따른 것이라 볼 수 있다.
④ '높다랗다'는 [놉따라타]로 발음되지만 '높–'의 의미를 파악할 수 있도록 하기 위하여 표기 형태를 고정시킨 경우이므로 ⓑ의 규정에 따른 것이라 볼 수 있다.

07. '나는 시장에서 사과 배, 귤 등을 샀다.'의 '등'은 앞말을 열거할 적에 쓰이는 말이기 때문에 띄어 쓰는 것이다. 그러므로 제42항의 규정을 따른 것이 아니라 제45항의 규정을 따른 것이라고 보아야 한다. 그러므로 ④는 잘못 이해한 내용이다.
<u>오답 풀이</u> ① 조사 '이'를 앞말에 붙여 쓰는 것은 제41항의 규정에 따른 것이다.
② '것'은 혼자 쓰일 수 없는 의존 명사로 관형어 '아는'의 수식을 받는다. 그러므로 제42항의 규정에 따라 띄어 쓴 것이다.
③ '한국 대 일본'에서 '대'는 두 말을 이어 주거나 열거하는 경우에 해당하므로 제45항의 규정에 따라 띄어 쓴 것이다.
⑤ '그루'는 식물 특히 나무를 세는 단위 명사이므로 제43항의 규정에 따라 띄어 쓴 것이다.

08. '마치다'는 '끝내다'의 의미이므로 적절하지 않은 표기이다. '(문제에) 맞는 답을 내놓다'의 의미는 '맞히다'이다. 그러므로 '맞혔다'가 적절한 표기이다.
<u>오답 풀이</u> ① 붙이다 : 붙게 하다.
② 저리다: 피가 잘 돌지 못해서 힘이 없고 감각이 둔하다.
③ 반드시: 꼭, 틀림없이
⑤ 그럼으로: 그렇게 하는 것으로(써)

09. '테헤란'에서의 'ㅔ'는 현행 24자모에 해당하지는 않지만 'ㅓ'와 'ㅣ'를 합쳐서 만든 글자이므로 쓰일 수 있는 표기이다. 그러므로 ①는 적절하지 않은 설명이다.
<u>오답 풀이</u> ② 'cafe'의 경우 [k], [tʃ]와 같은 파열음을 된소리로 적지 않는다는 규정에 따라 '까페'가 아닌 '카페'로 표기해야 한다. 그러므로 적절한 설명이다.
③ '커피(coffee)'의 실제 발음은 [kɔ:fi]이므로 '코피'로 적어야 한다. 그러나 제5항 '이미 굳어진 외래어는 관용을 존중'한다는 규범에 따라 '커피'로 적는다. 그러므로 적절한 설명이다.
④ 제2항의 규정에 따라 'f'는 'ㅍ'로 적도록 하고 있다. 그러므로 'egg fry'의 경우 '에그 후라이'라고 적지 않고 '에그 프라이'라고 적어야 한다. 그러므로 적절한 설명이다.
⑤ 'internet'의 't'은 받침이어서 'ㄷ'으로 소리가 난다. 그러나 'ㄷ' 소리가 나는 경우에는 'ㅅ'으로 적'는다는 규정에 따라 'ㅅ'으로 적어야 한다. 그러므로 적절한 설명이다.

10. 제4항에 따르면 파열음(ㄱ, ㄷ, ㅂ계열)은 된소리로 적지 않으므로 모차르트로 적어야 바른 표기가 된다.

11. 파찰음 표기에서는 '죠, 쟈, 쥬, 져, 쵸, 챠, 츄, 쳐'를 쓰지 않도록 되어 있다. 따라서 '죠지, 비젼, 피쳐, 쥬스'가 아니라 '조지, 비전, 피처, 주스'로 적어야 한다.

12. "합성어 및 파생어에서, 앞 단어나 접두사의 끝이 자음이고 뒤 단어나 접미사의 첫음절이 '이, 야, 여, 요, 유'인 경우에는, 'ㄴ' 음을 첨가하여 [니, 냐, 녀, 뇨, 뉴]로 발음한다."라는 [표준 발음법] 제7장에 따라 학여울은 [항녀울]로 발음하게 된다. 따라서 표기를 할 때 음운 변화의 결과에 따라 학여울은 'Hangnyeoul'

로 표기해야 한다.

오답 풀이 ① '월곶'은 [월곧]으로 발음된다. 자음 'ㄷ'의 경우 모음 앞에서는 'd'로, 자음 앞이나 어말에서는 't'로 표기된다. 그러므로 적절한 표기이다.

② '좋고'는 'ㄱ'이 'ㅎ'과 결합하여 거센소리로 소리나는 경우로, [조코]로 발음된다. 그러므로 적절한 표기이다.

③ '중앙'의 경우 'Jungang'이라고 쓰면 '중앙(Jung-ang)'이라고 읽을 수도 있지만 '준강(Jun-gang)'이라고 읽을 수도 있다. 그러므로 붙임표를 넣어 발음상 혼동을 피하는 것이 좋다.

⑤ 제4항에서 인명의 경우 음운 변화를 표기에 반영하지 않는다고 하였다. 그러므로 비록 [홍빈나]로 발음되지만 표기에 반영하지 않고 'Hong Bitna'로 표기하는 것이 적절하다고 볼 수 있다.

13. '김밥'은 [김:밥]으로 발음한다. (라)의 [붙임 1]에 따라 'gimbap'으로 표기하는 것이 적절하다. '떡볶이'는 [떡뽀끼]로 발음하지만 (라)의 제1항에 따라 된소리는 표기에 반영하지 않고 [붙임 1]에 따라 '떡'의 받침 'ㄱ'은 'k'로 표기하므로 'tteokbokki'로 표기하는 것이 적절하다. '라면'은 (라)의 [붙임 2]에 따라 'ramyeon'으로 표기하는 것이 적절하다. '잔치국수'는 '잔치'와 '국수'의 합성어로, '국수'는 [국쑤]로 발음되지만 (라)의 제1항 된소리는 표기에 반영하지 않는다는 규정에 따라 'janchi'와 'guksu'로 표기해야 한다. 다만 'janchiguksu'로 표기할 경우 '잔치국수'로 읽을 수도 있지만, '잔칙욱수'로 읽을 수도 있기 때문에 발음의 혼동을 피하기 위하여 붙임표(-)를 넣는 것이 바른 표기이다.

중단원 실전 문제 (pp. 185~189)

01 ④	02 ②	03 ④	04 ④	05 ⑤	06 ②	07 ③
08 ③	09 ④	10 ①	11 해설 참조	12 해설 참조		

01. (다)는 기사문이다. 따라서 실제 사건이나 상황이 전개되는 모습을 여러 매체를 통해 전달할 수 있다. 하지만 (나)는 수필의 성격을 지닌 시사 평론으로 자신의 생각이나 느낌을 진솔하게 표현한다.

오답 풀이 ① (가)는 수필로 정서를 표현하려고 생산한 국어 자료이다.

② (가)는 수필이고 (나) 역시 시사 평론인 수필로 글쓴이의 생각과 느낌을 진솔하게 드러낸 부분이 있고, 설득을 목적으로 자신의 주장이나 의견을 이해시키려 하는 대목도 있다.

③ (나)는 시사 평론이다.

⑤ (다)는 기사문으로 세종학당재단에서 '세계 곳곳 엉터리 한국어를 찾습니다.'라는 기획 행사를 연 것에 대해 보도하고 있다.

02. ②는 현재의 상황을 말한다. 존댓말을 어느 한 쪽만 사용한다면 존댓말을 쓰는 쪽은 순종적인 자세가 되어 자신의 생각을 제대로 실어 전달하지 못하게 된다고 했다. 따라서 ②는 ⓐ의 새 시대와 거리가 멀다고 할 수 있다.

03. (다)의 국어 자료는 기사문으로 육하원칙에 따라 작성되어야 한다. 하지만 모든 요소를 빠짐없이 반영하여 작성한다고 해서 공정성과 정확성이 확보되는 것은 아니므로 적절하지 않다.

04. 제시된 국어 자료는 광고문이다. 광고문은 주제를 효과적으로 전달하기 위해 간접적으로 그 내용을 전달하는 경우가 많다.

05. 복수 표준어 중에는 둘 이상의 단어가 두루 쓰이고 있어서 모두 표준어로 인정되는 경우가 많은데 〈보기〉의 경우 두 번째 사례 '눈초리'와 '눈꼬리'는 현재 표준어로 인정되는 '눈초리'와 '눈꼬리'가 말의 뜻이나 어감에 차이가 있어서 표준어로 인정된 경우이다. 따라서 ⑤는 적절하지 않다.

오답 풀이 ① '간지럽히다'와 '간질이다'는 같은 뜻을 지닌 복수 표준어이다.

② '짜장면'과 '자장면'은 표기는 다르지만 모두 표준어로 인정된 사례이다.

③ '눈초리'와 '눈꼬리'는 복수 표준어이지만 뜻과 어감이 다른 복수 표준어이므로 바꿔 쓸 수 없다.

④ 일상에서는 '짜장면'이라고 말하면서 표준어는 '자장면'만을 썼기 때문에 불편함이 있었다.

06. 제6항에서 첫 음절에 긴 소리로 소리 나더라도 둘째 음절 이하에서는 긴소리로 발음하지 않는다고 하였다. 따라서 '첫눈'은 [천눈]으로 발음한다.

오답 풀이 ① 밤나무의 '밤'은 길게 소리 난다.

③ '신을 신다'의 '신다'는 7항 1의 규정에 따르면 어간 '신'에 모음으로 시작하는 어미가 연결될 때이므로 짧게 발음한다.

④ '꼬이다'는 '꼬다'에 피동 접미사 '이'가 결합되어 '꼬이다'가 된 것이므로 짧게 발음한다.

⑤ 없다[업:따]의 경우 길게 발음하고 없으니[업:쓰니]도 길게 발음하는 경우이다. 그 외에도 끌다[끌:다] — 끌어[끄:러], 떫다[떨:따] — 떫은[떨:븐], 벌다[벌:다] — 벌어[버:러], 썰다[썰:다] — 썰어[써:러] 등이 있다.

07. '알타리무' 대신 '총각무'가 표준어로 채택된 것은 제3장 제22항의 규정에 따라 고유어 계열의 단어가 생명력을 잃었기 때문에 한자어가 표준어로 채택된 것이다.

오답 풀이 ① '깡총깡총'이 표준어가 아니라 '깡충깡충'이 표준어이다. 제2장 제8항의 규정에 따른 것이다.

② '으레'를 버리고 '으레'를 표준어로 삼은 것은 제2장 제10항의 규정과 관련된다.

④ '안절부절하다' 대신 '안절부절못하다'를 표준어로 삼은 것은 제3장 25항의 규정에 따른 것이다.

⑤ '신-신발, 여쭈다-여쭙다, 옥수수-강냉이, 우레-천둥' 등은 복수 표준어이다. 그러나 '주책이다 - '주책없다'는 단수 표준어인데, 단수 표준어는 사용 빈도에 따라 표준어를 결정한다.

08. ③의 '퍼서'는 '푸-'라는 어간에 모음으로 시작하는 어미 '어서'가 결합하면서 어간의 모음 'ㅜ'가 탈락한 채로 소리 난다. 따라서 '퍼서'로 표기하는 것은 소리 나는 대로 표기한 ㉠의 원칙을 따른 것이라 볼 수 있다.

오답 풀이 ① 어간과 어미를 분리한 것은 ㉡의 원칙이 적용된 것이다.
② 음운 변동을 반영하지 않고 적은 것은 ㉡의 원칙에 따른 것이다.
④ 같은 글자가 위치에 따라 다르게 쓰이는 것은 두음 법칙이 적용된 대로 적은 것으로 ㉠의 원칙에 따른 것이다.
⑤ 어간을 밝혀 적지 않은 것은 소리 나는 대로 적은 것으로 ㉠의 원칙에 따른 것이다.

09. 제4항의 규정은 외국어에서는 된소리와 예사소리를 특별히 구별하지 않기 때문이다. 거센소리의 구분까지 존재하지 않기 때문은 아니다.

오답 풀이 ① 제1항은 한글 자모 24자만으로 적는다는 것으로 [f, v, ʃ, tʃ, ʒ, ʌ]와 같이 우리말에 없는 음운들은 각각 'ㅍ, ㅂ, ㅅ, ㄷ, ㅈ, ㅓ' 등으로 적는다.
② 제2항은 1음운이 단어에 따라 다르게 표기되는 것을 막기 위한 것이다.
③ 제3항은 외래어 종성 표기에 'ㄷ' 대신 'ㅅ'을 쓰는 것은 뒤에 모음이 올 때, ㅅ으로 소리 나기 때문이다.
⑤ 관용을 존중한다는 것은 이미 굳어진 소리를 존중한다는 의미이다.

10. 조건은 '체언'이어야 하고 'ㄱ, ㄷ, ㅂ' 뒤에 'ㅎ'이 따라와야 한다. 이 때 'ㅎ'을 밝혀 적는다고 했다. 따라서 [지편전]의 로마자 표기는 'jiphyeonjeon'이 된다.

오답 풀이 ②, ④, ⑤는 조건에서 '체언'이라고 한 조건과 부합하지 않는다.
③은 체언이기는 하나 'Ojukeon'에서 'ㅎ'이 표기되지 않았다. 맞는 표기는 'Ojukheon'이다.

서술형 문제

11. 예시 답 • 백마: Baengma → 'ㅁ'의 영향을 받아 'ㄱ'이 'ㅇ'으로 교체되는 자음 동화에 의해 [뱅마]로 발음되므로 음운 변동을 반영하여 표기한 것이다. 또한 고유 명사이므로 첫 글자를 대문자로 표기한 것이다.
• 알약: allyak → 'ㄴ' 첨가 현상이 일어나 [알냑]으로 변화한 뒤, 'ㄹ'의 영향을 받아 'ㄴ'이 'ㄹ'로 변화하는 유음화 현상이 일어나 [알략]으로 발음되므로 음운 변동을 반영하여 표기한 것이다.
• 해돋이: haedoji → 구개음화 현상이 일어나 [해도지]로 발음되므로 음운 변동을 반영하여 표기한 것이다.

평가 기준	배점
세 가지 모두 로마자로 정확히 표기하고 그렇게 표기한 이유를 음운 변동과 관련지어 모두 서술한 경우	10점
두 가지만 서술한 경우	7점
한 가지만 서술한 경우	5점

12. 예시 답 (1) 특징: 명사형 종결 표현이 주로 쓰였다.
(2) 이유: 공고문의 특성상 해석의 혼동을 줄 수 있는 말을 피하고 공고할 내용을 정확히 전달하기 위해

평가 기준	배점
공고문의 종결 특징과 이유를 모두 적절히 서술한 경우	5점
한 가지만 서술한 경우	3점
정서법에 어긋난 경우	−1점

1등급 완성 문제

Ⅰ 언어, 매체, 삶 pp. 190~193

01 ③ **02** ② **03** ③ **04** ① **05** ② **06** 겸양 표현이 발달되어 있다. **07** ⑤ **08** ③ **09** ⑤ **10** ④ **11** ③ **12** 해설 참조

01. (가)에서는 언어와 사회, 언어와 문화의 관계를 설명하고 있으며, (나)에서는 언어로서 국어가 지니는 일반적 특성과 함께 한국이라는 공동체 속에서 국어가 지니게 된 고유한 특성을 서술하고 있다.

02. [A]는 언어 공동체의 문화가 언어에 반영된다는 내용으로 한국의 음식 문화, 조선 시대 여성들의 생활 문화, 제주도 지역 문화, 농업 사회의 문화 등을 예로 들 수 있다. '부추'의 다양한 지역 방언들은 문화의 차이로 인한 것이라 하기 어렵다.

03. 같은 한국어라 할지라도 사용자의 연령이나 성별, 직업 등에 따라 언어 사용이 달라질 수 있다. 〈보기〉에서는 젊은 세대와 그 이전 세대의 언어적 갈등이 무엇 때문인지 서술하고 있다. 젊은 세대가 속한 공동체의 특성이 언어에 반영되기 때문이다.
오답 풀이 ① 언어는 사회적 약속이면서 동시에 역사성을 지녔다는 것을 〈보기〉에서 알 수 있으나 (가)에서 이에 관하여 언급하지는 않았다.

04. 한국어는 'ㄱ-ㄲ-ㅋ', 'ㅂ-ㅃ-ㅍ', 'ㄷ-ㄸ-ㅌ'과 같이 예사소리, 된소리, 거센소리가 대립하는 체계를 가지고 있다.

05. '사랑해요, 당신을.'이라는 문장은 '나는 당신을 사랑해요.'라는 문장의 필수 성분인 주어를 생략하고 '목적어-서술어'의 어순을 '서술어-목적어'로 바꾼 것이다.
오답 풀이 ① 완전한 문장이다.
③, ⑤ 주어가 생략된 문장이다.
④ 어순이 바뀐 문장이다.

06. 겸손함을 미덕으로 여기는 사회, 문화적 상황 때문에 국어에는 겸양 표현이 발달되어 있다.

07. '꽃'이라는 기호의 의미는 수많은 꽃들이 지닌 공통 속성을 뽑아 추상화한 의미이다.

08. 언어의 규칙성을 바탕으로 인간은 한정된 음운을 사용하여 수많은 단어, 문장, 담화를 생성할 수 있다. 한 번도 들어 본 적 없는 문장을 만들거나 이해할 수 있는 것은 언어의 창조성 때문이다.

09. '선양하다'라는 말은 '명성이나 권위 따위를 널리 떨치게 하다.'라는 의미로 ⓔ에 어울리지 않는다. ⓔ는 '향상시키다'라는 말로 바꾸는 것이 적절하다.

10. 다양한 매체를 통해 소통되는 매체 언어들이라 하더라도 의사소통의 목적에 따라 크게 네 가지로 나누어 볼 수 있다. 정보를 전달하기 위해 사실을 중심으로 작성되는 보도 기사, 수신자를 설득할 목적의 광고, 친교를 위한 누리소통망 메시지, 소리와 동영상을 활용해 정서를 표현하는 뮤직 비디오는 각각의 대표적인 예이다.

11. 같은 내용의 메시지라 할지라도 매체의 특성에 따라 구성과 소통 방식이 달라진다. 종이 신문의 경우 메시지가 일방적으로 수신자에게 전달되는 반면, 뉴 미디어의 경우 복합적이고 개방적인 소통 현상을 특징으로 한다.

12. 〈보기〉는 신문 기사를 종이로 된 매체로 읽지 않고 다양한 전자 매체(데스크톱이나 노트북, 스마트폰과 같은 모바일 기기)를 통해 읽는 비율이 증가하는 상황을 통계로 제시하고 있다. 이는 (나)에서 제시한 대로 전자 매체가 갖는 속성(속도, 범위, 개방성)으로 인한 것이라 볼 수 있다.
예시 답 첫째, 전자 매체를 통한 소통의 속도가 빠르기 때문이다. 둘째, 전자 매체의 파급력이 더 크기 때문이다. 셋째, 전자 매체가 더 개방적이기 때문이다.

Ⅱ 국어의 탐구와 활용

pp. 194~204

01 ② 02 ④ 03 ④ 04 ① 05 ㉠ [널꼬], ㉡ [담ː뇨], ㉢ [말근], ㉣ [무르피] 06 ① 07 ② 08 ⑤ 09 ④ 10 ③ 11 ③ 12 ② 13 ⑤ 14 ① 15 ④ 16 ① 17 ② 18 ⑤ 19 ④ 20 ⓐ 서술어, ⓑ 부사, ⓒ 조사 21 (a) 7개, (b) 3개, (c) 9개, (d) 5개, (e) 7개 22 ① 23 ① 24 ③ 25 해설 참조 26 ③ 27 ③ 28 ④ 29 ④ 30 ② 31 해설 참조 32 ③ 33 ⑤ 34 ⑤ 35 ④ 36 ① 37 ① 38 ③ 39 ④ 40 ③ 41 ① 42 ③ 43 ③

01. '가다'를 발음하면 '가'에서 '다'로 넘어갈 때 혀끝이 윗잇몸에 닿았다가 떨어지면서 소리가 난다. 그러다가 '가자'를 발음하면 '가'에서 '자'로 넘어가는 순간 혀끝에서 혓바닥 쪽으로, 윗잇몸에서 센입천장 쪽으로 조음 위치가 이동하면서 소리가 난다. 이를 통해 'ㄷ'은 잇몸소리, 'ㅈ'은 센입천장소리임을 알 수 있다.

02. 〈보기 1〉의 내용을 참고할 때, 음절을 이루기 위해서는 모음이 있어야 한다. 그러나 자음은 없어도 음절을 이룰 수 있다.
오답 풀이 ㄱ : 〈보기 1〉의 내용을 볼 때, 음절은 자음과 모음이라는 음운이 모여 만들어짐을 알 수 있다.
ㄴ : 〈보기 1〉의 내용을 볼 때, 음절을 이루기 위해서는 하나의 모음이 반드시 있어야 한다. 반면 자음은 사용되지 않는 경우, 하나의 자음이 사용되는 경우, 두 개의 자음이 사용되는 경우가 있다. 따라서 음절의 수는 모음의 수와 일치한다고 할 수 있다.
ㄹ : 〈보기 1〉의 내용을 볼 때, 음절의 첫소리에 쓰인 'ㅇ'은 항상 모음 앞에 쓰이게 되므로 음가가 없다. 따라서 음소(자음)로 인정되지 않는다. 'ㅇ'은 받침으로 쓰일 때 음가를 지닌 음소(자음)로 인정받을 수 있다.

03. '쌀쌀하다'와 '살살하다'는 어감이 달라지는 것이 아니라 의미가 분화되는 사례에 해당한다.

04. 〈보기〉에 의하면 음소는 자음과 모음을 가리킨다. 그리고 국어에서는 음절 초성의 위치에 자음 'ㅇ'이 나타나지 못한다. 따라서 '아량'은 'ㅏ, ㄹ, ㅑ, ㅇ'의 4개의 음소로 이루어진 단어이다.
오답 풀이 ② 〈보기〉에서 국어는 장단으로 그 의미가 구별되는 일이 있기는 하지만, 그것은 극히 일부의 현상에 지나지 않으며, 다른 언어와 달리 장단, 고저, 강약 등이 음운으로 작용하는 일이 많지 않다고 하였다.
③ 〈보기〉에서 음운은 기본적으로 의미를 분화시키는 기능을 한다고 하였다. 의미를 분화시킨다는 것은 말의 뜻을 구별하게 해 준다는 의미이다.
④ '밤'은 장음(長音)으로 발음될 때 밤나무의 열매인 '밤(栗)'을 의미하며, 단음(短音)으로 발음될 때 시간을 가리키는 '밤(夜)'을 의미한다.
⑤ 〈보기〉에서 국어의 음운 조직이 음절이란 단위를 중심으로 이루어져 있기 때문에 음절 단위로 모아쓴다고 하였다.

05. ㉠은 표준 발음법 제10항, ㉡은 표준 발음법 제29항, ㉢은 표준 발음법 제14항, ㉣은 표준 발음법 제13항을 적용하여 발음한다.

06. 〈보기〉의 [A]와 [B]는 음운이 발음될 때 이웃하고 있는 음운과 서로 닮는 동화 현상을 보여 주고 있다. [A]는 자음 동화의 사례로, 자음이 비음이나 유음을 만났을 때 비음이나 유음으로 동화되는 현상(비음화, 유음화)을 보여 주고 있으며, [B]는 모음 동화의 사례로, 다른 모음이 'ㅣ' 모음과 앞뒤에서 만났을 때 'ㅣ' 모음에 동화되는 현상('ㅣ' 모음 역행 동화, 'ㅣ' 모음 순행 동화)을 보여 주고 있다.

07. ㉠은 'ㄴ'이 'ㄹ'의 영향을 받아 유음화됨으로써 'ㄹ'로 음운 교체가 이루어진 예이며, ㉡은 파생어에서 'ㄹ' 받침 뒤에 첨가되는 'ㄴ' 을 'ㄹ'로 발음한 예이다. 그리고 ㉢은 'ㅂ'과 'ㅎ'이 결합하여 하나의 음운인 'ㅍ'으로 축약된 예이며, ㉣은 받침의 'ㅎ'이 탈락된 예이다.

08. '가-+-아'가 [가]로 발음되는 예가 동음 탈락에 해당한다. '오-+-아서'가 [와서]로 발음되는 것은 '축약'에 해당한다.
오답 풀이 ① 'ㄺ'이 'ㄱ'으로 발음되므로 '자음군 단순화'(음운 탈락)에 해당한다.
② 'ㄹ'이 발음되지 않으므로 'ㄹ 탈락'(음운 탈락)에 해당한다.
③ 'ㅎ'이 발음되지 않으므로 'ㅎ 탈락'(음운 탈락)에 해당한다.
④ 'ㅡ'가 발음되지 않으므로 'ㅡ 탈락'(음운 탈락)에 해당한다.

09. "옷 위"에서 '옷'은 받침이 'ㅅ'이므로 1단계의 조건을 만족시키고 있다. 그리고 뒤에 '위'라는 모음으로 시작되는 실질 형태소가 오기 때문에 2단계의 ㉡의 조건을 만족시키고 있다. 마지막으로 음절의 받침 'ㅅ'이 'ㄷ'으로 발음되므로 3단계 역시 만족시키고 있다. 따라서 2-㉠의 단계를 만족시킨다는 내용은 적절치 않다.
오답 풀이 ① '받-'은 받침이 'ㄷ'으로 이루어져 있기 때문에 1단계를 만족시키지 못하고 있다. 따라서 음절 끝소리 규칙이 적용되지 않는 [받꼬]로 발음된다.
② '부엌에'는 음절의 받침 'ㅋ' 다음에 모음으로 시작되는 형식 형태소인 '에'가 오기 때문에 2단계를 만족시키지 못한다. 따라서 'ㅋ'이 연음되어 [부어케]로 발음된다.
③ '맛없다'는 '맛'의 받침에 'ㅅ', '없-'의 받침에 'ㅄ'이 오므로 1단계를 만족시키고 있으며, 뒤에 '없-'이라는 모음으로 시작되는 실질 형태소가 오므로 2-㉡ 단계를, '없-' 뒤에 '-다'라는 자음으로 시작되는 형식 형태소가 오므로 2-㉠ 단계를 만족시키고 있다. 마지막으로 '맛'의 끝소리 'ㅅ'이 'ㄷ'으로 발음되므로 3단계를 만족시키고 있다. 따라서 [마덥따]로 발음된다.
⑤ '놓아'는 1단계는 만족시키고 있으나, '-아'가 모음으로 시작되는 형식 형태소이므로 2-㉠, 2-㉡, 3단계를 만족시키지 못하

고 [노아]로 발음된다.

10. '맏이'가 [마지]로 발음될 때는 뒤에 오는 모음 'ㅣ'에 의해 자음 'ㄷ'이 'ㅈ'으로 변한다. 따라서 이는 모음에 의해 자음이 동화되는 경우에 해당하며, 앞의 음운이 다음에 오는 음운의 영향을 받아 변화하는 역행 동화에 해당한다.

오답 풀이 ① '난로'는 앞의 자음 'ㄴ'이 뒤에 오는 자음 'ㄹ'의 영향을 받아 [날로]로 발음되므로 ⓐ와 ⓔ의 음운 동화가 일어난다.
② '피어'는 뒤의 모음 'ㅓ'가 앞의 모음 'ㅣ'의 영향을 받아 [피여]로 발음되므로 ⓒ와 ⓕ의 음운 동화가 일어난다.
④ '밀가루'는 일부 방언에서 앞의 자음 'ㄹ' 의 영향을 받아 뒤의 모음 'ㅜ'가 'ㅣ'로 발음되므로 ⓑ와 ⓕ의 음운 동화가 일어난다.
⑤ '잡히다'는 뒤의 모음 'ㅣ'의 영향을 받아 앞의 모음 'ㅏ'가 'ㅐ'로 발음되므로 ⓒ와 ⓔ의 음운 동화가 일어난다.

11. '콩밥'은 '콩+밥'의 결합으로 이루어진 합성어지만, [콩밥]으로 발음한다.

12. ㉡의 '겨우'는 '세'라는 관형사를 수식하고 있다. 따라서 동사나 형용사를 수식한다는 탐구 내용은 적절하지 않다.

오답 풀이 ① ㉠은 부사 단독으로 쓰인 부사어이며, ㉦은 '진실(체언)+로(부사격 조사)'의 형태로 쓰인 부사어이다.
③ '아무 소리 없이'는 전체 문장 속에 부사절로 안긴 문장이다.
④ '모름지기'는 '의외로'와 마찬가지로 문장 전체를 수식하는 부사어이다.
⑤ '주다'는 목적어와 부사어를 반드시 필요로 하는 서술어이다. 따라서 '사람들에게'라는 부사어는 '주다'라는 서술어가 문장 속에서 기능하기 위해 반드시 필요로 하는 성분이라고 볼 수 있다.

13. 〈보기〉에서 보조 용언은 '-ㄴ(는)다'의 결합 여부에 따라 결합이 가능한 보조 동사와 결합이 불가능한 보조 형용사로 나뉜다고 하였다. (ㅁ)의 '보다'는 '비가 오나 본다.'로 실현될 수 없으므로 보조 동사가 아닌 '보조 형용사'에 해당한다.

오답 풀이 ① 〈보기〉에서 본용언은 자립성을 지니고, 실질적인 의미를 나타내며, 단독으로 서술 능력을 가진다고 하였다. (ㄱ)의 '간다'는 문장 속에서 실질적인 의미를 지닌 한 개의 서술어로 쓰이고 있으면서 서술어의 역할을 온전히 수행하고 있다. 따라서 이는 단독으로 서술 능력을 가진 본용언에 해당한다.
② 〈보기〉에서 본용언은 자립성을 지니고, 단독으로 서술 능력을 가진다고 하였다. (ㄴ)의 '갔다'는 자립성을 지니면서 '설희는 갔다.'의 형태로 실현이 가능하므로 단독으로 서술 능력을 가지고 있다. 따라서 이는 본용언에 해당한다.
③ 〈보기〉에서 보조 용언은 자립성이 없이 본용언에 의존해 쓰인다고 하였다. (ㄷ)의 '싶다'는 '바나나를 싶다.'의 형태에 나타나 있는 것처럼 자립성이 없어 단독으로 서술 능력을 갖지 못한다. 따라서 이는 보조 용언에 해당한다.
④ 〈보기〉에서 보조 용언은 본용언에 의존해 쓰이면서 그것의 의미를 더해 주는 역할에 그치게 된다고 하였다. (ㄹ)의 '내겠다'는 화자의 굳은 의지와 결의의 마음가짐을 드러내면서 본용언의 의미를 더해 주는 역할을 하고 있다. 따라서 이는 보조 용언에 해당한다.

14. (ㄱ)에서 '은'은 주어의 성분으로 쓰이면서 '잘못'에 대한 강조의 뜻을 드러내고 있다. 따라서 체언인 '잘못'을 정의하고 있다는 설명은 적절하지 않다.

오답 풀이 ② (ㄴ)에서 '은'은 '인간'이라는 대상에 대해 다른 대상과의 차이를 드러냄은 물론, 그것을 정의하고, 또 문장 속에서 그것이 화제임을 나타내고 있다.
③ (ㄷ)에서 '는'은 부사어의 성분으로 쓰이면서 말하는 이의 뜻을 강조하는 뜻을 드러내고 있다.
④ (ㄹ)에서 '는'은 받침 없는 체언 뒤에 붙어 목적어로 기능하고 있다.
⑤ (ㅁ)에서 '는'은 주격 조사를 대체하면서 '날씨'가 문장 속에서 화제임을 나타내고 있다.

15. '너와 나는 생각이 달라.'라는 문장은 두 개의 단어인 '너'와 '나'가 '와'에 의해 접속된 형태의 문장이다. 따라서 이는 '단어 접속'에 해당한다. 그러나 ⓒ는 '모범생인 준수를 좀 본받아라.'라는 문장과 '모범생인 지수를 좀 본받아라.'라는 두 개의 문장이 '와'에 의해 접속된 형태의 문장이다. 따라서 이는 '문장 접속'에 해당한다.

오답 풀이 ① ⓐ의 '-과'는 두 단어 '동양인'과 '서양인'을 접속하는 역할을 하고 있다.
② ⓑ의 '-와'는 주어 뒤에서 부사격 조사의 역할을 하고 있으며, ⓒ의 '-와'는 접속 조사의 역할을 하고 있다.
③ ⓒ는 문장 접속의 형태를 지닌 문장으로, 두 개의 문장으로 나누어질 수 있다. 그러나 ⓐ는 단어 접속의 형태를 지닌 문장으로, 두 개의 문장으로 나누어질 수 없다.
⑤ '라면을 김치와 함께 먹다.'의 '-와'는 목적어 뒤에서 부사격 조사의 역할을 하고 있으며, ⓑ의 '-와' 역시 부사격 조사의 역할을 하고 있다.

16. ㉠은 '키가 매우 크다.'라는 서술절을 안은 문장으로, 절(節)이 주어가 아닌 서술어의 역할을 하고 있다.

오답 풀이 ② ㉠은 '남자가' 대신 '남자는'으로 쓰면서 주격 조사 '가'를 보조사 '는'으로 대체하고 있다. 또 ㉢은 "너 지금 뭐 하니?"에서 주격 조사가 생략되어 있다.
③ ㉠은 '키'라는 받침 없는 체언 뒤에서 주격 조사 '가'를 사용하고 있으며, ㉤은 '학생들'이라는 받침 있는 체언 뒤에서 주격 조사 '이'를 사용하고 있다.
④ ㉤에서는 '학생들이'와 같이 주어가 사용되고 있으나, ㉢의 대화 상황에서는 "응, (나는) 밥 먹어."와 같이 주어가 생략되어 사용되고 있다.
⑤ ㉣에서는 '교육부'라는 단체 무정 명사에 주격 조사 '에서'를

사용하고 있다. 반면, ㉤에서는 '학생들'이라는 단체 유정 명사에 '이'라는 주격 조사를 사용하였다.

17. ⓐ의 '눕히다'는 '눕다'라는 자동사의 어근에 사동 접미사 '-히-'가 결합되어 형성된 사동사이다. 따라서 ㉠에 해당한다. ⓑ의 '높이다'는 '높다'라는 형용사의 어근에 사동 접미사 '-이-'가 결합되어 형성된 사동사이다. 따라서 ㉢에 해당한다. ⓒ의 '알리다'는 '알다'라는 타동사의 어근에 사동 접미사 '-리-'가 결합되어 형성된 사동사이다. 따라서 ㉡에 해당한다.

18. '먹이다, 숨기다, 낮추다'에 사용된 '-이-', '-기-', '-추-'는 사동 접미사이며, '막히다'에 사용된 '-히-'는 피동 접미사이다. '먹이다, 막히다, 숨기다'의 접미사는 피동의 의미로 동사 어근의 뜻을 제한하는 역할을 하고 있지만, '낮추다'의 접미사는 형용사 '낮다'를 동사로 파생시키는 역할을 하고 있다.
오답 풀이 ① '군소리, 짓밟다, 새빨갛다'에 나타나 있는 것처럼 접두사는 모두 어근의 품사를 파생시키지는 못하고 그 뜻만 제한하는 역할을 한다.
② '일꾼, 깨뜨리다, 높다랗다, 더욱이'에 사용된 접미사 '-꾼', '-뜨리다', '-다랗다', '-이'는 어근의 뜻만 제한하고 있을 뿐, 어근의 품사를 변화시키고 있지는 않다.
③ '먹이, 공부하다, 새롭다, 많이'의 예 중, '먹이'의 접미사 '-이'는 동사를 명사로 파생시키고 있으며, '공부하다'의 접미사 '-하다'는 명사를 동사로 파생시키고 있다. 또 '새롭다'의 접미사 '-롭다'는 관형사를 형용사로 파생시키고 있으며, '많이'의 접미사 '-이'는 형용사를 부사로 변화시키고 있다. 따라서 접미사의 일부는 어근의 품사를 파생시키는 역할을 한다고 할 수 있다.
④ 제시된 예들에 나타나 있는 것처럼, 접사는 모두 새로운 단어를 생성하는 역할을 한다고 할 수 있다.

19. 〈보기 1〉에 의하면, '어근'은 실질적인 의미를 지닌 형태소라고 하였다. 그런데 '-었-'은 실질 형태소가 아니라 형식 형태소이다. 따라서 '주었다'의 어근은 '주-'이다. 또 '-었-'은 선어말어미이므로 어간에 해당하지 않는다. 따라서 '주었다'의 어간은 '주-'이다. 결국 '주었다'는 '어근'과 '어간'이 일치한다.
오답 풀이 ① '살다'에서 '살-'은 실질적인 의미를 지닌 형태소이자 활용할 때 변하지 않고 고정된 부분이다. 따라서 '살다'의 '살-'은 어근이자 어간이다.
② '-답다'는 접사이므로 형식 형태소이다. 그리고 활용할 때 기본적으로 변하지 않는 부분이다. 따라서 '정답다'에서 '정'은 어근이며, '정답-'은 어간이다.(어간으로서 '정답-'은 ㅂ불규칙 활용을 함.)
③ '-이-'는 접사이므로 형식 형태소이다. 그리고 활용할 때 기본적으로 변하지 않는 부분이다. 따라서 '먹이다'에서 '먹-'은 어근이며, '먹이-'는 어간이다.
⑤ '오가다'는 '오다'와 '가다'의 합성어이다. 이때 '오-'와 '가-'는 실질적인 의미를 지닌 형태소이다. 따라서 '오-'와 '가-'는 어근이다. 또 '오가다'에서 활용할 때 변하지 않고 고정된 부분(어간)은 '오가-'이다.

20. 용언(동사, 형용사)은 문장에서 서술어로 쓰이며, 부사의 수식을 받을 수 있다. 그리고 상대 높임을 나타내는 보조사 '요'가 붙을 수 있다.

21. (a) 사람들, 은, 나, 에게, 코웃음, 을, 쳤다 (b) 사람, 나, 코 (c) 들, 은, 에게, 웃-, -음, 을, 치-, -었-, -다 (d) 사람, 나, 코, 웃-, 치- (e) 들, 은, 에게, -음, 을, -었-, -다

22. '남자'와 '여자'는 '인간'이라는 공통의 자질을 공유하면서도 '성(性)'의 차이에 의해 반의 관계가 성립된다. 그리고 두 단어 사이에는 '삶'과 '죽음'처럼 중간 상태를 나타내는 단어가 없다. '크다'와 '작다'의 사이에는 크지도 작지도 않은 중간 상태가 존재한다. '부모'와 '자식'은 '스승'과 '제자'의 관계처럼 서로 상대적 관계가 성립한다.
오답 풀이 ② '미혼'과 '기혼'의 관계는 중간 상태가 없으므로 (가)에 해당한다. 그러나 '사다'와 '팔다'의 관계는 서로 상대적 관계가 성립하므로 (다)에 해당하며, '뜨겁다'와 '차갑다'의 관계는 중간 상태가 존재하므로 (나)에 해당한다.
③ '짧다'와 '길다'의 관계는 중간 상태가 존재하므로 (나)에 해당한다. 그러나 '주다'와 '받다'의 관계는 상대적 관계가 성립하므로 (다)에 해당하며, '참'과 '거짓'의 관계는 중간 상태가 존재하지 않으므로 (가)에 해당한다.
④ '주다'와 '받다'의 관계는 상대적 관계가 성립하므로 (다)에 해당한다. 그러나 '많다'와 '적다'의 관계는 중간 상태가 존재하므로 (나)에 해당하며, '삶'과 '죽음'의 관계는 중간 상태가 존재하지 않으므로 (가)에 해당한다.
⑤ '희다'와 '검다'의 관계는 중간 상태가 존재하므로 (나)에 해당한다. 그러나 '오른쪽'과 '왼쪽'의 관계는 서로 상대적 관계가 성립하므로 (다)에 해당하며, '있다'와 '없다'의 관계는 중간 상태가 존재하지 않으므로 (가)에 해당한다.

23. ㉠은 부사, ㉢은 서술격 조사이다. ㉡은 형용사, ㉣과 ㉤은 동사이다. 활용이 가능한 품사는 동사와 형용사, 그리고 서술격 조사이다. 따라서 ㉢도 활용이 가능하다.
오답 풀이 ② 서술격 조사만 명사에 붙여 쓸 수 있다.
③ 형용사는 동사와 달리 명령형이나 청유형으로 쓰일 수 없는 품사이다.
④ ㉠은 부사어, ㉡은 관형어, ㉣과 ㉤은 서술어이다.
⑤ ㉠은 용언인 '새로운'을 수식하는 부사어, ㉡은 체언인 '역사'를 수식하는 관형어이다.

24. '생기다'는 '예쁘게'와 같은 부사어를 꼭 필요로 하는 서술어이다. 그러므로 ㉢에서 꼭 필요한 문장 성분은 주어, 부사어, 서술어이다.
오답 풀이 ① 대개 관형어는 문장에서 필수적으로 요구되는 성분은 아니지만, '것'과 같은 의존 명사 앞에서는 필수적으로 요구

된다.
② '되다'는 '물로'와 같은 부사어를 꼭 필요로 하는 서술어이다.
④ '마주치다'는 주어와 더불어 '장벽과'와 같은 부사어를 필요로 하는 두 자리 서술어이다.
⑤ '삼다'는 주어 및 서술어와 더불어 '수양딸로'와 같은 부사어를 필요로 하는 세 자리 서술어이다.

25. ㉠은 부사어이고, ㉡은 보어이다. 이처럼 문장 성분은 다르지만, 서술어가 반드시 필요로 하는 필수 성분이라는 점에서는 같다.
예시 답 ㉠과 ㉡의 차이점은 ㉠은 '부사어', ㉡은 '보어'라는 점이고 ㉠과 ㉡의 공통점은 문장을 이루기 위한 필수 성분이라는 점이다.

26. ③은 주어 '우리는'과 서술어 '여쭈었다'의 관계가 한 번만 나타나는 홑문장이다. 객체인 '선생님'을 높이기 위해 '여쭙다'라는 특수 어휘를 사용하고 있으며 관형어 '그'와 필수 부사어 '선생님께'가 들어 있다.
오답 풀이 ① 주어와 서술어의 관계가 두 번 나타나는 겹문장이다. 주어 '나는'과 서술어 '드렸다', 주어 '색이'와 서술어 '고운'이 이에 해당한다. 객체인 '어머니'를 높이기 위해 '드리다'라는 특수 어휘를 사용하고 있으며 관형어 '고운'과 필수 부사어 '어머니께'가 들어 있다.
② 주어 '형은'과 서술어 '뵈었다'의 관계가 한 번만 나타나는 홑문장이다. 객체인 '선생님'을 높이기 위해 '뵙다'라는 특수 어휘를 사용하고 있다. 관형어 '그'와 '뜻밖의'가 들어 있지만, 필수 부사어가 들어 있지 않다. '장소에서'는 부사어이기는 하지만, 서술어 '뵙다'가 요구하는 필수 부사어는 아니다.
④ 주어와 서술어의 관계가 두 번 나타나는 겹문장이다. 주어 '할머니께서'와 서술어 '주셨다', 주어 '(손주들이)'와 서술어 '어리다'가 이에 해당한다. 관형어 '어린'과 필수 부사어 '손주들에게'가 들어 있으나 객체를 높이는 단어가 들어 있지 않다.
⑤ 주어와 서술어의 관계가 두 번 나타나는 겹문장이다. 주어 '할아버지께서'와 서술어 '잡수신다', 주어 '(할아버지께서)'와 서술어 '즐겁나'가 이에 해당한다. 객체를 높이는 단어가 들어 있지 않다. 관형어 '엄마의'가 들어 있으나, 필수 부사어는 들어 있지 않다.

27. '무척'은 목적어인 '아들을' 앞에 와도 되고, 서술어인 '사랑하신다' 앞에 와도 된다.
오답 풀이 ① '안'의 위치는 서술어 '먹는다' 앞으로 제약된다.
② '매우'의 위치는 수식하는 부사어 '빨리' 앞으로 제약된다.
④ '핀'의 위치는 수식하는 문장 성분인 주어 '진달래꽃이' 앞으로 제약된다.
⑤ '눈이'의 위치는 '어제 눈이 오자' 안으로 제약된다.

28. 〈보기〉의 문장은 명사절 '너의 일이 잘되기'가 안겨 있는 겹문장이다. 이때 명사절은 목적어의 기능을 하고 있다. ④ 또한 명사절 '그가 성실한 사람임'이 안겨 있는 겹문장으로, 이때 명사절은 목적어의 기능을 하고 있다.
오답 풀이 ① 서술절 '나무가 많다'가 안겨 있는 겹문장이다.
② '길이 나쁘다.'와 '차가 다니지 못한다.'라는 문장이 연결된 겹문장으로, 종속적으로 연결된 이어진문장이다.
③ 부사절 '남의 도움 없이'가 안겨 있는 겹문장이다.
⑤ 관형절 '충무공이 만든'이 안겨 있는 겹문장이다.

29. '바람이 들어오다'에는 생략된 성분이 없다.
오답 풀이 ① '콧등에 흐르는'은 관형절로, '눈이 오기'는 명사절로, '바람이 들어오도록'은 부사절로, '식탐이 많다'는 서술절로 안겨 있는 문장이다.
② '콧등에 흐르는'은 체언인 '땀'을 수식한다.
③ '눈이 오기를'은 '눈이 오기'라는 명사절 뒤에 목적격 조사 '를'이 결합하여 목적어 기능을 한다.

30. '저 아이가'에서 '저'는 대명사가 아니라 관형사로, 관형어의 역할을 한다.
오답 풀이 ① 부사절인 '재주가 있게'는 '생겼구나'를 수식하는 부사어 역할을 한다.
③ '생겼구나'는 주어 '아이가'와 부사어 '재주가 있게'를 필요로 하는 두 자리 서술어이다.
④ '재주가 있-'에 '-게'가 붙어 뒤에 나오는 서술어 '생겼구나'를 수식하고 있다. '빠르게 달리다'의 '빠르게' 또한 '빠르-'에 '-게'가 붙어 뒤에 나오는 서술어 '달리다'를 수식하고 있다.
⑤ '과연'은 문장 전체를 꾸며 주는 문장 부사로, '저 아이가 과연 재주가 있게 생겼구나.'와 같이 자리를 옮길 수 있다.

31. 예시 답 적절하다. ㉠에서 명사절은 '눈이 오기'로 전을 꾸미는 관형어인데, 여기에는 생략된 성분이 없다. ㉡에서 명사절은 '우리가 지금 무엇을 하느냐'인데 여기에도 생략된 성분이 없다. ㉢에서 명사절은 '학교 가기'인데, 여기에는 '동생이'와 같은 주어가 생략되어 있다.

32. 감탄형 어미 '-구나'는 동사 '되다'나 형용사 '좋다'에 모두 쓰인다. 감탄형 어미 '-어라'는 '덥다'와 같은 형용사에는 쓰이지만, '되다'와 같은 동사에는 쓰이지 않는다.
오답 풀이 ① '좋구나!', '좋구먼!', '좋구려!' 등 종결 표현을 달리하여 상대 높임법을 적용하고 있다.
② '아이고! 더워라!'와 같이 감탄형 어미 '-어라'는 청자를 고려하지 않은 독백에서 나타난다.
④ '아이고! 영희가 더워라!'는 비문으로, 감탄형 어미 '-어라'는 느낌의 주체가 말하는 이가 아니면 감탄문으로 성립하지 않는다는 것을 알 수 있다.
⑤ '되는구나!'와 같이 감탄형 어미 '-구나'는 현재 시제 선어말어미 '-는-'과 결합하여 쓰이기도 한다.

33. '우리 함께 학교에 가자.'라고 하였으니, 문장의 주어는 듣는 이뿐만 아니라 말하는 이도 포함된다. 청유형 문장이므로 서술어로는 동사만 올 수 있다.

34. '파도가 노래하는 바닷가 마을이 내 고향이라면 참 좋겠다.'에서 '-이라면'은 서술격 조사 '-이다'가 문장 속에서 활용된 것으로, '파도가 노래하는 바닷가 마을은 내 고향이다.'라는 문장과 '나는 참 좋겠다.'라는 문장을 연결해 주는 기능을 하므로 (ㄴ)에 해당한다.
오답 풀이 ① '나는 꽃을 사랑하는 사람이에요.'에서 '-이에요'는 종결형에 해당한다.
② '이 음식은 우리 집 강아지들의 먹이다.'에서 '-(이)다'는 종결형에 해당한다.
③ '이것은 파인애플이요, 저것은 바나나이다.'에서 '-이요'는 연결형에 해당한다.
④ '여기가 살기에 정말 좋은 곳임을 이제야 알았다.'에서 '-임'은 명사형에 해당한다.

35. '연세'는 높여야 할 인물인 '부모님'과 관련된 것을 높이는 명사이고, '모시다'는 객체인 '부모님'을 높이는 용언이다.
오답 풀이 ① '성함'은 높여야 할 인물과 관련된 것을 높이는 명사이다.
② '드리다'는 객체를 높이는 용언이다.
③ '선생님'은 높여야 할 인물을 직접 높이는 명사이다.
⑤ '주무시다'는 주체를 높이는 용언이다.

36. ⓐ '아버지께서 축구를 하셨습니다.'는 조사 '께서'와 선어말 어미 '-시-'를 통해 주체인 '아버지'를 높이고 있다. 또한 '-습니다.'와 같은 종결 표현을 통해 청자를 높이고 있다. 그러므로 주체와 청자는 모두 화자보다 상위자이다.
ⓒ '영호가 축구를 했습니다.'는 '-습니다.'와 같은 종결 표현을 통해 청자를 높이고 있다. 한편 '영호가'라고 하였으므로, 주체인 '영호'는 화자보다 낮거나 동등한 관계라고 할 수 있다.

37. '학생이던'에서 알 수 있듯이, 서술격 조사에 관형사형 어미 '-던'이 붙으면 과거 시제가 된다.
오답 풀이 ② '어제'와 같은 시간 부사어가 사용되면 시제가 명확해진다.
③ '포근하다'와 같은 형용사는 선어말 어미가 결합되지 않더라도 현재 시제를 나타낸다.
④ '하다'의 어간에 선어말 어미 '-ㄴ-'이 결합되어 현재 시제가 실현되었다.
⑤ '-겠-'은 의지를 함께 드러내는 선어말 어미이다.

38. '믿겨지다'를 분석하면 '믿-+-기-+-어지다'인데, 이는 이중 피동에 해당한다. 피동 접미사 '-기-'가 쓰이고 있는데, 또 다른 피동 표현인 '-어지다'를 덧붙였기 때문이다. '믿기지'라고 쓰면 된다.
오답 풀이
① 써지다 : 쓰-+-어지다
② 멀어지다 : 멀-+-어지다
④ 끊어지다 : 끊-+-어지다
⑤ 이루어지다 : 이루-+-어지다

39. ㉡의 경우 타동사인 '읽다'에 대응하는 사동사 '읽히다'가 있다.
오답 풀이 ① ㉠의 A의 주어 '철수가'는 C에서 목적어 '철수를'로 나타난다. ㉡의 A의 주어 '철수가'는 C에서 부사어 '철수에게'로 나타난다.
② ㉠의 A에서 서술어의 자릿수는 한 자리이고, B에서는 두 자리이다. ㉢의 A에서 서술어의 자릿수는 한 자리이고, B에서는 두 자리이다.
③ ㉡의 A는 홑문장이고, B도 홑문장이다. ㉢의 A는 홑문장이고, B도 홑문장이다.
⑤ ㉢에서 A의 서술어 '높다'는 형용사인데, '높이다'와 같은 사동사나 '높게 하다'와 같은 사동문을 만들 수 있다. ㉣에서 A의 서술어 '치다'는 동사인데, '치게 하다'와 같은 사동문을 만들 수 있다.

40. '불리다'는 능동사 어근 '부르-'에 피동 접미사 '-이-'가 붙어서 만들어진 피동사이다. '찍히다'는 능동사 어근 '찍-'에 피동 접미사 '-히-'가 붙어서 만들어진 피동사이다.
오답 풀이 ① '달리다'는 접미사가 붙지 않은 단일어로, 피동의 의미를 담고 있지 않다.
② '낮추다'는 주동사 어근 '낮-'에 사동 접미사 '-추-'가 붙어서 만들어진 사동사이다.
④ '이기다'는 접미사가 붙지 않은 단일어로, 피동의 의미를 담고 있지 않다.
⑤ '보이다'는 주동사 어근 '보-'에 사동 접미사 '-이-'가 붙어서 만들어진 사동사이다.

41. '생각되어집니다.'는 피동사가 남용된 표현으로, 피동 접미사 '-되다'와 또 다른 피동 표현인 '-어지다'가 중복되어 있다. '생각됩니다.'로 쓰면 된다. 한편, 문맥상 '차에 친'은 피동 접미사 '-이-'를 붙여 '차에 치인'으로 바꾸어야 한다.
오답 풀이 ② 이 문장에서 주체는 '고모'이고, 청자와 객체는 '할머니'이다. 청자와 객체를 높이고 있는 문장으로, 주체를 높이고 있지는 않다.
③ 부사가 아닌 부정 용언 '아니하다'를 통해 실현된 부정 표현이다. '교실에서는'에서 알 수 있듯이, 보조사 '는'을 통해 중의성을 해소하고 있다.
④ '부딪히는'에 쓰인 '-히-'는 피동 접미사이고, '좁히다'에 쓰인 '-히-'는 사동 접미사이다.
⑤ 2개의 문장으로 이루어진 겹문장으로, 서술절 '마당이 좁다'를 안고 있는 문장이다. 안긴문장인 서술절은 서술어의 역할을 하고 있을 뿐, 주어의 역할을 하고 있지는 않다.

42. ㉰를 짧은 부정문으로 고치면 '그는 넘어져서 다시 못 일어났다.'인데, 긴 부정문과 비교했을 때 그 의미가 달라지지 않는다.

오답 풀이 ① 기본적으로 부정 표현은 중의문으로 해석된다. ㉮ 역시 회원 모두가 안 온 것인지, 몇 명만 온 건지 그 의미가 불분명한 중의문이다. 중의문을 해소하는 방법은 여러 가지가 있는데 제시된 문장은 보조사 '는'을 사용하여 중의성을 해소하고 있다.

② 〈보기 1〉의 2문단에서 서술격 조사가 사용된 문장에서는 의지 부정, 능력 부정 표현이 모두 사용되지 않는다고 하였으므로 적절하다.

④ 〈보기 1〉과 (1)-ㄴ, ㄷ을 통해 형용사에 쓰인 안 부정문은 상태 부정문임을 알 수 있으므로 ㉱ 역시 이를 보여 주는 사례라 할 수 있다.

⑤ 〈보기 1〉의 (1)-ㄴ를 통해 '못'이 형용사의 부정 표현으로 사용될 수 없음을 알 수 있고, ㉲를 통해 '못'이 동사의 부정표현으로 사용될 수 있음을 알 수 있으므로 적절하다.

43. 〈보기〉는 내용적 측면에서 화자가 어떤 주제를 전달하고자 하는지, 즉 화자의 의도가 무엇인지 잘 드러나지 않는다. 따라서 담화의 통일성을 갖추고 있지 않다. 그러나 '그곳, 그, 이만한, 그러나' 등 지시 표현, 대용 표현, 접속 표현 등을 잘 활용하여 문장을 자연스럽게 연결하고 있다. 따라서 담화의 응집성은 잘 갖추어져 있다.

Ⅲ 매체 언어의 탐구와 활용

pp. 205~210

01 ③	02 ④	03 ③	04 ⑤	05 해설 참조	06 ④
07 ①	08 ③	09 ③	10 해설 참조	11 ①	12 ④
13 ⑤	14 해설 참조	15 ⑤	16 ⑤	17 ②	18 ③

01. 인터넷 매체인 (가)와 방송 매체인 (나)는 모두 동영상과 소리, 문자 등을 복합적으로 사용하여 정보를 구성할 수 있다.

오답 풀이 ① 전문적이고 깊이 있는 내용을 다룰 수 있는 것은 (다)이다.

② 실재감이 높은 것은 방송 매체인 (나)이다.

④ 누구나 정보 생산의 주체가 될 수 있는 것은 (가)이다.

⑤ (나)는 방송 매체이므로 문자 언어보다 영상과 음성, 음향의 역할이 크다.

02. (가)에서 스매시 기술을 설명하는 데 사진 자료를 활용하고 있지 않다.

오답 풀이 ①, ②, ③, ⑤ (가)는 문자 언어를 기본으로 동영상 자료를 활용하고 있으며, 추가 정보는 하이퍼링크를 연결해 알아볼 수 있게 하였다. 또한 댓글을 통해 수용자와 소통하고 있다.

03. 동글이의 댓글이 정당하지 않게 상대방을 공격하고 비난하고 있다는 점에서 악성 댓글로 볼 수 있지만, 비속어를 사용한 것은 아니므로 이와 같은 진술은 적절하지 않다.

오답 풀이 ① '-각'이라는 용어는 청소년들에 의한 신조어로 아름다운 우리말이 아니므로, 언어 정화의 대상이 된다.

②, ⑤ 나그네와 답변왕은 선플 운동이 지향해야 하는 매체 언어 생활의 태도를 보여 주고 있다고 할 수 있다.

④ 양비론적인 비난을 보여 주고 있는 '무지개'의 댓글은 악성 댓글로 볼 수 있다.

04. (다)가 표제와 전문, 본문과 같은 신문 기사의 기본적인 구성 요소들을 사용하여 작성되었으나 표제를 보충하는 작은 제목인 부제를 사용하지는 않았다.

오답 풀이 ① 시민의 체험 내용을 첫 문단에 제시하고 있다.

② 모기 감시 현황 추이를 시각 자료로 제시하고 있다.

③ 비가 많이 내린 상황과 비가 오지 않은 상황을 제시하여 모기의 급감 이유를 분석하고 있다.

④ 전문 부분은 색을 입혀 잘 보이도록 하고 있다.

05. **예시 답** 정보 제공 속도나 정보 제공자의 범위에 있어 모두 인터넷 매체가 가장 우위에 있으며, 인쇄 매체가 가장 느리고 좁다.

06. (가)는 동영상 광고이고, (나)는 애니메이션, (다)는 마블링 아트 비디오이다. 이들은 모두 창의적인 표현 방법과 심미적 성취가 뛰어난 매체 자료로서, 이를 통해 수용자의 흥미를 불러일으키며, 수용자에게 정서적 고양을 경험하게 한다.

오답 풀이 ① (가)와 (나)는 인터넷을 기반으로 유통되지 않는다.
② (나)와 (다)는 설득의 목적으로 생산된 자료가 아니다.
③ 상황에 따라 생산자와 수용자가 친밀한 정서를 공유할 수는 있으나, 이것이 직접적으로 드러나지는 않는다.
⑤ (가)~(다) 모두 정보의 측면에서 전문적이고 유용하다고 평가할 만한 자료는 아니다.

07. (가)는 증강 현실을 이용하여 도심에 호랑이가 등장하는 듯한 착각을 불러일으키고 있고, 〈보기〉는 버스 정류장 옥외 광고판에 그려진 머리가 마치 의자에 앉아 있는 남자의 머리인 듯한 착각을 불러일으켜 재미를 주고 있다
오답 풀이 ②, ③ 〈보기〉에는 가상의 상황이나 증강 현실이 나타나지 않는다.
④ 〈보기〉에 일반인들의 반응은 제시되어 있지 않다.
⑤ (가)에는 예상에 어긋나는 인물의 행동이 제시되어 있지 않다.

08. 자식을 향한 아버지의 헌신적 사랑은 인류의 보편적인 주제로, 그것을 다루고 있다고 해서 수준이 낮은 작품이라 폄하하는 것은 적절하지 않다.
오답 풀이 ①, ② (나)는 대중문화의 한 양식인 애니메이션 매체로 만들어졌으며, 자연을 파괴하는 인간의 이기심을 비판적으로 다루고 있다.
④, ⑤ (나)는 색감의 변화와 대사 없이 인물의 행동과 배경 음악 정도로 주제를 전달하고 있다는 점에서 미학적이고 문화적 성취가 높은 작품이라 할 수 있다.

09. 심미성이란 작품의 아름다움을 살펴 찾으려는 성질이고, 심미적 관점은 이런 성질에 입각하여 작품을 바라보는 것으로, 이런 관점에서 (다)를 감상하고 있는 것은 작품 자체의 아름다움에 대해 평가하고 있는 ③이다.
오답 풀이 ① 반 고흐의 작품을 재해석한 작품이라는 정보를 인식하는 것은 그 자체를 심미적 관점으로 보기 어렵다.
② 단지 기법을 참신하게 느꼈다는 것을 심미적 관점으로 보기 어렵다.
④, ⑤ 작품이 아닌 작가의 행위와 위상에 대한 평가를 심미적 관점에서의 작품 감상으로 보기는 어렵다.

10. 예시 답 창의성은 수용자로 하여금 생산 자료에 대해 관심을 갖게 하거나 생산 자료를 인상 깊게 보게 하는 효과가 있다.

11. 복습을 통해 배운 내용을 더 잘 이해할 수 있기는 하지만 미리 준비하지 않고 수업에 임하면 수업 시간에 배울 내용을 충분히 이해하기 어려운 경우가 있기 때문에, 예습 역시 중요하다고 할 수 있다. 또한 글쓴이가 우려하는 것처럼 사회적 문제가 된 것은 '과도한 선행 학습'이지 상식적 수준에서의 예습이 아니므로, 이를 근거로 예습을 부정적인 것으로 보는 것은 타당하지 않다.
오답 풀이 ⓒ 선행 학습이 되지 않은 아이가 뒤처지는 것은 사회적 관점에서 예습이 부족한 것이라 판단할 수는 있지만 선행 학습 자체가 사회적 문제가 되는 상황에서 그것을 옳다고 할 수는 없다.
ⓓ 복습보다 예습이 효율적이라는 것에 대한 근거가 제시되어 있지 않으므로, 이와 같은 진술은 반박의 근거가 될 수 없다.

12. (나)의 전달 목적이 청양 고추·구기자 축제에 많은 사람들이 올 수 있도록 하는 것이기 때문에, 다른 축제 블로그를 링크로 연결하여 소개하는 것은 적절하지 않다.

13. 미용과 최신 유행의 주제는 한 인기 연예인의 1인 방송의 주제일 뿐, 그 주제가 한류의 원천으로 자리를 잡았다는 것은 (다)를 통해 확인할 수 없다.
오답 풀이 ①, ② 기자의 말을 통해 확인할 수 있다. ③, ④ 연구원의 인터뷰 내용을 통해 확인할 수 있다.

14. 예시 답 방송에 대한 조회 수는 사람들이 그 방송을 얼마나 많이 찾아보는가를 보여 주는 지표로, 이는 곧 방송의 인기를 가늠하는 척도가 된다. 따라서 사람들의 관심을 받기 위해 선정적이거나 폭력적인 내용을 다루는 경우가 있다.

15. (가)는 친교적 기능을 갖는 인터넷 카페이고, (나)는 동영상 공유 사이트로 댓글을 통해 다른 사람과 친교를 맺을 수 있는 기능을 갖고 있다. (다)는 인터넷 매체를 통한 소통에서 나타날 수 있는 사이버 불링이라는 문제를 다루고 있는데, 이는 댓글과 같은 친교적 기능의 사용에서 나타날 수 있는 문제점이다.

16. 인터넷 카페를 이용할 때, 익명성에 기대어 남을 헐뜯거나 무책임한 글을 양산하는 것은 문제이지만, 그렇다고 모든 게시판에 실명을 사용해야 하는 것은 아니다.

17. (나) 매체는 공연 동영상을 공유하는 사이트이지, 공연 현장이 아니므로 공연자와 관객 간의 직접적 소통이 이루어질 수 없다.
오답 풀이 ①, ③ 사이트에 업로드된 공연 영상을 여러 사람과 공유하거나 대량으로 전파할 수 있다.
④ 조회 수에 따라 광고가 붙기도 하는데, 이는 상업적인 이익으로 연결된다.
⑤ 저작권이 있는 공연 영상을 무단으로 올릴 경우 저작권 분쟁이 일어날 수 있다.

18. 남에게 '악성 댓글'을 다는 손을 깨끗이 닦으라는 의도를 가진 것으로, 매체 언어생활을 하는 데 있어 상대방에 대한 예의를 갖추자는 의미이다.
오답 풀이 ①, ②, ④, ⑤ ㉠은 남에게 함부로 말하지 말고 예의를 갖추자는 의미로, 옷의 스타일에 대한 언급이나 남의 잘못을 지적하지 말라는 의미가 아니다. 또한 몸가짐이나 수양과 관련된 내용도 아니다.

Ⅳ 국어의 역사와 문화

pp. 211~216

01 ② **02** ③ **03** ⑤ **04** ① **05** ④ **06** ⑤ **07** ⑤ **08** ⑤ **09** ⑤ **10** ④ **11** ④ **12** ⑤ **13** ③ **14** ①

01. ‘길동군(吉同郡)’의 ‘길(吉)’ 자는 한자의 뜻이 ‘길하다’이다. 이는 ‘길다’라는 뜻의 소리를 취한 ‘영동군(永同郡)의 ‘영(永)’과 달리 뜻을 버리고 소리를 취한 표기법에 해당한다.

02. ‘나흔거시 무어신고ᄒᆞ니’에 사용된 ‘–니’는 어떤 사실을 먼저 진술하고 이와 관련된 다른 사실을 이어서 설명할 때 쓰는 연결 어미이다.

__오답 풀이__ ① ‘ᄯᅩ’, ‘ᄣᅦ여’, ‘ᄭᅡᄃᆞᆰ’ 등에서 ‘ㅅ계 합용 병서’가 쓰이고 있다.

② ‘알다’의 표기를 보면 ‘알어’, ‘잘아ᄂᆞᆫ’, ‘알어셔’, ‘알어보기’, ‘알아보니’ 등으로 끊어적기를 하기도 하고, ‘아러보지’처럼 소리 나는 대로 이어적기를 하기도 하였다.

④ 양성 모음은 양성 모음끼리 음성 모음은 음성 모음끼리 어울리는 모음 조화 현상이 ‘알어’에서 혼란한 양상을 보이고 있다.

⑤ ‘ᄇᆡ오기가’, ‘보기가’ 등에 명사형 어미 ‘–기’가 사용되었다.

03. ‘셔울>서울, 죻–>좋–’으로 변하는 과정에 단모음화가 일어난다. 이러한 단모음화는 근대 국어에서 현대 국어로 옮겨 가는 시기에 일어난 변화로 볼 수 있다.

__오답 풀이__ ① ‘셔ᄫᅳᆯ>셔울’의 변화에서 확인할 수 있다.

② ‘ᅀ’의 소멸은 ‘ᄆᆞᅀᆞᆷ>ᄆᆞᄋᆞᆷ’으로 변화하는 중세 국어와 근대 국어 사이에서 일어났다.

③ ‘ᄆᆞᅀᆞᆷ>마음’으로 변화한 것에서 알 수 있다.

④ ‘둏–>죻–’으로 변화하는 것에서 알 수 있다.

04. ⓐ와 ⓔ는 현재 시제 선어말 어미 ‘–ᄂᆞ–’가 사용되었고, ⓓ의 ‘기드리더니’는 회상의 의미를 가진 선어말 어미 ‘–더–’가 사용되었다. 그러나 ⓑ의 경우, 과거 시제의 의미를 가진 문장이나 시간 표현 선어말 어미가 사용되지는 않았다.

__오답 풀이__ ② 현대 국어에서는 볼 수 없는 ‘ㅸ, ㅿ’ 소리가 이 시기에 사용되고 있었는데, 이 소리들은 근대 국어 시기까지 이어지지 않고 그 전에 소멸의 길을 걸었다.

③ ‘은’은 보조사이다. 격조사 자리에 보조사가 위치하는 것은 현대 국어와 유사함을 알 수 있다.

④ 주체 높임을 위해 선어말 어미 ‘–시–’가 사용된 것으로 보아 주체 높임 선어말 어미는 현대 국어와 같음을 알 수 있다.

⑤ ‘녀르믈’, ’펴듀믈’은 음성 모음 다음에 목적격 조사 ‘을’이 사용된 경우이며, ‘信受호ᄫᆞᆯ’과 ‘오ᄫᆞᆯ’, ‘몯호ᄫᆞᆯ’은 양성 모음 다음에 목적격 조사 ‘ᄋᆞᆯ’이 사용된 경우이다. 그러므로 모음 조화에 따라 서로 다른 목적격 조사가 사용되었음을 알 수 있다.

05. ‘자(字)’는 모음 ‘ㅣ’ 이외의 모음으로 끝난 체언이므로 주격 조사 ‘ㅣ’를 사용한다. ‘불휘’는 ‘ㅣ’ 모음으로 끝난 체언에 해당하므로 ‘ø’을 사용한다. ‘나라ㅎ’은 자음으로 끝난 체언이므로 주격 조사 ‘이’를 사용한다.

06. ‘듣ᄌᆞᆸ고져’의 ‘–ᄌᆞᆸ–’은 ‘정법(正法)’을 높이는 선어말 어미이다. 이는 높임의 대상인 ‘무량수불(無量壽佛)’의 신체, 소유물, 생각 등을 높이는 간접 높임에 해당한다.

__오답 풀이__ ① ⓐ는 ‘태자ᄭᅴ’에서, ⓔ는 ‘무량수불(無量壽佛)ᄭᅴ’에서 조사 ‘ᄭᅴ’를 사용하여 객체를 높이고 있다.

② ⓑ에서는 ‘–ᄉᆞᆸ–’을 사용하여 ‘님긊 은혜’를 높임으로써 간접적으로 ‘님금’을 높이고 있다.

③ 객체 높임 선어말 어미는 앞말이 모음 등 울림소리로 끝난 경우 ‘–ᅀᆞᆸ–’이 사용된다.

④ ‘보살들’은 행위의 주체이므로 ‘보살들’을 높일 경우 주체 높임 선어말 어미 ‘–시–’를 사용해야 한다. ‘보ᅀᆞᆸ고’의 ‘–ᅀᆞᆸ–’은 객체 높임 선어말 어미이므로 ‘보살’을 높일 수 없다. “–ᅀᆞᆸ–’은 ‘광명이 너비 비취시논 곧’을 높이는 선어말 어미이다. 그리고 이는 ‘광명’을 간접적으로 높이고 있다.

07. (가)의 [예제]는 우리 사회에서 발생하는 갈등을 새로운 개념의 합의를 통해서 관리하고 해결해야 한다고 주장하고 있다. 따라서 공익 광고로 제작하는 것이 좋다. (나)에서 설명하는 국어 자료는 광고문으로 겉으로는 정보의 전달이 목적이지만 그 이면에는 독자를 설득하려는 의도가 담겨 있다. 공익 광고의 경우 대중을 설득하고 행동을 변화시키고자 하는 목적으로 만들어진다. 따라서 글쓴이의 주장이나 의견을 배제하고 작성한다는 ⓜ의 언급은 국어 자료의 내용과 전달 방식을 잘못 파악한 것이 된다.

08. 각 매체에 따라 표현 수단과 그것이 지니는 특성과 효과가 다르다. 따라서 광고를 할 때에는 광고 목적에 맞는 적절한 매체를 선택하는 것이 좋다. 사람들이 선호하는 매체라 하더라도 광고의 목적과 부합하지 않는다면 의도한 설득의 효과를 거둘 수 없다.

__오답 풀이__ 광고를 전달하는 매체와 설득 전략을 살펴보면 다음과 같다.

매체 종류	설득 전략
인쇄 매체	문자의 시각화, 비유적 표현, 그림, 사진 등의 시각적 자료 활용
라디오 매체	직설적 말하기, 어조, 운율, 효과음 등을 사용하여 전달 효과를 높임.
텔레비전 매체	이야기 형태의 동영상, 문자 언어와 배경 음악을 활용함.

09. [A]는 설득의 기능을 담고 있는 국어 자료이고 [B]는 광고문으로 표면적으로 정보의 전달이 목적이지만 그 이면에는 독자를 설득하려는 의도가 담겨 있는 국어 자료이다. [C]는 기사문으로 독자에게 실제 사건이나 상황이 전개되는 모습을 알려 주는 국어 자료이다. 따라서 세 국어 자료는 간결하고 명료한 표현으

로 내용을 전달하려 한다는 언어적 특징을 지닌다.

10. (다)의 [예제]에 사용된 국어 자료에 육하원칙이 적용되어 있지는 않다. 또한 육하원칙을 통해 신뢰성을 확보하려고 하지도 않았다. (다)의 [예제]에 제시된 기사문은 저작권법 위반 사례를 가지고 저작권법에 대한 인식의 변화가 필요하다는 전문가의 의견을 전달하면서 자신의 의견을 드러내고 있을 뿐이다.

11. '맞먹다'는 '맞+먹다'로 분석된다. '맞'은 제 9항에 따라 [맏]으로 발음된다. 그리고 '먹다'는 제23항에 따라 [먹따]로 발음된다. 그리고 [맏+먹따]는 제18항의 규정에 따라 [만먹따]로 발음된다. 따라서 [맏먹따]는 잘못된 발음이다.

오답 풀이 ① '국물'은 'ㄱ'이 'ㅁ'의 영향을 받아 'ㅇ'으로 발음되는 비음화 현상이 일어난다.(제18항)

② '밟다'의 '밟'은 [밥]으로 발음된다. 그리고 [ㅂ] 뒤에서 '-다'는 제23항의 된소리되기에 의해 [밥:따]으로 발음된다.(제10항, 제23항)

③ '꽃망울'은 '꽃'과 '망울'이 결합한 합성어이다. 그러므로 음운 변동 과정을 살펴보면 [꼳+망울 → 꼰망울]이 된다.(제9항, 제18항)

⑤ '홑이불'은 접두사 '홑-'과 명사 '이불'이 결합한 파생어이다. '홑'은 끝소리 규칙에 의해 [혼]으로 발음되며, 뒤이어 나오는 '이불'은 'ㄴ 첨가' 현상이 일어난다. 그리고 비음화 현상이 나타난다. 따라서 [혿-+이불 → 혿-+니불 → 혼니불]의 음운 변동 과정을 거친다.(제9항, 제18항)

12. '갈등'은 표준 발음법 '한자어에서, 'ㄹ' 받침 뒤에 연결되는 'ㄷ, ㅅ, ㅈ'은 된소리로 발음한다.'의 규정에 해당하는 것으로 [갈뜽]으로 발음한다. 그러므로 소리 나는 대로 적은 것('갈뜽')과 어법에 맞도록 적은 것('갈등'), 두 가지의 형태가 다르다.

오답 풀이 ① '한글 맞춤법은 표준어의 발음을 그대로 반영하는 표기 방식이 근본 원칙이 되고, 거기에 어법에 맞도록 한다는 원칙이 덧붙어 있다.' 즉 '빛이'를 소리 나는 대로 '비치'로 적는 것이 근본 원칙이다. 그러나 이러할 경우 어휘의 의미를 쉽게 파악할 수 없으므로 '어법에 맞도록' '빛이'라고 표기하는 것이다.

② '먹어'의 '먹-'은 어법에 맞도록 표기한 경우에 해당하므로 뜻을 쉽게 파악하기 위한 표기의 사례이다.

③ '소리가'는 특별한 음운 변동 현상이 나타나지 않고 [소리가]로 발음된다. 그러므로 소리 나는 대로 표기한 경우에 해당한다.

④ '밑에서'를 소리 나는 대로 적는다면 '미테서'라고 표기할 것이다. 이러한 경우 '밑'이라는 의미를 파악하기 어려우므로 독서의 효율이 떨어질 것이다.

13. '제3항 1에 따르면 '어말 또는 자음 앞의 [s], [z], [f], [v], [θ], [ð]는 '으'를 붙여 적는다'고 하였다. 그러므로 ③은 적절한 표기이다.

오답 풀이 ① 제3항 2에 따르면 'shark's'는 '샤크스'라고 표기하여야 하며, 'shark's fin'은 '샤크스 핀'이라고 표기하여야 한다. 다만 'shark's fin'의 경우 '샥스핀'으로 표기하는 것도 인정하는데, 이는 외래어 표기의 기본 원칙 제5항의 '이미 굳어진 외래어는 관용을 존중하되, 그 범위와 용례는 따로 정한다.'라는 규정에 따른 것이다. 그러므로 〈보기〉를 고려한 표기라고 보기 어렵다.

② 제3항 1에 따르면 '그래프'라고 표기하는 것이 적절하다.

④ 제3항 3에 따르면 '미라제'라고 하지 않고 '미라지'라고 표기하여야 한다.

⑤ 제3항 2에 따르면 'shopping'의 'sh'는 모음 'o' 앞에 있으므로 '쇼'로 표기하여야 한다. 그러므로 '쇼핑'이 적절한 표기이다.

14. "독도'는 고유 명사이나 행정 구역이 아닌 섬에 해당한다. 그러므로 제5항에서 언급한 붙임표를 넣어서는 안 된다. 'Dokdo'가 올바른 표기이다.

오답 풀이 ② 제3항에 해당하는 표기이다.

③ 제6항에 해당하는 표기이다.

④ 붙임표를 제거하고 'Haeundae'로 표기할 경우 '해운대'로 읽을 수도 있지만 '하은대'라고 읽을 수도 있다. 따라서 제2항에 따른 표기라 볼 수 있다.

⑤ '충청북도'의 '도'는 행정 구역 단위에 해당하므로 붙임표를 붙여야 한다. 제5항에 해당하는 표기이다.